suhrkamp taschenbuch 159

Martin Walser, 1927 in Wasserburg (Bodensee) geboren, lebt heute in Nußdorf (Bodensee). 1957 erhielt er den Hermann-Hesse-Preis, 1962 den Gerhart-Hauptmann-Preis und 1965 den Schiller-Gedächtnis-Förderpreis. 1981 wurde Martin Walser mit der Heine-Plakette der Düsseldorfer Heine-Gesellschaft ausgezeichnet. Prosa: *Ein Flugzeug über dem Haus und andere Geschichten; Ehen in Philippsburg; Halbzeit; Lügengeschichten; Das Einhorn; Fiction; Aus dem Wortschatz unserer Kämpfe; Die Gallistl'sche Krankheit; Der Sturz; Jenseits der Liebe; Ein fliehendes Pferd; Seelenarbeit; Das Schwanenhaus.* Stücke: *Eiche und Angora; Überlebensgroß Herr Krott; Der Schwarze Schwan; Der Abstecher/Die Zimmerschlacht; Ein Kinderspiel; Das Sauspiel, Szenen aus dem 16. Jahrhundert.* Essays: *Erfahrungen und Leseerfahrungen; Heimatkunde; Wie und wovon handelt Literatur; Wer ist ein Schriftsteller?* Aufsätze und Reden; *Selbstbewußtsein und Ironie.* Frankfurter Vorlesungen.

Mit dem Roman *Das Einhorn* − dem zweiten Teil der Trilogie Anselm Kristlein, die mit dem *Sturz* abgeschlossen wurde − hat Walser einen Liebesroman und gleichzeitig dessen Entstehungsgeschichte geschrieben. Der Vertreter und Werbemann Anselm Kristlein der *Halbzeit* ist Schriftsteller geworden. Er erhält den Auftrag, ein Buch über die Liebe zu schreiben. Sich selbst macht er zum Helden des Romans. Die literarische Erinnerung wird ihm zur Reise in die Wirklichkeit: Tätigkeiten, Orte und Personen aus seiner Vergangenheit tauchen auf. Vor allem aber Frauen, die ihn von sich selbst ablenken, die seine Erwartung, das Einhorn, übermächtig werden lassen. Die Niederschrift seiner Frauenbekanntschaften sind Einübungen in die Darstellung des Erlebnisses, das sich nicht erzählen läßt, der Begegnung mit Orli. Fern von ihr, daheim im Bett, prüft Anselm seine Erinnerung, prüft, was von jener Orli noch übrigblieb. Das Schreiben bestätigt den Verlust, die verlorene Zeit bleibt verloren. Und die Suche nach »Wörtern für Liebe« gerät zum Nachruf auf des Unwiederbringliche − einer natürlichen Form des Liebesromans.

Martin Walser
Das Einhorn

Roman

Suhrkamp

suhrkamp taschenbuch 159
Sechste Auflage, 45.–54. Tausend 1981
© Suhrkamp Verlag Frankfurt am Main 1966
Suhrkamp Taschenbuch Verlag
Satz: Georg Wagner, Nördlingen
Druck: Ebner Ulm
Printed in Germany
Umschlag nach Entwürfen von
Willy Fleckhaus und Rolf Staudt

Lage I

Ich bin mein Erinnern.
Augustin

Ich liege. Ja. Ich liege. Ich hätte diesen Umstand lieber verschwiegen. Aber es fehlt mir offenbar an Macht über mich selbst. Ich liege. Schüchternheit, Klugheit rief ich zur Hilfe gegen das schmächtig schrille Sätzchen. Ich liege. Mit Stottern und Zögern scheuchte ich den dünnen Verratsschrei zurück. Aber die dumme Bekenntnissucht war nicht zu bändigen. Ich liege. Protegiert von meinen niedrigsten Fähigkeiten, wurde das Sätzchen immer frecher, radierte rabiat in mir herum, kratzte als Hustenreiz, boxte als überreife Schwangerschaft, machte mir Enge und Ohrensausen und klopfte mich ab nach der durchlässigen Stelle. In der Hoffnung auf regelmäßige Atmung gebe ich nach, lasse es zur Welt kommen als das schlecht pfeifende Satzgeräusch, das mich denunziert. Ich liege. Ja-ja, wir wissen es jetzt. Der säuerliche Geständnisgeruch ist durchdringend geworden. Wer denkt jetzt nicht an gebrochene Milch! Wer wirft mich jetzt nicht zu den verschwitzten Klaustrophilen! Und ich wäre doch viel lieber herrlich aufgetreten. In einer Luft aus Seide, zum Beispiel. Wehend. Auf ein Banner gestickt. Aber ich liege. Das ist ein Geständnis, weil ich mich nicht rühmen kann, an einer phantastischen Weltstelle zu liegen. Ich liege leider nicht im absoluten Sand, wese nicht in theologischem Exkrement, bin kein radikales Wrack, beiße nicht in die interessante Luft der langen Weile, bin nicht einmal ein kaltes lustiges Ungetüm, strotze nicht vor Sonderbarkeit, bin also keine Fleisch und Wort und Wortfleisch gewordene Geißel, an deren Schlägen sich jeder laben kann. Ich liege lediglich in meinem eigenen Bett, das im fünften Stock eines Mietshauses steht. Das Mietshaus ist zwar gelb, steht aber in München. Die Straße heißt allerdings Marsstraße. Und der fünfte Stock, sagt man mir, war immerhin einmal ein Dachboden und wurde bewohnbar gemacht erst nach dem Krieg. Aber jede Aussicht auf ein wenig Sonderbarkeit wird gleich wieder vernichtet, wenn ich, wie ich wohl muß, jetzt mitteile, daß mein Bett nicht allein im Zimmer steht, allein überhaupt nicht möglich ist, weil es gedacht und hergestellt ist als die linke Hälfte eines Bettzwillings, den man Ehebett nennt.

Wäre ich ein Künstler, hätte also Talent zum Aberglauben und könnte mir einbilden, mein Kopf sei nicht bloß eine mündelsichere, karg verzinsende, wenn auch ziemlich kontenreiche Sparkasse, sondern Käfig, Tempel und Hort des sagenhaften Phantasievogels, dann wäre trotz aller schon zugegebenen Gewöhnlichkeit noch nichts verloren. Das Ehebett ließe sich jetzt noch schön fälschen in eine raunende Bettstatt, erworben aus dem Nachlaß Cagliostros, der Romanows oder gar aus der mondfarbenen Konkursmasse des Bayernhamlet Ludwig-Zwei. Wieder ist es die elende Bekenntnissucht, die mich hindert, auf künstlerischem Schleichweg doch noch Interesse für mich zu erwecken bei den ungewöhnlichen Menschen, die jetzt zahlreicher zu werden drohen als die gewöhnlichen. Mein Bett ist – o Geständniszwang – ist hergestellt in der Fabrik der Deutschen Werkstätten. Die Senkrechten sind zwar mit schwarzem Chintz benagelt. Aber der Chintz ist gemustert mit roten, weißen und blauen Blumen, wie sie vorzüglich in den Deutschen Werkstätten blühen. Das ist die Wahrheit. Allerdings auch nichts als die Wahrheit.

2

Wer längere Zeit im Bett liegen will und trotzdem Wert darauf legt, seinen Mitmenschen verständlich zu bleiben, der muß sich krank stellen. Ich mußte von einer Minute zur anderen eine Krankheit parat haben.
Vom Hauptbahnhof hinüber in die Marsstraße war ich gerannt. Die 98 Stufen zu uns hinauf nahm ich wie angesogen. Dann läutete ich, Birga öffnete, ich holte Atem nach, gab die Koffer nicht aus der Hand, küßte hinüber, traf daneben, ging an ihr vorbei, kam ins Schlafzimmer, sagte wohl: die Koffer packen wir besser hier aus, stellte die Koffer zwischen Schrankfront und Bett auf den Boden, drehte mich um, stand vor Birga und bemerkte, daß ich unvorbereitet war. Ich müsse mich hinlegen, hörte ich mich sagen. Ihr Gesicht gerann augenblicklich zu jener Sorgenformation, die sich seitdem sozusagen automatisch herstellt, wenn sie mit Tee und Abertee ans Bett tritt. Die richtige Frau trägt die Krankheit ihres Mannes im Gesicht und verleiht seiner Krankheit mit ihren Gesichtszügen eine Würde des Ausdrucks, mit der der Kranke selber nicht konkurrieren kann. Ich hoffe, daß Birga dieses gravierende Gesicht immer erst auf dem Weg von der Küche

zur Schlafzimmertür zuteil wird und daß sie es, wenn sie mich verläßt, unter dem Gerede der Kinder nicht lang zu bewahren vermag.

Ich war froh, als ich sah, wie schnell sie mich mit ihrem Gesicht krankschrieb; ich genoß die bitter zusammenstrebenden Züge wie ein Attest. Aber leider muß ein Mensch auch noch sprechen. Ich tastete also zuerst bihändig nach den Schläfen, dann griff ich mit einer Hand ans Bett und sagte, es sei mir schwindlig. Da durfte ich mich natürlich gleich hinlegen. Nun muß ich allerdings zugeben, daß ich nicht Manns genug wäre, so eine Simulanten-charge schon im Zug auszutüfteln, um sie dann zuhause nur noch mit kleinem Lampenfieber abzuziehen. Solange ich im Zug saß, schärfte sich mein hilfesuchendes Bewußtsein sozusagen sehn-süchtig auf den Augenblick der Heimkehr: elfuhrzwanzig etwa, die Wohnungstür, Birga, Blicke hinher, hoffentlich vergißt sie, sich die Hände an der Schürze abzuwischen. Sie sollte sich nicht fassen können. Wehe uns, dachte ich noch, wenn sie nicht vergißt, die Hände abzuwischen, wehe ihr und mir. Ich werde sie beob-achten, werde vor lauter Lauern wahrscheinlich die erlösende Schmelze der starr machenden Erwartung versäumen, werde meine Begrüßungsbewegungen bloß taub und mechanisch aus-führen, weil ich, schmerzhaft überspannt, Birga kontrollieren muß. Ihre Hände mußten schnell kommen, die Koffer flögen links und rechts an ihr vorbei, mit dem linken Hacken würde ich noch die Tür zustoßen. Auf jeden Fall würde ich nicht wie Odys-seus heimkehren. Der glich wohl sehr den Göttern. Zuerst dieser hinhaltende blutige Fasching, und dann macht sie auch noch Spe-renzchen, läßt ihn zappeln und handwerkerhaft das Bett her-buchstabieren. Dann erst wird erkannt. Möglich, die peinigende Verschleppung ist bloß der Kunst zuliebe arrangiert, daß viel be-schrieben werden kann. Aber so oberflächenselig wie in dem bar-barischen Heimkehrmärchen tritt die Eigenschaft nicht mehr auf. Ob ich der bin, den sie erwartet, ob sie die ist, die ich erwarte, das werden wir uns nicht mit Erkennungsnarben, Bogenprüfung und Kenntnis von Bettgurten beweisen können. Unser Miß-trauen stellt keine Fragen, es lauert, verbirgt sich, sirrt als durch-dringender Oberton in den Begrüßungsformeln. Bin ich noch der? Ist sie noch die? Können wir uns überhaupt noch erkennen? So strengte ich im Zug Sehnsucht an, sah mich sehnsüchtig die Beine strecken, ließ mich vom gut gefederten und schlecht gepolsterten Wagen schaukeln und spürte, wie das Rattatata der Fahrt gleich in einen unverschämten Rhythmus wechselte und mir durch alle Federungen hindurch aufregende Signale in den unteren Leib stieß; fragte mich, wie Frauen das aushalten; fühlte mich gefährlich androgyn erschüttert. Sollte man nicht die Bundesbahn verklagen wegen Anleitung zur... aber nein, richte Dich auf bis zu jener verminderten Rechtwinkligkeit, die von den Sitzen der Bundesbahn vorgeschrieben wird, passe Deinen Körper genau diesem Winkel von zirka achtzig Grad an, dann wirst Du gleich sitzen wie einer, der's auf dem Clo schwer hat. Ich fügte mich. Schließlich wollte ich durch mein vieldeutig verklärtes Gesicht und die exhibitionierende Lage nicht noch Ärgernis erregen. Wir kamen alle aus dem Süden. Die anderen Reisenden offenbar aus einem viel südlicheren Süden als ich. Unsere Kleidungen waren zu dünn, bedenkt man die Enge des Abteils und die heraufstoßenden Schienen.

Vorsorglich ließ ich Birga und die Wohnung zu einer einzigen Höhle verschwimmen. Ich auf der Flucht. Hinter mir das Schlamassel. Dem gönn ich kein Wort. 98 Stufen hoch hängt das Nest hoch im Geäst des Hauses in der Marsstraße. Für dieses Bild entschied ich mich, dem fuhr ich entgegen, ihm zuliebe öffnete ich die Tür des viel zu langsam bremsenden Zuges, sprang ab, rannte entlang, bog aus der Masse derer, die durch die Haupthalle hinauswollten, nach links hinaus, steuerte die Koffer quer durch Omnibus- und Autoströme, scheuchte auch die stumpfeste Straßenbahn durch bloße Entschlossenheit zurück, fluchte wie ein Heroinschmuggler über den Lastwagen, der mir an der Ecke Hirten-Lämmerstraße dreißig Sekunden stahl, flog die 98 Stufen hinauf, läutete und läutete, die Tür ging, ging auf, und es stellte sich heraus, daß ich mich getäuscht hatte. Birga, der Flur, die Wohnung konnten mich nicht aufnehmen, wie ich jetzt aufgenommen sein wollte. Also drängte ich einfach weiter, an Birga vorbei, durch den Flur ins Schlafzimmer, sah das Bett und dachte: vielleicht ist es dort besser. Weil ich durch Hoffen, Rennen und Fliegen wie im Fieber war, kann ich vom Bett auch größer gedacht haben, etwa so: hier ist Delos oder Delphi oder Delphys oder Omphalos, auf jeden Fall: Freistatt. Ich legte mich also dann gleich hinein in dieses Bett. Ihm gebührt im immer noch unumgrenzten Wappen meiner Gewöhnlichkeit ein blickfangender Platz.

3

Jetzt im Bett, kommt mir vor, ich könnte nie genug davon kriegen. Liegen und liegen. Kissen umarmen. Die Tage rutschen mir
durch die mit der Bettdecke beschäftigten Finger wie nichts. Ich
komme außer Atem, wenn ich mitzählen will. Keine Zeit, keine
Zeit. War ich je so in Bewegung. Offenbar rast mein Blut durch
die Adern. In Kniekehlen, Armbeugen, Lenden, Hals, an allen
Gliederknicken schlagen die Pulse. Schlagen gegen die Bettdecke. Wo die Bettdecke berührt, raschelt die Bettdecke unter
meinen Pulsen, vibriert sie, schlägt mit, multipliziert sie meine
Pulse, das Zimmer schwankt, hoffentlich ist das Haus elastisch,
hoffentlich gibt die Weltdecke nach, sonst zerreiße ich, zerreiße
ich sie, zerreißen wir mit einander. Eine leichtere Bettdecke
brauch ich. Ich darf die Pulse nicht durch Widerstand reizen. Die
Bewegung soll kreisen, konzentrisch, immer enger, eine Fassung
meiner selbst. Gyrinus-Taumelkäfer, ich sah Dich im Sommer die
engen Kreise auf dem Wasser ziehen, Dich mach ich zum ersten
Tier, in meinem Wappen.
Leider muß ich noch sprechen, muß anderen verständlich bleiben, muß klug, zäh, fünfmal am Tag Birga beruhigen. Muß sagen:
nein, schwindlig ist es mir nicht, nicht, solange ich liege. Trifft sie
mich an beim Schreiben, sagt sie: Du arbeitest. Und ich muß sagen: Nein, ich erlaube der rechten Hand Bewegungen. Liege ich
bloß so da, scheine ihr also müßig – dabei wird in mir gekämpft,
werden die Schlachten des Sommers von Wendung zu Wendung
noch einmal nachgekämpft –, sagt sie bittend-beschwörend: Du
fühlst Dich besser! Und ich muß sagen: Ja, doch, bis auf das Ohrensausen, und dann eben dieser Druck im Hinterkopf. Und sie
kriegt gleich das Witwengesicht: Nüstern eing angeatmet, im
Kinn pressen zwei Kerben ein schlecht durchblutetes Hügelchen
nach vorn, die Mundwinkel klagen so bitterscharf und zart wie
nichts sonst bitterscharf und zart klagen kann. Ein richtiges Heul-
gesicht, aber ganz trocken, also linienscharf, ohne lindernde Tränen. Das kann ich nicht ansehen. Sie friert schon vor Verloren-
heit, zählt dem anrückenden Schicksal die Kinder auf wie ein
Lösegeld. Also lache ich, singe mir harmlose Diagnosen, rede von
einem kleinen Sonnenstich, kein Hitzschlag, aber vielleicht ein
winziger Sonnenstich, weil ich auf dem Balkon saß und schrieb,

obwohl der Seehausbesitzer Blomich sagte: Unterschätzen Sie die Sonne nicht!

Hochachtungsschauer pflügten mir am Rückgrat auf und ab, als ich mich das sagen hörte. Wem muß man danken dafür, daß einem so ein Wort einfällt im richtigsten Augenblick? Ich danke den hunderttausend unwillkürlich zusammenwirkenden Zellen dafür. Sonnenstich. Ein besseres Wort hätte ich gar nicht anbieten können. Klingt harmlos, vormedizinisch. Laß uns einen Übersetzungsversuch machen: Heliosis vielleicht? Also auch auf medizinisch eher für Gedichte geeignet als für Laieneinschüchterung. Aber, Birga, es hat mit dem Kopf zu tun. Also ein klein wenig Rücksicht darf ich doch erbitten für meinen lieben Sonnenstich, die sausende Heliosis.

Als Birga wieder draußen war, schämte ich mich. Plötzlich zeigte mir das Sonnenstich-Wort seine Pfahlwurzel. Und ich hatte gedacht, es sei mir im Augenblick von einer wohltätigen Zellenorganisation geliefert worden. Wahrscheinlich hätte ich Birga das Wort gar nicht anbieten können, wenn ich mich erinnert hätte an die Rolle, die es im Sommer in Seenähe spielte. Birga mit diesem Wort zu bedienen, das war, als hätte ich ihr einen Satz gesagt, dessen Wirkung ich bei einer Geliebten gerade ausprobiert hatte. Also doch eine wohltätige Zellenorganisation, die mich das Wort zuerst vergessen läßt, um mir seinen hilfreichen Gebrauch noch einmal zu ermöglichen. Aber da ja ein Wort immer nur an einer Feldstelle des Gedächtnisses gelagert werden kann, weckt man, sobald man es verwendet, auch die früheren Verwendungsarten wieder auf. So blamiert man sich. Glücklicherweise nur vor sich selbst.

Also, Birga, jetzt schau mich bitte nicht mehr an, als sähest Du mit den Röntgenaugen der Liebe in meinem Schädel einen Tumor blühen. Und, bitte, keinen Tee mehr. Sonnenstich braucht keinen Tee.

Wie wär's denn mit einem Hausarzt? Wir brauchen hier sowieso mal einen. Nichts gegen Deine Umschläge, Deine sehr persönlichen Tees. Wo ich doch, wenn auch gegen Deinen Willen, in der Krankenkasse bin. Ich bin eben rettungslos zivilisiert. Wir sind da so hübsch verschieden wie sonst auch. Also, ja?

Und sie zeigt Trauer, hält es wieder für eine Art Scheidungsbegehren, weil ich zwischen sie und mich einen kalten Arzt schieben will. Ich zitierte das Jahrhundert, in dem wir leben und kriegte

meinen Hausarzt. Ich rief gleich: Ich hab meinen Hausarzt! Einen
Hausarzt traute ich mir zu. Und ich täuschte mich nicht. Zweimal
pro Woche habe ich jetzt mein zielstrebiges Geplauder mit
Dr. Weinzierl, er flüstert draußen im Flur mit Birga, flüstert ihr,
was ich geflüstert haben will, vor allem Ruhe, flüstert er, Ruhe,
Ruhe, Ruhe. Dafür zeige ich Birga, daß es mir besser geht. Das
freut sie, aber sie kann es sich nicht erklären; hat sie doch den
Doktor nur wegen seines kräuterhaft liebenswürdigen Namens
aus dem Telephonbuch gewählt, sein bloßes Wissen verachtet sie.
Hauptsache: Mich schützt sein bloßes Wissen. Ich hoffe nicht,
daß er sein Wissen je überwindet und dann mich zu fassen kriegt.
Vorerst kämpfen wir ganz leise. Er fragt: Bückschwindel, Dreh-
schwindel oder Schwankschwindel? Ich lasse mir die Schwindel-
arten erklären und schwanke dann zwischen Dreh- und
Schwankschwindel. Daß der Boden unter einem schwanken
kann, imponiert mir am meisten. Also vielleicht doch Schwankschwindel. Hörschwierigkeiten? Nein. Ohrenweh? Nein. Dop-
pelsehen? Da sage ich glattweg Nein. Fieber? Doch, eine Art Fieber wirbelt in mir. Ich muß ja nicht gleich dazu sagen, daß ich
dieses Fieber mir selbst verdanke. Ich sage einfach: achtunddrei-
ßigzwo. Fallneigung? Nein, das nicht, aber Liegeneigung, Herr
Doktor, eine ungeheure Neigung einfach zu liegen, also schon
fast eine Liegesucht. Da spüre ich, daß ich zu weit gegangen bin.
Womöglich kommt der noch auf Gedanken. Bleiben wir doch bei
den Sehstörungen, Herr Doktor. Was gibt's da noch? Flimmern
bietet er an und Schleiersehen. Doch, darüber läßt sich reden.
Aber aus einer Migränefamilie stamme ich nicht. Nein. So leicht
darf ich es Ihnen nicht machen, sonst scheuchen Sie mich übermorgen aus dem Bett. Eine Commotio vielleicht, dort am Bodensee, in dem Seehaus, gab es da einen Bootssteg, glitschig vielleicht, sind Sie da vielleicht einmal gestürzt? Nein, bin ich nicht.
Aber mit dem Aufenthalt im Seehaus Blomich hat meine Liegesucht schon zu tun. Das dürfen Sie nicht wissen. Obwohl, andauernd möchte ich den Körperkenner fragen: woher kann denn die
Liegesucht kommen, die Sucht, allein zu sein. Was ist das in
Fleisch und Blut, wie heißt dieser Liegebefehl auf medizinisch?
Es ist wahrhaftig eine Sucht, Herr Doktor. Möglich, ich habe die
Nase voll. Gibt's in der Richtung was Lateinisches? Warum tun
mir die Augen weh, wenn ich Sie anschauen muß? Ich ertrage Sie
bloß, weil ich mit Ihrer Hilfe im Bett bleiben kann. Sie haben mir

rundum Ruhe zu garantieren und die Familie vor Panik zu bewahren. Trauen Sie sich aber zu, mir aus meinen Säften weiszusagen, dann werden wir Freunde. Wenn nicht, dann wollen wir lieber in Ihren Wörtern weiterwaten und eine Krankheit zusammenstellen aus Schleiersehen, Schwankschwindel, Fallsucht, Fieber und Nausea. Bleiben wir doch bei Sonnenstich, Herr Doktor. Auch wenn Sie glauben, der müßte längst verklungen sein. Möglich, er ging tiefer als wir ahnen. Und Sie wissen, wie langsam die feinen Hirnhäute heilen.

Daß es so schwierig ist, ein bißchen im Bett bleiben zu dürfen, hätte ich nie gedacht. Wieviel Zeit verliere ich allein mit der Verteidigung. Und dann die Kosten. Die werden mir gefährlicher als Dr. Weinzierls jugendlicher Wissensdurst. Wie lange werde ich noch liegen können bei 390 Mark Miete, 40 Mark Heizung und einbrechendem Winter?

Birga sagt nichts. Aber sie rechnet. 35 Mark - Strom - 70 - Mark - Telephon. Ich weiß, daß sie rechnet. Jetzt liegt er 24 Tage, denkt sie. 28 - Mark - Allianz - daß - Lissa - später - studieren - kann - jetzt - liegt - er - schon - 25 - Tage - und - 32 - Mark - Hamburg - Mannheimer - im - Fall - er - stirbt - dieser - Dr. Weinzierl - ist - ein - Ignorant - wenn - bloß - ich - wieder - dürfte - jetzt - liegt - er - schon - 29 - Tage - und - 32 - Mark - DKV - weil - er - ohne - Krankenkasse - nicht - leben - kann - und - 800 - für - Essen - Trinken - Kleidung - und - die - Klaviere - sind - seit - dem - Umzug - verstimmt - jetzt - liegt - er - schon - 30 - Tage - für - wieviel - Tage - wird - das - Geld - noch - rei - chen?

Ihr Gesicht trägt die Schmerzensreiche. Hinter dem Gesicht rechnet sie. Muß sie ja. Ich liege nicht in der Wüste Gobi und nicht auf dem Berg Tabor und nicht in den Prielen absoluter Geseires. Weit und breit kein verwunschenes Gelände. Aber vermessen. Die Zähler laufen. Mir den Rang ab. Ich hole Luft, will den Genuß beider Lungen der Entfaltung des Bewußtseins widmen, aber gleich ticken Heizölsekunden, Mietstunden dröhnen, Birga schreit: wenn ihr die Schuhe absichtlich kaputt macht, kann ich euch auch nicht helfen. Mein Training sei: die Ohren wie die Augen zu schließen. Ich will die Geräusche nicht mehr verstehen. Zugelassen wird nur noch der gleichbleibende Geräuschstrich, den Mars- und Dachauerstraße liefern. Von fern darf der Bahnhofsplatz als Baßlage fundieren. Mir fährt kein Auto mehr grell durch den Kopf und dann so langsam davon. Immer sind gleich viele Autos anwesend. Wie sie das machen, ist ihre Sache. In Stuttgart war es schlimmer. Die Lichtenbergstraße litt unter Geräuschlücken. Das nächste Auto kam zu früh oder zu spät, kam nie nach der Erwartung, die sich gebildet hatte aus vorhergehenden Geräuschpausen. Hier summt und dröhnt die Stadt vorbildlich. Birga dagegen wischt plötzlich einem Klavier die Tasten. Oder stürzt sie wirklich ein hundertteiliges Porzellanservice in ein Faß? Mit dem zweiten Klavier kann sie mir dann natürlich nichts mehr anhaben, da bin ich schon gefaßt. Es scherbt und schrillt, und ich überhöre es. Ich werde alles überhören. Das Überhören ist nicht leicht zu lernen. Bis jetzt hat mein Training dazu geführt, daß ich viel verletzbarer wurde. Aber ich trainiere weiter, bis ich alles überhöre: auch die Not, die die vier Kinder und die zwei Hunde einander bereiten, und den gemeinen Mixer und den aus Versehen oder absichtlich in einem Ruck auf Gebrüll gedrehten Lautsprecher. Das soll von mir aus in meinen Zentren Schaden anrichten für später, jetzt überhöre ich es, ich liege, ich lasse meine Hände mit der Bettdecke spielen: der Daumen schürft schattige Schluchten, der Handballen glättet arktische Ebenen, und in meinem Kopf entwickelt sich der Knäuel, trösel sich auf der Geschehniswust, will sich auftun ein... ach, es gibt ja keine Wörter, die zutreffen auf Kopfinneres, wenn man die diplomatischen Beziehungen zum Heiligen Geist hat einfrieren lassen und auch blind geworden ist für die luftigen Anschaulichkeiten des Griechischen Aberglauben-Museums, also sage ich: jetzt werden die letzten paar tausend Zufälle aus der Hirnrinde gepflückt oder aus Leber, Nieren, Nebennieren, Gefäßen und Kranzgefäßen und aus dem unendlichen Mark, aus der schwerblättrigen, im Dunkel vielverzweigt blühenden Gedächtnisrose. Und werden aufgehängt, die Zufälle, an einem Seil aus nichts als vierundzwanzig Buchstaben, zum Trocknen und Anschauen. Kalte Sorgfalt, steh mir bei, daß sie mir, die Zufälle, nicht nachträglich vom Bedeutungsschimmel befallen werden. Am liebsten wären sie mir: naturrein, ohne Bedeutung. Mir genügte es, ihnen entstömte, aufgehängt, beim Trocknen, ein Hauch Notwendigkeit. Besonders bei Tag und bei Nacht.

Der Auftrag

Befrei Mich aus des Löwen Rachen,
Mich Armen vom Gehörn des Einhorns.
22. Psalm

Bis man bemerkt, daß etwas angefangen hat, ist es schon zu spät. Den Anfang findet man nicht mehr. Und die Vorgeschichte ist vielviel länger als die Geschichte. Weil sich aber die Geschehnisse in uns erhalten je nach dem Schmerz, den sie einmal verursachten, muß ich mit dem Umzug beginnen. Das ist auch der einzige Grund dafür, mit einem Umzug zu beginnen.

Eine Familie flieht also von Stuttgart nach München. Ein paar Stunden lang macht der Möbelwagen auf die Familie aufmerksam. Dann verschwindet die Familie in der Wohnung. Später kann sie nicht umhin, über die Bedeutung dieses Umzugs nachzudenken. Wie geht es uns jetzt? Aber weil man nicht weiß, wie es uns jetzt ginge, wenn wir in Stuttgart geblieben wären, weiß man nicht, welche Bedeutung für unser Ergehen der Umzug hat. Ich war gegen den Umzug.

Birga war dafür. Sie hatte Gründe, die sie nicht aufsagte. Sie durfte verlangen, daß ich mich an diese Gründe erinnerte. Sie hielt es sozusagen nicht mehr aus in der Lichtenbergstraße. Wegen eines Buches. Das hatte ich geschrieben. Ohne Absicht. Abends und übers Wochenende; dann auch werktags; nur so; für mich; um die Gedanken zu bremsen, die mir so schnell durch den Kopf spülten, wenn ich im Sessel saß. Plötzlich wollte ich einen Leser, der mich kannte, der aber auch die Personen kannte, die vorkamen. Das ist offenbar die Gefahr, wenn man etwas aufschreibt. Man will dann doch einen Leser. Birga? Nein, bloß nicht Birga. Also blieb nur mein Freund Edmund. Dem schickte ich das Blätterbündel, der schickte es weiter, ich erhielt nacheinander drei Briefe, die mir eine kleine Hoffnung genau zumaßen, indem sie darstellten, mein Geschriebenes sei vielleicht auch für Leute nützlich, die darin nicht vorkämen; mir schwoll gleich wild ein Kamm auf, der mir neu war; ich hielt mich fast für eine Art Schriftsteller. Dann ändere wenigstens die Namen, sagte mir deutlich die innerste Stimme, erfinde Bizarres vertuschend hinzu, die schrecklichsten Geständnisse streich aus ... Aber ich favorisierte den Übermut, bis ich blind und starr war vor Bestimmtheit und Rechthaberei. Das Aufgeschriebene kam ans Licht als unliebsames Buch, es traf Birga und meine arglosen Bekannten während sie fromm um mich her weideten. Alles hatte ich falsch dargestellt, alles. Sehr von einander verschiedene Leute waren einer Meinung: das sind wir nicht! Umso besser, sagte ich, lassen wir's meine Erfindung sein. Sie schrieen zurück: und unsere Namen! Daran sah ich, daß ich mit Kunst nichts zu tun habe. Ich kann Namen nicht ändern. Soll ich einen Josef-Heinrich bloß zur Tarnung Karl-Markus nennen, dann denke ich schreibend nur an Karl-Markus, weil ich doch einen Karl-Markus kenne, und der ist ganz anders als Josef-Heinrich, also hätte ich am Ende nicht Josef-Heinrich beschrieben, sondern Karl-Markus, und der käme nun zu mir und verlangte, ich möge ihn bitte Josef-Heinrich nennen. Da ich Leute jedes Namens kenne, darf ich mit solchen Transaktionen gar nicht erst anfangen. Ich endete im Irrenhaus. Ein Name, das ist mir die Person. Eher könnte ich einem die Haut abziehen als ihm den Namen nehmen. Und sollte mir einer empfehlen: so nenn Deine Personen eben Cäsar oder Cicero, da Du doch sicher keinen Cäsar, keinen Cicero kennst! dann müßte ich antworten: eben darum kann ich doch keinen Cäsar und Cicero nennen. So kam es, daß die Leute im Haus mich nicht mehr grüßten, und Birga dort nicht mehr leben konnte. Buchhändler Pauly warb für Boykott, Herr Übelhör und Herr Bahlsen nuschelten mit einem Rechtsanwalt. Birga sagte: Wir ziehen aus. Eine Woche später sagte sie: Wir ziehen um. Ich riskierte, seit das leidige Buch erschienen war, keinen lauten Satz mehr. Wenn Du meinst, sagte ich und baute meine Hoffnung auf den Mangel an Wohnungen. Und so oft es möglich war, machte ich mich davon. Als ich wieder einmal eintrudelte, morgens um vier, ich glaube, ich kam aus Hannover, setzte sich Birga im Bett auf und weihte mich in den Umzugsplan ein. Wie der Feldherr zum Truppenoffizier spricht, sprach sie zu mir. Der Plan war bewundernswert genau erdacht, es kamen darin vor Pfennige und Minuten. Ich sagte: wenn Du meinst.

Am Tag X weckte sie mich. Jetzt hätte der junge Truppenoffizier aufspringen sollen, oder wenigstens der fröhliche Vater, der den Ausflug geplant hat, der nun die Familie hinausführen wird, genau wissend, wo die Sonne scheint. Aber ich sah sofort die gegen uns gerichteten Anstrengungen des Wetters. Hostiengroße schwernasse Flocken wirbelten herab. Die vereitelnde Übermacht. 31. Januar, Birga, Du hättest die Meteorologen befragen müssen. Eisenhower hat auch einmal verschoben, mindestens einmal. In 25 Minuten kommen die Packer, sagte sie. Die Packer waren zwar schon am Vortag dagewesen, aber sie hatte das richtige Wort gewählt. Ich sprang auf, rannte hin und her, schraubte gleich die Birnen heraus, mußte sie, da wir ja noch Licht brauchten, wieder einschrauben, fluchte die verstörten Hunde weg, die von mir wissen wollten, wie sie sich der Katastrophe gegenüber verhalten sollten. Platz Fritz, schrie ich, Apollo Platz! Platz! Und wußte doch, daß da kein Platz mehr war für sie und für mich. Punkt sieben quetschten sich die Möbelträger herein. Vor der Leiberfront eine Art Herr mit Krückstock. Ich hatte nur noch darauf zu achten, immer rechtzeitig aus dem Weg zu sein, wenn die Träger aus den Zimmern stürmten. Unsere Möbel machten sie mit kleinen Kommandos so kirre, daß sie selber mitwirkten bei ihrer Entführung. Die Hunde wollten uns verteidigen. Das ließ die Feldherrin nicht zu. Hunde und Kinder wurden in das Zimmer gesperrt, das plangemäß für diesen Zweck als erstes geräumt worden war. Der mit dem Stock war offenbar Birgas Unterfeldherr. Mir wurde übel. Diese Zusammenarbeit! Als hätten sie ihr Leben lang nichts anderes getan als miteinander Wohnungen geplündert. Stummelsätze, Fingerzeige, Kopfnicken, selten Kopfschütteln, meistens nur flinke Blicke, fragend enger Blick, bejahend weiter Blick, beiderseits Blickleuchten: verstanden. Die Haare trug der in der Form einer noch nie benutzten Kleiderbürste. Sollte ich mich mit den Trägern verbünden? Es gab offenbar auch kleinere. Aber die hatten noch durch keine Regung zu verstehen gegeben, daß sie meine Anwesenheit bemerkt hatten. Vielleicht hielten sie mich für ein Möbelstück, das noch nicht dran war. Ich wagte nicht mehr, irgendwo länger als für einen Atemzug stehen zu bleiben. Wenn die Burschen leer zurückkamen, wedelten sie mit ihren Gurten gegen mich und lachten. Wartet nur! Unsere zwei Klaviere werden euch euren Schneid schon abkaufen! Das war nicht der Fall.

Den von Umzug zu Umzug kleiner und schwerer werdenden Leichnam meines Vaters trug ich selber hinunter; die Schublade, in der ich ihn aufbewahre, bedeckte ich zur Tarnung mit einer alten Jacke aus Hasenpelz. Auch die unruhigen Leichname meiner Onkel Paul und Gallus und die Leichname von Hochwürden Burgstaller, Lehrer Haupt etc. verlud ich selbst, ebenso die mir in Rußland, speziell im Kaukasus, aufgeladenen Leichname. Man muß an einem Ort nicht glücklich gewesen sein, um sich elend zu fühlen, wenn man ihn verläßt. Mir war kotzübel. Weh mir, wenn ich mußte. Das Clo war verstellt. Wohin also? Im Haus nur Feinde. O heiliger Christopherus, Patron der Umziehenden, bewahre mich. Das gäb ein Gelächter unter denen. Ich tastete mich nach unten. Ins Schneegestöber. Ging um den Möbelwagen herum und kotzte ihn an. So. Droben, hinter nackten Fenstern, Birga. Im fahrbaren Tunnel der zerstörte Hausrat. Wurzellos die Lampe. Stühle werden, bloß weil sie etwas gegeneinander haben, gezwungen, einander intim zu durchdringen. Zimmergewächse müssen an Nachttischchen riechen. Van Gogh muß sein Selbstporträt auf Zentimdternähe im Spiegel bestarren. Wie beim Militär. Und wo Du hinschaust, quellen Träger hervor mit Möbelauswüchsen, Polstergeschwulsten, hirnmassegrau oder rot entzündet. Unzählbare Träger. Keinen siehst Du ein zweites Mal. Sieben Preßfalten zwischen Kinn und Klavierdeckel. Langgezogene Hälse über tiefen Kisten. Und daß uns die Nachbarfeinde jetzt endlich ins Gekröse sehen, Birga, stört Dich das nicht? Jetzt begriff ich, warum ich als Kind in Ramsegg den Bahnhofsvorstand bedauerte, als ich ihn eines Morgens das Möbelwagenmaul füttern sah mit Gegenständen, die immer zierlicher wurden, je näher sie diesem Maul kamen. Jetzt lobte ich mein Bedauern als kindliche Hellsicht. Nur Schauder und Furcht hatte in mir bis dahin der riesige Vorstand erweckt, weil er, mit der starr gebogenen Virginia in den Preßlippen, immer hinter uns her war, die Beförderung von Personen und Frachten oft strafbar vernachlässigte, wenn er nur verhindern konnte, daß wir im schwarzgeteerten Pissoir durch Vergleichen unserer mählich zunehmenden Gemächte allmählich zu Selbstbewußtsein kämen. Aber selbst dieser uniformierte Drache erregte sofort meine Teilnahme, als ich ihn das Möbelwagenmaul stopfen sah. Schulkameraden, denen der Vater starb und die Mutter, bedauerte ich nicht annähernd so wie die, die mitteilten, ihr Vater werde nach Augsburg versetzt oder nach Nördlingen ins Ries. Leichenwagen, ja. Aber Möbelwagen! Arme Beamtenkinder. Andauernd leben zu müssen in der Erwartung des Möbelwagens. Für mich waren sie traurig verwandt mit den Allerunglücklichsten, den Kindern der fahrenden Hafnersleute und der Wanderzirkusse, die aus solchen Wagen überhaupt nicht herauskamen. Und das schlimmste beim Militär waren doch auch die Verlegungen. Jeden Spind, den ich verließ, schaute ich an, als wär's meine Mutter. Eine komische Ewigkeit lang starrte der Blick blöde auf das abgeräumte Bett. Ich war immer der letzte, der aus der Stube ging. In den leeren Winkel starren, bis die Wände verschwimmen. So tun, als hätte ich vielleicht doch noch etwas vergessen. Ich trug den anderen die Seife nach, den Kalender, das Taschenmesser, den Gewehrstock. Die Tür schob ich so leise zu, als dürften die Möbel das nicht bemerken. Ich wollte keine Szenen, sozusagen. Die Tür blieb angelehnt. Bloß kein Geräusch. Und ich wußte nie, warum. Hatte keinen Grund für den Blickwechsel mit einem kahlen Zimmer. Ich wußte vielmehr, daß ich nichts vergessen hatte. Also was soll's noch? War es schön hier? Nicht die Spur. Entsetzlich war es. Na also. Ja, aber ... Schluß. Ab. Ich beiße in einen Apfel, um ein krachend mitreißendes Geräusch zu erzeugen und die zum ersten Mal alle gleichzeitig schweigenden Kinder aufzumuntern und Birga zu zeigen, daß ich jetzt das Kommando übernehme; aber der Januar-Apfel gibt mulmig nach, kracht überhaupt nicht. Das Auto zischt dafür schwer durch Matsch und Sülze. Der linke Ärmel wischt und wischt die Scheibe frei und kommt nicht an gegen den Dunst von vier Kindern, zwei Hunden und zwei Ausgewachsenen. Oben, auf der Autobahn, werden die Flocken kleiner, sind aber dafür dichter verteilte, schon eher Schneeschwaden, weiße, eng gewobene Tücher, die fallen nicht, treiben auf uns zu, und soviele wir zerteilen, da sind immer neue. Der Wischer hat längst ein Eisfutteral und gestattet immer mehr kleine rauhe Schneekristallsiedlungen auf der Scheibe. Jetzt, Birga, müssen wir nach Offiziersart so tun, als hätten wir das und alles, was auf der Alb noch kommen kann, vorhergesehen. Birga drückt ihren Zweijährigen an sich und schaut aus den Winkeln herüber. Ich zertrenne geduldig das weltfüllende Schneegewebe, pfeife laut, suche Witze, um die drei auf dem Rücksitz aus ihrer starr aufrechten Haltung zu scheuchen. Sie schauen so fest gerade aus, als sei die Scheibe der Bildschirm. Dann und wann befreie ich den Wischer aus dem Futteral, erwarte dabei immer, daß wir von hinten zusammengeboxt werden. Der Haltestreifen ist nicht auszumachen. Nach Günzburg muß ich an einem Bauernschlepper vorbei, der durch seine Last schwankender Tannen gerade ins Schleudern gerät. Ganz links draußen schlüpfen wir durch, singen ein Kirchenlied in weltlichem Takt und spulen uns dann sorgfältig bis ins bayerische Herz hinein, fahren ein in die Marsstraße wie in den Hafen des Mutterlandes. Aber kaum sind wir ausgestiegen, spüren wir, daß wir hier fremd sind. Der Möbelwagen gleitet her. Zu meinem

Erstaunen führt Kleiderbürste nur drei Träger auf uns zu. Wir begrüßen einander wie Verwandte, die zu lange getrennt waren. Noch größer ist mein Erstaunen darüber, daß auch ich von allen begrüßt werde, als kennten sie mich schon vom Vormittag her. Birga, sollten diese liebenswürdigen Burschen nicht über Nacht bleiben was meinst Du, schau, wie es schneit. Aber Birga und Kleiderbürste haben einen Plan, und der führt um 18.30 Uhr zu einem Abschied, an dem ich mich herzlich beteilige.

2

Wir lagen wach und stumm und mit geöffneten Augen im Dunkel der ungewohnten Wohnung. Daß Sie die Augen auch ins Dunkel geöffnet hielt, spürte ich. Das hört man sogar. Kein Atemzug wiederholt den anderen. Jeder Atemzug erzählt, was die offenen Augen im Dunkel sehen. Wir lagen auf dem Rücken. Schwer, breit, tapfer. Meine Lippen trocken, die Nase verödet, die Fingerspitzen dürr. Umzugsluft. Ich wünschte mir eine Taschenlampe, die Staubmyriaden zu beleuchten, die auf uns niedersanken. Was werden die Spinnen tun, die unseren Einzug beobachteten? Als ich die Birnen einschraubte und den Toten ihre Plätze anwies, schossen sie in der Ecke zusammen, verständigten sich. In den Wänden toben, seit wir liegen, die Mäuse. Hoffentlich sind's Mäuse. Sie transportieren etwas oder spielen. Es rollt, kollert, klingt nach Kastanien. Weil ich wußte, daß Birga auch horchte, sagte ich: Wahrscheinlich nur im Winter. Sie schnaufte. Vielleicht nur in ganz strengen Wintern.
Sobald die Mäuse eine Pause machten, legte ich, an der Decke schürfend, die rechte Hand aus. Genau in der Mitte zwischen uns. Halb offen ließ ich sie liegen. Birga, das müßtest Du gehört haben. Ich lag wie ein Angler. Hoffte auf die Hilfe der Mäuse. Und als die Mäuse wieder einsetzten, kam auch Birgas Hand. Daß man einander so berechnen kann. Plötzlich zog sie, schob und holte sie sich ganz herüber, bettete sich massiv mir in den Arm, als wäre das was. Dann wurde sie leicht und klein an mir. Na bitte, dachte ich. In der nächsten Mäusepause entwickelte sie sich als eigener Körper und sagte: Morgen habe ich Namenstag. Am 1. Februar?

Ja. Was ist denn das für ein Namenstag? Brigitta. Es klang, als gehörte das zu ihrem mit Kleiderbürste entworfenen Umzugsplan. Der letzte Punkt: Namensänderung. Ich, namenhörig wie keiner, sollte sie von jetzt an mit ihrem zweiten Namen nennen. Sie hatte aber für mich, seit ich sie kannte, Alissa geheißen. Jetzt aber will sie den von der geschmäcklerischen und süßigkeitstollen Mutter verschriebenen und von mir verratenen und lügenreich entstellten Namen nicht mehr tragen, weil unter ihm in dem unliebsamen Buch eine Frau rangiert, die sie nicht ist, wenn ich es auch noch so hämisch behaupte.

Das ist riskant, sagte ich. Du könntest mir ganz fremd werden. Glaub doch keinem Goethe, der Schall unterschätzt und Rauch, glaub lieber Salomo, glaub, daß Dein Name eine ausgeschüttete Salbe ist, darum ich Dich liebe. Brigitta, das ist eine andere Salbe, kenn ich eine, nein, zum Glück nicht, aber Dich kenn ich, Alissa, glaub ich zu kennen...

Gut, gut, ich kenne Dich also nicht aber immerhin, Du bist mir bekannt...

Gut, gut, sagen wir also, ich glaube, Du seist mir bekannt, ein wenig, Du heißt Alissa, das hat gepaßt von Anfang an. Wir waren doch beide vom Anlautgleichklang elektrisiert, Anselm und Alissa, weißt Du noch? Jeder Aberglaube braucht Nahrung, Alissa, auch der zäheste, der Aberglaube der Liebe. Anselm und Alissa, wie vom Schicksal komponiert, und das zerschlägst Du jetzt! Wie bring ich Dich unter in der Paßbezeichnung Brigitta? Und das müßten wir auch noch unterstreichen lassen, die andere Unterstreichung durchstreichen, vielleicht geht das gar nicht.

Doch, dagte sie, ist schon erledigt, kostete sechzig Mark. Ach, Du hast also schon? Rufname Brigitta?

Du kannst mich auch Birga nennen, keinesfalls lauf ich hier als Alissa herum. Wir lernen Leute kennen, die lesen dann aus Neugier oder Gefälligkeit das Buch, und es geht wieder los: jeder glaubt, er kennt mich, darf sich einmischen, mich bedauern! widersprech ich, lächelt man, man weiß es ja viel besser, von Dir! Also legen wir doch gleich Kristlein ab und leben pseudonym. Hättest Du doch pseudonym geschrieben!

Ja-jaa, ich weiß.

Wenn mich jemand fragt, war die Alissa Deine erste Frau. Ja, Brigitta, sag das.

Es war ihr ernst. Nichts galt ihr mein Hinweis, daß Brigitta auch

Patronin einer Modezeitschrift sei. Du kannst mich ja Birga nennen. Also nahm ich sie mit ihrem neuen Namen ernst, bot ihn meiner Zunge zur Übung an, wie eine Hürde, zwanzig Mal hintereinander, feierte mit Birga-Birga-Birga, zur Übung, den 1. Februar als Breidentag, ließ mir von ihr die Geschichte der irischen Patronin erzählen, probierte ihr den neuen Namen noch einmal an in jeder möglichen Façon, als Birgit, Brigitte, Britta, auf gälisch als Breid und Brahe, Brigida und Birgida, aber dann entschieden wir uns doch für Birga und hätten gern wie in Kildare und Armagh ein Brigittenfeuer entzündet zu Ehren der Mary of the Gael und Maria Hibernorum. Daß die Brigida eine Art keltische Maria ist, erwärmte mir die starrneue Bezeichnung, machte sie schmiegsamer, kleidete die mir bekannte Alissa, ohne sie ganz und gar zu entstellen. Von einer Maria hat sie was. Maria könnte sie heißen. An Maria denkend, kann ich sie Birga nennen. Und Böll liest sie auch. Und was Keltisches sehe ich gern in sie hinein. Und da ihr Vater den Namen aus seiner Straßburger Heimat gebracht hat, ehren wir damit auch noch den ehrwürdigen Vater. Bitteschön. Salve Brigida. Und falls wieder Widriges passiert, hast Du ja *noch* einen Christennamen in petto, liebe Alissa Brigitta Anna.

Heute spreche ich fließend: Birga, und habe, um nicht aus der Übung zu kommen, auf diesen Seiten Alissa rückwirkend Birga genannt. Denke ich aber an Alissa, dann denke ich an eine andere Frau. Das war nicht zu verhindern. Birga ist tatsächlich meine zweite Frau geworden. Alissa war ein Mädchen, konnte mit Hilfe eines langen Halses und einer ausgiebigen Frisur den Kopf herumwerfen, daß ein halbes Zimmer voll davon war. Birga wendet den Kopf und dabei bleibt der Hals gerade, die Haare drehen sich auf der Stelle. Alissa hätte in einer Handballmannschaft spielen können als flinke, wenn auch schußlige Spielerin. Birga hebt einen Kinderball auf, wirft ihn nicht in die Spielzeugkiste, sondern geht hin und legt ihn hinein. Alissa saß stumm, aber sehr musikalisch unter den Sprechenden und bezeichnete mir, wenn die Gäste gegangen waren, sehr genau die Melodie jedes Einzelnen. Birga hört angestrengt zu und verfällt dem Niveau, das sie kritisiert. Wenn Alissa eine Schüssel fallen ließ, rief sie hell und schüchtern: Scheiße. Birga sagt: Ach. Alissa lag auf dem Sofa und stellte den rechten Fuß aufs linke Knie und sagte lange Wünsche in die Luft. Birga liegt auf dem Bauch und vergräbt ihr Gesicht. Alissa war

ein Wasser, das jeden Stein, den man hineinwarf, mit anhalten-
den Kreisen beantwortete. Birga ist wie gefroren, der Stein poltert weg, gleitet ab, man weiß nicht wohin. Alissa schrie und
heulte Rotz und Wasser. Birga verschweigt. Was sie verschweigt,
weiß ich nicht genau. Sie hat sich damit abgefunden, ihr Leben
mit einem Mann zu verbringen, dem sie nicht alles sagen kann.
Sie will nicht einmal, daß ich bemerke, wie gering ihre Lust ist,
weiterzusprechen. Sie bricht nicht ab, will mir keinen Anlaß geben, etwas zu beteuern. Sie entwindet sich. Ein Anstaltsdirektor,
der auf dem Gang von einem Manischen loskommen will. Ein
Arzt, der einen Patienten endgültig aufgegeben hat und beim un-
merklichen Zusammenpacken seines Gerätes sagt: Ich komme ja
morgen wieder.
Sie ist selber schuldig, wenn sie mir jetzt so deutlich in zwei
Frauen zerfällt. Hätte sie ihren Namen behalten. Möglich, sie ei-
fert Brigit, der Glänzenden, nach, die, weiß Gott warum, ihr
Glänzen im schroffen Holz der Eichenzelle barg und ihr ewiges
Feuer nur da drinnen betrieb zur Erwärmung einer sogenannten
Einsamkeit.

3

Es war so ein Fest. Solange das Fest dauerte, hätte ich nicht sagen
können: es ist eben so ein Fest. Jetzt kann ich sagen, daß es so
ein Fest war. Wie alle diese Feste. Das Fest ist untergegangen in
der Gedächtniskammer, in der Feste unterzugehen haben. Überlebt hat die Erwartung, die mich auf dieses Fest trieb als ihren
Gefangenen, mir eine Jagdhundnase umband und mir befahl, mit
dieser Nase im Fährtenwirrwarr des Festes zu schnüffeln, bis ich
gefälligst einem Märchen auf die Spur käme. Die Erwartung ist
schuld, daß man das Fest, als wäre es das Leben selber, solange
es dauert, für eine Möglichkeit hält. Unversöhnbar bleiben im
Gedächtnis die Erinnerung an die Erwartung und die Erinnerung
an das Fest, wie es dann war. Die Erwartung, diese scharfe alte
Jungfrau, für die ich Namen noch suche, postiert sich wie für immer in der Gedächtniskammer, sie überwacht das Fest, wenn es
in die Kammer einschwebt als schwer werdende, plunderreiche
Riesenechse, ausgepumpt, das Gesicht verschmiert und manches

Ohr geknickt. Die übrig gebliebene Erwartung ist es, die dem Fest den Platz anweist auf dem Haufen älterer Feste zu dessen bloßer Vermehrung. Röcke, Rüschen, Flittertrophäen. Das raschelt noch. Ein bißchen Seide will obenauf bleiben. Eine Frauenhand kämpft mit zwei Brüsten um die prominenteste Lage, wird aber hinabgezogen zu länger liegenden Knien, Oberlippen, Achselhöhlen, diversen Nacken. Ein stummer Clinch. Parteiungen. Farbmassaker. Dissoziationen. Eine Parfümseele steigt hoch. Verduftet. Aus. Es war so ein Fest. Ja. Aber als Birga sagte: Anselm, wir sind eingeladen! war ich gleich wie neu geboren, ohne jede Erfahrung, nur noch begierig. Birga kam herein, behielt die übrige Post in der Linken, reichte mir das ochsenblutrote Papier, das ging auf wie der Balg einer Zieharmonika, und Birga sagte nicht: schau Dir diesen Humbug an! oder: in Hamburg Hochwasser, Terror in Algier, Streik bei Metall, und jetzt schau Dir das an! Sowas wäre Birga, die frauenhaft einfach an Gleichzeitigkeiten glaubt, zuzutrauen gewesen. Aber nein, sie sagte bloß: Anselm, wir sind eingeladen. Das hast Du gesagt, Birga. Manchmal merke ich mir nämlich auch etwas. Du hast es mit wenig Atem gesagt. Waren das die 98 Stufen oder hattest Du schon Angst? Wir waren gerade zwei Wochen alt in dieser Fremde, aber beileibe noch nicht ausgehungert. Ich spurte schon. Vielleicht durfte ich mitarbeiten an einer Jubiläumsbroschüre. Hundert Jahre Nestor-Schirme. Der Verzicht auf literarisch-verräterische Eskapaden war ausgesprochen. Fromm wollte ich mich wieder einreihen bei der Werbetruppe. Da kommt sie und sagt: Wir sind eingeladen. Sofort spürten wir den Temperaturanstieg. Vor einer Viertelstunde waren wir noch nicht eingeladen gewesen. Das hatten wir nicht empfunden. Jetzt fiel uns ein: wir kennen hier keinen! was, wenn wir die Jubiläumsbroschüre nicht an Land ziehen? wir sind eingeladen! war es nicht doch sehr kalt bis vor einer Viertelstunde? gib zu, es war kälter! bitte, Birga, sagen wir doch zu! man weiß nie! und diesen Hans Beumann kennen wir doch! verheiratet mit einer geborenen Volkmann, enge Freunde von Frau Frantzke, also schrieb Frau Frantzke dem Beumann: kümmere Dich um diese Kristleins! so ist Frau Frantzke! sie hat mir nichts übelgenommen, diese reichhaltige Frau! sagte Bert nicht immer: ein großes Gänseblümchen! also kennen wir jemanden in München, also kennt jemand uns, also wäre Absagen schnöde, also...

Wir gingen hin und lernten, weil das eine Art Ball war, alle Leute in den Kostümen kennen, die sie sich selber angezogen hatten. Das ochsenblutrote Zieharmonikapapier mag sich auch ausgewirkt haben auf die Kleidungen, da es das Fest taufte auf den Namen Die große Nabelschau. Das Papier, das ich noch immer besitze, erkannte ich natürlich sofort als eine Art Kunstwerk. Ich war gleich so benommen vor Verführtheit, daß ich schon wußte, ich würde bis zur letzten Festsekunde auf die Erfüllung einer Erwartung warten, die das Papier in mir erregt hatte. Ich bin so. Man würde mich gegen Morgen hinaustragen müssen in den Schnee, ich würde mich zwar nicht wehren, aber in meinen Augen könnten die Hinausschmeißer lesen (wenn sie in meinen Augen lesen könnten): wann beginnt das Fest, das das Papier versprochen hat? Ach, dieses Papier! Schwarze Zeigefingerhände, abgehackt gleich nach Ärmelbeginn, führten im Ochsenblutrot zu schwarzgotischen Wörtergittern und nervenschürenden Bildnereien. Gefallen Ihnen meine Collagen, fragte mich Herr Beumann. Was, die haben Sie selber gemacht, rief ich aus und langte gleich hinter mich, zog Birga her und sagte: Birga, stell Dir vor, die Collagen hat Herr Beumann selbst gemacht.

Zu bewundern und zu beneiden ist die Sicherheit des Instinkts, der diese Bilder von der Jahrhundertwende in diesen Februar transportiert hatte: Eine Riege verletzter Männerbeine, verletzt und geschient oder grausam abgebunden um die Jahrhundertwende. Damenkörper, die aus unbarmherzigen Corsetvasen gepreßt werden. Eine Galerie scharf aufgeschnittener Oberschenkel zeigt Beuger und Strecker so recht in Funktion. Männerbäuche, von Bruchbändern gedemütigt. Artikel der Frauenhygiene werden von den herrischen schwarzen Zeigefingerhänden darauf hingewiesen, daß sie Artikel der Frauenhygiene sind. Einem namenlosen Opfer wird in einer Kreuzwegserie, die Erste Hilfe heißt, die Luft aus den Rippen gequetscht. Ein Geburtshilfezyklus, untermischt, mit Gegenständen aus Häftlingsmägen: quergeschnittene Mütter, aufrechte Schusternägel, freischwebende Föten an freischwebenden, gdrillten Nabelschnüren, es naht eine böse Gummihand mit Gruselschere; eine abgebrochene Gabel wartet auf das Neugeborene. Genovefa im Kampf gegen einen unsichtbaren Wind, der ihr ausreichendes Haar genau dort wegbläst, wo sie's hinhaben will. Eine kopflose, aber sicher christliche Sklavin, deren Fuß die Kette schleift, versucht das Ihre durch Quetschen der Schenkel zu verbergen. Geschälte Pferdegebisse grinsen dazu. Pelikanschnäbel richten sich nach getrennten Brüsten. Unvorsichtig aufgeklappte Achselhöhlen. Maden zeigen, daß man sie nicht zählen kann. Unbenutzt ein Ohr neben einem Wasserhahn. Allein gelassen zielt eine strenge Pistole auf eine Nackte, die an Haaren einen Männerkopf schwingt, der eine Brasil raucht, die eine Bauchbinde trägt, auf der eine Nackte an Haaren einen Männerkopf schwingt, der eine Brasil raucht, die eine Bauchbinde trägt.

Die Textschrapnells, die das Papier schmückten, versprachen uns Ballbesuchern ungeniert ein electrisches Wunderbett mit 28 cristallenen Säulen; des weiteren orientalische Wohlgerüche, Feen Vestas, bacchantische Gewalt, heimtückisch magnetische Apparate, Hymenlese, Geißelung durch eine de Sade-Maschine und Prämierung des schönsten Nabels mit einem Sultansmaragd. So früh bricht diesmal Findesiècle an.

Es war also so ein Fest. Ja. Aber...

...ich zittere, wenn ich so ein Haus betrete. Im Hals klopft es. Die Stimme flattert. Ich bin heiser. Was ich erwarte, weiß ich nicht. Aber schließ ein Kraftwerk an meinen Kopf: ich liefere Strom für ganz Bayern. Jeder Händedruck schmerzt, offenbar liegen meine Nerven bloß. Schon die Hinfahrt zeigt meine Unzurechnungsfähigkeit. Der Wagen bockt und kreischt. Über die Isar. Nach Harlaching! schrei ich den Polizisten an. Harthauserstraße! Plötzlich wieder eine Isarbrücke. Mensch, Birga, Candidstraße, wir sind falsch. Brudermühlstraße. O mai, do sans ganz schee foisch! Den Umweg versuche ich mit Vollgas gutzumachen. Noch einmal über die Isar. Eine enge steile Kurvenstraße, die Reifen mahlen, ich muß es langsam probieren. Die versprochenen drei Hoflaternen, ochsenblutrot. Himmelsakrament, sind wir doch die ersten. Beumann war das recht. Sie sind auch aus dem Oberland, sagte er. Aus Ramsegg. Eben, und ich aus Kümmertshausen. Was, so nah. Da kennen wir ja jeden Hof. Das freut uns aber. Gekleidet war er als Schaubudenringer der Jahrhundertwende. Überall, wo das Trikot aufhörte, war er böse tätowiert. Aber die senkrechte Narbe, mit der sich seine Stirne noch nicht abgefunden hatte, war wohl echt. Sie war eher zinnober- als ochsenblutrot. Haben wir uns nicht schon einmal, nein, aber meine Frau, Anne, ach ja, bei Frantzkes, stimmt's? Sie ist eine Frau, die auch ihr eigener Mann nie für schön gehalten haben kann. Man sieht sie und fragt sich gleich: warum also hat er die geheiratet? Ist sie eine so besondere Person oder hat sie soviel Geld oder ging es ganz normal zu und er hat sie bloß wider besseres Wissen geheiratet?

Jemand muß doch der erste sein, sagt Frau Beumann. Mein Mann kam auch einmal als erster zu einem Sommerfest meiner Mutter. Das war mörderisch, sagt er und erzählt es lachend. Dann über Frau Frantzke. Ich sagte was. Er sagte was. Abwechselnd sagten wir: das sieht ihr gleich. Ja, und meine Verlobung benutzte sie dazu, ihren Kammermusik-Preis zu stiften, sagte er. Ach ja, Frau Frantzke. Ihr Bruder kommt auch. Der Ärmste, sagt Frau Beumann, er will sich scheiden lassen. Beumann sagt: Jetzt fragt er jeden, ob er soll. Man weiß wirklich nicht, was man ihm raten darf, sagt sie. Er: Wenn man doch die Frau kennt. Basil Schlupp kommt auch, sagt sie. Wollensak, sagt er. Volker Veeser, Emil Mack, Melanie Sugg, Keckeisen, Karsch. Vielleicht sogar Nacke Dominick Bruut, sagt sie. Langsam, langsam, sagt er. Ich sag ja, vielleicht, sagt sie. Der geht nicht mehr überall hin, sagt er. Vor sechs Jahren hockte er jeden zweiten Abend hier rum, sagt sie. Der Erfolg, sagt Hans Beumann und prostet mir zu. Seine Augen sacken weg. Will er weinen? Zum Glück, sagt er, ist jeder ein Schwein.

Die unseren sind auch so verrückt nach Tieren, sagt Birga zu Frau Beumann und krault die zwei Boxer, die unter uns Kostümträgern merkwürdig schlicht aussehen. Merkwürdig tot sehen wir aus, zu viert, ohne Musik, nüchtern, höflich, Fassaden eines Vergnügungspalastes bei Tage. Birga, halb Charleston, halb Ägypterin, schön grüngiftig unterm fettglatten Blond. Frau Beumann als teure Haremsdame, ein Astralleib aus durchsichtig weißem Chiffon, dem ein hart weiß glänzender Bikini zugrunde liegt. In der Höhe des Nabels eine blanke Hautbanderole. Auch der Hausherr hat diese Gegend frei gehalten von Trikot und Tätowierung.

Es war so ein Fest. Ja. Aber ...

... ich fieberte, hatte Elmsfeuer an den Ohren, prüfte die eintretenden Leiber, welcher Leib war bewacht, welcher nur begleitet, wo waren Risse in einem Paar, welche ist die Beste, ist da was zu machen oder ist es besser, gleich die Zweitbeste anzupeilen oder die Drittbeste, oder bleibst Du gleich hängen an der Erstenbesten, oder hast Du dazu doch noch nicht genug getrunken? Ne-

benan spielte das Tonband für niemand. Ich wagte es nicht, eine Kostümträgerin von ihrem Diskussionsrudel abzusprengen. Ich tat, als hörte ich den männlichen Feinden zu. Ich soff auffällig. Vielleicht war eine Rotekreuzbegabung in der Nähe, mir in den Arm zu fallen. So erlöste ich mich selber. Wurde glasig, gallertartig, die Finger schmerzten nicht mehr. Aber sobald ich zehn Minuten das Trinken vergaß, fand ich mich unstet spurend, jägerhaft gespannt. Daß mich die Männer nicht beachteten, war mir recht, aber als ich sah, daß die Frauen mich auch nicht beachteten, begann ich, die Männer zu sondieren. Wer ist das? Psst, Wollensak. Franz Wollensak? Kurzes Kopfnicken. Und neben dem riesigen, auch mir namentlich bekannten Lyriker Wollensak, sah ich Edmund, meinen Edmund, meinen Freund Edmund, der doch längst in beiden Berlins wohnte. Hingehen, ihm die Hand schütteln, ins Ohr flüstern, daß Alissa jetzt bitte Birga heißt...
Aber Edmund war im Eifer. Er und Wollensak waren offenbar mit einer Hinrichtung beschäftigt. Der Kerl wehrte sich noch. Aber das sah ich auch, lange machte der das nicht mehr. Rundum war man schon so aufgebracht gegen den, daß Wollensak nur noch schrill lachen mußte, wenn der etwas geltend machte. Edmund tranchierte noch mit feinen Floretthänden. Wollensak rief: Laß das Schwein. Aber Edmund war nun einmal beim Hinrichten. Offenbar waren Edmund, Wollensak und das Schwein auf einem Ostberliner Kongreß gewesen, offenbar hatte das Schwein in einer Westzeitung in einer Art über den Kongreß berichtet, die Wollensak verachtete, offenbar hatte das Schwein Wollensak einen Fellowtraveller genannt.
Als dann das Schwein wirklich keinen Tropfen Blut mehr gab, patschte sich Edmund symbolisch die Hände sauber, nahm Wollensak an der Hand, brach den Kreis auf, wehrte alle Glückwünsche ab, kam auf mich zu und sagte, er hätte mich längst begrüßt, wenn er nicht noch dieses Schwein hätte erledigen müssen. Das schmeichelte mir natürlich, so vor allen Leuten vom Sieger begrüßt zu werden. Meinetwegen wehrt er die Glückwünsche ab. Mir führt er den Lyriker zu. Stellt mich ihm sogar vor als einen lieben Freund. Wollensak, viel größer als ich, schaut mich aus seiner Höhe an, läßt sich viel Zeit und sagt etwas, das nach so langer Prüfungszeit doch noch freundlich wirkt. Edmund, wenn Du gestattest, gestatte ich mir jetzt eine, rief Wollensak und griff sich aus dem Umkreis blindlings eine engäugige Schwarze, die ich

auch schon angeschaut hatte, und wollte fort zum Tanz. Halt, rief da ein zarter Mensch, halt, laß Dir zuerst gratulieren, Teddy. Nachher, Basil, ich muß jetzt mal, Schlachten macht nicht satt. Also blieb Basil bei mir und Edmund stehen. Basil Schlupp. Ich kannte ihn von Photos. Aber so elsternhaft schwarzweiß hatte ich ihn mir nicht vorgestellt. Eine so dichte schwarze, fast gefiederte Haarhaube hatte er und eine so milchweiße Haut und dann auch noch so dunkle Augen, mein Gott, da ist manches Mädchen ein arger Mann dagegen. Die Hände schienen an seinen langen Armen nur lose befestigt zu sein. Und dieser zarte Mensch soll einer unserer unbarmherzigsten Schriftsteller sein. Den hatte ich mir immer als einen Scharfschützen gedacht, der sein Leben sozusagen im Anschlag verbrachte. Und so ein Leben auf dem Hochstand, von dem aus er die Gesellschaft beobachtete und bei der geringsten falschen Bewegung beschoß, das sollte sich doch auswirken auf die Gesichtsmuskeln, auf den ganzen Mann, hatte ich gedacht. Und jetzt sah ich vor mir ein Sondermädchen mit einer ein wenig zu fleischigen Nase, sonst aber ganz aus Mondschein, Rabenmärchen und edler Schwindsucht biegsam gebildet. Edmund stellte mich wieder vor. Diesmal aber ohne Erfolg. Kinder, ich kann mir keine Namen mehr merken, entschuldigt mich, sagte er und wand sich fort, war gleich wie die Schlange im Dickicht des Fests verschwunden. Edmund lächelte mütterlich. Und wer ist das? der Große, Kostümlose? will der provozieren mit seinem Anzug von der Stange? er überragt die meisten, also sieht man ihn immer irgendwo stehen und sieht, daß er alles anschaut, als müsse er etwas kaufen und könne sich nicht schlüssig werden. Preßt die Pfeife andauernd in den Mund, und der will sie nicht haben. Wer ist denn das, Edmund? Das ist Karsch, interessante Figur, aber nix für ein Fest, komm, wir saufen jetzt. Und ich soff mich fest mit Edmund. So schön es ist, in der Fremde Bekannte zu treffen, aber man kommt dann nicht weiter. Edmund analysierte für mich leise zischend Berlin und Berlin und maß jede Berliner Einzelheit daran, ob sie für Wollensak und Wollensaks Gedichte förderlich war oder schädlich.

Es war so ein Fest. Ja. Aber...

...einmal brach dann doch Beumann herein, hißte eine Dame, ich rutschte gleich vom Barhocker, ich sei Herr Kristlein, sagte sie, sie sei Melanie Sugg. Aus Bern. Beumann war schon wieder weg. Aber Edmund wollte nicht gehen. Bitte, nennen Sie mich

Melanie, dann darf ich Anselm sagen, Anselm gefällt mir. Nämlich. Sie wollte mir immer schon schreiben, sie hat das Buch gelesen, sicher sehe sie jetzt komisch aus, als Polargirl, mit Zöpfen, ich dürfe sie gar nicht anschauen, aber Sie sehen auch komisch aus, was ich denn vorstellen wolle im strengen Zwiebelsack, etwa einen Heuschreckenesser, Nebukadnezars Kammersänger, Hauptsache, wir hätten uns getroffen, weil sie doch mit mir etwas vorhabe, aber von Geschäften wolle sie jetzt nicht sprechen, ob ich nach Bern käme oder nach Zürich, wenn sie mich einlüde, sie sei mit Blomich hier, dem sei sie aber weggelaufen, jetzt sitzt er in der Küche und fragt die Haustochter, ob er sich scheiden lassen soll oder nicht, ob ich etwa auch gerade an einer Scheidung laboriere, weil ich so ein Gesicht, schade, sie hätte mir sonst gleich einen Heiratsantrag gemacht, aber das wäre, falls ich tatsächlich an Scheidung dächte, schon zu spät, weil sich Männer doch immer nur einer anderen wegen scheiden ließen, Frauen dagegen ließen sich auch ins Unreine und ohne Affäre scheiden, einfach weil sie es nicht mehr aushielten, sie plappere jetzt, aber solange ich so schweige, müsse sie ja, sie sei jetzt ganz unsicher, weil ich nichts sage, sie sei, als sie gehört habe, ich sei hier, einfach hergelaufen, neugierig, ohne Absicht, daß sie jetzt gemustert werde, finde sie, mit Verlaub, un peu malin. Aber, gnädige Frau Melanie, jetzt tanzen wir zuerst einmal. Sie war leicht.

Edmund ließ ich sitzen. Ich durfte hoffen, ohne ihn weiterzukommen.

Ist Ihre Frau auch hier? Jaa. Natürlich, sagte sie. Als ein rundköpfiger Herr im schlichten Kostüm Mao Tse-tungs zwischen uns trat, als hätte er Rechte an Frau Sugg, waren wir beide erstaunt, daß er das durfte. Melanie, sagte er, ich gehe. Herr Blomich. Melanie schleifte uns in eine Ecke, stieß uns auf ein Biedermeiersofa. Das ist Herr Kristlein, schrie sie Blomich ins rechte Ohr. Blomich schüttelte den Kopf, als wolle er sich den Namen wieder aus dem Ohr schütteln.

Blomich stand schon wieder, wurde aber von einer Mantel-Degen-Rolle wieder auf das Sofa gedrückt. Keckeisen, lassen Sie mich gehen, sagte Blomich. Aber Don Keckeisen sagte, es sei seine seelenärztliche und menschliche Pflicht, Affektverarmung, Aushöhlung des Lebenswillens, Affektbesetzungen verkümmern, Schichten der Person wertabhängig von einer Frau, die als überpotenzierter Gegenstand der Libido...

Blomich sagte zum Seelenarzt Arschloch und ging langsam, aber so, daß ihn keiner aufhalten wollte, hinaus. Der Seelenarzt bewies uns, daß das Schimpfwort seine Diagnose bestätigte. Melanie sagte: Armer Hans. Aber schließlich ist er einundfünfzig. Und Fabrikant. Auch Konserven wie die Schwester? Nein, Süßigkeiten. Und warum scheint er so unglücklich? Er läuft einer nach, fährt ihr nach, fliegt ihr nach, telephoniert ihr nach, verstellt ihr den Weg mit Geschenken, die kassiert sie und lacht. Und die heißt? Rosa, aber dreiundzwanzig. Und wo, denken Sie, ist Blomich jetzt hin? In ein Hotel. Zuhause kann er nicht telephonieren. Und Rosa ist in? Zur Zeit in Berlin. West? Da lachte Melanie so heftig, daß im Umkreis von drei Metern alle herschauten und mich für einen besonders witzigen Menschen hielten. Es war so ein Fest. Ja. Aber . . . kein Aber, es war so ein Fest. Ich habe doch gar nicht aufgepaßt. Außer mal auf schwer unterscheidbare Frauen. Für einen Mann interessiere ich mich wahrscheinlich nur, wenn ich hoffe, er kann mir nützen. Höchstens Unglück zieht mich, den konsequenten Amasis, noch an. Wenn einer sein Unglück reichhaltig schildern kann, da höre ich gern zu. Mich interessiert, ob er ein Talent hat für die Schilderung der Petroleumfarbe, die das Unabänderliche grundiert.

So darf ich mir einerseits schmeicheln, dort der Abgebrühteste gewesen zu sein, andererseits hatte ich dem Fest gegenüber doch diese Erwartung. Ich glaube, so eine Erwartung ist dem Gegenteil von Interesse sehr ähnlich. Wenn ich sie sättigen will mit irdischem Angebot, nimmt sie davon nicht Notiz. Offenbar will sie lieber wachsen als gesättigt werden. Was willst Du eigentlich, schrei ich mit der innersten Stimme. Aber meine Erwartung, dieses wirkliche Einhorn, läßt sich nicht befragen. Sie befiehlt mir nicht: jetzt geh dahin und beiß der violetten Blondine das Ohr ab, dieses Ohr ist es, worauf ich aus bin mit dem geraden, gar nicht gewendelten Horn. Sie sagt nicht: da, den grünen Schenkel und noch jene Brüste, die ausliegen als zwei Riesenperlen im aufgeklappten Samtetui. Mir wäre mit dem Ohr, dem Schenkel und den mühelos ausliegenden Brüsten gedient, nicht aber meiner Erwartung, die als herrschsüchtiges und starr totalitäres Einhorn das Wappen meines Wesens am liebsten für sich allein beanspruchen möchte. Sie will offenbar Alles. Womit sie vielleicht nur tarnt, daß sie auch durch Alles nicht zu befriedigen wäre. Natürlich kämpfe ich dann, sozusagen im Rücken meiner Erwartung, doch um den und jenen einzelnen Schenkel, ich kann ja nicht vor lauter eisigem Märchen verhungern. Aber meine Erwartung tut alles, mir die kleinen Mahlzeiten zu vergiften. Ich meinerseits bekämpfe meine Erwartung mit Alkohol. Da wird ihr das starre ungedrillte Einhorn weich und ablenkbar, schwimmt in meinen Adern fort wie der bei der Schmelze schluchzende Schnee. Dann darf ich am Rand sitzen, schön feuchte Augen haben und den Lebendigen zuschauen. Dem riesigen Wollensak, zum Beispiel, der sich das Tanzzimmer freigewirbelt hat mit Hilfe von zwei Mädchen, die er so heftig betanzt, daß jede glaubt, er tanze allein mit ihr. Die vertriebenen Paare stehen wütend und bewundernd an den Wänden. Wahrscheinlich wird Wollensak auch von seiner Erwartung gehetzt. Scheint eine rechte Furie zu sein. Also lobe ich mein alkohollösliches Einhorn. Ganz Sorglose gibt es wohl nicht. Haben also mehrere etwas gemeinsam auf so einem Fest? Nicht einmal das Datum. Blomich sei einundfünfzig. Da ist doch Mitte Februar das halbe Jahr vorbei. Ich bin zweiundvierzig. Da fängt der Herbst erst Ende April an. Wo wohnen *Sie* hier? Im Deutschen Kaiser, sagte sie und lachte, als hätte ich schon wieder einen Witz erzeugt. Ich sagte: Mein Gott, das ist ja gleich bei uns. Ach, ihr zwei! Das war Beumann. Er bat Melanie, sie möge mir sagen, daß er jetzt Filmregisseur sei. Das wisse ich, sagte Melanie. Das wisse ich nicht, sagte er. Mich interessiere doch gar nicht, was er mache, weil er erfolglos sei, aber er wisse auch, warum er erfolglos sei, weil er nämlich Filme mache nach persönlicher Erfahrung, ob ich verstünde, Liebe sei sein Thema seien seine Mädchen! also brauche er immer ein neues Mädchen um ein gerade verflossenes darzustellen, aber er könne nur arbeiten mit Mädchen, die er liebe, und er verliebe sich nur in schlechte Schauspielerinnen, und so eine müsse nun ihre Vorgängerin darstellen und während der Arbeit schon den Stoff liefern für die noch nicht erschienene Nachfolgerin! schwer, sehr schwer sei das für eine schlechte Schauspielerin, zumal er selber ein schlechter Regisseur sei, das müsse ihm keiner sagen, das wisse er selber, das wüßten längst alle, trotzdem verlangten sie immer noch gute Filme von ihm, begreift man das? Gott sei Dank arbeite er nichts zur Zeit, die Narbe, ob ich verstünde, ein Unfall, endlich ein Unfall, ob ich verstünde ... Beumanns Mund sprach noch mit mahlenden Kiefern, aber zu hören war nichts mehr. Plötzlich schrie er laut und klar: Auch ein deutscher Filmregisseur kann hassen. Darauf hat

er, glaube ich, grell gelacht, ist weggerannt, hat den Satz in mehreren Zimmern brüllend wiederholt und jedesmal ebenso grell gelacht. Es war so ein Fest, so ein Fest aus gelben Schultern, Rauch, Drehungen oder Sätzen, für die ich keinen Mund mehr finde zwischen den violetten und den grünen Tapeten voller Musik, Wollensak, stumm wirbelnd vor uns Verhungernden, deren Gesichter, vorgestreckt auf Hälsen, lauerten auf was jeder will und keiner hat, oder fuhr das ganze Fest durch einen Tunnel? wir waren gespannt, wie Wollensak kreischt, oder Melanie kreischt, oder Beumann kreischt, oder aus vielen Mündern comicstrip-Blasen quellen mit kaputten Buchstaben, oder Beumanns zinnoberrote Narbe hinauf plötzlich faules Gras sprießt, oder Don Keckeisen auf einer Fußspitze steht und möchte lodern, oder Frau Beumann mit einer Männerhand davon will, aber die Hand ist angewachsen an einem Räuber, dem Melanie schon auf beiden Knien steht oder auf den Schenkeln oder trampelt ihm im Gemächte, oder ist das ein lustiges Geräusch oder mehr ein Gewimmer? oder lacht sowieso jeder anders? oder haben auf so einem Fest wirklich mehrere etwas gemeinsam?
Zu spät jetzt, das Fest schöner zu ordnen. Ich hätte ihm gleich eine Komposition einhauchen sollen. Tick-Tack-Tick-Tack-Tacktick. Eine Ordnung überstülpen, die es nicht hatte. Das Mädchen mit der Grünspan-Perücke kriegte in einem komponierten Fest die Ohrfeige vom Jahrhundertwende-Buchhalter nur in einer Musikpause, also am besten in dem Augenblick, in dem Nacke Dominick Bruut eintritt, daß die Geohrfeigte lachend und schluchzend auf Nacke Dominick Bruut losrennen und der sie sofort in seinen weiten Kuttenärmeln verbergen kann. Applaus. Aber leider wurde die einzige von Hand verabreichte Ohrfeige dieser Nacht bei dröhnender Musik gegeben, also lautlos. Aber als Nacke Dominick Bruut eintrat, war es tatsächlich gerade still oder: wurde es sofort still. Er trat ein fünf Minuten vor der verheißenen Nabelprämierung. Keine Musik mehr. Die Paare lassen von einander. Nacke Dominick Bruut ist da. Als fleischiger rotborstiger Augustinermönch. Gerahmt von zwei dürren Herren der römischen Inquisition. Hinter den dreien ein Riese in schwarzem Leder; der trägt eine Standarte.
Daß ich damals Bruut noch nicht kannte, wollte Melanie mir nicht glauben. Snob, sagte sie und imitierte einen warnenden Zeigefinger. Heute kommt es mir fast selber unglaubhaft vor, daß ich

Bruut nicht gekannt haben soll. Habe ich nicht immer schon Bruut-Photos im *Spiegel* gesehen? Bruut in Badehosen, Badewannen, Bar, Philharmonie und lachender Familie? Vorbereitet war ich sicher. Es fehlte nur noch der Funke. Auf keinen Fall kann es mir jetzt noch gelingen, den festen, eher kleinen Rothaarigen, der da 5 vor 12 eintritt mit zwei dürren Begleitern und einem Riesen, eintreten zu lassen als einen mir unbekannten Kostüm-Mönch. Meine Unschuld Bruut gegenüber erlosch mit meiner Ignoranz. Die beiden dürren Inquisitoren waren also Volker Veeser und Professor Mack; der schwarze Lederriese war der legendäre Bruut-Chauffeur Hans Sohn; alle vier kamen vom Kopfsalat-Ball, hatten dort den ersten Preis für ihre Vierergruppe errungen. Bei uns eintretend, schwenkten sie gelbe Papierfähnchen durch die Luft, ließen die Fähnchen zur Ruhe kommen und uns lesen, was da schwarz auf gelb zu lesen war. Auf den Fähnchen der Begleiter las ich: Die Unzertrennlichen. Auf des Chauffeurs Standarte las ich: Siebet eure Freunde. Natürlich lachten und klatschten wir alle zuerst einmal ausgiebig. Ich hörte aber sofort, daß die anderen tiefer in der Kehle und viel tiefer aus dem Körper lachten. Das spürt man gleich, wenn man etwas weniger lustig findet als andere. Bei denen zündete eine Bewandtnis nach der anderen.

Eine Ausführung über eine gefährliche Gewohnheit unserer Gesellschaft: Man tut dem Neuling keinen Gefallen, wenn man so tut, als bemerke man seine Ignoranz nicht. Es wird immer Nachwachsende geben, denen man auch das Wichtigste nur dadurch bekannt machen kann, daß man es ihnen mitteilt. Anders wird der Neuling nie der Eingeweihte werden. Bloß um nicht der zu sein, der die Peinlichkeit auf sich nimmt, dem Neuling zu sagen, wie uneingeweiht er noch ist, überläßt jeder die Aufklärung dem nächsten, der aber macht es ebenso, der Ignorant und Neuling spürt das, spürt es wie eine Verschwörung, wird immer ängstlicher, vielleicht geht er der Gesellschaft dann ganz verloren und wird ein feindlicher Sonderling. Noch gefährlicher für den Neuling wird es, wenn die Eingeweihten so uneinfühlsam sind wie Melanie Sugg. Nicht aus Höflichkeit, nicht um mir eine Peinlichkeit zu ersparen, hat sie mich nicht aufgeklärt, nein, für sie war es einfach unvorstellbar, daß ich noch nichts von Nacke Dominick

Bruut gehört haben könnte. Will ich je einen Neuling zugrunde-
richten, werde ich mich genau so verhalten. Was, bei Ihnen zuhause wurde während des Mittagessens nicht über Baudelaire gesprochen! Das machen Sie mir nicht weis. Und ich werde mich
weigern, einzusehen, daß in jeder Familie der Name Baudelaire
irgendwann zum ersten Mal genannt werden muß. Ich werde
mein Opfer mit dem Satz erschrecken, mit dem Edmund mich eines Tages erschreckte: Der wichtigste Mann des 19. Jahrhunderts
ist Baudelaire. Ich hatte nie daran gedacht, daß es nötig sei, einem
Namen diesen Rang zu verleihen; um so heftiger traf mich die
Nachricht, daß es den wichtigsten Menschen des 19. Jahrhunderts
tatsächlich gegeben hat. Und ich hatte nichts davon gewußt! Seitdem sage ich öfters zuhause beim Mittagessen: Baudelaire.
Meine Kinder sollen es besser haben. Lissa, Drea und Guido
(später hoffentlich auch Philipp) stehen in der Schule manchmal
auf und sagen: wie sagt doch Baudelaire . . . Der Kampf ist in das
grausamere Gelände der Kindheit verlegt, aber die Meinen sind
wenigstens nicht mehr die Opfer, sondern die Täter.
Und gerade noch rechtzeitig will ich jetzt beim Suppeschöpfen
Nacke Dominick Bruut erwähnen. Und weil es auch unter Erwachsenen immer noch einen gibt, der das Wichtigste nicht weiß,
und weil man sich um diesen Einzigen mehr sorgen muß als um
999 Versierte, scheue ich mich nicht, mitzuteilen, was meine
Festgenossen so laut und lang lachen ließ.

Eine Ausführung über Nacke Dominick Bruut (Die nährt sich nur
von Kommentaren der bekanntesten Fachleute). Vorweg: wer
Bruut kennt, nennt ihn mit seinen zündenden Initialen NDB.
Also NDB hatte gerade seinen alpenüberspannenden Streit mit
der katholischen Kirche. (NDB in einem Interview: Unsere Kaiser, Luther und Bismarck hatten doch auch ihren Kirchenkampf.)
Als Anlaß diente NDB's Werk: *Die Vatikinesen, eine Oper für
sechs Kardinäle und einen Papst.* NDB hatte den Vatikan besucht, Johannes XXIII. hatte sich mit ihm photographieren lassen
(NDB: Ich habe mich mit ihm photographieren lassen), Geistli-
che hatten ihn vier Tage lang tief im Vatikan herumgeführt (NDB
hatte gerade in Donaueschingen oder Venedig die besten katholischen Ohren behext mit seinem Chorwerk »Wer da hat«, einer
Vertonung von Matthäus 25, I–30), zuhause in seinem Landhaus

in Berchtesgaden schreibt er dann die Papstoper, aber die deutschen, ihm sehr ergebenen Opernhäuser mußten die Oper des eigenartigen Librettos wegen ablehnen, es kommt zu konzertanten Aufführungen ohne Exekution der peinlichen Handlungen (NDB: So bin ich noch nie kastriert worden; aber Gott sei Dank wächst bei mir alles rasch nach), die Kirche und die Gläubigen fühlen sich grausam verletzt (KND: Da hat man ihm nun alles gezeigt), Stockholm und London streiten um das Recht der Uraufführung (Osservatore Romano: Nördlicher Tanz um das schmutzige Kalb), London und Stockholm einigen sich auf eine Doppel-Uraufführung, der Komponist dirigiert in London (NDB: Das geschieht dem Kontinent ganz recht), die Weltstädte sehen die Oper auf sich zukommen als eine Pflichtoper für Weltstädte und müssen überlegen, wie sie Weltstädte bleiben können, ohne es mit der katholischen Kirche ganz zu verderben (NDB: Ich bin Katholik, ich würde mich freuen, wenn die Kardinäle und der Papst so leben dürften wie in meiner Oper; die meinen, ich kritisiere sie, dabei schlag ich was vor, und daß ich das in einer Oper tue, mein Gott, man kann nicht im Vatikan gewesen sein und dann *keine* Oper schreiben), bayerische Bauern aus dem Werdenfelser Land und aus den Landkreisen Freising, Regensburg, Passau und Cham schreiben Drohbriefe mit orthographischen Fehlern (NDB gibt die Briefe als Broschüre heraus und schreibt in der Einleitung: Die Fehler riechen nach Diözesantinte, Filser-Fehler sind es), NDB zieht vorerst nach Nyon am Genfer See, rue des Pierettes, Nummer unbekannt, es soll eine lange Straße sein (NDB: Das gibt ein Oratorium *Flüchtlingsgespräch am Genfer See*).

Ich habe viele Kommentare gelesen, deshalb weiß ich jetzt, NDB's Oper ist eine große Oper, ein Werk, das die zweite Hälfte dieses Jahrhunderts genauer enthält als jedes andere Werk. Da ist Angelo Giuseppe Roncalli, kleinster Leute Sohn, dann doch Patriarch von Venedig und dann sogar Papst, ein so frommer und liebenswürdiger Greis, daß der ganzen Welt das Herz aufgehen will vor Sympathie für die heilige Einfalt dieses schlichtesten Hirten. Welch ein katholisches Aufatmen, als uns nach dem schneidigen Diplomaten und kalten Marienfanatiker Pius dieser sanfteste Pykniker beschert wurde. Wird er seinen ukrainischen Bauern- und Hirtenbruder, den runden Chruschtschow, nicht förmlich anziehen? Werden die beiden Dicken zum ersten Mal seit 1914 einen Frieden bewirken, der über Nacht hält? So ein schwärmerisches Empfinden war also möglich geworden durch unseren Dreiundzwanzigsten Johannes. Aber genau genommen gab es auch noch Nacke Dominick Bruut. Der hat entdeckt, daß der Welt etwas fehlt. Das Böse ist im Schwinden. Die Freundlichkeit nimmt entsetzlich zu, sagt Bruut. Wer traut sich noch, die Menschen ein Pack zu nennen, sagt er. Seht doch den Kolonialismus, den Kapitalismus, den Faschismus, den Stalinismus, wie das alles hinsinkt! Und wo sowas noch auftritt, tarnt es sich, zeigt ein lächerlich schlechtes Gewissen. Die Mionäre und Generäle wetteifern mit der Heilsarmee. Und schuld daran ist der Sozialismus. Den verdammen sie zwar alle oder lachen ihn aus, aber eingeschüchtert sind sie doch. Wir alle werden ergriffen von der faden globalen Einheitsgüte.

Das ist aber nur die knappe Hälfte des Bruutschen Lebensgefühls. Die andere, ebenso persönliche Hälfte ist durch und durch sozial. Bruut ist selber gütig, komponiert, wohl im Ernst, für den 1. Mai, möchte jede Arbeiterwohnung mit Licht, Luft, Selbstbewußtsein ausstatten. So entsteht seine Spannung. Er sieht sich selber als den Funktionär eines Fortschritts, der das Böse eines Tages gänzlich zu vernichten droht. Und da wird Bruut unruhig. Das geht ihm nun doch gegen den Strich. Er fühlt seine Berufung. Fortschritt hin, Fortschritt her, das Böse darf nicht darunter leiden. Weil es aus den Wohnungen und den sozialen Verhältnissen ausgetrieben werden soll, muß ihm irgendwo anders Unterkunft geschaffen werden: in der Kunst. Das Böse sei das Licht, das allen Farben zugrunde liege, es dürfe nicht aussterben, also müsse der Künstler dem Bösen, das aus den wirklichen Verhältnissen ausgetrieben werde, bei sich und in seinem Werk Unterschlupf gewähren.

Niemand weiß, ob Bruut selber genau so denkt, aber es ist überliefert, daß er schmunzelnd zuhört, wenn ihm von den Fachleuten seine Auffassung so erklärt wird. Er soll öfters gesagt haben, er sei Künstler, er wisse nicht, was das Böse sei. Ob denn der Ausdruck »Oper der Grausamkeit« von ihm stamme? Der Ausdruck wohl nicht, sagte NDB. In einem Interview wird von ihm überliefert: Zur Grausamkeit gehört kein Mut, sondern Grausamkeit. In einem anderen: Ach, ihr Ideologen, ihr Puddingesser ihr. In einem Fernsehinterview sagte er: Ich weiß, ich habe es leicht, weil ich stark bin. Aber soll ich bloß deswegen krumme Touren machen nach Art der Schwächlinge? Und in diesem Interview fanden Fachleute seinen wichtigsten Satz: Was kann ich dafür, daß ich auf die Welt gekommen bin wie eine Gerechtigkeit!

Das stellen die Kenner vor allem fest: seine Gerechtigkeit, seine alarmierende Güte, sein furchtbar gerades Verhalten. Deshalb fürchten ihn die, die etwas zu fürchten haben, heißt es, und die Aufrechten lieben ihn. Deshalb hat er mit seiner Oper, sagen die Kenner, nicht gegen den lammfrommen Johannes persönlich musiziert, sondern gegen ein Verehrungsprinzip, gegen eine Welt, die sich selbst bestach, die im Widerschein der biederen Figur ihr eigenes Böses vergessen wollte, die auf eine neuviktorianische Art ein hohles Plus anhimmelte, nämlich ein scheinheiliges Wunschbild ihrer selbst in Gestalt des mummeligen Oberhirten. NDB habe sich als das wirkliche Genie dieser Zeit erwiesen, denn das Genie sei das aktiv laxierende Element im Stoffwechsel der Gesellschaft. Genie ist Verdauung.

Solche Befreiungshilfe habe also NDB geleistet. Vielleicht werde NDB eines Tages das Weiße Haus inspizieren und eine ähnliche Oper über Kennedy schreiben[1]. Aber wahrscheinlich wolle NDB nicht in den Verdacht kommen, er meine es politisch. Und wirklich, ein Angriff auf eine Person, der sofort den Gegnern dieser Person zustatten komme, wäre das, was NDB am wenigsten wünschen könne, nicht als schnöde Zeitkritik wäre das! Deshalb sei NDB ja instinktiv auf jenen rundum untadeligen Johannes verfallen. Und ein Beweis dafür, daß es sich hier um eine absolute Aggression handle, könne man in der Reaktion einiger weniger Theologen sehen, die dieses Werk nicht rundweg ablehnten, sondern es als eine Herausforderung annähmen und ersthaft theologisch darüber meditierten. Und es werde eine Zeit kommen, da die Kurie usw.

Dieser Nacke Dominick Bruut war nun leibhaftig unter uns. Wer etwa durch mich zum ersten Mal von ihm hört, mag ähnlich darüber erschrecken wie ich, als ich erfuhr, wessen ich da ansichtig geworden war, ohne es zu wissen. Wenn ich mir jetzt seinen Auftritt vergegenwärtige und die Standarte und die Fähnchen als Kenner würdige, kann ich auch vollauf lachen und mein modisch

---

[1] Daraus hat nichts werden können, weil einer, der eben kein Künstler war, den Präsidenten Kennedy plötzlich mit Hilfe eines Gewehrs ermordete.

leichtes Bett ächzt unter mir. Damals machte ich bloß mit. Hielt mich vorsichtig in der Entfernung, sah mich gleich allein zurückbleiben, weil jeder der erste bei Bruut sein wollte. Melanie Sugg war wirklich eine der ersten.

Nun endlich die große Nabelschau. Unter Don oder wahrscheinlich doch Doktor Keckeisens Anführung machten sich zwei Damen und zwei Herren mausig, verkündeten uns Betrunkenen eine genau ausgearbeitete Verlaufsform des Nabelturniers. Mit Disqualifikationsklauseln etc. Zweimal zogen die Turnierwilligen langsam an den Nabelbeschauern vorbei, dann hatte das NDB-Trio auch hier den ersten Preis errungen. Frau Beumann durfte den Sultansmaragd dem NDB-Nabel verehren. Sie hatte dazu gleich Uhu zur Hand. Dr. Keckeisen sagte uns etwas über die magische Funktion des NDB-Kostüms, NDB in der Haut des Gegners, dessen Existenz als Kostümexistenz demonstrierend, gleichzeitig sublimierende Verarbeitung des eigenen Affektüberschusses und bewandtnisreiche Anspielung auf einen historischen Vorläufer mit Beschwörungstendenz... Was aber NDB zum Nabelmotto eingefallen sei, dürften wir, mit NDB's gütiger Erlaubnis, selber anschauen. NDB lag schon in einem Sessel und wir zogen an ihm vorbei, wie man in der Ramsegger Kirche an der Krippe vorbeizieht. NDB hatte auf der Vorderseite seiner Kutte ein abknöpfbares Viereck schon von Hans Sohn abknöpfen lassen. Seinen Nabel hatte er mit roten Lämpchen aus dem Kutteninneren angestrahlt. Dem Nabel war durch feine Schminkstriche eine Ovalform verliehen. NDB's rote Bauchhaare, in der roten Beleuchtung fast übernatürlich rot, säumten das beträchtliche Oval. Die anderen lachten wieder viel heftiger als ich. Sie wußten eben mehr. Es handelte sich ja nicht nur um eine Nabeltravestie, die so originell war wie es sich für Bruut schickte. Heute weiß ich auch, daß uns NDB mit seinem Nabelkunstwerk auf seine Oper verwies, auf jene Arie nämlich, die jeder kennt, wenn er überhaupt schon von der Oper gehört hat, weil diese Arie mehr Skandal gemacht hat als alle anderen Opern der Weltgeschichte zusammen, jene Arie, die der Papst singt, wenn er von seinem Leibarzt zu den wartenden Kardinälen zurückkehrt und in lieblichem Belcanto anhebt: Vulvae possessor sum. Man muß schon seine ganze Gebildetheit mobilisieren und Bruuts Not mit dem Bösen usw. bedenken, sonst hält man diese Arie bloß für gemein und erträgt sie kaum. Ich selber fand, diese Arie sei niederträchtig und gemein. So sehr fehlt es mir offenbar an Feinsinn. Um diesen Mangel zu verbergen, habe ich bis heute meine Meinung über die Skandalarie für mich behalten.

Die Kenner unter uns waren außer sich vor Begeisterung über Bruuts Nabeltravestie. Einer durfte den bearbeiteten Nabel photographieren. Der legte ein Blatt aus, auf dem alle Namen und Adresse notieren konnten, weil ja jeder ein Photo dieses Nabels für immer besitzen wollte. Und alle sagten: das sei eben Bruut! bei ihm wirke alles zusammen, Fasching, Werk, Person! Bruut kenne keine Nebensachen, er sei immer selber der Ausdruck der Sache, die er selber sei.

Wo war Birga? Ich wollte Birga sehen. Ich spürte es wie einen Anfall, daß ich jetzt Birga brauchte. Eine Schwäche vielleicht. Mir war, als müßte ich gleich weinen, wenn ich jetzt Birga nicht fände. Ich arbeitete mich zur Hausbar durch. Vielleicht saß da noch Edmund. Vielleicht hatte er sie gesehen. Ich erschrak, weil ich plötzlich bemerkte, daß ich mich durch die Leute drängte und immer lauter Birga schrie. Glücklicherweise fiel man um diese Zeit durch nichts mehr auf. Ich schwitzte. Der Boden schwankte. Kündigt sich so ein Schlaganfall an? War das Betrunkenheit oder Schwankschwindel? Da ich damals noch nichts gelernt hatte bei Dr. Weinzierl, hatte ich einfach Angst. Die Münder rundum klappten rasch auf und zu, schnappten nach mir. In meinen Ohren heulten Luftschutzsirenen, fallend wie bei Entwarnung. Klatschnaß erreichte ich die Bar. Weder Birga noch Edmund. Ich drängte hinaus. Birga war fort. Ich ging langsam bis zum Gartentor, langsam wieder zurück und wieder zum Gartentor. Jeden Atemzug nahm ich ein wenig tiefer. Ich spürte, daß ich vorsichtig wieder zu Luft kommen mußte. Im Kopf klopften mehrere Hämmer. Allmählich gelang es mir, durchzuatmen. Ich fror. Ich wollte frieren. Überall, wo die Kälte schmerzte, fühlte ich mich wieder. Vielleicht hatte Bruut Birgas religiöse Empfindungen verletzt. Arme Birga, dachte ich und bewunderte sie, weil sie die Kraft gehabt hatte, dieses Fest zu verlassen.

Drin im Vorraum konnte ich nicht widerstehen, mein Gesicht im Vorübergehen an mehreren Damenpelzmänteln zu reiben. Immer noch fehlte mir Birga. Also rannte ich in die Küche. In der Küche war bloß ein Schluderhexchen, das soff aus einem Glas mit sauren Gurken die Brühe, bot mir auch Brühe an und dazu noch eine Brust. Die kriegte ich auf die Hand, wir betrachteten sie, als sei sie uns gemeinsam zur Pflege übergeben. Wir verstauten sie im Futteral und gingen zurück zum Fest. Drinnen mußte ich an dem steilen Straßenanzug vorbei. Meinetwegen nahm dieser Herr Karsch seine Pfeife aus dem Mund, beugte sich ein wenig und sagte wahrhaft sachlich: Ihre Frau hat eine Taxe bestellt. Und steckte die Pfeife zurück in den wehrlosen Mund.

Das Fest hatte sich gemausert wie sich kein Theaterstück von einem Akt zum anderen mausern dürfte. War vorher nicht die Luft farbig gewesen? Und vorher kein ruhiger Körper. Vorher ein vielgliedriges Geschiebe und Drücken und Pressen und Drehen und Greifen und Gleiten, als versuche eine bunte Riesenechse vergeblich sich selber zu begatten. Und jetzt ein starrer Ring reglos aufrechter Menschen und in dem Ring Bruut bequem im Sessel, und vor dem Sessel Wollensak bedauernswert groß und dick. Gericht, ganz ohne Zweifel, hier wurde Gericht gehalten. Xerxes sitzt hier zu Gericht oder Dareios, aber wen spielt Wollensak? Hinter Wollensak standen, aber wie ertappt, Edmund und Basil Schlupp. NDB zur Seite standen spitz und streng seine beiden Inquisitoren Veeser und Mack. Hinter den dreien wie immer der schwarze Lederriese Hans Sohn, die Standarte in der rechten Faust.

NDB Kamen Sie zu mir ins Hilton oder nicht?

WOLLENSAK Ich war sowieso im Hilton, man wird doch noch...

NDB Also waren Sie nicht auf meinem Zimmer?

WOLLENSAK Doch, das schon, aber...

NDB Und was hatten Sie bei sich?

WOLLENSAK Was weiß ich, was ich...

NDB Hatten Sie etwa nicht Ihre Gedichte bei sich?

WOLLENSAK Ich habe immer Gedichte bei mir, wenn Sie gestatten, Maestro.

Ein paar Lacher

NDB Kein Feuilleton, Junge, ja! Was wollten Sie mit Ihren Gedichten bei mir?

WOLLENSAK Ich begreife ja gern, daß Sie allmählich in dem Wahn leben, jeder, der zu Ihnen kommt, möchte was von Ihnen, aber so leid es...

NDB Stopp, stopp Junge, kein Feuilleton hab ich gesagt! Hier geht es nicht um Zeilenhonorar, sondern um den Kopf.

Kräftige Lacher

WOLLENSAK Ausreden ist an Ihrem Hof wohl nicht gestattet.

NDB Ausreden *sind* nicht gestattet.

Noch mehr Lacher

WOLLENSAK Erstaunlich, wie anfällig Gebildete doch für Kalauer sind.

Zischen und Lacher

NDB Professor, Professor, hast Du unser Büchlein parat?

PROFESSOR MACK *willkürlich wienerisch:* Und ob ich hab.

NDB Dann lies ihm doch einmal vor den 9. November letzten Jahres.

PROFESSOR MACK *blättert rasch und liest:* Berlin, Hilton, Wollensak, Klammer, Lyriker – *Starker Lacher* – Klammer, bittet, NDB seinen neuen Gedichtband widmen zu dürfen. NDB lehnt ab. NDB *wörtlich:* Sie sagen Widmung und meinen Vertonung, aber sowas vertone ich nicht. Wollensak wird bleich und verabschiedet sich rasch. Ende der Eintragung.

NDB So. Jetzt sind Sie dran.

BASIL SCHLUPP *der der sich inzwischen von beiden Parteien gleich weit entfernt hat:* Kinder, das wird mir zu privat. Ich glaube, wir . . .

NDB Schlupp, Ihre Meinung interessiert im Augenblick weniger als das, was Herr Wollensak zu sagen hat, falls er noch etwas zu sagen hat.

WOLLENSAK Sie sind für mich eine Art Faschist.

NDB Jetzt wird er blumig. – *Lacher*

WOLLENSAK Ach Sie . . . Sie . . . auf jeden Fall, einem Faschisten, das weiß jeder, der mich kennt, einem Faschisten würde ich nie einen Gedichtband widmen.

NDB Jetzt tut er, als hätte ich das verlangt von ihm.

Lacher. Besonders von Basil Schlupp

WOLLENSAK Woher wollen Sie überhaupt wissen, daß ich den Gedichtband Schostakowitsch widme, woher denn?

NDB Brandneu, gerade gehört, von Schlupp.

WOLLENSAK Ach.

SCHLUPP Das ist ja kein Geheimnis, Franz. Warum sollst Du auch nicht. Du kannst doch Deine Bücher widmen, wem Du willst.

NDB Und zu Schostakowitsch kann ich Ihnen nur gratulieren. Dieser kommunistische Wagner paßt besser zu einem rechten Pankowtraveller – *Lacher* – als ein Faschist com'io.

WOLLENSAK Ich verehre Schostakowitsch. Seine Lady . . .

NDB Mensch, nun bekennen Sie doch nicht andauernd und unaufgefordert. Das tut ja weh. Ist uns doch schnurz, wen Sie Tag und Nacht verehren. Ich wollte Ihnen nur sagen, wie ich das finde: zuerst mir eine Widmung antragen, ich lehn ab, und dann kriegt se der arme Dimitri.

WOLLENSAK Das ist einfach nicht wahr! Sie glauben, Sie können sich allmählich alles leisten, Sie ... Sie ...

NDB Faschist.

WOLLENSAK Sie wollen sich doch bloß an mir rächen, weil der Felsenstein Sie nicht spielt.

NDB Phantasie hat er, was meinst Du, Professor.

PROFESSOR Net ihm schmeicheln, das mag er net.

NDB Wissen Sie überhaupt, wo sich der Herr Felsenstein einreiht, wenn er mich nicht spielt? In die schweißtreibende Länderriege Albanien, China, Nordkorea, Mongolei, Spanien und Portugal.

PROFESSOR Und Rom, halten zu Gnaden.

Großes Gelächter

NDB Jetzt möcht ich wissen, wem das mehr weh tut, Herrn Felsenstein oder mir?

WOLLENSAK Mir tut es gut.

NDB Schwul genug sind Sie.

WOLLENSAK Ich sage ja, Sie sind ein Faschist.

NDB Professor, der wär gut im Chor, für was Ostinates. Aber warum ich mir das noch anhör, weißt Du, warum?

PROFESSOR Weil'd ein so langmütiger Mensch bist.

NDB Beumann, entweder Sie schaffen mir diese Leiche weg oder ich muß wirklich gehen. Das ist ja gar nicht mehr lustig mit dem. Also Vorhang. Und bei Ihnen, meine Damen und Herren, entschuldige ich mich für diesen mißglückten Sketch. Ganz allein geht's eben doch nicht.

Großer Beifall für NDB. Er winkt ab

Bruut stemmte sich energisch hoch. Die Kutte wirkte jetzt gar nicht mehr wie ein Kostüm. Sofort wurde er umringt von allen. Wollensak und Edmund standen allein. Edmund reichte Wollensak ein Taschentuch. Aber der nahm es nicht. Der stand und sah nur auf den Menschenknäuel um Bruut. Er starrte auf den Mittelpunkt dieses Knäuels. Seine Lippen bewegten sich noch. Wahrscheinlich fielen ihm noch wichtige Sätze ein. Dann sackte er weg. Wir rannten hin, standen um ihn herum, Edmund verbot uns jede Hilfeleistung, er schien sich genau auszukennen. Wollensak lag mit krampfhaft geschlossenen Augen. Er lag auf dem

Rücken. Seine Fäuste holten weit aus und schlugen immer wieder gleichzeitig auf den Boden. Die Haut an den Knöcheln färbte sich dunkel und blutig. Die Beine waren verrenkt, ungleich angezogen, der Körper schlug immer wieder vom Boden hoch, als sei der Boden elektrisch geladen. Aus den aufeinander gepreßten Lippen trieben schaumige Bläschen, die nicht zergingen. Bruut trat durch eine für ihn geöffnete Gasse in den Kreis, schaute interessiert auf den Zuckenden und Schlagenden hinab, sagte Armer Kerl und ging zur Bar. Wollensak lag plötzlich ganz ruhig, als hätte ihn Bruuts Satz besänftigt. Sein Gesicht war weiß. Nur die Augen waren rot gerändert. Jetzt, sagte Edmund und packte ihn unter den Achseln. Wir trugen ihn hinaus und legten ihn in den Schnee. Wollensaks Augen klappten auf, schauten uns an. Wollensak schien nicht erstaunt zu sein, begriff rasch, richtete sich mit Edmunds Hilfe auf, sagte Gute Nacht und ging langsam, wie mit künstlichen Gliedern, von Edmund geführt, auf ein Auto zu. Die zerschlagenen Fäuste staken in seinen Taschen. Im Haus sang Bruut eines seiner Lieder, die er Volkslieder nennt. »Der heilige Geist liebt Fallschirmseide und Osrambirnen, bibelfest ...« Ich ging hinein und setzte mich unauffällig in die Nähe. Melanie Sugg sang den Refrain kräftig mit. Wir waren nicht mehr viele. Karsch saß auch bei denen, machte sich aber mit Hilfe seiner Pfeife das Mitsingen unmöglich. Melanie winkte. Ich schüttelte den Kopf. Nu lassen Se doch den Greis, rief Bruut, sehen Se nicht, daß er sich eintrüben will. Außer Karsch lachten alle. Ich versuchte mitzulachen. Das schien mir das Sicherste. Komm Alterchen, trinken wir eins, rief Bruut und winkte mir. Er hielt mich wahrscheinlich für fünfzig. Da er sechsunddreißig war, ist seine Redeweise durchaus verständlich. Ist einer schon der Ältere, soll er sich nicht wehren, wenn ihm von einem fernen Jüngeren noch ein paar Jahre draufgeknallt werden. Über Alter kann man sich mit Jüngeren nicht verständigen. Ich sage das bloß, daß niemand glaubt, ich sei jetzt aufgestanden und gegangen, weil Bruut mich so angesprochen hatte. So leicht ist man mit zweiundvierzig doch noch nicht zu beleidigen. Ich stand auf und ging, weil ich plötzlich wieder Birga brauchte. So wie man plötzlich frische Luft braucht, so plötzlich brauchte ich jetzt Birga. Gute Nacht, rief ich, war draußen, die sangen ohne Unterbrechung weiter, also fuhr ich, viel zu früh, davon.

Jetzt durchkämm ich also das Fest. War etwas? Ja, in der Küche
hatte ich einmal, mit Erlaubnis der Besitzerin, diese eine Brust
in der Hand. Auf meiner Hand beobachteten wir diese Brust, als
wäre sie ein aus dem Nest gefallener Vogel. Wenn ich aber jetzt
in meinem Bett daran denke, daß diese Brust, die ich aus ihrem
steifen Futteral geschöpft hatte, warm in meiner rechten Hand
lag, dann hilft mir das insofern nicht viel, als meine rechte Hand
davon nichts mehr hat. Ich bitte zwar meine rechte Hand, sich
doch gefälligst zu erinnern, krümme die Handfläche ein wenig,
lasse sie wieder die sehr flache Kuhle bilden, in der damals diese
ziemlich gelungene Brust lag, und die Hand gehorcht mir, sie bildet die Kuhle, aber sie meldet keine Empfindung zurück. Offenbar haben Körperteile nicht die geringste Fähigkeit, sich zu erinnern. Nur im dunklen Kopf lichtert es noch lange nach. Aber im
Kopf habe ich nichts von dieser Erinnerung, im Kopf bleibt nur
ein temperaturloser Sachverhalt zurück, nur die Formel des
Sachverhalts, die man der Hand anbietet zur Wiederbelebung jenes Augenblicks; und siehe da: vergeblich bietet man der Hand
die Formel an, die Hand ist nicht begabt für Erinnerung. Sie spürt
offenbar nur, was ist. Was war, ist ihr egal. Der Stromkreis ist
nicht mehr zu schließen. Ich finde das Gefallen von damals nicht
mehr. Da soll mir noch einmal einer tröstlerisch von den Wieder-
auferstehungen in der Erinnerung plaudern! Bitte, werde ich sagen, krümmen Sie Ihre Hand um leere Luft und denken Sie an
alles, was Sie mit Ihrer Hand schon so umschlossen, und dann sagen Sie mir, haben Sie was davon? Ja, es fällt ihm dadurch wieder
ein, sagt er, die Haltung der Hand erinnert ihn an alles. Ach-Du-
lieber-Proust. Und was haben wir von dem nichts als zerebralen
Spuk? Nichts als Plage. Wäre es nicht besser, ganz vergessen zu
können, wenn man doch nicht hineinbeißen kann in das Vergangene? Was ist denn euer mnestisches Fräulein für eine? Ein frigi-
des Nymphchen, man kommt zu nichts mit so einer, Schuhe trägt
sie ohne Farbe, überhaupt colorarm wie ein Kanalfisch, und singen tut sie mit geschlossenem Mund. Was war, riecht nicht, ist
nicht warm und nicht kalt, rieselt nicht, preßt nicht, gleitet,
schürft, streichelt und kratzt nicht, aber man weiß, ja-ja, man
weiß, es hat einmal gestreichelt, geschürft, gekratzt . . . Also doch

lieber gar nichts als diese oszillographische Neckerei im Kopf, die im ganzen Fleisch und Blut kein spürbares Echo zustande bringt. Also behalte, Gedächtnisrose, Du weitverzweigte Sparkasse, doch Deine toten Läuse. Mündelsicher wirst Du von mir nicht mehr genannt. Es war so ein Fest. Und, was mich betrifft, ist gestorben. Ich habe nichts mehr davon. Will ich wissen, wie das war, diese Brust in meiner rechten Hand, dann muß ich Birga hereinrufen und sie bitten, mir ihre linke Brust schnell in die rechte Hand zu legen, und auch dann kriege ich nur ein Quentchen von damals zurück, und auch das nur im Vergleich. Im Augenblick glaube ich, daß die Erinnerung so hoch notiert wird, ist ein Schwindel. Mir kommt vor, als wäre, was war, wie nicht gewesen. Hätte ich jetzt von jenem Fest weniger, wenn ich es kennen würde nur vom Hörensagen?

4

Ich fuhr also heim, nicht heim, in die Marsstraße fuhr ich, schlüpfte aus Heuschreckenessers Zwiebelsack, ich, Ärmling und Idiot, aber bitte, wer schaut auf wen herab, wenn ich auf mich herabschaue, wenn ich mich auslache und beschimpfe dieses miserablen, erfolglosen Kostüms wegen? immer diese verführerische Fertigkeit, sich selber herunterzumachen, als wäre der, der das nächste Kostüm wählt, nicht genau derselbe! der wird dann wieder beschimpft und ewig so fort. Waren eigentlich Melanies dicke Zöpfe echt? Jung machen sie ja, aber sie zeigen auch: die ist zu alt für Zöpfe. Den Zwiebelsack warf ich ins Auto. Ich mußte noch hinüber in den Bahnhof, in den letzten offenen Saal, in den alle mußten, die nicht fertig wurden mit ihrer Erwartung. Das waren mehr als der Saal fassen konnte. Lauter unbekannte Freunde. Mir war gleich nach Gesang und Kundgebung. Innerhalb des Saals führten Treppen auf eine Galerie, aber in halber Höhe waren die Treppen mit Ketten gesperrt. Und keiner schlüpfte durch. Ach, meine Freunde. Wir kommen aus der selben Schlacht. Ist dies ein Gefangenenlager oder ein Lazarett oder nur Sammelplatz für Versprengte? Die Schlacht war noch im Gang oder gerade erst beendet. Einige von uns glaubten noch, wir hätten sie gewonnen. Die mußten sich überall durchdrängen, auf dicke Mantelschultern klopfen, umarmen, zum Singen auffordern, blutig zerschürfte Stirnen küssen, Taschentücher reichen, in Würste beißen und angebissene Würste wie Fackeln durch die Luft schwenken. Viele glaubten, wir hätten verloren. Die saßen auf Treppen und Stühlen, die Augen auf das Stück Boden zwischen den weit auseinandergestellten Knien gerichtet. Ich sog die aufgewärmte Luft ein, zählte mit der Nase sieben Tabaksorten, Pommesfrites, Menschen mit einerlei Fahnen, mit einer Fahne, mit der Bierschnapsfahne. Sollte ich alle sammeln unter dieser Fahne der Blessierten und Versprengten? In den Leichenschauvitrinen musterte ich gestorbene russische Eier, pfauenaugenwerfende Schinkenscheiben, zur Unsterblichkeit panierte Kotelettes. Brüder, Genossen, stürmt die Vitrinen, wollte ich rufen, auf nach Harlaching, Grünwald, Bogenhausen, hic Petersburg, hic Kiel, laßt uns nicht noch einmal einem Noske verfallen, München verpflichtet, auf zur Theresienwiese, vivant Eisner und Mühsam und die erste deutsche Republik überhaupt, die vom Schwabingerbräu, vom Franziskanerkeller ... Oder sollte ich sagen: Stadt der Bewegung, Feldherrnhalle, Bürgerbräukeller ... Ihr Zusammengeschweißten, ihr um eure Erwartung Betrogenen, ihr Schlaflosen, ihr Starräugigen, ihr Zerschürften ihr, ihr Brüder von der schweren Zunge, ihr leeren Geldbeutel, ihr Appartmenzbauer und Blockbewohner, ihr Geschichtsteig und historische Knetmasse, seid bitte unzufrieden, laßt uns schnell ein Parteiprogramm entwerfen, zwei Dutzend Punkte, bloß daß wir was haben, worauf wir stehen können, laßt uns unsere Ressentiments vergolden, daß wir den Mut finden, gleich aufzubrechen, den Vier Jahreszeitlern den Beischlaf zu vermasseln, sind wir denn freiwillig in diesen Saal gekommen? hat nicht einen jeden von uns seine Not hierhergescheucht? los, schüttet eure Not und Durft zusammen, daß sie ein reißender Fluß werde gegen die Herrlichen, Notlosen, die jetzt gerade ihre seidenen Schlafanzüge von sich streifen, während ihr eingesperrt bleibt in eure öden Unterhosen! hört, wie mein R rollt! seht, wie meine Schläfenadern schwellen, der Blick mir starr wird, der Atem röchelt vor Paroxysmus, welcher ist die heilige Krankheit der Begeisterung, ich werde U-Boote bauen, U-Boote, U-Boote, U-Boote und Panzer, noch mehr Panzer, die meisten Panzer, und die Vitrinen zertrommeln mit den U-Booten meiner Panzerfäuste, Kameraden, zusammengeschweißt auf den staubigen Appartmenzbaustellen dieser Jahre, kennt ihr euren Adolf wieder...

Sie erkannten ihn nicht. Mein Raptus hat nicht ausgereicht. Meine Lidspaltenerweiterung kein Charisma erzeugt. Mein tobsüchtiger Überschwang war nicht bemerkt worden. Die Kameraden bestellten demütig ihren Bierschnaps und ließen ihre Fahnen lieber verrauchen für nichts. Ich schluckte meinen bebenden Hitler hinunter, erschlich mir einen Stuhl, fand eine Lücke an einem Tisch und eine mütterliche Bedienung, die mich auch mit Bier versorgte. Also, Kameraden, dann aber Helm ab zum Gebet, geben wir's auf, kapitulieren wir, kriechen wir weiter unter, beten wir. Lasset uns Versprengte, Blessierte, uns Notdürftige, lasset uns, den Maßkrug zwischen Händen, lasset uns, die beschämend häufig vorkommenden Menschen, hinaus- und hinaufbeten zu den herrschenden Wesen, die jetzt, egal für welche Partei, in der ersten Klasse schlafen, lasset uns hinaufbeten zu allen Ungemeinen, die uns über sind, lasset uns unsere Andacht verrichten mit der Litanei der demütigen Tinte, der Art: Herrliche, erhöret uns / Internationale Prachtskerle, erbarmet euch unser / Unholde im Maßanzug, seid uns gnädig / Grausame, bittet für uns / Ihr lachenden Besitzer der Welt / Ihr Bräutigame des Schrecklichen / Ihr Ausbünde des Bösen / Ihr gefälligen Muster der Furchtbarkeit / Ihr Hämmer der Peinigung / Ihr hübschen Konsuln der Bosheit / Ihr liebenswürdigen Fachleute des Ekels / Ihr charmanten Schrecknisse der Braven / Ihr süßen Herolde der Verdauung / Ihr schwarzen Archen der Stärke / Ihr Verwalter des Zorns / Ihr schwarzweißen Tafeln des Übermuts / Ihr wasserdichten Verfolger des politischen Schwächlings / Ihr Schallplatten der Unvergleichlichkeit / Ihr Fluglinien der Gegenwart / Ihr Statthalter des notwendigen Raubtiers / Ihr photographierten Peitschenstiele der Unzucht / Ihr Großbanken der Grausamkeit / Ihr Sichtbarkeiten des Unterschieds / Ihr Leuchttürmer der Demokratie / Erleuchtet uns / Erlöset uns von unserer Billigkeit und machet uns ledig unserer Verwechselbarkeit / Daß auch wir spucken können auf all unsere Fahrpläne / Daß wir in den Bauch treten unsere Weiber / Daß wir unseren Männern zerfetzen ihr Skrotum / Daß uns allen nachts der Reißzahn wächst / Daß wir ins Gesicht kotzen der Porzellanfrau Hygiene / Daß wir aufrichten unter uns die große Kitzelmaschine / Daß wir von uns werfen Antibiotica und basteln uns wieder einen Satan / O ihr elfenbeinernen Lämmer Satans, die ihr hinwegnehmt die Öde der Ordnung / Höret uns. Erhöret uns / Erlöset uns von unserem Mietvertrag mit diesem Jahrhundert / O ihr brutalen Lämmer Satans / Höret uns / Erhöret uns / Laßt uns teilhaftig werden der blutigen Schauer / Schürft unsere Nerven / Vertreibt uns unsere Zeit / Und unsere Furchtsamkeit.

He, der Herr, wer noch Schnaps will, jetzt bestellen! Die mütterliche Bedienung. Schnaps in Kaffeetassen, weil es schon zu spät ist für Schnaps. Zwei aus Sachsen entlaufene Baggerführer bestellten Schnaps für uns alle. Ein pfälzischer Maurer bestellte erst recht Schnaps für uns alle. Einem kleinen griechischen Zahntechniker, hergereist aus Gießen, wurde nicht erlaubt, Kaffee zu bestellen. Der Grieche hatte nicht genug Wörter, um sich zu wehren. Weil der Pfälzer den Griechen für einen Italiener hielt, nannte er ihn Ithaker. Er stand auf, griff den Griechen am Genick, leerte ihm den Schnaps über den Mund, weil der Zahntechniker trotz des Griffs, den Mund nicht öffnen wollte. Dafür wurde der Grieche jetzt geschüttelt und geschimpft, weil es schade war um den Schnaps. Einer der Sachsen nahm dem Pfälzer den Griechen weg und setzte ihn sich auf das Knie. Der Grieche winkte von dem sicheren Knie aus mutig in die Runde. Aber der Pfälzer sagte: Geb mer mein Ithaker wieder, isch will main Ithaker wieder hawwe. Der Sachse verteidigte seinen Griechen. Das verletzte den Pfälzer. Er hatte den Sachsen für einen Deutschen gehalten. Jetzt sah er, daß der ein Kommunist war. Der Sachse sah, daß der Pfälzer ein Sozialdemokrat war. Der Pfälzer resp. Sozialdemokrat befahl mir, mich endlich einzumischen. Andernfalls wäre ich auch ein Ausländer. Ich war dafür, daß dem Griechen auf dem sächsischen Knie Asyl gewährt werde. So-so, sagte der Pfälzer, so-so, Du bisch do defoor. Er packte mich an meiner Jacke, zog mich hoch, wir musterten einander, wer ist wohl der Stärkere, seine Augen schwammen, sein Griff machte mir die Jacke eng, ich wollte nicht zuerst schlagen, aber wehren würde ich mich wohl müssen. Du, sagte er, Du, wo warsch dann Du, ha, jetzt guck Disch amol o? Und er begann, von meinem Anzug die Fusseln des Zwiebelsacks wegzuwischen und wegzuzupfen. Ich wollte mich beteiligen, aber das ließ er nicht zu. Begründung: er stamme aus einer Gärtnerei. Als ich seinen Ansprüchen genügte, sagte er ganz dicht in mein Ohr: Und jetzt kaafsch mir mein Pötäterle ab, verstanne, sonsch kan isch nämlich dänn Schnaps net

bezaahle wu isch fär eisch Arschlescher bestellt hab. Das Feuerzeug kostete vier Mark. Wir tranken den Schnaps, dem Griechen
gelang es endlich, dem Pfälzer zu beweisen, daß er, der Grieche,
kein Italiener sei, die zwei Sachsen zogen eine fette Besoffene an
den Tisch und zwangen sie, ein Wiegenlied zu singen, das tat die,
sie sei sowieso aus Schlesien, als her mit dem Pack, sagte der Pfälzer und schrie dann: Isch drink uff des große griechische Volk
samt dänne alden Griechen. So und jetzt guck amol, sagte der
Pfälzer zu mir, öffnete seinen Hosenbund, knöpfte die Hose auf
und ließ nur mich einen Blick tun in eine Unterhose, die rot war
von Blut. Mir schien es, als wären die Flecke nicht alle gleich alt.
Ob ich etwas davon verstünde? Nein. Dess laaft als fort, sagte er.
Ehr Kinner drinket, so jung kummen mir nimmi zamme. Un wer
kriescht des Mensch do? Das kriegten die Sachsen. Der Grieche
floh. Und ich ging auch. Das Feuerzeug wollte ich liegen lassen,
aber der Pfälzer trug es mir nach. Leise singend betrat ich die
Wohnung. Ich machte Halblicht, um Birga zu betrachten. Sie
schlief den tief fundierten Schlaf, der auch den christlichen Mär-
tyrerinnen nur in der Nacht vor ihrer Hinrichtung zuteil wird.
Gesichtszüge beständig. Ernst. Keine Schauertätigkeit. Mit Störungen ist nur an den Mundwinkeln zu rechnen. Die Mundwinkel
sind der Kraft des Glaubens ein wenig entglitten. Finden keine
Lage. Wirken verfolgt. Man muß annehmen, daß sie im Einfluß-
bereich irdischen Zweifels oder gar der Verzweiflung verblieben
sind. Der Wecker war auf sechs gestellt und tickte, als nehme er
schon einen Anlauf. Mein Bett fuhr Schlitten mit mir und Karus-
sell, schiffschaukelte mich hoch zwischen die Frauentürme, ließ
mich in jedes Wellental fallen, stemmte misch in die Heeh, o du
schääni Palz, was murmel isch do in die rot bliehende Welt, haemanthus coccineus, frog doch dän Griesche, lieber Gärtners-
sohn, nach der Bludblum in deine Underhosse, isch heb heit
schunn genunk Blud gsähn, mee langt's.

5

Ich bin nicht zufrieden mit Dr. Weinzierl. Gut, ich verdanke ihm
(wahrscheinlich), daß Birga mir erlaubt, was sie Arbeiten nennt.
Sie hat mir sogar das schwarz-lackierte Teetablett hereingetra-

gen, das, umgedreht und auf den Wulst aus Bettdecke und Knien gelegt, eine gute Schreibfläche abgibt; aber auch erst, wenn es mir gelingt, nicht mehr daran zu denken, daß auf der abgewandten Seite die chinesischen Golddrachen züngeln. Andererseits wird der Doktor frech. Immer häufiger höre ich: psychisch. Der von mir wirtschaftlich profitierende Dienstleistungsakademiker wagt es, bei mir auf Psyche zu spekulieren. Ich sage kalt: Ich habe Ohrensausen, Herr Doktor. Mir schwindelt schon, wenn ich bloß sehe, daß der Vorhang offen ist. Die Silhouette des *Deutschen Kaisers* sticht mir quer von Schläfe zu Schläfe. Eben, eben sagt er, Klaustrophilie. Ich schaute, als er fort war, nach und erschrak. Er bewirft mich mit psychiatrischen Wörtern. Der will sich an mir psychiatrisch interessant vorkommen. Vorsicht, Vorsicht. Wehr Dich jetzt nicht, das hält er bloß für eine Bestätigung. Ganz langsam muß ich ihn zurückbringen auf eine saubere Spur, die markiert ist mit Kopfweh, Schleiersehen und Schwankschwindel. Vielleicht sollte ich doch noch Ohrenweh zugeben. Mit Ohrenweh hätte er offenbar etwas anfangen können. Ich werde Ohrenweh zugeben. Und sollte er sich auch dann noch meiner Lenkung entziehen, muß ich eben einlenken. Dann beriechen wir noch einmal den vielsagenden Duft des Einsamen und steuern zu auf eine landesübliche, aber erhebliche vegetative Dystonie. Man zwinge mich nicht, mich mit Namen gefährlicher Leiden zu tarnen. Ich bin empfänglich für Namen. Wer so wenig immun ist gegen Benennung, muß schüchtern simulieren, Herr Doktor. Ich liege ernsthaft im Bett, um, ohne Klios Hilfe, die Erinnerung zu untersuchen, und sie, wenn es sein muß, auf den Namen Totenmaske zu taufen. Sie wird sich wehren, die schwärmerische, wird mir Sums und Schmus und Schmelz und Schmalz anbieten, um nicht entdeckt zu werden als kalte Kopie und abstraktes Fräulein. Das kann ein Kampf werden. Das Fräulein ist verwöhnt. Viel umworben, kaum untersucht. Hat einschüchternde Paladine. Wohnt in raunenden Labyrinthen. Soll ich mich einschüchtern und beraunen lassen?

Schon der zweite Anlaß, über unser Erinnerungsvermögen verwundert zu sein

Ja, sagt dieser Sonntag, laß Dich ganz einnehmen von mir gelbem, von mir altem Oktoberwesen, Dir bekannt aus dem frommen

Karussell-Versuch, in dem ich alle jahrewieder herkutschiere als Dominica Decima Octava post Pentecosten, als Laubschwebesonntag, Samtsohlensonntag, kurz nach St. Gallen, der in Ramsegg läßt den Schnee fallen und treibt die Kuh in den Stall und den Apfel in den Sack und macht als St. Gall ach so regelmäßig schweigen der Vögel Sang und Schall! Das war, das war in illo tempore, als sie in Ramsegg unserem Herrn Jesus den paralyticum jacentem offerierten zu diesem achtzehnten Sonntag, und Jesus zu dem sagte: Surge, tolle lectum tuum, et vade in domum tuam (was Dr. Weinzierl offenbar auch sagen möchte, wenn er Psyche sagt und Sünde denkt). Das war, das war und tut, als sei es noch zu haben, als könnte ich noch einmal mit dem Fingernagel des Zwölfjährigen im mehlig-nachgiebigen Holz der Ramsegger Kirchenbank Mädcheninitialen eingravieren, während Pfarrer Burgstaller noch einmal seine Betrachtung secundum Mattaeum vorträgt. Das war, das war und tut so, als ob: jetzt noch ein bißchen Glockengeläute von draußen, dann bin ich schon betört und schwimme gen Ursprung, fingiere das Gefühl, das der Zwölfjährige im Nagel hatte, als er Mädchennamen ins Mulmige grub, vergehe mich nektrophil am kalten Fräulein, merk aber vor lauter Wunschwärme nichts von ihrer Kälte, sondern melde widerraunend der Welt: Es ist wie mit einer Lebendigen, die Erinnerung lebt! Es lebe der Pygmalionismus! Das Echochinesisch! Der Kunstsums! Für Edelohren kunstgehärtete Wortschätze. Rostsicher. Mottenimmun. Bild und Aberbild. Scheinende Legende. Klotziges Beispiel. Oder soll ich einnehmend zeitgenössisch verzagen: verbaler Kreisverkehr, zwei links drei rechts, masturbatorisch-ipsatorischer Wortinzest, aus Rost plus Motten mach Most plus Rotten mach Rast plus Matten mach Mast plus Ratten und Du kriegst Mottenmast geteilt durch Rattenrast. Sub oculos duos (Dr. Weinzierl sagt immer quartos, das ist der Unterschied zwischen einem Hausarzt und mir): ich kann nicht so tun, als wüßte ich noch genau. Ich sehe mich zwar da *und* dort. Aber ich bin eher als daß ich war. Kleinsprecherisch suche ich das Sägliche, das Übertreffliche, den Wörtersaum des Sachverhalts. Den Findling. Nach dem Leben. Das Wiegenlied am Sarg. Die Wiederbringlichkeit in Spiritus. Beschriftung. Entzifferung. Täuferei auf keinen Patron. Kein Schmuggel über die Datumsgrenze. Ein harter Zoll. Dann aber: Pange, lingua!

6

Eines Tages, nach dem Fest, es muß nach dem Fest gewesen sein, schlüpfte ich mit Fritz, dem kastanienroten Hühnerhund, durch die Tür, schlug die Tür dem eifersüchtig jaulenden Apoll vor der kastanienroten Langhaardackelnase zu, tappte durch die naß gewordene Kälte, hoffte hoffend auf Hoffnung, ließ mich von Fritz in alle seine Nasenkurven ziehen, wartete geduldig, bis Fritz alle Säulen eines Tores abgeschmeckt hatte, zog ihn dann über den Lenbachplatz, ging gegen Fritzens Nase in die Maxburg, trank blöde Kaffee, ließ mich weiterziehen, nach dem Bayerischen Hof links hinein, in immer kleinere Straßen. Fritz hatte endlich eine Richtung. Vor einem Mietshaus hielt er, wollte nicht mehr weiter. Ich bedauerte. Er jaulte zurück. Ich entschuldigte mich. Wir sahen einander an. Fritz, ich verstehe Dich, aber wenn die im Haus ist, wir können doch nicht eindringen, also komm. Und er kam und fand gleich eine neue Spur, die führte vor ein Feinkostgeschäft zu einer Pudelhündin. Ich ließ ihn von der Leine, die penible Karotte fuhr aus dem Fellfutteral, ich stellte mich abseits und schaute zu, schaute weg, wurde von einem Schreckschrei erschreckt, eine Dame schlug auf meinen Fritz ein, der aber ertrug das, ich rannte hin, die Dame schrie, Sie Schwein, schrie sie, ich rief Fritz-Fritz-Fritz, Sassa die Dame, aber wir fanden kein Gehör. Also zog sie an ihrem Pudelgeschöpf, ich an meinem Fritz. Von ihren Schmähungen verfolgt, bog ich so rasch als möglich um eine Ecke, entschuldigte mich bei Fritz, folgte jetzt aber mehr meinen Signalen als den seinen, schaute in Riesenscheiben zuerst mich, dann sprungbereite Autos an, ging von selbst hinein, wie durch Glas, und eine unbestimmbare Zeit später, Fritz riß mich nicht zurück, unterzeichnete ich, wobei mir Gänsehäute den Rücken hinabwanderten, einen Vertrag und sechs Wechsel zuliebe einem gebrauchten schwarzen Jaguar. 14 000 Mark. Vom Vertrag bekam ich eine Kopie. Die Anzahlung wollte ich bringen. Das Auto holen. Morgen. Übermorgen. Fritz war froh, wieder im Freien zu sein. Ich strebte heimwärts. Frierend. Mit Selbstmordgedanken.
Es gibt nur komplizierte Bedingungen. Wäre ich nicht auf das Fest gegangen, hätte ich den Jaguar nicht gekauft. Trotzdem kann nicht nur das Fest schuld sein. Der Jaguar, ein besseres Kostüm.

So einfach ist das nicht. Auf dem Fest waren zirka zig Menschen. Und fast jedes Kostüm verriet den Mangel, den es decken sollte. Wieviele haben einen Jaguar gekauft? Meine Erwartung entspannte sich. Wurde elend schlaff. Nicht daß sich das Einhorn mit einem Jaguar hätte abspeisen lassen, aber da es doch in mir lebte und von mir lebte, brach es jetzt, sozusagen mit mir, wie ohnmächtig zusammen. Ich war nämlich erledigt. Blutleer. Empfindungslos. Vierzehntausend Mark. Das konnte ich überall erzählen, nur nicht zuhause, wo man sich eben erholen wollte, von den 320 Mark, die man dem Winterschlußverkauf geopfert hatte. Zuerst ein Feuerzeug, dann einen Jaguar. Fritz hatte es jetzt leicht mit mir. Er zog mich in den Alten Botanischen Garten und machte mich noch aufmerksam auf eine rostige Schere. Die hob ich auf. Sie ließ sich nicht schließen. In die Manteltasche wollte ich sie nicht stecken. Sie wieder wegzuwerfen, war mir unmöglich. Ich trug sie sichtbar. Aber Furcht ist offenbar nicht das Gefühl, das ich in anderen erwecke. Keiner beachtete mich und meine rostige Schere. Ich fürchte fast, mich fürchtet keiner. Die Schere schmuggelte ich in mein Zimmer. Birga rief mir nach, weil ich den Flur, der offenen Küchentür wegen, zu hastig überquerte. Ich schloß die Tür, also kam sie sofort nach; die Schere hatte ich gerade noch in meinen Papierkorb werfen können. Ich drehte mich zum Fenster, dann rasch zu ihr, wälzte meine Lippen wie einen Tintenlöscher heftig an ihrer linken oder rechten Schläfe auf und ab, als hätte ich sie gerade betrogen. Mit soviel Nachdruck deformierte ich meinen Mund auf ihrer Haut, daß ich erwarten durfte, sie würde sofort sagen: Du bist wieder nicht rasiert. Das sagte sie auch, aber sie sagte noch dazu: Da liegt ein Brief aus Bern. Dann ging sie so rasch hinaus, daß sie mich dadurch zwang, sie zurückzurufen. Ich vertraute auf Frau Suggs Vernunft und sagte, laß uns den Brief mit einander lesen, er kann für uns wichtig sein. Er war wichtig. Und er schien vernünftig. Am Vormittag diktiert.

Jetzt hat endlich der Zug München–Zürich sein Grünlicht, die schmatzende Lok (oder summt sie elektrisch) schlägt los, reißt mir den Zug aus den Augen, die Augen schließen sich im Anprall der ehemaligen Luft und öffnen sich wieder im Sog des letzten Wagens, dessen Schlußlichter bedeutend in der Kurve vertröpfeln. So wollte ich doch anfangen. Aber weil kein Anfang ein Anfang ist, habe ich gezögert und weit herumgestottert, bloß daß man wenigstens ahne, wer da nach Zürich berufen wurde. Der

hatte den Jaguarvertrag in der Tasche und den Kopf voller Un-
aussprechlichkeiten. Wenn etwas ist, Birga, rufst Du im Hotel
Urban an. Die Schere hatte ich nachher gesäubert und in die
Schublade gelegt, in der ich kleinere Dinge aufbewahre, von denen ich mich bei Lebzeiten nicht mehr trennen möchte. Der glän-
zende Herr vom Autohaus würde anrufen. Birga, arme Birga, das
wird ein Augenblick! Birga, mir liegt an der Erkundung meiner
Gewöhnlichkeit, deren Grenzen noch gar nicht abzusehen sind.
Trotzdem kann ich Dir keinen Grund nennen für diese Unterschrift. Aber noch unbegreiflicher als meine Unterschrift ist mir,
daß nicht alle anderen Männer jeden Tag einen Jaguarvertrag
unterschreiben.

Noch vor Buchloe schrieb ich eine Karte an Birga. Sie sollte am
Telephon nicht gleich aufstöhnen und zusammenbrechen. Ich
dekorierte die Karte beziehungsreich mit einer Anspielung auf
die Februar-Dörfer, draußen, jetzt noch festgefroren in der
scheinbaren Sonne, so reglos, daß man glauben müsse, das ändere
sich im Frühjahr, da flögen sie womöglich mit Bäumen und Vögeln und Wind hoch und lustig um die an Gräbern verankerte
Kirche herum. Illiquidität und Tauwetter. Hoffentlich hält mich
Frau Sugg für einen reichen Mann, dann wird sie mir viel Geld
anbieten. Und wir werden wieder flott. Ciau Dein! A.
Das hätten die erträglichsten Stunden meines versuchereichen
Lebens sein können: Schnellzug München–Zürich, Schweizer
Schnellzugwagen sind sowieso angenehmer, ich werde erwartet,
eine offenbar reiche Frau will mir Arbeit geben, deutet sogar an,
daß niemand! für diese Arbeit so geeignet sei wie ich, das ist ungeheuer, Vorsicht! müßte man rufen, kann aber nicht, eine Frau
hat Deine Notwendigkeit entdeckt, eine Frau zwar, also Vorsicht,
nein, keine Vorsicht, Jubel, ein hoher, von München bis Zürich
anhaltender Orgelton, diese Frau weiß, was sie sagt, die will Geld
investieren, vielleicht soll es ein Buch sein gegen Mißhandlung
von Tieren, oder die Geschichte ihrer reichen Familie, gäbe es etwas Interessanteres als die Briefe sorgfältiger Schweizer aus dem
vergangenen Jahrhundert? also Werbung ist es nicht, und selbst
wenn es wieder Werbung wäre, Melanie Sugg wird mich nicht für
Zahnpasta einspannen, keiner so geeignet wie ich! also für Zahnpasta gibt es zehntausend Geeignetere, für Konserven auch, für
Zigaretten erst recht, also Markenartikel fallen weg, Mode viel-

leicht, egal, attestiert ist mir Notwendigkeit, ich werde erwartet, das Zimmer ist bestellt.

So fuhr also immerhin ein leidlich aufgelegter Mensch nach Zürich, der den einzigen Trost nicht nur in der Kürze des Lebens vermutete. Ich setzte mich, noch im Mantel, aufs Bett, nahm den Hörer ab und sagte: Können Sie mir jetzt bitte Frau Sugg geben. Man gab mir Frau Sugg. Ah ja, sagte sie. Ob ich mich schon, nein, ich wolle mich erst frisch machen, zirka 20 Minuten. Das hatte ich in Hotels oft genug gehört, das übernahm ich, saß dann nach dem Händewaschen immer achtzehn Minuten nervös herum und überlegte, ob die anderen jetzt auch so säßen. Als ich nach 16 Minuten klopfte, sagte sie, das sei nett, daß ich schon nach 16 Minuten käme.

Hören Sie, Anselm, sagte Frau Sugg, ich darf Sie doch Anselm nennen...

Ihre Zöpfe waren nicht die ihren gewesen.

Sie redete, ich rauchte, trank Kaffee, dann Whisky, dann wieder Kaffee. Zuerst hatte sie die Beine angezogen, saß halb auf ihren Beinen, dann kniete sie in ihrem Sessel, dann brachte sie die Beine so lang als möglich heraus, dann saß sie aufrecht, dann saß sie vorgebeugt, es war erstaunlich. Frau Sugg wollte ein Buch von mir. Jawohl. Ein Buch. Von mir. Weil die Erinnerung dieses Wesens ist mit einem Granit im Mund, will ich sie gar nicht erst bitten, mir diese Stunde wenigstens als Halbleiche noch einmal herzuschwemmen. Die Stunde ist hin. Es war die bisher kürzeste Stunde. Frau Sugg hatte nämlich in dieser Stunde die Begabung, in mir einen Mann zu sehen, der das Buch schreiben würde, das sie sich wünschte. Sie wußte schon den Titel. LIEBE. Nun ja, dachte ich, darüber wird man noch miteinander sprechen können. Auch einen Vertrag hatte sie mitgebracht. 2000 im Monat. Eine Märchenbedingung nach der anderen. Teufel-Teufel, dachte ich und unterschrieb. Mein schwarzer Jaguar schimmerte in milderem Licht. Frau Sugg will also Verlegerin werden. Von ihrem Mann kriegt sie Geld, soviel sie will. Sie will aber nicht soviel. Der Verlag wird auch ein Geschäft. Die Bücher, die sie machen will, fehlen so sehr, daß der Verlag ein Geschäft werden muß. Die Gewinne wird sie nur wie ein notwendiges Übel kassieren. Ihr Programm heißt, leichthin gesagt: erotische Literatur. Sie meint es aber so: Versöhnung von Leib und Seele, eine bessere Sinnlichkeit, heraus aus dem christlichen Sündensack, ins Freiere und so.

Zurück mit unseren Körpern in die Gemeinde, sagt die Schweizerin. Unsere Körper, sagt sie, verkrüppeln in den Einzelzellen der Ehezuchthäuser und werden erst gesunden, wenn wir sie zurückführen auf die Allmende, wenn wir alle wieder erotisches Allmendgut werden, jeder für jeden, im auslesenden Wettbewerb, der ja erkannt ist in unserer Kultur als die schlechthin gute Ordnung. Das erste Werk des Sugg-Verlages hat sie gleich mitgebracht. Ein Bilderbuch. Zwei Tempel, die offenbar in Konarak und Khajuraho, also in Indien, stehen, sind, in sehr viele Photos zerlegt, in diesem Buch zu besichtigen. Tempelwände aus nichts als Skulpturen. Verwirrend, in Gegenwart einer fast fremden Frau. Atemraubend, in einem Hotelzimmer in Zürich. Weil sich doch alle diese steinernen Inder nur in einer einzigen Beschäftigung zeigen, und die nennt Frau Sugg: Liebe. Dazu, deshalb wuchern also die unzählbaren runden Glieder eng durcheinander, findet jede Art von Huckepack statt, hängen Frauen als selige Klammern an aufrecht andächtigen Männlein: zur langsam verwitternden Verewigung des Aufschreimoments, der Dammbruchsekunde, des Weltsiedepunktes und Augenblicks der Doppelprotuberanz; dazu und deshalb zeigen die Frauen so radikal genau die drei Kapitulationsknicke in Nacken, Lenden und Knien; unkonditionaler kann nicht mehr surrendert werden; dazu und deshalb stellen die zierlichen Männer ihr Zeug mit angetaner Souveränität zu Verfügung, lassen sich Handstände zugutekommen und Mundstücke, schauen gestreichelt, fühlen sich merkwürdig, blinzeln wie unsterblich, zeigen in ihren Gesichtern Wagenlenkerkonzentration und bewachen gerade noch die aufbrausende Zeit, die gleich über ihnen zusammenschlagen wird. So tun die zahlreichen runden Wesen einander Gutes. Und alle sind einander so nah, daß man nicht immer ausmachen kann, wem was noch gehört im innig-exzentrischen Geschlinge. Es sieht fast so aus, als hätten sie das meiste gemeinsam. Ich halte es für möglich, daß unsere wissenschaftlichen Wärter in diesen Körperdickichten endlich die erwünschte Hocheinschmelzung des verschrieenen Sexuellen im totum humanum erleben und konstatieren werden. Man wird diese Skulpturen, will man nicht gleich verboten werden, sowieso philosophisch beschreiben müssen. Am besten religionsphilosophisch. So hat es auch Frau Sugg ins Werk gesetzt. Ein unaussprechlicher Inder, der Professor ist, ich glaube, für Hinduismus, hat seinen Text dazu gegeben. Ach Gott,

Frau Sugg, mir sollten Sie solche Bilder trotzdem nicht zeigen, ich
verstehe so gar nichts von Hinduismus. Ich gebe gerne zu, daß
solche Kirchen etwas für sich haben, der sonntäglichen Gottes-
dienstpflicht kommt man dort wahrscheinlich leichter nach, aber
bedenken Sie, bitte, meine Kirchenwände zeigten ganz andere
Abbildungen; wenn da was Geschlungenes war, dann ein Drache
oder eine Schlange, die aber immer unter dem gepanzerten Ge-
orgsfuß oder unter Marias makelloser Sohle, und immer als Be-
siegte, gerade beim Verrecken. Und unsere weiblichen Heiligen
zeigen, wenn sie überhaupt welche haben, ihre Brüste nicht dem
Volk, verstehen Sie, nicht einmal, wenn die Brüste beim sieghaf-
ten Martyrium eine so schöne Rolle spielen wie bei Agnes (oder
war es Agathe), der doch vom heidnischen Quäler die Brüste glatt
weggeschnitten wurden und anderntags standen sie ihr, als wäre
alles nur Kosmetik-Chirurgie gewesen, noch schöner, noch frischer am jungfräulichen Leib; aber auch dann hatte sie nichts anderes vor mit dieser Leibesprominenz als sie ihrem himmlischen
Bräutigam zu bewahren. Das hat für sich, daß es nicht so leicht
zu begreifen ist wie die Geschlechtsturnereien Indiens. Auf jeden
Fall wird einer, der unerbittlich keusch wachsen sollte, angesichts
dieser hoch disziplinierten Unzucht unruhig. Frau Sugg, die offenbar viel indischer erwuchs, konnte normal weitersprechen.
Da, die ersten Pressestimmen: ... ein faszinierendes Bilderbuch
(Welt am Sonntag) ... eine prächtige wissenschaftliche Veröf-
fentlichung (Frankfurter Rundschau) ... wie natürlich haben
doch die alten Inder empfunden (Arbeiterzeitung, Wien). Und
ein Literaturprofessor hatte Frau Sugg bescheinigt: Goethe
würde diesen Bildatlas keineswegs abgelehnt haben. Lehnen Sie
sowas ab? fragte sie mich. Aber gnädige Frau, neinein. Ich bin nur
ein bißchen beklommen. Sie sind verklemmt, sagte sie. Deshalb
will sie mir die nächsten Verlagswerke schicken. De Sade, ein
Bilderbuch aus Japan, Romane aus China, Pepys geheime Tage-
bücher aus Altengland, Briefe aus südamerikanischen Klöstern
und das Standardwerk Kamasutram, illustriert, hoffentlich, von
Francis Bacon. Das werde mir helfen.
Sie sei ein bißchen betrunken, deshalb müßten wir rasch was essen gehen. In die Kronenhalle, sagte ich wisserisch. Sie sind der
Gast, sagte sie so höhnisch, daß ich gleich sagte: Ich kenne mich
nicht aus.
Nun frage ich Dich, lieber Gaumen, was haben wir dann geges-

sen? Ich weiß noch, daß Harpagos an der Tafel seines Königs Astyages seinen eigenen dreizehnjährigen Sohn vorgesetzt bekam und aß, teils gebraten, teils gekocht, aber weder ich noch mein Gaumen wissen noch, was Melanie Sugg uns vorsetzen ließ. Woraus man sieht, es muß furchtbar zugehen, bis man sich was merkt.

Wir redeten uns aus unseren Verstecken heraus, also aßen wir wahrscheinlich Langue de Mouton mit der Cayennepfeffersauce, die à la Diable heißt.

Sie nahm ihren Schlüssel, ich den meinen, aus den Händen des Portiers, aber seinen Gutenachtgruß mußten wir uns teilen. Ebenso den Lift. Komisches Schweigen. Den Korridor entlang nahm etwas zu. Ihre Tür wird zuerst kommen. Kann ich schicksalsschlüpfig jetzt Gutenacht sagen, wann-frühstücken Sie, ohne mich bei frühstücken, zum Beispiel, zu versprechen, kann ich? ich kann, das Einhorn döst, von mir aus können wir uns die Hände schütteln ein bißchen länger als möglich, obwohl, allein ins Zimmer jetzt, und riechen tut sie gut, die Haut ist kostbar, der Mund schließtöffnetschließtöffnet sich andauernd schaute ich zu, hörte oft gar nicht, was sie auf-und zusagte, und sogar wenn ich sprach, sprach ihr Mund noch mit, als Mondsichel, und kippte mal nach oben und kippte, je nach mir, nach unten um und wurde zunehmend als Mondsichel zehn Tage alt und zerriß mit Gelächter, je nach mir. Dürfte nicht leicht zu schließen sein dieser ihr Mund bei einem Kuß, wenig Mithilfe erwarten, zudecken die schmale Partie. Es muß von mir aus, Melanie, nicht sein, ich kann an Frau-kinderjaguar-Deinen Auftrag denken, es ist allerdings kaum elf, das sieht schroff aus, sich schon um elf wegzugrüßen, beleidigen will ich sie auch nicht, sie ist famos, sagt schon seit sieben Schritten nichts mehr, was nimmt denn da zu, kommen wir an eine Enge oder Kreuzung oder verliert sich überhaupt der Weg? jetzt muß offenbar entschieden werden, wie weiter... Sie gab ihre Hand her, als habe sie für die Teilnahme an der Beerdigung ihres Mannes zu danken. Zweitens legte sie den Kopf schräg, sah schräg herauf, schob das Kinn vor, parodierte einen Käufer, der prüfend eine Ware anschaut, die größer ist als er selber. Drittens sagt sie mit einer Stimme, die sie aus einem Kindersarg entlieh: Also. Kein Fragezeichen, kein Ausrufezeichen, das pure Also. Um kunstgerecht zu bleiben, hätte ich dieses Also wiederholen und es dabei, je nach meiner Offenheit, milder oder frecher als Frage vertonen müssen. Das tat ich nicht. Ich echote bloß mechanisch: Also. Keine Erweiterung. Da war sie, da waren wir so weit wie vorher. Viertens sagte sie: Bonnenuit. Klang das schon angebittert? Oder war sie im Stand jetzt zu gehen ohne Bedauern? So wirkungslos will man dann auch nicht gewesen sein. Also bitte, zeigen wir einander wenigstens, daß uns das Auseinander schwer fällt, dann fällt es uns gleich viel leichter, gnädige Frau. Oder war sie gar nicht ohne Bedauern und tat nur so zur Prüfung, ob ich schon zappelte? oder hatte sie ihr Geschäft erledigt und wollte noch lesen? das wenigstens will man doch wissen, wenn man auch sonst nichts will, also drückte ich, fünftens, die Gutenachthand ein wenig über Gebühr und gab sie frei, jetzt dreh Dich um Frau Lot! schau nicht zurück! schließ auf, geh hinein! ob ich solange stehen bleib oder gleich energisch auf meine Tür zugehe, weiß ich noch nicht. Sechstens drehte sie sich um, schloß auf, ich drehte mich in meine Richtung, schaute aber noch einmal in die ihre, sie schaute auch, stand jetzt schon innen, schaute eine Schläfe am Türrahmen, eine an der Türkante, heraus, ich hob die Hand, wie zum letzten Mal, zwang sie, mehr zu tun, weil ich ihr die Schrittmacherei zuschieben wollte, für alle Fälle. Weiß man denn, ob sie, man kann doch alles mißverstanden haben. Und ich wollte doch gar nicht. Will ich denn jetzt? Oder muß ich jetzt? Warum auch nicht, mein Gott, zwei über vierzig, was sollen die denn tun in so einem Haus nachts? die das immer den Unschuldigen überlassen, den jungen, von ihrem Pulsen geschlagenen Liebenden, die kaum mehr schnaufen können vor Paradiesesernst und Ineinanderheit oder sollen sie sagen: es ist spät Mieze und komisch, aber wenn wir genau so gut hätten Schach spielen können mit einander, dann hätten wir sicher Schach spielen können, aber weil wir nicht genau so gut mit einander Schach spielen können, wissen wir nicht, was sonst wir mit einander tun sollten, und auseinander kommen wir offenbar um ein Gran schwerer als wir zusammenkommen, und um dieses Grans willen sind wir dran. Siebtens öffnete sie die Tür, als lasse sie mich bei jemandem vor, der hoch über uns beiden stünde. Deshalb trat ich ein wie andächtig.

Wer trat da ein? Ich? So mußte es scheinen. Aber in solchen Augenblicken kriegt ein Anselm das Übergewicht, den ich zwar kenne, weil ich schon lange genug eine Menschenhaut und den Namen mit ihm teile, aber wenn er zuweilen so rücksichtslos zum Staatsstreich ausholt, unser Parlament auflöst und die Diktatur errichtet, dann fühle ich mich wenigstens berechtigt, mich von ihm zu distanzieren. Er verläßt sich so einfach darauf, daß man ihm folgt wie der Rädelsführer einer Bubenschar, der plötzlich das Dahinschlendern dadurch beendet, daß er einen Stein aufhebt, ihn in die nächste Fensterscheibe wirft und davon rennt; daß ihm jetzt alle nachrennen, kann er nicht für Gefolgschaftstreue halten; es bleibt keinem etwas anderes übrig, wenn er nicht erwischt werden will. Ganz recht, draußen auf dem Gang hätte ich dem Rädelsführer schon ins Wort fallen müssen. Das ist immer mein Fehler. Ich höre ihm gern zu, wenn er wirbt, wenn er sich und die Umworbene ränkereich hinter ein und dasselbe Licht führt. Wenn ich mich nachher trenne von ihm, dann nicht, um ihn zu verurteilen. Nur, mir macht sein Treiben nicht soviel Spaß wie es ihm zu machen scheint. Er macht mir fast mehr Spaß als es. Ihn geniert es auch nicht, wenn ich ihm zuschaue. Er verbietet mir lediglich, die Dame meine Anwesenheit spüren zu lassen; sie soll nicht bemerken, daß wir mindestens zu dritt sind. Glücklicherweise treffen wir immer wieder mal eine Dame, die auch in der Mehrzahl kommt, dann schauen wir, die Passivitäten, als komische Instanzen dem aufwendigen Getümmel unserer Eminenzen zu, tun amüsiert wie zwei Elternpaare, die ihre Kinder bei Streit und Spiel beobachten, sich aber weise nicht einmischen, einander vielmehr zuzwinkern und sagen: Sie werden sehen, die kriegen sich noch. Es kommt aber auch vor, daß ich mit meinem eminenten Anselm gemeinsame Sache mache, entweder weil ich sehe, er braucht mich, sonst schafft er es nicht, oder weil ich einfach mit hineingerissen werde, oder weil gar ich es bin, der den Wirbel will. Ekelhaft wird es, wenn der Kerl, der leider oft gar nicht wählerisch ist, mich gegen meinen Willen einfach mitschleift. Da komme ich mir dann vor als der feine Gefangene eines Barbarenfürsten, der bei Kriegszügen im Troß mitgeschleppt wird, bis er verreckt. Melanie dürfte für mich ergiebiger gewesen sein als für meinen Tümmler. Der wollte gleich der Importeurin indischer Rezepte beweisen, daß er deren nicht bedürfe. Er ist wirklich zu leicht zu provozieren. Gleich will er in einer Nacht das ganze Kamasutram erfinden und übertreffen auf christlich abendländische Art. Hat er nicht seinen spanischen Patron, den umwerfenden Don Juan? Ja, schon. Aber er hat auch mich. Dreinpfuschend, so gut es geht, im Namen des anderen Don, des Quichote. So wird aus uns öfters ein Don Quijan oder Herr Kichan.

Bei Melanie brauchte er mich. Nachts wollte sie nämlich von Indien nichts wissen, schien eingesperrt in mehr als einen Sack, wünschte Befreiung, wagte sie aber nicht zu wünschen, hatte offenbar eine ältere Wut gegen ihren Leib, verachtete ihn, verachtete noch mehr ihren Mann und alle Männer, die sich bisher Mühe gegeben hatten, es war nicht einfach. Anselm, das Mannsbild, wollte bald aufgeben. Zerschrammt, demoralisiert meldet er: Daswirdniewas. Aber ich durfte ihn nicht verstehen. Hiergeblieben, Bursche, rief ich. Wenn Du mich jetzt enttäuschst, jetzt, wo es darauf ankommt, wo unser Geschäft auf dem Spiel steht, zweitausend im Monat, glaub bloß nicht, daß wir das für nichtsundwiedernichts kriegen! wenn Du jetzt versagst, traut die mir überhaupt nichts mehr zu, also los, zeig, daß wir unsere Währung decken können, Herrgott, Bursche, auf, sag ich, Du willst bloß immer mit dem Kopf durch die Wand, und wenn Du stecken bleibst, verschwiemelst Du, das ist ein erschütterndes Benehmen Deinerseits, und immer die Schuld abwälzen, fein heraus sein! daß ein trockenes Lager frißt, weiß jeder Primaner heutzutage! hättest Du zuerst für einen guten Film gesorgt, für konstante Viskosität! sie ist nämlich eine famose Frau, und hingelegt hat sie sich wie auf den Operationstisch eines Chirurgen, an den sie glaubt, hast Du nicht diesen Blick gesehen, dieses Aufschauen zum Arzt, diese erschütternd einfache Auslieferung, diese sorgenvolle Neugier! und gibt es denn eine bessere Voraussetzung für eine Behandlung als so ein übertriebenes Vertrauen! Du wirst Dich jetzt nicht mehr aufspielen, sondern zusammenarbeiten mit ihr, verstanden! sag ihr, Vertrauen ist gut, Mitarbeit alles, mach sie stolz, sag ihr die Flutgebete auf, krampflösende Litaneien, sag ihr, sie sei ein springender Garten, eine strömende Wiese, ein triefendes Tal, die Kindheit des Ganges, der fortschwemmende Monsun. Es gelang. Uns. Ein bißchen. Etwas.

Die äußerlich breite, in ihrer problematisch gewordenen Partie aber unwillkürlich enge Melanie schlüpfte mühsam durch das Nadelöhr, war jetzt leidlich mitgenommen und ein bißchen weniger unzufrieden. Aber als unternehmerische Frau fing sie gleich danach von unserem Vertrag an, verpflichtete mich, alles in das Buch aufzunehmen, was ich bisher verschwiegen hätte. Darauf hatte ich gewartet. Mir war seit der Unterschrift nicht mehr wohl. Melanie, ich bin kein Schriftsteller, das sage ich nicht bloß, das weiß ich, denn ich kenne Schriftsteller, und ein Buch über Liebe,

dafür fehlen mir Wörter, dafür fehlt mir noch mehr, das müßte ich erfinden, und erfinden kann ich nicht. Nichts wird erfunden, sagte sie, gar nichts. Sie will aufgeschrieben haben, was wirklich war. Alles? Ja, alles. Auch zum Beispiel diese Nacht? Ja, auch die. Mit den Krisen, Komplikationen? Ja, mit allem, und wortwörtlich und mit Namen, das gehört zu ihrem Programm. Diskretion ist Lüge, Anonymität ist Verleumdung, das Geschlechtliche endlich heim aus dem Exil, die Nächte nicht länger extraterritorial, sondern in die Mitte und ans Licht. Sie will mir ein Protokoll nachschicken, ja, ein Protokoll, wie sie dazu kommt, ist ihre Sache. Ich sagte, daß ich mich nicht sträuben wolle, ich glaubte aber, es gebe für solche Nächte, so wichtig sie für das Abendland sein mögen, keine zugelassene oder auch nur anwendbare Sprache, man wäre denn Arzt und weithin unverständlich. Sie schmunzelte. Mundwinkel und Augenwinkel zirpten geradezu vor Schmunzeln. Dazu nickte sie. Du vergnügst mich, hieß das.
Mich verletzte ihre Überheblichkeit nicht, ich hätte nur gerne gewußt, ob die aus etwas bestand. Ich werde Dich schon kurieren, sagte sie. Sie sei doch jetzt die Mieze, und ich müsse endlich wissen, daß es allein die Anrufung der Mieze gewesen sei, die sie für mich und mein Buch (sie meinte mein Sachbuch) eingenommen habe, sie werde nämlich von allen ihren Freunden Moumoutte genannt, und so habe auch ich sie in Zukunft zu nennen. Ich wollte noch um Übersetzung bitten, aber sie war jetzt nicht zu unterbrechen. Sie nahm meine rechte Hand, ging mit meinen Fingern um wie ein Kind, das zählen lernt und sagte: daß ich Dich tatsächlich nach Zürich lud, hast Du Deiner rechten Hand zu verdanken. Jawohl.
Sie hat nämlich einen Schlüssel, den hält sie für zuverlässig. Sie schaut bei Männern immer auf die rechte Hand und da auf den Mittelfinger und der Mittelfinger verrät ihr, über welche Art Männlichkeit der Mann dann verfügt. Wie ist der Mittelfinger proportioniert? Ist er durchweg mager, ist er konisch oder nimmt er nach dem Mittelglied wieder zu, wie beweglich ist er, spürt man ihn beim Händedruck, das alles sind Daten für Melanie. Das ganze Verfahren nennt sie stolz ihren Fingertest. Den hat sie nicht erfunden. O nein. Der ist würdig durch Überlieferung. Sie hat ihn von ihrer Mutter, die, nach zwei fehlgelaufenen Ehen, noch lebt, aber allein. Die Überlieferung verbiete allerdings streng, Männern je zu verraten, woran man sie von vorne herein gemessen

habe. Darauf steht Unglück. Das mit dem Unglück, sagt Mou-moutte-Melanie, ist natürlich der reine Aberglaube.

Ich tat, als müsse ich jetzt bald einmal mehr über ihre Mutter erfahren. Sie freute sich über mein Interesse, redete, ich hatte meine wohl verdiente Ruhe.

7

Wenn Birga eine große Szene macht, kann man nicht dabeisitzen und denken: jetzt macht sie eine große Szene. Und ich bin ganz sicher, daß auch Birga selber nicht denkt: jetzt mache ich eine große Szene. Nachträglich kann ich eine solche Szene auch komisch finden. Fast wie ein Fachmann betrachte ich dann den bedrückend dürftigen Anlaß, die geringe Wortwahl, die geradezu politische Akkustik, das gewöhnliche Ende. Ich glaube, für diese Art Szenen verwenden Leute, die als Fachleute das Menschliche in Verschiedenes einteilen, das Wort *banal*. Wir, deren Leben aus einer Serie solcher Szenen besteht, sind uns der Richtigkeit des über uns verhängten Wortes bewußt, gehen ins gute Kino, lesen Kraftvolles, aber es gelingt uns trotzdem nicht, unsere eigenen Szenen eines saftigeren oder feineren Wortes wert zu machen. Das Bedrückende: wir müssen jede unserer Szenen durchmachen mit jungfräulicher Erbitterung, können gar nicht weiterleben, bevor wir uns und einander nicht durch die gerade fällige Szene durchgequält haben; und jedes Mal sind wir ganz durchdrungen von der traurigen Einmaligkeit der gerade ablaufenden Standard-Szene. Und wohin führen denn die Szenen der vielen Leute? Vorsichtig gesagt: nicht weiter. Die, die unsere Szenen banal nennen, würden sicher freundlicher über uns urteilen, wenn unsere Szenen zu Blutstürzen, Schwurgerichten oder wenigstens Nervenheilanstalten führen würden. Aber ich gestehe es gleich: Birgas Szene, die ich jetzt nicht mehr groß nennen will, sondern banal, führte zu einem geradezu beispielhaft banalen Ende: man traf sich in der Mitte. Der Szene kam zugute, daß unser Wohn-Eß-Fest- und Gerichtszimmer in der Dachbodenwohnung zwei Säulen hat, rechteckige, von Birga selbst getünchte Säulen. Birga ging plädoyierend zwischen diesen Säulen hin und her, wurde gebremst, gestaut, kriegte durch Wendungen Schwung, umfaßte, sobald sie die Unfaßbarkeit eines gegnerischen Argumentes demonstrieren wollte, die oder die andere Säule, schüttelte sich selbst an dieser Säule, weil die sich nicht von ihr schütteln ließ, floh auch schon mal ganz griechisch hin zu einer Säule, Schutz suchend und uns zeigend, daß so eine Säule mehr Zuflucht biete als die Menschengesellschaft, die hier vertreten war durch den Jaguarverkäufer und durch mich. Uns beide hatte sie so an den Tisch befohlen, daß der Tisch der Länge nach zwischen uns war. Mir hatte sie auf ein Knie den mageren zweijährigen Philipp gesetzt, dessen haararmer Rundkopf zwei Ohren erbärmlich weit abstehen ließ. Dazu zeigte Philipps Gesicht mit verklebten Zügen eine geradezu sibirische Betrübnis. Burjätenschmerz. Ob der Verkäufer dafür empfänglich war? Oder hatte sie mir den kleinen Greis nur aufs Knie gesetzt, um mich bewegungsunfähig zu machen und mich peinlich an meine Atlaspflicht zu erinnern? Sie selber bewegte sich, redete kalt zu uns im Namen eines vorrechtlichen Rechts: Vertrag hin Vertrag her, Sitte und Anstand und Vernunft und Familiensinn sind erheblichere Wörter. Der schlanke Jungherr mit Weste, und überhaupt bis zur Unverwundbarkeit geschniegelt, ließ seinen Mund ungläubig spielen, schwenkte das Vertragspapier, zitierte von der Rückseite Kleingedrucktes. Birga sah, sie hatte einem Tauben gepredigt. Also wurde sie verächtlich. Zerquetschte HGB und alle pi-pa-positiven Rechtsbegriffeleien mit ihrem bloßen Zorn. Der trainierte Freundliche schüttelte den Kopf mit der festgemachten Frisur. Sowas sei ihm noch nicht ... Dann sei es die höchste Zeit! Rechtstitel, rief er. Birga rief: Papier-Papier. Der sagte, er wolle mich hören. Immer wieder: Hören wir doch ihn, er ist doch der Mann, und unterschrieben hat er auch. Aber Birga wollte mich nicht hören, wollte nichts wissen von einer mangelnden Unzurechnungsfähigkeit meinerseits, ich *sei* unzurechnungsfähig, dies sei ja nicht der erste Vertrag, den ich unterschrieben hätte und nicht der erste, der wieder zerrissen werde, denn dies sei der schlimmste bisher, ein Auto für knapp zwei Personen, wir aber seien sechs, sechs Personen und zwei Hunde. Zweitwagen, schrie da der Verkäufer, schrie das Wort heraus als Zauberwort, befehlend, hypnotisierend, ganz im Vertrauen auf eine erprobte Wirkung. Zweitwagen, wiederholte Birga. Ich sah voraus, daß der Verkäufer nie mehr wagen würde, sein Zauberwort in den Mund zu nehmen. Es war ihm gerade für immer zerstört worden. Birga sagte das

Wort noch einmal. Beim ersten Mal hatte sie einfach zugesto-
chen, zugestoßen, hatte getroffen. Aber das genügte ihr nicht.
Beim zweiten Mal zermalmte sie das Wort, rieb es auf zwischen
ihren Lippen. Nie wieder wird er Zweitwagen sagen. Und Birga
ging groß zum Angriff über. Sie nannte ihn einen Verkäufer.
Nichts als ein Verkäufer sei er. Dann assoziierte sie kühn weiter:
Verführer, Erpresser, Aussauger, Blutsauger . . . Einerseits war
es schön, ihr zuzuschauen. Ich stimmte ihr gar nicht zu, aber mich
erfreute ihre Heftigkeit. Waren nicht die Frauen der Cimbern
und Teutonen so gegen die Römer aufgetreten, und dann die
Weiber von Weinsberg, nein, Birga war, o ja, die junge Bauers-
frau war sie, die ihren Mann dem Kreuzzugsgoebbels von Amiens
entriß, dem schmächtigen Peter, der ihren Mann herumgebracht
hatte, obwohl Urban verfügte, daß kürzlich Verheiratete das
Kreuz nur mit Zustimmung der Frau nehmen durften, dem gab
sie's aber, diesem Kukupetros, oder war er gar Bernhard, der
Honigredner, der Kreuzzugsdoctor mellifluus von Clairvaux,
egal, Birga kannte keine Throne, keine Altäre, sie schrie in historischer Mission diesen Tillyschen Feldwaibel an, daß ihr Eilif *ihr*
Eilif sei und daß der Hurenbock Wilhelm das Geld für seine Wei-
berwilhelmshöhe nicht durch Export ihres braven Hessenmannes
verdienen werde und wir wollten auch keinen Hof in der Ukraine,
weshalb ihres Mannes Eintritt in die SS sofort rückgängig zu machen sei, und ein Jaguar käme uns nicht ins Haus. Als sie einen
schönen Satz gerade auf den Höhepunkt getrieben hatte, zerriß
sie den Vertrag so rhythmisch richtig, daß das Zerreißen ganz natürlich wirkte.
Schweigen. In den Ohren hatten wir noch das scharfe Reißge-
räusch. Der Schlanke verformte seinen Mund, ließ den Mund
kreisen, innehalten, flach werden, wieder wulstig werden, nach
rechts wandern, zurückwandern, härter werden. Offenbar dachte
er mit dem Mund. Er ist ein Verkäufer, dachte ich. Das ist schon
ein Beruf. Hat man endlich einen Kunden zwischen den Zähnen,
dann kommt so eine verrückte Hausfrau. Der Verkäufer soll wohl
verhungern, was? Oder soll er die alten Autos selber fressen? Die
müssen doch auch irgendwo bleiben, oder? Und hat ein Verkäufer vielleicht keine Familie, ha? Birga war wirklich eine Ignorantin. Zu ihrer Entschuldigung kann ich nur anführen, daß auf der
infanteristischen, der banalen Ebene der Realität jeder an sich
denkt. Offenbar meint er, wenn er es nicht tue, denke überhaupt

niemand an ihn. Größere Gedanken, etwa das Großeganze be-
rücksichtigende Gedanken, hat man wohl bloß, wenn man weiter
oben lebt, mit Überblick, Güte und jeder Art von Vermögen. In
den anderen kann man sich ja erst hineinversetzen, wenn man
dadurch nicht gleich den Kürzeren zieht. Trotzdem, ich hätte
nicht sprechen können wie Birga, die Ignorantin. Ich habe
schließlich in mehreren Provinzen Aussteuerwäsche etc. verkauft, auch an Töchter, denen ich, während sie noch meine Ware
streichelten, ewige Jungfernschaft hätte prophezeihen können.
Ich beruhigte mich damit, daß ich ihnen wenigstens etwas zum
Streicheln verkauft hatte. Hoffnung hatte ich ihnen verkauft.
Aber auch mir waren oft genug Tanten und Väter und Mütter dazwischen gefahren, um das träumerische Plaudergewebe zu zerreißen, das die Tochter und ich mühsam genug gewoben hatten
zur Milderung einer herstarrenden Zukunft. Und die Blutsverwandten hatten sich nicht gescheut, der Blutsverwandten Wahrheiten zuzurufen, also rannte die Kundin in ihr säuerliches Mäd-
chenzimmer, ich verstaute die Streichelgewebe als wären's
Unzuchtartikel, gab mich beleidigt und verschwand. Wer nicht
bloß Bedarf verteilt, sondern wirklich verkauft hat, der wird
nachfühlen, wie ich mich fühlte zwischen der historischen Birga
und dem jungen Flanellherrn. Ich war bestimmt, sein Kunde zu
sein. Wem soll er jetzt den schwarzen Jaguar verkaufen? Birga
hat keine wirtschaftliche Begabung. Keine Empfindung für den
Kreislauf der Güter. Nachfrage und Angebot, zwei Erotikriesen,
und nicht weniger rührend als Romeo und Julia! Kommen die
nicht zusammen, ist es eine Tragödie! Wehe uns, wenn wir nicht
mehr nachfragen, wenn wir das Angebot frigide zurückweisen,
das Angebot kann sich nämlich nicht selber befriedigen, es wird
rabiat werden, wird mit seiner gestauten Riesenkraft um sich
schlagen, wird uns nachts überfallen und notzüchten, wahllos.
Aber Birga hat keinen Sinn für das Allgemeine. Gut, wir hatten
momentan so gut wie gar kein Geld. Aber sie, echt fraulich, benützt den bloßen Geldmangel dazu, sich einer wirtschaftlichen
Pflicht zu entziehen. Sie brüskiert das Angebot. Geld findet sich
immer wieder. Zuerst muß man einmal wirtschaftlich handeln,
sich im Großenganzen erotisch verhalten. Ich weiß das, aber ich
kann es Birga nicht sagen, weil sie sonst anfängt, von Kinderschu-
hen zu reden. Wenn ich zurückdenke, so ist das meiste daran gescheitert, daß Kinder Schuhe brauchen.

Der Mund unseres schlanken Gastes hatte ausgedacht. Er sagte uns ein letztes Angebot auf: die Wechsel werden um ein Jahr prolongiert, in einem Jahr nehmen wir eine gebrauchte Limousine ab im Wert von 12 000 Mark. Ja, schrie ich, ja. Birga sagte: Und Sie nehmen unseren Hundertachtzig in Zahlung. Zum Schätzpreis, sagte der Herr, der sich großartig beherrschte, der sich bis zur letzten Sekunde bemühte, uns nicht merken zu lassen, wie sehr er unter uns litt.

Der Herr war draußen, Birga nahm mir, als sei der Vorhang gefallen – sie der Inspizient, ich der Schauspieler –, Kleinphilipp ab, ein Requisit, das brauchen wir wieder. Ich kriegte für mein Stillhalten einen Kuß auf die Stirn.

Bitte, laß mich einfach hier sitzen, wollte ich sagen. Aber ich konnte nicht sprechen. Zum ersten Mal schob sich in aller Ruhe dieser farblose Druck in die Schläfen, vom Kopfinneren nach vorne, zunehmend an den Schläfen, nach oben strebend, auf eine Stelle zustrebend knapp oberhalb der Stirn. Dort war offenbar ein Punkt, ein Zentrum, das überwältigt werden sollte. Ich spürte, daß ich das verhindern mußte. Die zwei Drucksäulen durften sich nicht vereinigen. Mich befiel eine Art Sorge. Ich konnte nicht mehr garantieren für die nächste Sekunde. Nicht Brechreiz, aber ein Wunsch, weinen zu dürfen. Ich atmete energisch dagegen. Die Luft gab nicht aus. Der aus zwei Richtungen wachsende Druck kam voran. Wenn er sich in der angestrebten Stelle vereinigt, weiß ich nicht, was geschieht. Ich halte es plötzlich für möglich, daß ich zuschlage, erwürge, was ich kriegen kann. Falls es mich nicht rechtzeitig einfach umwirft. Zum Glück fällt mir meine rechte Hand ein. Ich hebe sie gleich in Mundnähe, öffne die Zähne, vielleicht bring ich die Zähne nachher nicht mehr auseinander. Ich lege den kleinen Finger zwischen die Zähne. Vielleicht gelingt es mir, anstatt etwas Verheerendes zu tun, mir einfach meinen kleinen Finger abzubeißen, dadurch komme ich vielleicht über die Schwäche weg, sichere uns einen glimpflichen Verlauf. Dann stand ich, öffnete das Fenster, biß langsam in den kleinen Finger. Die Drucksäulen fielen zurück, schmolzen weg, verteilten sich, strömten als bloßer Kopfschmerz, der keinen drohenden Rand mehr hatte, überall hin, füllten mir den Kopf harmlos mit Sirren. Ich legte meinem kleinen Finger das Taschentuch als Verband um, entschuldigte mich bei ihm, als wäre er Isaak und ich Abraham.

Wörter für Liebe

. . . dressings of a former sight.
Shakespeare

1. Was darf es sein?

Muß es, fragte ich telephonisch, ein Roman sein? Melanie sagte:
Ja, schon, das heißt Nein, nichts Erdachtes, etwas Genaues (öppis
Gnaus), nach dem Leben, Also sowohl als auch nicht. Und ich
rannte in die Küche. Birga, es muß kein Roman sein, ich fange
gleich an. Der Gott des 138. Psalms sah mich im blanken Münchner Märzlicht sitzen und schreiben:
LIEBE (Arbeitstitel)
Entwurf eines Sachromans (im Folgenden auch Sachrom genannt) im Auftrag von Frau Melanie Sugg. Sie will kein Hohes,
eher ein Genaues Lied. *Ist ein Held nötig?* Ja. Aber wer ist kein
Held? Was durch eine Oberhaut zusammengehalten wird, ist ein
Held. Eingesperrt in seine Haut, sieht er dem Tod entgegen. Das
hält er aus. Nur der Unsterbliche wäre kein Held. Jetzt noch einen
Namen für die Versammlung sonst unvereinbarer Einzelheiten.
Daß eine Stelle entsteht. Kein Aufenthalt im Dahintreiben, sondern eine dahintreibende Stelle. Der Name eines Fähnchen, man
kann die Stelle verfolgen. Kristlein, Anselm. Herzklopfen. Ich als
Held auf eigene Rechnung. Das Problem: der Regisseur als
Hauptdarsteller. Er wird parteiisch sein. Darauf achten. Ihm immer wieder nachweisen, daß er ein häufig vorkommender
Mensch ist. Trost: je verwechselbarer er ist, desto größer sein
Heldentum. *Was für eine Art Held ist Anselm?* Das Nächste immer goldgelb dicht vor der Nase, alle Verheißung gerinnt im
Nächsten, er sagt immer: empfinde ich mich schon? nein, noch
nicht, nicht bevor ... nicht bis ... dann aber gleich. Erfüllungsdaten. Nähert sich das Nächste, springt die Erwartung zum Übernächsten. Wird er sich nie empfinden? Oder nur wie vorübergehend? Undurchsichtig wie eine Norm. Eigentlich will er anders
sein. Meint er, er ändere sich? Aber dadurch, daß er sich ändert,
wird er kein anderer. Die Zukunft stellt sich ein. Andauernd. Ein
Mittelalter löst das andere ab. Darstellen, wie er sich gegen
Abend oft ganz unbekannt wird. Die Abende werden sowieso
immer wichtiger. Abends herrscht etwas. Nur jetzt keinen Mut,
Anselm, das könnte Dich das Leben kosten. Anselm darauf hinweisen, wie selten einer schreiend auf die Straße rennt. Kannst
Du vielleicht klipp und klar sagen, was aufhören soll? In Stuttgart, in der Sonnenbergstraße, lief eine, den Mund weit offen,

aufs Trottoir, lief ein Stück aufwärts, ohne einen Laut zu geben. Versuche, ihr den Mund wieder zu schließen, mißlangen. Ärzte verschiedener Art bemühten sich um diesen offenen Mund. Der Mund blieb offen. Und lautlos. Die Frau machte aber, bevor man sie wegbrachte, Tanzbewegungen, auch mit den Händen. Eine Art Reiseschmerz wird wohl jeder dann und wann empfinden. Die Konzentration der Empfindung in einem enger werden Körper. Wie bei zu großer Geschwindigkeit. Jeder reist mit seiner Spezialaufgabe. A. K. wird sich also an seine Mitreisenden wenden: betrachten Sie bitte meine versteppende Leber, bevor sie von mir Gehör für Ihr flattriges Herz verlangen. *Unter welchen Umständen* ist Anselm Held eines Sachroms handelnd von Liebe? Kann er das zuhause sein? Muß er dazu unterwegs sein? Natürlich unterwegs. Wie selbstverständlich. Kommt also Liebe lieber unterwegs vor? Darf A. K. dann überhaupt verheiratet sein? Oder muß das verschwiegen werden? (Melanie, muß das verschwiegen werden?) Darf er beruflich unterwegs sein? (Oder muß das auch verschwiegen werden?) Wer kann es sich leisten, ohne beruflichen Anlaß unterwegs zu sein? Wäre das noch ein Held? Und für Liebe? (Das Schlimmste, Melanie, ist das Wort. Die Liebe. Mir fällt die Tasse vom Henkel, Melanie. Mir zerbröselt das Ohr. Ich denke das Wort und habe schon lauter Wackersteine im Bauch, nehme statt des Huts den Kopf ab, die Zunge rutscht mir ins Weinglas und läßt sich nicht mehr fangen, also, liebe Melanie, ich übernehme das Wort auf Treu und Glauben und vom Hörensagen, aber verlange nicht, daß ich der Liebe zuliebe imposanten Rumor fabriziere etc. Sorgfältig will ich Anselm nach rückwärts verfolgen, vielleicht kam Liebe vor, und er hat es nicht bemerkt. Schön wär's. Vorerst zähl ich das Wort zu den bloßen Wörtern.) *Datierung:* 1960 ff. *Beruf:* geht der, den er hat? Aber was ist er eigentlich? Oder: ist er eigentlich was? O ja. Anno 60 hat er schon seine kleine Karriere hinter sich. Der Vertreter für Diesunddas ist schon Werbemann, Texter, Berater, Ideologe. Gewesen. In Amerika war er auch schon. Dort schreiben Texter frühzeitig ein Buch über sich und die Erfahrung. Hat er auch schon hinter sich. Das private Sachbuch. Gilt deshalb bei einigen als Fachmann. Wird eingeladen. Hält Vorträge. Kommt viel herum. Fragt sich schon: sollte das ein neuer Beruf sein? Lebt von seinen vier Vorträgen. (1. Familie, Jagdwild der Werbung. 2. Werbung: Information oder Psychagogik? 3. Verdirbt das Image die Politik? 4. Braucht Gott public relations?) Soll man ihm in alle Städte folgen? Kann man Wertheim an der Tauber einfach weglassen? Ist es für die Nacht in Saarbrücken ohne Bedeutung, daß er die Nacht davor in Leer (Ostfriesland) war? Andererseits: ist es gleichgültig, ob er die Baltin in Viersen oder in Goslar kriegt? Wodurch unterscheiden sich Städte von einander? Städte, in denen er drei oder vier Vorträge hielt (Lieblingsstädte): Erkelenz, Leer, Jülich, Viersen, Krefeld, Wuppertal, Solingen, Hagen, Burscheid, Lüdenscheid, Remscheid, Dorsten, Marl, Goslar, Soest, Hildesheim, Osnabrück, Itzehoe, Brunsbüttelkoog, Heide, Homburg/Saar, Wetzlar, Wertheim, Würzburg, Bad Nauheim, Dornbirn, Feldkirch, Kreuzlingen, Rheinfelden, Weinfelden, Winterthur, Biberach. Hinweis: die Landkarte zeigt, daß die Aufgeschlossenheit für seine Vorträge an bestimmte Landschaften gebunden ist. Städte, in denen er zwei Vorträge hielt, ganz allgemeine Städte also: Oberhausen, Kassel, Mainz, Bremen, Duisburg, Dortmund, Lübeck, Kiel, Braunschweig, Wiesbaden, Mannheim, Karlsruhe, Freiburg, Rotterdam, Düsseldorf, St. Gallen, Nürnberg, Bochum, Basel, Ulm. Nur einen Vortrag hielt er in Berlin, Bad Wildungen, Hamburg, Aurich, Frankfurt, Cloppenburg, Stuttgart, Gunzenhausen, München und Rötz. Nicht zu vergessen: die Diskussionen! Wichtige Spielart des neuen Berufs. A. K. in allen Städten, die Universitäten oder Rundfunkstudios, oder Universitäten und Rundfunkstudios haben. Und in den Akademien Bad Boll, Tutzing, Arnoldshain, Loccum. Religiöse Stätten. Glashäuser. Abgelegen. Ebenso abgelegen: die sozialdemokratischen Besinnungsstätten im Schwarzwald, im Bergischen Land und am Niederrhein. Selbstbedienung, Ententeiche, Nebeltannen, Exerzitien-Flure, Trainingsanzüge, gezielte Bibliotheken. An zweihundert Abenden spendet A. K. seinen Beitrag zur Besinnung auf jede Art von moderner Gefahr. Er wird Gesprächsteilnehmer. Anfangs war er vielleicht ein Anfänger. Zeigen, wie schnell er eine Sprache lernt. Zuerst ist es eine Fremdsprache. Seine Lehrer: die Rundtischpartner, Podiumsbrüder, Forenasse. In Mainz ist er schon besser als in Freiburg und in Arnoldshain schon besser als in Mainz. In Göttingen hält ihn ein Soziologe schon für einen Soziologen und in Bergneustadt wird er von einem Parteisoziologen für einen Parteisoziologen gehalten. Der Speaker, der Master, der Moderator stellt immer die Teilnehmer vor. A. K. hört, daß man ihn vorstellt als Schrift-

steller oder gar als Intellektuellen. Sein Erstaunen, Erröten. Sobald ihm das Wort erteilt wird, korrigiert er: Werbetexter. Das wird aufgenommen wie ironisch gemeinte Bescheidenheit. Schließlich bringt er seine Korrektur tatsächlich bloß noch so vor. Ab Düsseldorf unterläßt er sie ganz. Er will keinen Lacher dafür. Hotelformulare. Immer weniger Herzklopfen, wenn er sich einträgt. Mal als Schriftsteller, mal als Intellektueller. Keine Behörde fragt zurück, kein Nachweis wird verlangt.
Nicht zu vergessen: die öffentlichen Fragen, die ins Haus kommen. Offenbar gehört das zum neuen Berufsstand. Der Schriftsteller ein Fachmann für fast alles. Konnte er da zurückschreiben: ich weiß es doch auch nicht!
Oder fühlte er sich schon geschmeichelt, weil Leute glaubten, er wisse, wann die Wiedervereinigung fällig, wie sie überhaupt zu bewirken sei, und wie man die Atombombe abschaffen könnte? Offenbar glaubten mehrere, er hätte die Lösung, hätte sie aber bisher aus Bescheidenheit oder vor lauter Reichtum in der Schublade liegen gelassen. Sollte er also sich hinsetzen und schreiben: die Notstandsgesetze sind ein Verbrechen, hochachtungsvoll A. K. Die Ehe ist heute noch... Der Kommunismus wird... Das Abendland war... Die SPD wird immer wieder... Da ihn die Fragenden für einen Schriftsteller halten und Schriftsteller Schicksalsfragen offenbar ohne Zögern beantworten können, gibt er sich Mühe. Fragt einer nach der Hochschulreform, kann der ja nicht wissen, daß am selben Tag die Frage nach der Mischehe eintrifft. Also über Hochschulreform muß er was wissen, denkt der Fragende, das kann man verlangen. Das denkt der, der nach der Päderastie fragt, der nach den Weltjugendfestspielen fragt, der nach Pharmawerbung fragt... Also ein Kapitel: Wie Anselm schnell ein Schriftsteller wird. Anlegung eines Registers. Besondere Erfahrung: Der Schriftsteller als Schnellwisser hat auch die Pflicht, selber aufzupassen und nötigenfalls tätig zu werden. Es gibt zwar welche, die als eine Art Oberschriftsteller nicht nur auf sich und die Zeit, sondern auch noch auf die anderen Schriftsteller aufpassen und jeden heftig anstubbsen, der einen Augenblick in der Wachsamkeit nachläßt; aber dieses Aufgewecktwerden ist eher peinlich; die Oberschriftsteller benützen dazu nämlich Zeitungsartikel; deshalb will Anselm sich lieber selber anstrengen und alles Öffentliche dauernd bespähen: Kataloge von Versandhäusern (ob sie geschmackvoll sind), Wahljahre

(ob auch alle Schriftsteller sich nicht zu fein sind für die Politik, die Heimatvertriebenen (ob sie nicht zu radikal sind), die SPD (ob sie nicht zu wenig radikal ist), die Goethe-Institute (ob sie nicht zu weit nach rechts rutschen), die Studentenverbände (ob sie nicht zu weit nach links rutschen), die Preisjurys (ob sie nicht zu sehr in der Mitte kleben)... Man nennt das »das Engagement«. Anselm liest in der Zeitung darüber. Er fühlt, daß das verlangt wird. Sehnt er sich manchmal zurück in die Werbebranche, wo man monatelang singen durfte für ein einziges Produkt? Und erst die Vertreterzeit. Da wußte man halt: jetzt kommen drei Monate mit Schuhwichse.

Überlegen, wie man seine Scham darstellen soll. Anfangs geniert er sich ziemlich, will für Beantwortung von Schicksalsfragen kein Geld nehmen. Aber dann gewöhnt er sich daran und beantwortet die Frage, ob es jetzt eine Intellektuellenkrise gebe, lieber, wenn er weiß, es gibt zwei Mark pro Zeile. So wächst er in einen Beruf hinein, von dem er nichts weiß. Er glaubt, er sei immer noch, was er war. Zuerst reiste er mit Schuhwichse, Modeschmuck, Aussteuerwäsche, dann erfand er stationär Meinungen über Produkte, jetzt reist er mit vier Vorträgen und erfindet stationär Antworten auf Schicksalsfragen. Damals hieß es: die freie Marktwirtschaft, welche unserer Freiheit den Grund legt, braucht Dich. Anselm dagegen brauchte Geld. So kriegte jeder, was er brauchte. Jetzt heißt es: die Meinungsfreiheit, welche unserer Freiheit den Grund legt, braucht Dich. Anselm dagegen braucht immer noch Geld. So kriegt wieder jeder, was er braucht. Trotzdem kommt ihm manchmal vor, als sei die Rechtfertigungsmusik der Wirtschaft harmonischer gewesen zum Geschäft als die Musik, die die Produktion freier Meinungen begleitet. Aber er muß doch jeden Tag leben. Um es besser auszuhalten, nennt er sich selber ohne jeden Spott einen Vortragsreisenden und Meinungsverbreiter. Er will sich freuen dürfen, wenn das Geschäft ein bißchen geht, wenn da eine Zeitschrift namens *Dokumente* sich sogar glücklich schätzt (und sicher dementsprechend bezahlt), wenn er bloß die Frage beantwortet, wie es heute in Deutschland dem Patriotismus ergehe. Trotzdem: die Fragen auch darstellen als eine Serie von Versuchungen. Und als ein Beweis: auch zuhause ist A. K. vor Versuchung nicht sicher. Was ist schlimmer: mit einer Baltin in Goslar oder an die *Revue* (oder war es *Quick?*) eine Meinung verkaufen über den Paragraphen 218? Die Frage nach dem Paragraphen 175 beantwortet er gratis. *Westermanns Monatshefte* wollen etwas über die *Bedrohung der Familie* kaufen; die *Tribüne* will ihn an einer *Geistigen Bilanz* verdienen lassen; die *Esto* zahlt sehr gut für eine Meinung über das Manipulieren von Meinungen. Einem *Kuratorium für ein Unteilbares Deutschland* war gelegen an einer gültigen Aussage zum Thema Freiheit, Menschlichkeit, Selbstbestimmung. Der *Deutschlandsender* stellte die Frage so: Was halten Sie vom Berliner Abkommen? Der *Rheinische Merkur* fragte ihn, ob Kunst alles dürfe, zum Beispiel: sich hinwegsetzen über. *Wir* fragte: Was tun Sie für den Frieden der Welt? Das Haus Springer schickte Mauerreportagen, Bilder, Flüchtlingsprotokolle und hätte sich das gern zu einer Literatur verarbeiten lassen; die *Bunte Münchner* fragte nach seinen Noten im Deutschunterricht; *Christ und Welt* fragte, ob Gerhart Hauptmanns Werk noch lebendig sei, ob er glaube, im Nachlaß würden Entdeckungen gemacht, die sein Hauptmann-Bild negativ oder positiv verändern könnten etc.; der *Abend* fragte: warum sind Sie in einer oder keiner Partei? die *Abendzeitung* fragte, ob es den Kavalier noch gebe; *UPI* fragte, telephonisch, nach seiner Meinung zum Tod Robert Frosts; *Constanze* fragte, ob er selber im Haushalt repariere, wenn nein, warum nicht; der Junge Literatur-Kreis fragte nach der deutschen Teilung, ein Anthologist fragte schon wieder nach der Ehe heute, ein anderer öfter nach der Wiedervereinigung; einer nach Witzen; ein fünfter fragte nach dem Taschenbuch, ein sechster nach der Abrüstung, ein siebenter nach der Todesstrafe; ein Wissenschaftler, der mit Hilfe von Frequenzanalyse, multidimensionalem Skalieren, Sequenzanalyse, Korrelationsrechnung, Faktorenanalyse und Programmierung für den Elektronenrechner TR 4, ein Wissenschaftler, sage ich, der, so ausgerüstet, Autoren von Texten durch numerische Kennworte sprachlicher Merkmale beschreiben wollte, dieser Wissenschaftler brauchte zur Aufstellung der Hypothesen, die bestehen aus erwarteten Merkmalsausprägungen, also für das, was man ex-post-design nennt, dafür brauchte der Wissenschaftler die Meinung unseres Helden, nämlich der Art: ob Möricke seltener als die meisten und Kant häufiger als die meisten Adverbien verwendeten, ein Antwortschema mit 16 grammatikalischen Kategorien liegt bei, eine dringende Zeile mahnt: lieber raten als auslassen; und der siebte Anthologist will etwas über Liebe kaufen, im engeren oder weiteren Sinn;

der achte etwas über Krieg oder Frieden, weil, sagt er, de facto die Gefahr der Vernichtung der Menschheit jetzt bestehe... Und immer hat A. K. die volle Freiheit, zweieinhalb bis zwölf Seiten, kann kommen als Gedicht, Novelle, Essay, Betrachtung, Reflexion, Bericht, eineinhalbzeilig, curriculum vitae, eine Mark, zwei Mark pro Zeile. Also bildete er zum raschen Verkauf eine Meinung über alles, worüber offenbar noch zu wenig Meinung vorhanden war. Nach einem Jahr durfte er von sich sagen, daß es keine Meinung gab, die er nicht an einem Vormittag formulieren konnte. Nach einem Jahr, kam ihm keine Frage mehr ins Haus, die ihn noch erstaunt oder gar verwirrt hätte. Die vielen Fragenden hatten, ohne von einander zu wissen, zusammengearbeitet, hatten ihn zu einem Fachmann gemacht in der Beantwortung von Schicksalsfragen. Dieses Training kam seinen Auftritten auf den Podien zugute, weil dort zwillingshaft ähnliche Fragen diskutiert wurden, und der am besten wegkam, der am schnellsten eine Art Meinung sagen konnte. Andererseits kam das Training, das er auf den Podien absolvierte, auch wieder der Herstellung von Meinungen in Heimarbeit zugute. Manchmal, im Zug zwischen Hamburg und Stuttgart, sah er die Zukunft ganz hell. Offenbar gingen die Schicksalsfragen nicht aus. Und immer häufiger traf er auf den Podien Partner, mit denen er schon in Köln oder in Nürnberg diskutiert hatte. Man schüttelte einander die Hände. Was spielen wir heute? Beethovens Fünfte oder was von Richard Strauß? Wollen Sie heute mal Violine? Aber das war nur Geplänkel. Sobald man das Podium betrat, sich setzte, das Publikum sah, war es aus mit der Leichtigkeit. Jeder hatte Mühe, sein Bestes zu geben.

A. K. war also unterwegs. Das macht ihn geeignet zum Helden eines Sachroms über Liebe. Er war beteiligt an der Produktion jener Meinungsmenge, die nötig ist, um den Meinungsbedarf zu decken, den die Bevölkerung in der Freizeit nicht gerade anmeldet, aber doch hat oder ganz gewiß haben soll. Wer weiß das schon. Die Bevölkerung ist höflich.

Zur rechten Einschätzung A. K.s: er war keine Sekunde lang ein Star. Er konnte sich nicht darauf verlassen, daß ihn eine schon kannte. Als Kulturkritik-Produzent war er keinen Abend und keinen Vormittag lang vergleichbar mit Monsignore Hannsler, Arnold Gehlen, Arnold Laberlein, Holthusen, Schabsack-Lenz, Willy Ariel, Basil Schlupp, Arnold Brei oder gar Arnold Arnold.

Wenn einer aus der ersten Riege plötzlich erkrankte oder selber einspringen durfte in der Weltriege in Perpignan oder Princeton, dann durfte A. K. auch schon mal in Riegen auftreten, in denen sonst nur die erstklassigen, die niet- und nagelfesten Denker, die wirklichen Meinungskönige auftraten, die Begriffschefs, Wörterkhans; jeder eine Fremdsprache für sich, jeder eine große Kläranlage, ein Rheinfall, ein Großglockner, eine Milchstraße, ja, jeder eine galaktische Spirale, ein Universum, wahrscheinlich leuchtend noch lang nach dem Erlöschen. Weil doch das Licht so lang braucht, bis es zu uns kommt, vor denen Licht etwas ganz anderes ist als Finsternis. (Soviel, Melanie, müßte wohl über den beruflichen Anselm mitgeteilt werden, bevor man ihn reisen läßt. Der Beruf ein Widerlager der Liebe. Oder was meinst Duu?)

2. Eine gewöhnlich verlaufende Reise

(Februar, 1961)

(Liebe Melanie, sollte Dir die Reise zu gewöhnlich verlaufen, kann ich sie, nach Deinem Wunsch, seltsamer machen. Ich verfüge über Notizen und Kenntnisse betr. Grausamkeit, Schnitzbuckel, schiefe Mäuler, Schauerlichkeiten, Überbeine, Onkelliebe, Froschfolterung, Napoleonismus, Maxmoritzerei, Klofresken, Neosadisten, Warmpinkler, Gerontophile, Knopflochfetischismus, Darmsensazzionen etc. Des unhäufigen Vorkommens wegen, sehe ich von solchen Dressings vorerst ab.)

Abreise

Anselm wohnte damals noch in Stuttgart. Da hält sich die Bahnhofshalle für das Schiff eines Normannendoms. Die Höhe braust. Wer eintritt, wird kurz und klein gestimmt zum Reisenden. Steigt mit Andacht und Atemnot die Pergamontreppe hinauf, die oben die Stufen wieder herleiert, die man unten überwunden hat, bis sie endlich eben beigibt und der Reisende des Niveaus der Bahnsteige würdig ist und langsam in einen berühmten Schnellzug treten darf, Stuttgart ist ja ein Sackbahnhof. Am liebsten würde Anselm zuerst einmal weinen. Aber das soll der Reisende offenbar nicht. Kopfschüttelnd sieht Anselm, daß regelmäßig Zurückbleibende weinen. Die in den Waggons, also doch die, die fortfahren müssen, die bringen noch Kraft und Lächeln auf zum Trost derer, die doch bleiben dürfen. Weil Anselm nicht weinen darf, betet er wenigstens sein Gebet an Mitreisende: Seid ihr auch sehr zerstoßen? Heult ihr auch vor Unruhe eures Herzens? Oder erfüllt euch das Fahrkartenzwicken schon mit leise trommelnder Zufriedenheit? Wann also werden wir uns miteinander verständigen über das, was uns Fortgefahrene noch trennt? Warum sagt keiner was? Sprächen wir miteinander, eine große Schmelze wäre nicht aufzuhalten. Die Kleider schwämmen weg. Oder meint ihr, wir gehen besser auch weiterhin eingehüllt und frierend vor Mißtrauen aneinander vorbei? Ist das Scham oder Feindseligkeit? Also hält jeder an seiner Tiersprache fest, und die kennt kein Futurum. Amen.

Reise

Anselm kämpft nie um einen Fensterplatz. Er sucht nach einem Eckplatz an der Abteiltür. Er will, der Beine wegen, länger ohne Visavis bleiben. Eine Zeitung und Orange nach der anderen nimmt er zu sich. Gern folgt er einem Sachverhalt durch verschiedene Zeitungen. Hat also ein Mobutu Anselms Lumumba an jenen Tshombé ausgeliefert. Die Schnitze der Blutorange führt Anselm mit geschärftem Nebenbewußtsein zum Mund. Bloß keine pappigen Finger im Zug keine pappigen Lippen und dazu dann Ruß. Der Zug schwebte weg. Schon zwei Paar Beine im Gesichtsfeld. Eins mit grünen Schuhen. Schöner Fuß. Mädchen oder Dame? Beine sind schwer zu schätzen, Fünfzehnjährige haben Beine wie. Also ist Patrice Lumumba jetzt bei Moise Tshombé. Die *Zeit*... Gottseidank, *Zeitfragen* von Nell-Breuning dabei, den Görneraufsatz auch, der das abenteuerliche Wort für Kapitalisten liefert, war es Compradores? und die DGB-Broschüre *Hitler und die Industrie?* auch dabei. Der Schicksalsfrage wird er sich erst ab Mainz zuwenden, kurz nach sechs Ankunft in Duisburg, er war kein Anfänger mehr. Armer Patrice, und Pilatus Hammarskjöld, sammpt Kaiphas Dajal, niemand greift ein,

Hammarskjöld sagt nicht einmal, daß er keine Schuld an ihm finde, bietet ihn nicht einmal zur Losgabe an, schaut zu, schaut zu, wie Tshombé an seiner Union Minière aufbettelt, zu Weihnachten schon wollte er zum Zerfleischen den Lumumba geschenkt: sein schlechtes Gewissen, das *Echo de la Bourse* wurde immer schriller, also werfen die Aktienriesen, drei Säulenbeine des Westlichen Lagers, dem Todfeind Tshombé den Lumumba vor, ach vorbeifliegendes Ludwigsburg, Carl Eugen hat seinen Schubart anständig gekerkert auf dem Asperg drüben, wehe wenn Tshombé anders spielt mit dem Lumumba, der vor einem Jahr in der Wochenschau aus dem Flugzeugloch trat, und unten standen sechzehn Landsleut, Kasavubu und Konsorten, im belgischen Regen, abzuholen Lumumba, der, aus dem Gefängnis hertransportiert, plötzlich so wichtig wird wie er ist für die Verhandlungen, kann er schon die staatsmännische Handbewegung? das Winken für die Kamera? er hebt die Hand, aber bevor er winkt, greift die Hand an den Mantelkragen, schlägt den Mantelkragen hoch, dann erst geht er hinab, fröstelt, einer von euch wird mich verraten! hat jetzt Anselm trotz aller Vorsicht pappige Finger, Entschuldigung, soll er vielleicht, bloß weil es noch Tragödien gibt, mit pappigen Fingern, die er nicht liebt, Eisenbahn fahren? das Mädchen vis-à-vis hat Kraushaar, nicht zu befestigen, natürlich hat er jetzt pappige, die Zigarette klebt, das Papier reißt auf, soll, wer Orangen ißt, Filter rauchen, wär das ein Slogan für Patterson, Tabakkrümel von den pappigen Lippen lösen, wenn das stimmt, was Sorin sagt, könnte die ihre Beine nicht weiter drüben ausstellen...

Einschub über die scheinbare Gleichzeitigkeit

Als Anselm schon wieder auf der Rückreise war, las er, Lumumba sei getötet worden. Während der Reise störte Lumumba aus jeder Zeitung. Die Zeitungen versuchten zwar nach Kräften, Lumumba sachte und vorsorglich abzuschreiben als einen Normalverlust, trotzdem störte er. Um solche Störungen für alle Male einzudämmen, behaupte ich nachträglich: es gibt Reisen ante trucidationem Lumumbae und Reisen post trucidationem Lumumbae. Es gibt keine Reisen während Lumumba ermordet wird, obwohl Lumumba ermordet wurde, während Kristlein von

Stuttgart nach Duisburg reiste und weiterreisen sollte nach Bielefeld, Kassel, Frankfurt und Arnoldshain, um abends zu diskutieren über vier Schicksalsfragen. (1. Wohlstand – oder hat das Geld
uns verdorben? 2. Die Freizeitfamilie. 3. Werbung – Motor oder
Bumerang? 4. Der Mensch zwischen Kommunikation und Entfremdung.) Erst als er heimfuhr, las er, was gleichzeitig gewesen
sein sollte. Ich behaupte aber: erst wenn man etwas erfährt, war
es. Zuerst heißt es: Lumumba lebt. Dann heißt es: Lumumba lebt
nicht mehr. Lumumba wird überhaupt nicht ermordet. Er wurde
ermordet. Die Ermordung ist immer schon vorbei. Soll Anselm
trotzdem denken: solange Du Dich im Abteil von Stuttgart nach
Duisburg mal so, mal so setztest, vor jeder Zigarette – um den
Mund frisch zu machen – eine Orange zerdrücktest, solange Du
Fürstemberger Pils im Speisewagen trankst und, an Äckern bei
Bietigheim vorbeifahrend, Dir darin gefielst, elegisch zu konstatieren, daß alle Furchen in den Himmel wollen, solange Du dem
Fräulein vis-à-vis die Beine aufabschautest usw. so lange dauerte
wohl die langsame Ermordung Lumumbas. Das könnte stimmen.
Aber er wurde nicht ermordet, während Du rauchtest, . . . schau-
test . . . Oder lebten Anselm Kristlein und Patrice Lumumba etwa
zur selben Zeit? Hatten sie die gemeinsam? Also wurde dem die
Nase zerquetscht, während Du . . . das Gesicht eingeschlagen,
während Du . . . der blutige Leib zerstückelt, während Du . . .
dachtest: der einzige Vorteil in der zweiten Klasse: die Mädchen.
Besser, Anselm, Du gibst zu, daß Du nur eins nach dem anderen
denken kannst. Ein beschränktes Vermögen. Von Natur aus.
Zwei Dinge zur selben Zeit zu denken, geht über unser Vermögen. Du kannst nur die falsche Formel denken: gleichzeitig war
das und das. Aber das und das kannst Du nicht gleichzeitig denken. Stell Dir vor einen Taubenschlag, dazu noch den Spiegelsaal
von Versailles. Probiers. Du wirst verrückt. Die Hirnzellenheere,
die Dir den Taubenschlag besorgen und die, die den Spiegelsaal
liefern, können nicht zur selben Zeit und auch noch zusammenarbeiten, so wenig wie eine Echse, die auf den Galapagos das
Maul öffnet, zusammenarbeiten kann mit einer Nummer des
Corriere della Sera, die gerade in Mailand vom Stuhl rutscht, So
wenig. Und eine übergeordnete Instanz gibt es nicht. Nicht in
vivo. Wäre das anders, wie sollte man dann je den Blick überm
Steak verklären, die und jene Achselhöhle mit Herzensergießung
füllen! Wäre das anders, dürfte mir jetzt nicht die Märzsonne das

Papier wärmen, sie müßte mich vielmehr aufscheuchen, daß ich endlich hinausrenne nach Pasing, wo sich sicher eine Familie gerade mit Hilfe von zwei Messern ausrottet, bis auf ein nur in die Lunge zu treffendes Töchterlein. Aber ich werde warten, bis ich es aus der Zeitung erfahre, dann war es und ist für mich so unerheblich, man glaubt es nicht. Basta. Schluß des Einschubs.

Ursachen

Komisch, daß die beiden Herren schlafen (oder dösen die bloß?) und das Mädchen ist wach und er ist wach, sie sind allein wach im Abteil.

Heißen die Jochbeine oder Wangenknochen, die ihr das Gesicht bestimmen, konkave Hautkurven vorschreiben, den Augen breiten Platz verschaffen, eine Art Naivität? Die hat eine laute Stimme, vielleicht, die biegt sich beim Lachen wahrscheinlich ganz ab, lacht lang, man muß warten, dann wischt sie sich einen Augenwinkel trocken. Die Sommersprossen genau aus der Farbfamilie der Haare. Dreißig? Sechsundzwanzig. Alles ein bißchen zu groß. Zu große Hände, zu große Nasenlöcher, die Bluse zu grün, grüne Glanzkuppeln, negerinnengrün, harlemgrün, im Lokal von Sugar Ray Robinson lernte er Thomas Kanza kennen, der Manhattan absuchte nach v.i.p.'s, die er interessieren wollte für das Schicksal seines armen Belschen Kongou, während Anselm täglich in der Lexingtonave advertising studierte rannte der herum redete ein auf die Brüder vom NAACP während Anselm sich dafür interessierte, wie Mc Cann-Erickson sich für Coca Cola auf heiße und wie auf eniger heiße Länder einstellte während Thomas den Brüdern von CORE und SNICK seinen leidenden Kongoo belschik einreden wollte während Anselm die Confidence-In-A-Growing-America-Campaign studierte während Thomas Kanza wie Hutten redete während Anselm studierte während Thomas redete im YMCA-Heim vom jeune afrique redete und sich das Wort Rebellen verbat weil sie Revolutionäre seien, *die Geschichte möge über uns richten, die Revolution wird da triumphieren, wo die Versöhnung oder die Wiederversöhnung scheitern wird* ... solche Sätze waren ihm ganz selbstverständlich während Anselm die Negerinnen ansah die grünen Blusen während Thomas redete während mehrerer Nächte ... (Waren die vielleicht zur selben Zeit in New York? Wäre Einstein Historiker gewesen, wäre das fällige Nein beweisbar geworden. Weil er's nicht war, ruft heute noch jeder lyrische Mops die Einheitszeit around the globe.) Anselm mußte den letzten Abschnitt noch einmal lesen, Maurice Mpolo und Joseph Okito auch ausgeliefert, er findet die Stelle, von da an hat er gelesen, ohne zu wissen, was er las, also liest er noch einmal lesen die Augen noch einmal Proteste Sorins in New York, ihn stört die grüne Bluse. Auch von seinem Platz aus kann er schließlich zum Fenster hinaus Landschaft anschauen oder die Photos im Abteil, das Fachwerkdorf Oberkaufungen, Kurhessen, vermutlich im Grünen, an dieses Mädchen wird er sich, wenn die in Koblenz ausgestiegen ist, schon in Bonn nicht mehr erinnern, aber jetzt hält sie die Luft frisch, füllt das Abteil, die Zigarette zündet er offenbar für sie an, für sie fährt er mit der Hand durch die Haare, gibt er den Lippen einen erprobten Ausdruck, antwortet mit dem Gesicht auf vorbeifliegende Landschaft, läßt es erschreckter zusammenzucken als nötig, wenn man durchs enge Brückenkäfig durchdonnert, läßt es aufblühen, wenn man durch einen Buchenwald fährt, vielleicht liebt sie Buchen, läßt es schwer werden, wenn draußen eine endlose Fläche den Blick verwirrt, beantwortet den Anblick der Arbeitervorstadt mit kritischen Falten, vielleicht hat sie sozialistische Neigungen, ist das nicht eine Schweinerei, den Lumumba auszuliefern, Fräulein? aber vielleicht ist ihr Lumumba gleichgültig, nicht gleichgültig kann es ihr sein, daß eine Dame am Türfenster haltmacht, nach Platz späht, da dehnt er sich aus, schaut feindselig, läßt seine Finger auf dem Armpolster einen Siegesmarsch spielen, haben wir jetzt schon eine Verbindung? im *Zugbegleiter* präpariert er sich, falls sie in Heidelberg aussteigt, wird er ihr folgen, auch umsteigen nach Eberbach oder Neckarelz oder Kaiserslautern und dort wieder umsteigen, in immer kleinere Züge, nachlösen wird er, bis zu jeder Endstation, schließlich wird eine Verfolgung daraus, bis, im hintersten Oden- oder Frankenwald, an der Omnibushaltestelle ein Mann stehen wird, dem sie in den Arm fällt, der dies mürrisch geschehen läßt, Anselm wird lieber gleich wegschauen, wird wieder aufspringen oder besser abseits warten auf den Gegenbus, jetzt noch weiterzufahren, wäre sinnlos, jetzt muß er sich konzentrieren, von Anschluß zu Anschluß warten, vielleicht wird er in sieben oder in elf Stunden wieder in die Hauptstrecke münden, sie sitzt doch noch da, aufrecht, wie aufgeregt, das kann das Reiseziel sein, das kann auch seine Gegenwart, Vorsicht bitte, Vorsicht, aber warum sind gerade wir zwei wach, wir haben etwas gemeinsam, wir hängen nicht im Abteil mit klaffenden Mündern und verrenktem Gebein, wir wachen für einander, wenn sie wenigstens um Feuer bäte, die Stimme aus einem zu großen Mund, kann er sich ihre Stimme vorstellen? spricht sie nicht wegen dieser verdammten Schläfer? die Stimme muß passen zu diesen ausführlichen Gliedmaßen, also probiert er ihr alle Frauenstimmen an, die er kennt, erbärmlich, wie wenig Fähigkeit man hat, sich eine Stimme zu denken, eine Melodie, man denkt den Ton, aber man hat nichts davon, hört nichts – nichts, stumme Musik, die Erinnerungsformel, er steht auf, ist schon draußen, falls es Rücksicht auf die Schläfer ist, kann sie ja kommen, dreht sich zum Fenster, Stirn gegen kaltes Glas, ob sie kommt? wie lange hält er das aus? als er wieder hineinkommt, schläft sie, auch, nichts hat sie gemerkt, unter keiner Decke war sie mit ihm, sie hat nur länger gebraucht zum Einschlafen, also wird er jetzt auch schlafen, das soll sie sehen, wenn sie aufwacht, er wird schlafen mit röchelndem Mund, rücksichtslos wird er schlafen, falls er das schafft, jetzt, die Augen müssen gewaltsam geschlossen werden, Arme, Beine, Schultern sträuben sich, wollen sich nicht lockern lassen, also liegt er schmerzhaft starr, wacher denn je, blinzelt immer wieder zu dieser beträchtlichen Kuh, schläft die, nein, die, was die da tut, die bohrt, in, der, Nase, zuerst wagt sie's nicht so recht, traut den Schläfern nicht ganz, knabbert nur so am unteren Rand, der Finger, ein Kaninchen, noch scheu, schnell hin und gleich wieder weg, aber die Nase ist damit nicht zufrieden, der Finger auch nicht, wahrscheinlich hat sie jetzt zwei Zonen in der Nase, unten ausgeschabt und befriedigend gebohrt, weiter oben noch die Spannung des Unberührten, vom anderen, noch ganz unbebohrten Nasenloch, gar nicht zu sprechen, also ich schlafe, von mir aus, mein Fräulein, bitte, und sie kommt auch schon, klar, das hält kein Asket aus, eine angefangene Nase, das muß behoben werden, ich lasse den Kopf vom Wagengeschaukel mitnehmen, sie soll sich sicher fühlen, sie fühlt sich sicher, sie bohrt, wird immer gieriger, schaut gar nicht mehr zu mir her, dreht den Blick einwärts auf ihren bohrenden Finger, fabelhaft sieht sie aus, der Mund zerfällt, sie wehrt sich nicht mehr gegen die Schienenstöße, macht das Ratata mit, liegt schon mehr als sie sitzt, so kommt sie offenbar leichter hinein und hinauf, er muß sich arg zusammen-

nehmen, den Schlafenden spielen, sonst unterbricht er dieses Naturereignis, das seinen Höhepunkt hat wie alle natürlich verlaufenden Naturereignisse, eine fast wütende Anstrengung ihrerseits, sie erreicht etwas nicht in der Nase, was sie – will sie weiterleben – sofort erreichen muß, sie streckt sich, schert den Ellbogen aus, streckt sich noch mehr, die grünen Schuhe biegen sich quer auswärts, der Leib starr gerade über den Sitzwinkel, das Gesicht kämpft, der Kopf biegt sich nach hinten, dann hat sie's, Gott sei Dank, sie hat es, fällt zusammen, wird ungeheuer klein, ein Nest von Gliedern, schläft ein, der Zeigefinger, der alles verrichtete, liegt ein bißchen weniger krumm als die anderen Finger, sie atmet, ruhig, durch die schöne Nase, die noch zweimal zuckt, als träume sie jetzt davon. Anselm schaut zu. Schaut ihre Knie an. Den Abstand zwischen den Knien. Die Strumpffalten in der Kniebiegung, solider Ofenrohrknick. Anselm empfindet den Reiseschmerz. Er rennt in den Speisewagen. Es ist sowieso die höchste Zeit, sich eine Antwort zurechtzulegen auf die Schicksalsfrage, eine Antwort, die man einen Abend lang immer wieder hersagen kann. Hat das Geld uns also verdorben? Ein harter Beruf. O ja, ein harter Beruf. Das Einhorn schreit. Das Einhorn stampft. Anselm kämpft, will die Schicksalsfrage stellen, will sich interessieren für Wohlstand, Kapital, Nell-Breuning, DGB, aber der Wille läuft leer, greift nicht, rutscht ab, bloß Schmerz entsteht, Anselm muß nachgeben, er kommt nicht an gegen das Einhorn, er wird zurückbefohlen, hat sich sofort ins Abteil zu begeben, zur Nasenbohrerin, die hat offenbar schon die Majorität, hat die unwillkürlichen Flüssigkeiten, aus denen die Entscheidungen gefällt werden, schon mit sich gesättigt, das Ergebnis der Fällung, ein unlöslicher Niederschlag, ein gebieterisches Präzipitat, ein Pfingststurm in Anselms Zellkathedrale, ein Gebrause, genährt aus allen Fremdsprachen seines Körpers, mündend in einem Befehl: geh hin, geh ins Abteil, sofort zurück zu ihr und verkündige Dich. Anselm, der Unterlegene, listig: ich geh ja schon. Er weiß, die einzige Hilfe gegen die Nasenbohrerin ist sie selbst. Sprechen mit ihr. Vielleicht piepst sie, spricht einen siamesischen Dialekt, am besten fränkisch-schwäbisch, schwärmt für Tanzturniere ...
Es war dann so: der fahle Wanst neben ihr war schon ganz wach, sie sprachen fast schnell miteinander, auf einander ein, Sie rheinisch, Er ein allgemeines Unhochdeutsch, Verschliffenheiten aus Nord und Süd. Basta. Beleidigt werden, das fällt als Rauhreif

über frische Triebe. Her Nell-Breuning, her DGB-Broschüre, wenn sie den vorzieht! leider piepst Sie nicht, Stimme wie aus dem Nachtberuf, ein Moorweg mit Glasscherben, so eine Stimme hat Sie, der Schicksalsfrage soll eine historische Fundierung, weil doch das Geld uns schon einmal, Hitler brauchte bloß zu sprechen, vor dem Industrieclub, anno 32, Binnenmarkt, neuer Lebensraum, anhaltender Beifall, Versagen der Demokratie, Thyssen hat ja schon vorher bezahlt, Nein, sagt Er, es lohnt sich nicht, einen alten Hut umzufaçonieren, auch dann nicht, wenn es sich um einen teuren Hut handelt, Genau, sagt Sie, nachher ist man immer enttäuscht, also ist Er ein Hutmacher, na bitte, obwohl Sie für ihre Haare nichts so wenig braucht wie einen Hutmacher, aber bitte, basta, wo war er abgekommen? zahlten schon vor 33 zwei Millionen pro Jahr, und als Göring verspricht, die am 5. März sei die letzte Wahl für 100 Jahre, zeichneten die Herren Krupp-Stein-Bohlen-Vögler-Loewenfeld-Et-Cetera-Et-Cetera gleich drei Millionen, und wie machen Sie den Boden, fragt Er lauernd, zwei Eier sagt Sie, und Er lacht Sie aus, fordert drei, der Konditor, natürlich, ein knochenloser Konditor, schmeichlerisch, so süß wie's beliebt, basta, Compradores, sagt Görner, Krupp sagt, deutsches Unternehmertum, mit jenem Schwung, jener, er möchte sagen, Begeisterung, mit der es je und je an geschichtliche Aufgaben, siehe Photo Dr. Faust, Bauleiter der IG in Auschwitz, photographiert mit Himmler, Baugelände Monowitz unter der ausgestreckten Hand, Vorsicht, nicht in einfacher Nazizeit rumdiskutieren, hat uns das Geld heute, also Fritz Bergsch sprechen, von heutger Instrie und Inzjative, je und je, kamradschaftlich, aufm Boden der Demkratie gegen Kounismus, patrichalisch lockt er mit der Lohntüte, dem Allerheilgsten seiner Bunzreplik, benützen Sie überhaupt den Knethaken? sehen Sie sehen Sie, sagt der Konditor, Mürbmachen, das ist die Kunst, Rolle der Kirchen nicht vergessen, den teilnehmenden Pater, Doktor? Doktor? auf jeden Fall nicht verprellen, aufm Kultur-Kritik-Podium sind Pfarrer meistens Bundesgenossen, liefern immer gute Zitate, Augustin und Thomas, das nötige weltfremde Salz, JaJa, Gnädigste, Brennessel und Klettenwurzel, wenn Sie haben, Berg-Arnica, Sie spürens sofort auf der Kopfhaut, es ist ein Genuß, schon wegen des Genusses müssen Sie's probieren, abgesehen davon, daß es schade wär, so schönes Haar mit der schrecklichen Shampoon-Chemie zu traktieren... Der fahle Wanst hatte gesiegt,

Anselm mußte zuhören, offenbar war der also Haarwuchsspezialist, erörterte nun seine eigene Glatze, Alopezien, sagte Er, also Glatzenbildungen, sagte Er, sind zurückzuführen auf zuviel männliche Hormone, das Androgene, sagte Er, verstehen Sie, zum Beispiel, und deutete kühn mit einem fetten Zeigefinger auf seine Blöße, Aristoteles, sagte Er, Sie kennen ihn, sagte Er, den griechischen Philosophen, wissen Sie, was der sagt? nur Eunuchen und Frauen kriegen keine Glatze! so ist das nämlich, zuviel Männlichkeit und schon hat man die Glatze, glauben Sie's nicht? Doch, doch, Sie glaubt es gern. Sonst müßte Er es ihr beweisen. Sie lacht laut-schnell-eindeutig. Daß da noch ein vertreterhafter Herr mit hohen Schuhen und stetig rutschenden Wollsocken sitzt, daß ich auch noch da bin, kümmert die Beiden nicht mehr. Der Wanst hat sich herausgedreht, ihr zu, schützt sie vor uns, sitzt nur noch auf einer Backe und singt auf sie ein. Er scheint tatsächlich ein Mann zu sein. In Rimini hat Er sich einen Spaß erlaubt, blieb solange wie stur auf seinem Balkon, bis das Mädchen auf dem nächsten Balkon weich war. Nicht seine Art, aber der mußte Er es zeigen, weil die im Speisesaal immer vorbeischaute an ihm. An ihm, verstehen Sie! Ratschläge für Feinwäsche, detailliertes Angebot, Schuhe und Toaster mit 40, bzw. 45 Prozent zu beziehen, weiß auch schon, daß sie nach Zülpich muß, selbstverständlich kennt Er die Verbindungen ganz genau, von Bonn, von Köln, schlägt vor über Köln, er muß nach Köln, Köln ist ein kleiner Umweg, aber der Anschluß ist besser von Köln, denn Köln ist Köln, Bonn aber ist beileibe nicht Köln, Bonn ist kaum Bonn, da lachen sie herzlich und kennerisch, Versagen der Demokratie, ist doch wahr, hätten die Mut, hieße das längst Konradsgrad, meine zwei sind schon beim Eislauf, ob Sie Eislauf liebt, Er liebt Eislauf, Er tanzt für sein Leben, also gehen sie heute in Köln noch aus, denn wer, wäre er nicht total bekloppt, führe heute im Hohen Karneval durch Köln durch, ohne auszusteigen! Sie hat Freude an Ihm, weil Er sich klein macht vor ihr, groß macht vor ihr, ihr zuliebe, mal Papa, mal Söhnchen, aber immer drängend, immer am Ball, sagt Er, sei ein Prinzip, obwohl er Diabetiker sei, aber das ist heute nicht mehr so schlimm, Durst ist was Schönes, das macht ihr erst recht die Augen dunkel, Diabetiker ist Er, man könnte immer für seine Diät sorgen, oder sie hält ihn jetzt für eine Art Akademiker, das macht immer noch andächtig, wir gehen, sagt Er, heute noch aus, Sie wiegt den Kopf, bläht die blanken

Nüstern, mal sehen, sagt Sie, fällt ihm gleich mit dem Mund ans Ohr, flüstert was hinein, Er geht auf unter ihrem Anhauch, macht Hmmmmm . . . zieht den Ton lang in die Höhe wie ein Duftprüfer. Von jetzt an werden sie leiser. Langsamer. Beide schauen zwischen zwei Sätzen länger stumm parallel in die Rheindämmerung hinaus. Er setzt sich wieder auf beide Backen. Die Lageveränderung nutzt er gut, schmiegt sich an Sie. Wie ohne Absicht. Sie schaut ihn einfach an. Er zeigt, daß Er das bemerkt, und auch gern hat, dreht ihr den Kopf zu, lähächelt. Wer in Bonn zusteigt, wird die zwei für ein Paar halten. Als Er seine Hand senkrecht zwischen ihren und seinen Oberschenkel schiebt, und das langsam, weil sein und ihr Oberschenkel schon dicht sind, als seine Hand sich da spannend hineindrängt, sieht Anselm, daß Sie nicht etwa nachgibt, sondern ihren Schenkel so nach außen preßt, daß die Hand nicht einfach durchrutscht, sondern ganz schön reibt. Ihr Kinn hebt sich, solang seine Hand sich senkt. Die Nase geht auf. Er schaut ihr ins Gesicht, als wäre das ein Meßinstrument. Aber sie bemerkt seinen Blick nicht mehr. Ihr verschwimmt es. Sie hat sich ganz in den Preß-Schenkel gegeben. Ihr Gesicht zeigt eine Art Schmerz, an dessen Vermehrung ihr gelegen scheint. Wir donnern über die Hohenzollernbrücke. Die Beiden, tief benommen, lassen es über sich ergehen, als führen wir nur ihretwegen über die Brücke. Wir schaukeln über die Weichen hin. Sie lassen es sich zugute kommen. Gegenzüge peitschen uns mit ihrem Lärm. Die Beiden atmen alles ein. Aus der Fahrt entsteht eine Hemmung, unsere Gewichte wachsen über. Das Paar fällt und fällt. Der Zug hält. Das Paar lacht, rafft zusammen, verschwindet eilig. Der vertreterhafte Herr zieht seine Socken hoch.
Ankunft in Duisburg. Entzündet. Flagrant. Unter Einhorns Diktat sucht Anselm im Notizbuch die Nummer einer Barbara, verzogen nach Duisburg, sucht das Telephon. Um 19 Uhr muß er im Duisburger Hof sein, zum Abtasten der Standpunkte, Teilnehmer müssen einander wenigstens beriechen vorher. Der Moderator muß schäferhundscharf aufpassen, daß die kulturkritisch Geladenen nicht zu früh zünden, nur Händeschütteln, beriechen, ja nicht diskutieren, der Moderator fürchtet fürs Spontane, sind ja Intellektuelle, die sagen jetzt was Gutes, nachher aufm Podium wiederholen sie das nicht mehr, würden sich vor den Partnern genieren, klänge doch wie auswendig gelernt, der Moderator hat Erfahrung, also nur Stimmen der Instrumente, geben Sie noch-

mal Ihr a. Anselm vor der Zelle. Wenn die da drin noch lange weiterspricht, ist er um 19 Uhr nicht im Hotel, und den Mut, Barbara anzurufen, hat er auch nicht ein für alle Mal. Die in der Zelle windet sich, verrenkt sich, aalt sich vor lauter Ohrenschmaus. Die hat einer am Wickel. Und immer dreht sie sich um ihren Mittelpunkt, den reibt sie vor, treibt ihn heraus durch Winden und Drehen, zieht ihn dann plötzlich ganz weit in sich hinein, durch Oberkörpervorfall, aber bloß um ihn unter sich durchrutschen zu lassen und ihn gleich nach hinten auszustellen und so den Zuschauer ganz zu kassieren, dann lacht sie hoch auf, knickt oben nach hinten, schmeißt uns den Unterkörper einfach in die Augen. O Mädchen, Du, in der Klarsichtpackung, Du heiliges Asozial, was geschieht, wenn Dein Zuschauer sich richtet nach Dir? Besser, er spuckte aus und ging über seine eigene Leiche in die Kälte hinaus. Anselm blieb stehen und sah der regelmäßigen Entblößung ihrer Zähne zu. Bis es nicht mehr zu machen war. Die Zelle nebenan war nämlich frei. Wenn er jetzt weiter wartete, wartete er doch nur noch auf die Bauchtänzerin im Aspik. Es war längst nicht mehr zu machen. Aber er wartete. Sie drehte ihr Gesicht wie einen Leuchtturmscheinwerfer schnell über ihn weg, durch ihn durch, in langsamen und stürmischen Drehungen, je nach dem, wie der Meisterhafte, der sie am Wickel hatte, sie kommandierte. Ob sie Anselm sah? Er wollte es für möglich halten. Barbaras Nummer aufsagen, Barbara gar nicht mehr anrufen, um sieben das Stimmen der Instrumente... Das Ding in der Zelle würde ihm sagen, was er zu tun hatte. Er stand vor seiner immer wieder kippenden Reisetasche auf kaltem Bahnhofsboden, das Urteil erwartend. Gerade als er zum fünft-sechsten Mal die Tasche aufrichtete, ging die Zellentür auf, trat die Richterin heraus zu dem Gefangenen, der schnellte sofort hoch, stieß dabei die Tasche wieder um, ihr vor die Füße, sie hob eng ein Bein, scherte vom Knie ab aus, stieg über seine Tasche wie über ein riesiges und ekelhaftes Insekt hinweg oder daran vorbei, auf jeden Fall fort, weg, trommelte sich mit harten Absätzen davon. Und er, er ging wie beschmutzt in die Zelle, nahm den lebenswarmen Hörer in die Hand, roch an ihm während er – o Wunder – Barbaras Nummer ohne Vergewisserung auswendig herunterwählen konnte. Barbaras Stimmchen. Ja, was er sagen wollte. Ach, sie hat sich also verheiratet. Also dann, auf Wied... Nein, nein, sie will ihn sehen, heute noch, unbedingt. Aber wo? Sie kommt in den Saal.

Sie freut sich. Also freut er sich auch. Auch ihr Mann? Der ist fort.
Ach so, diskutiert er auch? Aber er tagt, wegen Normen, in Ost-
Berlin. Ist doch Ingenieur. Ach ja. Also ... Jetzt wart doch noch,
wo sie sich doch so freut nach so langer Zeit wo sie schon gedacht
hat ihn gibt es gar nicht mehr für sie hat er immer eine Rolle in
ihrem Leben ging es seither zu ... Wo soll man da ein Komma
setzen, einen Hörer aufhängen? Dankbar war er auch. Die Nasenbohrerin und die Bauchtänzerin hatten bewirkt, daß er jetzt
kleinmütig und dankbar war. Also, sagte er, weil es schon lang
nicht mehr sieben war, sondern halbacht. Sie mußte sich glücklicherweise noch umkleiden. Also.
Im Hotel waren die Partner nicht mehr. Aber dafür war Dr. Klü-
sels Sekretärin da. Anselm sagte: Der Zug, der Weg, was machen
wir, Fräulein, wie war doch, ach ja, wir haben mit einander, Fräulein Salzer, was jetzt? Sie hat einen Wagen. Einen Volkswagen,
schränkt sie ein. Sie ist beauftragt, bis dreiviertel auf ihn zu warten. Jetzt ist es schon, sie wird gleich den Chef anrufen, beruhigen, der Herr Kristlein kann sich solange frischmachen, Beginn
c. t., trotzdem sollte man schon bald fahren.
Anselm schaute ihr nach, bis sie in der hölzernen Zelle verschwand und im Glasviereck die geneigte Stirn mit den Haarbü-
scheln übrigblieb. Wo hat sie den Ozelot her? Und die Haare ge-
färbt auf den Hellgoldgrund des Ozelot, ts-ts. Den hat sie sich
doch nicht beim kommunalen Dr. Klüsel verdient mit Briefen an
Gesprächsteilnehmer, an Referenten über Was-geht-in-Asien-
vor? Den hat ihr auch nicht geschenkt der Kollege Arnold Sör-
gele, der, wo immer Anselm auftrat, schon aufgetreten war mit
dem Vortrag über das Christentum in einer pluralistischen Gesellschaft. Den hatte ihr auch nicht der Kollege Dr. Peter-Heinz
Baron von Blibsch mitgebracht, der immer gerade zurückkommt
von Swasiland, Nepal, Machu Picchu, Lourenco-Marques oder
Zimbabwe, um dann von Lemgo bis Kreuzlingen die schönen
Abende zu bereiten unter solchen Titeln: Menschen am Silber-
strom, Fröhliches, unbeschwertes Portugiesisch-Ostafrika, Von
Vögeln und Eiern, Was geht uns China an, Polygamie und Frühe-
ehe zwischen Mohammed und Lenin, auf Wunsch bebildert mit
FL, 5×5. Also vom Kollegen Baron hat sie den nicht, von der
Kollegin, die gegen Diktator Sexus reist, auch nicht, von wem also
hat sie den Ozelot?
Er tat, als käme er gern zu spät zur Diskussion. Ohne Alkohol

könne er sowieso nicht. Lud sie ein. Sie schlüpfte aus dem Mantel, offenbarte einen dünnen weinroten Pullover, fallend, aufliegend, fallend, auffallend, trank mit, er drei, sie eineinhalb Whisky. Dann mußte sie noch hinaus. Der Mantel hing. Anselm hatte gleich eine regelrechte Vision: Italiener aus der Küche schleppten Wasser an, der Mantel, jetzt brannte der auch noch, warum versehrte das Feuer kein Härchen? warum halfen alle Wasserkübel nichts? auch der endlich gefundene Schaumlöscher verpustete sich, die Flammen waren um keine Zunge ärmer geworden, eine Art Gesang, meine Herrschaften, ist jetzt nicht mehr zu überhören.

Herr Ober, das macht? Vierundzwanzigfünfund... Fünfundzwanzig, bitte. Sie drängt jetzt. VW, hat sie gesagt. Es war aber ein Ghia. In den Kurven könnten die Übergewichte einander berühren. Anselm hat einen Fisch im Bauch, der will mit ihm schwimmen. In seinem Kopf, der Vogel, sagt: flieg. Ein altenglischer Regenwurm murmelt: *postpone*. Sie fährt aber scharf. Die Straße schneeglatt, viel zu glatt dafür. Er sagt es ihr. Sie hört es gern. Und fährt nicht milder. Jetzt rasch noch, für nachher, bevor die Partner, der Chef in Sicht. Wie sagt man: Was, Fräulein Salzer, machen Sie nachher? Die Frage bleibt in fünf-sechs unsäglichen Variationen, bleibt im Whiskykopf. Unerbittlich durch mehrere Türen, bis vor die Herren hin, die schon sehr mißbilligen, daß der Geringste unter ihnen sich durch Verspätung Wichtigkeit erschleicht, der, den keiner kennt, den weiß Gott wer eingeladen hat, dessen Teilnahme Dr. Klüsel durch phantastische Erkrankungen und Notstände der Herren A, B, C, bis I entschuldigen mußte, ist denn Klüsel schuld, daß Kristlein konnte, nicht krank war ... Anselm erwartete solche Befehle: machen Sie mal Ihren Nabel frei, zeigen Sie Ihr Taschentuch, sagen Sie mal Aah, wer hat die Cheopspyramide, nehmen Sie doch endlich Ihre Nase ab ... Aber wie immer in der Welt ging es glimpflicher zu als man fürchtete. Er mußte lediglich jedem dreimal seinen Namen sagen, zweimal sagen, wo er publiziere (Wo ich kann, sagte er und erntete einen Lacher), einmal die Frage beantworten: Sie sind der Autor von ...? (Einem einzigen Buch). Als sie erkannten, daß Anselm bloß ein Witzbold auf eigene Kosten war, entfalteten sich die auf Krebsdiagnose eingefinsterten Gesichter. Übrigens waren an dieser Prüfung des Ankömmlings nur drei Herren streng beteiligt. Der Professor, der Fabrikant und der SPD-Redakteur.

Der gelehrte Pater sah Anselms Aufnahmeprüfung zu aus geistlicher Entfernung. An Fragen wollte er sich nicht beteiligen. Er gab Anselm die Hand, als wäre Anselm rechtzeitig gekommen. Und Dr. Klüsel war so höflich, zu behaupten, er sei glücklich, daß wenigstens einer noch frisch und spontan in die Diskussion gehe, die anderen drei Herren hätten schon viel zu viel mit einander gesprochen. Die anderen drei? Hat er das gesagt? Ja. Daran erinnere ich mich noch genau. Und in der Einleitung sagte er, er dürfe den Zuhörern vier recht verschiedene Herrn vorstellen, also waren es mit Anselm nur vier. Moment: der aus Obsidian geschnitzte Professor, der aus weichem Blei geformte SPD-Redakteur, der aus Seide gefältelte Renommier-Fabrikant von der CDU und der rein wollene Pater und unser plastischer Anselm ... das macht: fünf. Damals im Saal waren sie aber zu viert, das ist ganz sicher. Zu einer Diskussions-Riege gehören immer vier plus Leiter. Also schiebt mir die Erinnerung einen Partner aus einer anderen Diskussion in die Duisburger Riege. Vielleicht rutscht mir einer aus Bielefeld herüber. Bielefeld, das war am nächsten Abend (Die Freizeitfamilie). Anselm mußte, um die Produktion rentabel zumachen, bescheidene Serien organisieren. Vielleicht verrät der Partner, der nicht in die Duisburger Riege gehört, durch seine Argumente, daß er zur Bielefelder Riege gehört. Wird drin getrunken, fragt Anselm frech. Nicht im Saal, aber wenn er rasch noch kommunalen Kognak wolle? Ja. Während Fräulein Salzer Honorar plus Spesen zahlte, nahm er noch zwei. Pro Anselm gab es dreihundertundfünfzig. Der Pater war der einzige, der das Geld einfach in Empfang nahm und unterschrieb. Der SPD-Redakteur und Anselm machten in dem Augenblick, als ihre Hände die Scheine berührten, witzige Bemerkungen. Der Professor und der Fabrikant sahen der Auszahlung zu und plauderten kritisch über eine Diskussion in Bad Boll, an der sie beide teilgenommen hatten. Es sah ganz so aus, als wollten sie mit diesem Zahltag nichts zu tun haben. Aber Fräulein Salzer sagte laut und korrekt zu den beiden: von Ihnen habe ich ja die Kontonummern. Da mußten sie auch noch etwas Witziges versuchen. Dann marschierte die Riege ein.

Die Sache

Diskutanten betrachten Zuschauer, die Diskutanten betrachten, die Zuschauer betrachten. Anselm sucht Barbara, versieht sich aber gleich in der ersten Reihe an Fräulein Salzers Pullovercadenz. Dr. Klüsel leitet ein. Wohlstand – oder hat uns das Geld verdorben? Pater Heinz Achtwein, Professor Dr. Thomas Dornseifer, Soziologe; Dr Reinhold Flaat, Fabrikant; Rainer Kanzler, Redakteur; Anselm Kristlein, Schriftsteller. Wieder einer zuviel. Vorerst soll uns das nicht stören. Eine Diskussion kann ohnehin nicht rekonstruiert werden. Sie ist schwer zu fassen. Sätze, Bewegungen, Augenbrauen, höhnische Seufzer, ein vielfältiges, mitatmendes, andauernd wirksames Publikum. Die Diskussion wird ihren wissenschaftlich denkenden Historiker finden. Wer uns später studiert, um uns zu beschreiben, der wird staunen über unsere Geduld. Wie langsam haben sie sich ihre Schritte machen lassen, wird er denken. Da ein Jahrzehnt fast auf der Stelle getreten, da ein Jahrfünft im kleinen Kreis herum. Verstehen wird er das erst, wenn er unsere Diskussionen studiert. Diese Veranstaltungen zur Zerknirschung, Skrupelzüchtung, Gewissensüberschärfung, Selbstbeschimpfung und Entmutigung. Wie haben wir uns doch angestrengt, uns aus allem einen Vorwurf zu machen. Wir, das ist die Bevölkerung, das sind die, die in jeder Diskussion als Masse oder gar als breite Masse geprüft wurden. Die, die weniger Freiheit hatten, machten sich abends in überfüllten Sälen möglichst geistreiche Sorgen über den Mißbrauch, den sie mit ihrer Freiheit trieben; die, die es schwer hatten, den historischen Wendungen zu folgen, schimpften sich konformistisch; die, die weniger Güter hatten, verachteten sich und einander wegen ihrer Süchtigkeit nach Gütern; die, die keinen Pfennig zuviel hatten, verdächtigten sich und einander der Geldgier. Die, die viel Geld, also viele Güter, also viel Freiheit hatten, die das alles hatten, weil sie jede historische Kurve zum Überholen benutzten, die ließen sich nicht blicken. Manchmal schickten sie einen der ihren aufs Podium. Und auch das wäre nicht nötig gewesen. Bei uns Diskussionsreisenden war ihre Sache in den besten Mündern. Die zirka 5000 Diskussionsteilnehmer, die Abend für Abend auftraten, um der Bevölkerung die ansteckende Show des schlechten Gewissens zu bieten, haben sich historisches Verdienst erworben bei der Befestigung unseres Mionärstaates. Ein Diskussionsorden, eine Vereitelungsmedaille in mehreren Klassen wäre das Wenigste, was die Bunzreplik uns Kämpfern für das Treten auf der Stelle schuldig wäre. Bewegung muß sein, ohne Bewegung erstickt die

Gesellschaft; und wir waren es, die die Bewegung auf der Stelle und im unbeschreiblichen Kreis herum erfanden und demonstrierten, zur Nachahmung für alle. Wir haben eine besondere deutsche Sprache dafür erbildet. Dem zukünftigen Historiker zum Nutzen, soll hier zum ersten Mal ein Versuch beschrieben werden, der gemacht wurde, um eine Diskussion, die bekanntlich ein schwer trennbares Gemisch ist, aufzuschließen und nach Elementen zu trennen. (Der Berichterstatter ist sich das Geständnis schuldig, daß er weder bei der Philosophie noch bei der sogenannten Geisteswissenschaft die zur Aufschließung nötige Methode erhoffte. Der Berichterstatter hält Friedemann Schneiders Tractatus logicus, Aristoteles' Topica, und selbst Schopenhauers Strategemata-Katalog etc. nicht für einschlägige Werke. Schopenhauer allerdings verdankt er die Anregung, die Diskussion als einen Gegenstand der Naturwissenschaft zu betrachten; eine Osteologie der Kontroverse wollte Schopenhauer schreiben. Wollte das natürlich nur »gleichsam«. Und natürlich keine Physiologie, sondern eine Osteologie. Na ja. Immerhin war er der erste, der »die so oft vorkommenden unredlichen Kunstgriffe beim Disputieren« sammelte.)

Dem Berichterstatter boten sich für seinen Versuch drei Verfahren an: Chromatographie, fraktionierte Destillation und zentrifugale Senkung. Er entschied sich für die zentrifugale Senkung, weil dabei die Diskussion nicht zuerst in ein bloß noch symbolisches Beziehungssystem überführt werden mußte. Die Diskussion ist selber schon Bewegung um einen Punkt, Kreisbewegung, Umdrehung. Sie passiert als Umdrehungsbewegung immer wieder selbe Punkte, also sind Tourenzahlen denkbar. Bloßes Zurückdenken an eine Diskussion genügt, um die Tourenzahl zu steigern. Aus dem sonst schwer trennbaren Gemisch der Diskussion schleudern nacheinander regelmäßig Teilchen heraus und sinken ab. Und das nach dem Stokesschen Gesetz: Die Sinkgeschwindigkeit ist proportional dem Unterschied des spezifischen Gewichts der Teilchen und der Flüssigkeit sowie dem Quadrat der Teilchengröße, umgekehrt proportional der Zähigkeit der Flüssigkeit. Also hatten wir zuerst zu erwarten die Teilchen, die das höchste spezifische Diskussionsgewicht haben, zuletzt aber die mit dem geringsten spezifischen Gewicht. Allerdings komplizierte sich der Versuch durch die gesetzmäßige Wirkung der unterschiedlich zähen Redeflüssigkeit sowohl auf die Größe wie auf das spezifische Gewicht der Teilchen.

Bei einer ersten Erhöhung der Umdrehungszahl schleuderten aus und sanken ab diese Teilchen: wir müssen uns doch einfach einmal fragen ob ich möchte nicht den Eindruck erwecken als ob ich darf zunächst eine Rahmenbemerkung machen weil dies ein Punkt ist der mir am Herzen liegt uns wohl allen ein Punkt auf den ich oft angesprochen werde möchte ich diesen Punkt sehr unterstreichen obwohl das ein wunder Punkt ist möchte ich ihn doch hier behandelt wissen wie alle Punkte die heute hier angeschnitten wurden ist das ein wesentlicher Gesichtspunkt ein Punkt an den ich anknüpfen möchte persönlich stehe ich nämlich immer noch auf dem Standpunkt darum möchte ich an diesem Punkt ansetzen weil das ein entscheidender Ansatzpunkt ist weil wir zunächst diesen Punkt klarstellen müssen bevor wir; es zeichnen sich jetzt schon verschiedene Möglichkeiten ab wie wir;

es erhebt sich jetzt die Frage ob wir da würde ich also gleich die Frage in die Diskussion werfen und zwar ganz bewußt von meiner Seite aus würde ich die Frage zurückführen auf die Kernfrage dann würde ich aber die Gegenfrage stellen müssen oder ist hier einer der sagt wir sollten diese Frage endlich als eine Scheinfrage begraben oder stellt sich denn die Frage nicht vielmehr so ganz bewußt würde ich die Frage aufwerfen das ist keine Frage des Beliebens muß also nicht jeder zu dieser Frage Stellung beziehen die Frage der Stellungnahme können wir nur durch andauernde Infragestellung können wir überhaupt ich weiß allerdings nicht ob ich auf Ihre Frage geantwortet habe;

ich würde sagen das Problem liegt noch anders ein brennendes Problem da würde ich einhaken müssen und sagen das Problem berührt ein anderes das uns genauso auf den Nägeln brennen sollte das würde ich nicht isolieren ich könnte noch ein Problem anführen das hierher gehört und noch nicht angeschnitten wurde vielleicht kommen wir dadurch auf einen Generalnenner für unser Problem überhaupt;

es geht uns doch vor allem darum gehen wir immer davon aus also möchte ich dort anknüpfen weil dieser Aspekt jetzt endlich einmal betont werden muß ein so wesentlicher Aspekt darf nicht zu kurz kommen ich würde sogar noch weitergehen wir dürfen nicht vom Routinemäßigen ausgehen meine Intention geht doch dahin; ich möchte dieses Thema bloß umreißen ich glaube darüber sind wir uns einig trotzdem muß ich noch einmal zurückkommen auf den wunden Punkt mir schmeckt es nämlich nicht wie hier Probleme vereinseitigt werden bloß daß sie brennen das ist eine Kardinalfrage und nicht eine der Einstellung so darf man einen Aspekt nicht überbetonen ich würde sogar noch eine zweite Unterscheidung machen ich frage mich ob wir hier das Thema nicht abbrechen sollten;

wir sind hier an einem Punkt angelangt sollten wir nicht die Anregung aufgreifen wir dürfen es uns finde ich nicht so bequem machen und meinen die Praxis entschuldigen Sie schon sieht doch so aus wir können doch nicht immer bloß davon ausgehen es geht uns doch darum es geht uns doch allen so ich glaube ich kann mich dahin zusammenfassen, ich bin nach wie vor, uns alle bewegt doch, konnte beileibe nicht erschöpfen, ich persönlich bin, nicht der Sinn einer solchen Begegnung, besinnen wir uns auf, jeder leistet seinen, daß diese Seite überhaupt angeschnitten wurde, wir können doch nur, wir dürfen doch nicht nur, wir müssen auch, ich glaube wir alle die wir heute, wir leben doch in einer, deshalb möchte ich mich.

Kommentar: zweifellos schleuderten diese mittelmolekularen Sprachteile ihres hohen spezifischen Diskussionsgewichtes wegen zuerst aus der Diskussionsmasse heraus, trotzdem ist die leichte Abtrennbarkeit dieser Teile nicht ein Indiz für ihr absolutes Gewicht. Diese Abtrennbarkeit rührt auch her von der geringen Vernetzung dieser Sprachmoleküle, sie sind in der Redeflüssigkeit als deren Flüssigstes.

Bei einer weiteren Erhöhung der Umdrehungszahl fielen dann folgende Teile aus: Bunzreplik, Arbeitswelt, Wirtschaftswelt, Strukturwandl, Fachwerkhaus, Seele, Bewußtseinsformung, Mannesmann-Bülding, Pluriformität, Daseinsverfehlung, Unmündigkeit, Verführung, Wirtschaftsmentaltät, Konsumzwang, Prestigedenken, Standardsucht, Privatsphäre, Seele, Verformung, Konsumerziehung, Konsumsuffräntät, Massndenken, Sexoalpropaganda, Schlafzimmerverödung, SBZ-Flüchtling, Wirtschaftsuntertan, Kühlschrankideologie, Massnmedien, Seele, Konsumterror, Compradores, Eßwelle, Bekleidungswelle, Wohnungswelle, Willnsfreiheit, Konsumgutsortiment, Dienstgüterproduktion, Nächstenliebe, Einkochen, Brotbacken, Spinnen, Lieben, Schneidern, Großkapital, Wahlhilfe, Wirtschaftskonkordat, Diktatur, Sackgasse, Wirtschaftsdemokratie, Wiederauf-

bau, Wunder, Kartellamt, Bunzreplik, Seele, Entgeltbezieher, Italienreise, Arbeitsmoral, Überschußeinkommen, Konsumverzicht, Arbeitslosigkeit (technologische), Transferstraßen, Freisetzung, Umsetzung, Kräfteeinsatz je Ausbringungseinheit, Preis pro Produktionselement, Betriebsablauf, Automazonsproltarier, Betriebspädagogik, Hjumen Rileeschens, Bildungsgemeinschaft, Hinführung, Hilfestellung, Freizeitgestaltung, Gänsefüßchen, Unmündigkeit, Warenkenntnis, Preisbewußtsein, Umweltverführung, Existenzbedaff, Wahlbedaff, Seele, Bunzreplik, Demkratie, Erwachsnenbildung, Ödukaßiong permanangt, Stringregale, Aktivierung, Arbeiterfilmtätigkeit, Hobby, Beratungsorgane, Unternehmerinzjative, Wohlfahrtsstaat, Organisationsausnutzung, Richtungsgewerkschaften, Bildungsmaßnahmen, Laiflong-Lörning, Konsumverhalten, Ostcriti, Arbeiterpsyche, Kohlenbergbau, Homo Ludens, Ruhrgebiet, Zentralfrage, Willensfreiheit, Kulturkonsum, Massnmedien, Zensurgremien, Massnerscheinung, Hobby, Seele, Parkplatznot, Kulturperiode, Kulturprodukzon, Kulturpessimismus, Kulturaufgaben, Tarif- und Schlichtungspolltik, Aufwandskonkurrenz, Entgelterhöhungspolltik, Frontdenken, Lohnmaschine, Universalltät, Renäsangsmenschen, Kleinwagen, Prescher-gruubs, Massenkommnikazonsmittel, Daseinsbedrohung, Autonomie (moralische) Für-sich-sein, An-sich-sein, Puur-soa, Ang-soa, Herr-Knecht-Verhältnis, Bewußtseinswandl, Flegepersonal, Personalltät, VW, Außersichsein, Konsumfreiheit, Konsumsuffräntät, Willnsfreiheit, Selbsverantwortung, Hemsärmel, Mündigkeit, der Einzige, Eigntum, Eigntumsbildung, Seelnbildung, Erwachsnenbildung, Freiheitsgarantie, Wachsamkeit, van Goghs Sonnenblumen, Willnsfreiheit, Bunzreplik, Demkratie, Seele, Risiko, Himmel, Hölle, Mensch, Mut, Massnzeitalter, Volkshochschule, Privatinzjative, Dialog, Bildzeitung, Bunzreplik, Kulturwerte, Optimismus, Seele, Ruhrgebiet, Willnsfreiheit, Schnupfn, Seele, Freiheit, Freiheit, Seele.
Eine dritte Erhöhung der Umdrehungzahl warf folgende Teile ab: mit Martin Buber das Wesen der Existenz, wie in Quadrogesimo Anno gesagt, die Volkswirtschaft ist nicht nur, mag Marx zwar jeden nach seinen Fähigkeiten und jeden nach seinen Bedürfnissen, es gibt ein islamisches Wort es ist eine Gnade Gottes daß es verschiedene Meinungen gibt, würde ich dann gegen Stirner sagen ich hab mein Sach nicht auf nichts gestellt, möchte ich

gerne noch Professor Bayer zitieren der vom mittleren personen-
geprägten Unternehmen als Wirtschaftsstabilisator spricht, muß
ich dann doch ein Wort von Heidegger dem man sicher nicht immer zustimmen soll aber hier paßt es daß Sprechen auch Hören
bedeutet also anders gesagt, darf man sich gefährlich leben nicht
nehmen lassen wie Nietzsche wußte und Rilke daran anknüpfte,
denken Sie an das französische Sprichwort ki wö fär langsche fä
la bät, hat doch Abraham Lincoln einmal vom nützlichen Irrtum
gesprochen, sagt Augustinus nicht umsonst initium ut esset crea-
tus est homo, sagt Krupp daß deutsches Unternehmertum je und
je mit jenem Schwung an geschichtliche Aufgaben, steht schon
in den amerikanischen Grundrechten pörswit of häppiness, das
Böse doch nach Jakob Burckhardt ein Teil der weltgeschichtli-
chen Ökonomie das sollten wir immer, fragt auch Platon sind wir
Sklaven oder haben wir Zeit, mein Gott aktive Anpassung La-
markkismus dann doch lieber Rilkes alle großen Dinge sind aus-
geruht, sagte jetzt ein Kenner Freizeit ist Arbeitszeit an der Per-
sönlichkeit laif-long.
Eine vierte Erhöhung der Umdrehungszahl warf Teile und Teilchen ab, die wenig mit einander gemeinsam haben. Hier kommt
das Verfahren an seine Grenzen. Offenbar gibt es eine Menge
von Diskussionsteilchen, die zwar geringes spezifisches Gewicht
und hohe Viskosität gemeinsam haben, die deshalb am schwer-
sten abtrennbar sind und die, wenn sie gesammelt sind, doch
keine Klassifikation erlauben. Sie liegen vor dem Untersuchen-
den und sind sozusagen undurchdringlich. Ihrer Menge wegen
sind sie nicht einfach auszuschließen aus der Untersuchung. Ihrer
Undurchdringlichkeit wegen sollen sie aber nur durch ein paar
Beispiele vertreten sein: aus der Tatsache der Masse heraus,
würde ich die Mitverantwortung noch ausbauen, ein Beitrag aus
dem katholischen Raum wäre, auf einen Einwohner Berlins fallen im letzten Jahr 2,7 Entleihungen, die Wahrheit hat immer einen subjektiven Aspekt den soll sie ruhig haben, jedem das Recht
durch Schaden klug zu werden, stehen doch alle in der Bildungs-
arbeit stehenden Kräfte in der Defensive gegen die Vergnü-
gungsindustrie die prägend wirkt ohne das Gute im Auge zu haben, darum knüpfe ich hier sogar an den Marxismus an das würde
ich nicht ohne weiteres annehmen ich auch nicht ich habe das nur
zitiert, die Opferwilligkeit muß ganz neu geweckt, verzichte ich
hier auf definitorische Bemühungen, sehen Sie unsere Autofah-

rer an, darüber waren wir doch schon am Mittwoch einig (Die Herkunft dieses Satzes ist dem Berichterstatter selber ein Rätsel; in der Duisburger Diskussion kann er nicht gesagt worden sein; offenbar stammt er aus einer Diskussion, die sich über mehrere Tage hinzog, Bergneustadt, Bad Boll, Arnoldshain etc.) würden Sie hier zwischen Dogma und Ideologie unterscheiden, das Ding dem Knecht gegenüber ein Selbständiges, ich glaube wir müssen viel mehr bei unseren kulturellen Bemühungen schon an die Kinder herankommen, es ist ein quälendes Gefühl wenn man sieht wie hier, daß es aber diese vielen Leute gibt ohne dieses höhere Bedürfnis schmerzt mich, modo recto, sui generis, ich heiße Hölzer bin Bezirksleiter der Gewerkschaft Holz und von Beruf Möbeltischler das scheint also schon so eine Art Berufung zu sein (Auch dieser Satz zeigt die Grenzen des Verfahrens. Er kann nicht aus der Duisburger Diskussion stammen.) im übrigen möchte ich hier nicht so unbedenklich über die Massenmedien reden, wenn wir zu einer allmählichen Veränderung durchstoßen könnten, weiß man heute daß Kinder die sagen wir ruhig im Dreck aufwachsen gegen Polyo weniger anfällig sind, Menschen mit echten Überzeugungen, Bejahung dessen daß wir entworfen weithin als Angst, ich bin kein Nato-Gegner trotzdem sträube ich mich dagegen jeden Amerikaner mit zwei Vornamen zu zitieren also gestatten Sie schon wenn ich sage Whyte weiß ich wen ich meine nämlich Dabbelju-ëitsch-wai-ti-i, Freiheit gestaltet sich immer da wo das mündige Ja zum, es gibt kaum in einem anderen Land soviele kulturelle Sendungen wie gerade bei uns, das Entscheidende im Menschen ist, für gebrauchte Pianos werden heute in England Preise gezahlt wie schon seit Jahrzehnten nicht mehr...

Soweit die durch Teilchenbeschleunigung gewonnene Ausbeute. Eine Interpretation kann nicht die Sache dessen sein, der selber beteiligt war an der Herstellung der Diskussion. Der kann nur die Ausbeute präparieren.

Das zentrifugale Experiment erzählt nicht, wie Anselm sich aufführte in Duisburg. Auch in Duisburg dachte er, wie bei jeder Diskussion, des öfteren daran, daß er der einzige Partner sei, der für Geld diskutiere. Immer wieder wollte er die anderen fragen, warum sie noch diskutierten, obwohl sie schon Stellungen hatten, die ihnen genügend Geld einbrachten. Er fragte nicht. Er fürchtete die Antwort. Wahrscheinlich hatten seine Partner ein reines

Interesse an Schicksalsfragen. Er aber brauchte Geld. Angesichts der Partner spürte er, daß Geldmangel keine Legitimierung war für die Mitwirkung bei der Klärung von Schicksalsfragen. Um sich gegen solche Anfechtung zu wappnen und um weder bei den Partnern noch bei den Zuhörern in den Verdacht zu kommen, er diskutiere etwa für Geld, hob Anselm seine Stimme immer heftig an zur Intonation der Schicksalsarie: mit brennender Sorge ... Er riß sich dann schon mit. Möglich, er war immer der erste, den er von dem, was er sagte, überzeugte. Aber wenn er dann redete, hörte er sich auch reden. Ganz plötzlich. Als hätte man jetzt erst eine Tür geöffnet. So lang er sich nicht hörte, war die Arie nicht gefährdet. Aber wenn dann plötzlich das Gehör einsetzte! Was sollte er tun? Aufstehen? Lecktmichamarsch schreien? Dem Brechreiz nachgeben? Auf dem Stuhl zusammensacken? Auf jeden Fall: aufhören. Nie mehr sprechen. Keine Wörter mehr. Dieses akustische Ungeziefer. Den Mund spülen. Pfefferminz, bitte. Ingwer. Oder gleich Pfeffer, Paprika, Jod, Lysol, ja Lysol und dann Blei in den Schlund, basta, ein für alle Mal ... Zum Glück half ihm eine Art kaufmännischen Anstands über diese Anfechtung hinweg. Er brauchte Geld, er wurde bezahlt, er würde liefern, was man bei ihm bestellt hatte. Waren aber keine Frauen im Saal, dann nutzte auch der kaufmännische Anstand nicht viel. Eine einzige genügte. Eine, der zuliebe er diskutieren konnte. Er mußte sie aber sehen. Wie war sie gekleidet? War sie reich oder arm? Schien sie reich zu sein, trug er seine Arie gegen die Reichen milder vor, bemitleidete die Reichen, sagte, sie könnten ja nichts dafür. Schien die Erregerin Arbeitnehmerin zu sein, glühte er umso leichter auf für die Arbeitnehmer. In Duisburg hatte er es also leicht. Barbara und Fräulein Salzer. Weil er Barbara nicht fand, sprach er für Fräulein Salzer. Zuerst suchte er ihren Blick. Sobald er ihn hatte, sah er nicht mehr hin, sprach er über sie hinweg, prüfte dann und wann die Wirkung. Sie ging mit. Er sprach für ihren Ozelot. Weil er vermutete, dieser Ozelot sei ein Geschenk eines Düsseldorfer Geliebten, der sie versorgte mit Ghia, Ozelot, Appartment und Flugbillets, mußte er sprechen für die Entgeltbezieher, die beschämende Alliancen mit den Genießern der Überschußeinkommen schließen müssen, um ihrer unveränderlichen Lage dann und wann ein wenig zu entkommen. Das wurde seine Lage, Fräulein Salzers Lage. Ein Plädoyer für das Naturrecht der Ohnmächtigen, der immer noch Zukurzgekommenen. Verkündigung eines neuen Menschenrechts für Fräulein Salzer: Wir haben das Recht, uns vom Geld verderben zu lassen. Wir bezahlen dafür, jeder mit sich selbst. So leitete er über zur Kritik an Fräulein Salzers Verhalten, redete ihr sozusagen ins Gewissen, malte ihr aus die Folgen, man lebt ja länger, wehe, wenn die Mächtigen kein Interesse mehr daran haben, uns zu verderben, dann sind wir geliefert, aus ist es mit der Freiheit, mit allen Freiheiten, zu denen sie uns dann und wann einluden. Wer mehr Geld hat, ist freier als wer weniger Geld hat. Anselm wurde fast zu konkret. Aber unter den Zuhörern gab es offenbar mehrere Fräulein Salzer. Zirka zwanzig Zuhörerinnen spendeten ihm lauten Beifall. Zirka hundert Zuhörer zischten, als er sagte, jeder habe das Recht, nur dem Geld und nichts als dem Geld nachzujagen, da er ja nur dadurch die so hochgeschätzte Freiheit zu sich herabziehen könne. Die Partner sprachen von der inneren Freiheit, die unter allen Umständen eine Leistung der sittlichen Person, der Seele undsoweiterundsoweiter. Anselm sah, daß Fräulein Salzer ihm ganz aufgeregt zustimmte, mehr wollte er nicht. Das Zischen machte ihn fröhlich, als er sah, daß Fräulein Salzer sich empört umwandte zu den Zischern. Der verärgerten Einheitsfront der Partner rief er zu: Beteiligt uns zuerst am Allgemeinen, dann kümmern wir uns auch darum. Eure Demokratie ist eine A. G., um die sich gefälligst die Aktionäre kümmern sollen. Undsoweiter. Demagogie, zischte der SPD-Redakteur. Kounismus, sagte ermüdet der CDU-Fabrikant. Büttenrede, näselte fein der von der Universität. Der Pater, wenn er da war, lächelte traurig. Ich glaube fast, der Pater war nicht da. Der hätte doch sagen müssen: Anselm, mein Sohn, schau mich an, Deinen sozialisierten Bruder, Dir fehlt nur die Hoffnung, laß uns beten, deus est spes. Offenbar war er nicht da.

Die anderen waren also mit der demagogischen, kommunistischen Büttenrede rasch fertig; ein gewisses Niveau müsse doch auch im Karneval, und der Werbetexter habe Herrn Kristlein da einen Streich, also kurzum, nicht diskutabel. Zischen zugunsten Anselms. Anselm selber hielt sich zurück. Deutlicher konnte er sich Fräulein Salzer nicht mehr einprägen. Und wenn er jetzt hartnäckig schwieg, mußte sie glauben, er schweige, weil ihn diese Partner anwiderten. Und, sagte er sich, wenn ich rede, sind die drei sofort eine Koalition. In ihm regte sich ein Restchen demokratischer Scham. Was sollte denn da die Bevölkerung denken, welcher Verdacht konnte da erweckt werden! Sobald er aber schwieg, hatten die wieder ihren hübsch häuslichen Zwist, dank der Möglichkeit, unter selben Wörtern solange Verschiedenes zu verstehen, bis alle glauben konnten, die Herren litten unter großer Meinungsverschiedenheit.

Wie sollte er nachher Barbara loswerden? Darüber mußte Anselm nachdenken. Rasch vom Podium ins Künstlerzimmer. Dort auf Fräulein Salzer warten. Wo sie hinging, wollte er auch. Ob er sich vom Geselligen drücken konnte? Ohne Geselliges gingen Partner nie auseinander. Schließlich mußten sie einander doch beweisen, wie gut sie einander verstanden, sobald keine Bevölkerung mehr Zeuge war. Anselm begriff auch das. Die Bevölkerung braucht das Schauspiel der Auseinandersetzung. Die Bevölkerung muß immer wieder mal wen oder was wählen. Die demokratischen Schausteller aller Branchen wiederum wissen, daß es egal ist, ob man für den oder den anderen Teil der Bevölkerung auftritt, Hauptsache man gehört zu denen, die auftreten. Anselm begriff, daß es eine kindliche Vorstellung von dieser Welt war, zu glauben, die öffentlichen Gegner dürften einander auch privat nicht verstehen. In der ersten Klasse sitzt man einfach besser (wenn man einmal davon absieht, daß da weniger Frauen und nicht die schönsten reisen). Ob man also als CDU-Mensch oder als SPD-Mensch in der ersten Klasse reist, ist wirklich weniger wichtig als daß man überhaupt in der ersten Klasse reist. Allüberall.

Daran dachte Anselm, während die Partner sich noch nach Kräften auseinandersetzten. Sicher glaubten die auch, was sie sagten. Erst nachher, wenn man noch zusammensaß, im Duisburger Hof, würden die Standpunkte schmelzen, würde sich jene tiefere oder höhere Eintracht herstellen, die alle Meinungen hinter sich läßt, weil sie auf soliderem Grund ruht, nämlich auf gleichen Wagen, Wohnlagen, Käsesorten, Kurorten, Getränken, Werbegeschenken, auf gleichen Manschetten, Krankenhausbetten, Konten, Urlaubshorizonten, Daunendecken, Liebesverstecken, Auslandsreisen, Vorzugspreisen, auf der gleichen Urlaubszeit und Rostfreiheit. Manchmal war er in Versuchung, das Geheimnis der großen Zusammengehörigkeit an die Bevölkerung zu verraten. Zum Beispiel bei einer Diskussion. Aber wer hätte ihm geglaubt? Den Zuhörern lag ja offenbar alles daran, daß es mindestens zwei Meinungen gab. Sie wollten glauben, sie könnten sich entscheiden. (Warum gibt es die Catcher der Fünfzigerjahre nicht mehr? Weil jeder gleich sah, die waren nur zum Schein gegeneinander, schrieen zum Schein, keuchten, verachteten, grunzten zum Schein, primitivste Demokraten!) Die Zuschauer hätten es nicht ertragen, ein Menschenhaufen im Saal zu sein, der auf dem Podium gar nicht vertreten war. Sie mußten sich durch den einen oder anderen dort oben vertreten fühlen. Und je deutlicher die droben den Unterschied zwischen sich aufrichteten, desto deutlicher fühlte sich einer im Saal von dem oder von dem anderen vertreten, desto deutlicher fühlte er sich überhaupt. Und: hätte Anselm verraten, daß die Grenze in Wirklichkeit streng zwischen Saal und Podium verläuft, hätte er wahrscheinlich auch alle Aussicht zerstört, je ganz aufgenommen zu werden unter die Geheimnisträger, die Erstklassigen, die Hochbezahlten, die Galionsexistenzen, die Spitzenzehrer; und er mußte doch dringend hoffen, seiner eigenartigen Berufsverhältnisse wegen, irgend wann einmal aufgenommen zu werden in die höheren Priesterkasten der Bunzreplik, in die Aufsichtsräteregierung, in die Rundfunkräterepublik, in den Verwaltungsrätestaat, um, dann, als Zehrer von einigem Rang, ruhigere Tage verbringen zu können.

Einschub über Zehrer

Unser steiler Stammbaum: Wildbeuter, Viehzüchter, Pflanzer, Techniker, Zehrer. Erreicht, nach der letzten Großanstrengung, in den Sechzigerjahren dieses Jahrhunderts. Das Jahrhundert hat die Hochfläche erschwungen, läuft jetzt schnell-eben-glatt dahin. Gebrauchte Utopien sind zu haben. Neue gibt es nicht mehr. Wir zehren. Wir genießen, als genössen wir. Angenehm fern branden letzte Kolonialkriege auf vielfachen Wunsch immer wieder zum unwiderruflich letzten Mal. Jeder ist seine eigene Zeit. Epoche ein durchsichtiger Dekorationsstoff. Täglich zweimal Deutschland ein Lippengebet. Bei Infektionen dreimal. Zweifellos pumpt man nach Berlin die schönste Stadt der Welt. Letzte analytische Aktionen: Satellitenschrott kreist um den Globus. Schon reichen synthetische Sätze am Mond vorbei. Die terrestrische Tautologie zeigt Risse. Wir sind die größten Bisherigen. Es tut immer weniger weh. Sozial: Nebenmenschen. Anthropologisch: Zehrer. Die höchste Sprosse auf der Terrestrischen Leiter. Kurz vor der Erfahrung der allerersten Aussage. Wenn nichts dazwischen kommt, sind wir ein Anfang. Die ersten Zehrer. Der von der vertikalen Guckerei starre Hals wird beweglich. Man schaut sich um und um. Erstkommunion findet im Sprechzimmer statt. *Ut aliquid fieri videatur* werden für Kerzen Kurzwellen angezündet. Die meisten Morde unterlassen wir. Unser Quiz mit Maya: wir dürften viel mehr als wir können, muß das so bleiben? Bitte an die Ärzte: stellt unsere verkommene Wildbeuterphysis bald um auf die Physis, die der Zehrer braucht. Wir haben das Gefühl, wir wohnen in einem früheren Körper. Der erinnert sich noch an die Herde, die Horde, die Futterplätze, die Maiwiese, an die Notnachbarschaften, die primitive Solidarität. Der kocht uns den Kummer auf, den wir nicht mehr haben. Der neigt noch zur Sorge. Der ist uns sehr zurückgeblieben. Schluß des Einschubs.

Das Gesellige

Zuerst wallten noch Zuhörer ins Künstlerzimmer, die von Herrn Professor Dornseifer letzte Antworten und Autogramme erbaten. Starr vor Neid, sah Anselm zu, wie der Professor seine Bücher nachsichtig signierte. Ihm bot (dafür) Fräulein Salzer den Platz im Ghia an. Geht das, fragte er, dort lang? Dann schwieg er. Der Redeschmerz. Zwei in einem Auto. Dem ist doch nichts hinzuzufügen. Aber wieviele Wörtergeräusche würde er machen müssen, bis sie bemerkte, daß sie zu zweit in einem Auto saßen. Saß er mit der zur selben Zeit im Auto? Jeder seine eigene Geschichte. Er, zuletzt bearbeitet von der Nasenbohrerin im Abteil, von der Bauchtänzerin in der Klarsichtpackung, er unterwegs, sie verrammelt im Ozelot. Ihr könnt mich doch nicht ewig so weiterreichen in die Nacht hinein, schwerhörige Weiberstafette.
Wie immer auf der Welt, war man im Handumdrehen vor dem Duisburger Hof.
Die Partner gaben sich zuerst noch verärgert. Anselm ein Simplifikatör. Aber sie kritisierten seine Show nur als Fachleute für Show. Er hatte outriert. Sie hatten ihm das gestattet, hatten ihn dadurch hoffentlich beschämt, hatten ihm gegenüber schon fast nicht mehr angebrachtes demokratisches Verhalten bewiesen. Bei uns darf einer auch aus der Rolle fallen, schämen Sie sich bitte! So gesehen, und durch ihre Toleranz demonstriert, sei

Kristleins Beitrag auch ein Beitrag. Anselm stimmte zu, tat, als sei er nur deshalb so ein bißchen aus der Rolle gefallen. Einer müsse das tun. Und er habe es eben auf sich genommen. Dr. Klüsel sagte, er habe das von Anselm sogar erwartet. Wehe, wenn der ihn enttäuscht hätte.

Anselm wußte längst, daß es seine Rolle war, aus der Rolle zu fallen. Er tat, als spiele er diese Rolle nur, weil es verlangt werde. Er verschwieg, daß ihm aus Mangel an Zitaten, Erfahrungen und allgemeinem Interesse gar nichts anderes übrig blieb als der Krakeel, die Narretei. Die Herren sollten aber ja nicht glauben, daß seine Aufgabe deshalb schon leichter sei als die der sorgfältig Argumentierenden. Es schien zwar so, als sei es ganz ihm überlassen, wie weit und wie heftig er bei jedem Auftritt aus der Rolle fallen wolle. Er aber spürte genau, daß er nicht einfach daraufloskollern durfte. Es gab eine harte Grenze. Von keinem gezogen, von vielen bewacht. Es bedurfte artistischen Instinkts, diese harte Grenze zu entdecken und durch keinen Ausfall zu verletzen. Das absolut Heilige jeder Sphäre ist ihre Tautologie. Verletzte man die, kam man nicht mehr in Frage. Anselm hatte einen einundzwanzigkarätigen Instinkt. Sein Gefühl hatte die Grenze immer genauer kennengelernt. Er fiel immer sicherer aus der Rolle. Das Risiko, jene harte Grenze zu verletzen und dadurch sich selbst zu erledigen, wurde immer geringer. Sozusagen automatisch spürte er bei jedem Diskussionsthema, auf welche Weise er hier übers eng Erlaubte ins scheinbar Unerlaubte hinauskrakeelen mußte, um, bei peinlicher Beachtung der harten Grenze, zu demonstrieren, daß bei uns viel mehr erlaubt ist als man glaubt. Er hoffte, die Konsuln seien zufrieden mit ihm.

Das Gesellige war dann also gesellig. Alle tranken Getränke. Fabrikant Flaat erzählte Erzählungen aus der Fabrik. Mit seinem Zigarrenknipser knipste Dornseifer Zigarren. Redakteur Kanzler erwähnte sich. Klüsel war so freundlich. Der fehlende Pater war nicht da. Fabrikant Flaat streift mit einer Hand von der Stirn an sein Gesicht ab und hat danach kein anderes. Rainer Kanzler erleidet Preßwehen bei jedem Wort, andererseits sieht das aus, als denke er, während er spricht. Fräulein Salzer verbraucht beim Lachen ihre Lippen ganz und gar. Rainer Kanzler sagt: Wo sind wir das letzte Mal zusammen aufgetreten? Dornseifer weiß nicht mehr, daß es beim Fernsehen war. Ach ja, das neue Buch von Arnold Laberlein. Leise erzählt Fabrikant Flaat seine Nierengeschichte. Dr. Klüsel fügt hinzu, die Butter im Ruhrgebiet sei oft zwei Jahre alt. Da kann man sagen, was man kann. Bitte, wohin wird Kanzler nie mehr in Urlaub fahren? Dornseifers Lippen bleiben in Lilienblütenstellung, auch wenn er die Zigarre weit ab in zwei Fingern hat. Ist Arnold Laberlein eigentlich von Haus aus Soziologe? Sie sollten darüber in der *Welt der Arbeit* schreiben. Fräulein Salzer, sitzen Sie doch bitte nicht wie am Lagerfeuer. Und daß Sie die Händeschalen, in die Sie Ihr Kinn legen, gleich an den Gelenken so rechtwinklig wegbiegen können, ist allerhand. Seit Fabrikant Flaat seine Nierengeschichte hat, sieht er manches anders. Kanzler denkt vor allem an England. Dr. Klüsel befindet, man muß im Kohlenpott gelebt haben. Dornseifer hat oben falsche Zähne und sieht so erschreckt aus. Rainer Kanzler sagt: die Sozaldemkratsche Partei ist sich bewußt. Wissen Sie, daß Willy Ariel unter seinem Vornamen leidet? Wenn man das weiß, weiß man, worunter Ariel leidet. Fabrikant Flaat sagt, so kalt sei es seit 1928 nicht mehr gewesen. Haben Sie schon mal mit Ariel diskutiert? Arnold Gehlen ist von Haus aus. Nichts gegen den Zigeunerbaron. Trotzdem möchte ich keine Frau sein. Sehen Sie die Engländer an. Kennen Sie den Kohlenpott? Ich war nie Positivist. Wenn Sie bloß noch eine Niere haben. Mein Vater raucht auch Zigarren. Sie schwenkt die Nase in den Duft. Kanzler erwähnt seine Frau. Warumwarum? Seine Frau ist Lehrerin. Klüsel hat offenbar auch eine. Netzhautablösung kann sehr schmerzhaft sein. Dornseifer hängt an seiner Zigarre. Also warten die alle auf Fräulein Salzer.

Da war es aus mit Dahindämmern, Singsang und Abwarten. Anselm musterte seine Feinde. Momentan führte Dornseifer. Ihm hörte sie zu. Er machte auf seine Weste aufmerksam, so weinrot wie ihr Pullover. Dann arbeitet er gleich wieder an einem Gutachten für die EWG, will morgen schon in Brüssel sein. Sie beneidet ihn. Brüssel liebt sie. Jetzt aber, Anselm. Gefundenes Fressen. Breitseite gegen Brüssel. Union Minière, Lumumba, Echo de la Bourse, Tshombé. Und verantwortlich für alles: Dornseifer. Der läßt das zu! Anselm stößt Wörter aus. Dornseifer schüttelt den Kopf. Sagen Sie mal, sagt Dornseifer. Auch die anderen behaupten, sie sähen noch nicht den Zusammenhang. Anselm auch nicht, aber er glaubt, er spürt ihn, muß ihn jetzt sofort beweisen, sonst ist alles aus, sonst geht er unter in einem Gelächter. Also holt er zusammen, was er braucht. Der Universitätssoziologe als

Industriewissenschaftler als Marktwirtschaftsideologe als Neo-kolonialist, denn Entwicklungshilfe ist gleich Wirtschaftsimpe-rialismus, zitiere Thomas Kanza, Tshombé die kolaborierende Magnatenmarionette, ist denn der Globus nicht ein unteilbares Gelände? wir behandeln aber die elenden Völker, als wären wir Fürstengroßbürger, und die unsere früheren Bauern, die wir, wenn sie sich, mal da mal da, verzweifelt rotten, strafen, zusam-menhauen, christliche Fallschirmritter gegen kommunistische Untermenschen ... Fräulein Salzer stand auf, die Herren mögen sich bitte nicht stören lassen, sie habe noch einen weiten Weg. Anselm erschrak. Konnte er jetzt auch aufstehen und sagen: meine Herrn, mir liegt nichts an dem Thema. Zum Glück lag den Herren auch nichts an dem Thema. Plötzlich standen alle, bloß Anselm saß noch. Er sah die Hände. Drückte die Hände. Sagte Gutenacht. Stand jetzt auch. Sagte bewußtlos vor Mut: Fräulein Salzer, ich muß auch noch in Ihre Richtung. Die Herren grinsten. Sie sagte: Woher kennen Sie meine Richtung? Sie fahren doch, sagte er, in Richtung ... Hilfesuchend sah er sie an. Düsseldorf, sagte sie gerade noch rechtzeitig. Eben, sagte er. Da muß ich noch hin.

Anselm war unempfindlich vor Entschlossenheit. Was denken die Herren jetzt von mir, sagte Fräulein Salzer im Auto. Und mein Chef, was denkt mein Chef jetzt von mir. Entschuldigen Sie bitte, sagte Anselm. Er wolle nicht nach Düsseldorf, aber im Ho-tel könne er auch nicht bleiben. Allein in einem Hotelzimmer, sich die Kleider vom Leib ziehen, bloß um sich dann allein ins Bett zu legen, ein trostloser Aufwand. Ein Lokal bitte, wo er blei-ben könne, sie wisse sicher ein solches Lokal, da möge sie ihn ab-setzen. Sie sagte nichts, hielt plötzlich neben einer Leuchtschrift mon bijou. Er bedankte sich. Stieg gleich aus. Zu hoffen war wohl nichts mehr. Aber, sie, stieg, auch, aus. Drinnen dunkler als auf der Straße. Eine Lotsin führte durchs Düster über Beine zwischen Tischen in die Polsterecke. Es wimmelte von runden Mädchen-teilen in Strumpfhosen und Pullovern, die Pullover so weit als nicht möglich ausgeschnitten; weißwinzige Schamschürzchen leuchteten; Deinhard Lila und eine Große Platte, bitte. Sie saßen eng im Dunkel, im Rauch, im Musiklärm der Nachtlokalschach-tel. Sie schrien einander in die Ohren. Tranken drei Flaschen Lila. Fräulein Salzer wollte Barbara genannt werden. Was der Chef denkt, ist ihr egal, sie hat gekündigt, will studieren, Volkswirt-

schaft, bißchen Kunstgeschichte, hat Gründe, vielleicht sagt sie
ihm die noch, seine Meinungen haben ihr imponiert, darüber will
sie sprechen mit ihm, ihr Vater ist nämlich dagegen und die Mutter auch, der Chef warnt, alle warnen, Anselm warnt nicht, darum
ist er ihr sympathisch. Hatte er nicht gewarnt?
Anselm bezahlte Demark vierundachtzig, holte den Ozelot ab.
Sie wohnt also in Düsseldorf? In der Uerdingerstraße. Hat sie ein
Appartment? Ja, hat sie. Soll er sie chauffieren? Neinein, aber
Mittagessen könnte man. Ach. Wenn Sie nicht wollen? Doch-
doch, natürlich... Also um einuhr draußen im Tierpark, ja? Gutenacht. Gutenacht... Kuh, blöde, saublöde, unhöfliche, läßt sich
bequatschen, ausstaffieren mit Billigung und Zuspruch, dann
haut sie ab zu ihrem Ozelot und läßt den Seelenstreichler stehen
in der kalten Nacht. Mittagessen! Jetzt ist jetzt, jetzt will er was,
jetzt, jetzt, jetzt, das Honorar, Fräulein, jetzt sofort das Honorar...

Nachtdrift

Der verlassene Anselm tappte zurück ins Lokal, lehnte sich an ein
Strumpfhosenmädchen, gemeinsam verfluchen sie alle, die sich in
die Betten retten, das Nachtmädchen haftete an ihm, bestellte
teures Zeug, stellte ihn an der Bar vor, sie selber hieß Helga, die
hinter der Bar hieß wahrscheinlich auch Helga, ich bitte ja bloß
um Aufschub der Eiszeit, sagte Anselm und alle Helgas lachten.
Seine Helga ließ ihn Etliches berühren. Das ist besser als nichts,
sagte Anselm. Und als seine Helga ihm ihre DDR-Geschichte erzählte, hörte er zu, als hörte er die Geschichte zum ersten Mal.
Sie unterbrach sich nur, wenn die andere Helga nicht selber bemerkte, daß die Gläser wieder leer waren. Trotz ihres rheinischen
Dialekts hatte sie eine gute Ostgeschichte anzubieten. Anno 43
wegen Bomben nach Thüringen, zur Großmutter, elfjährig, anno
45 die unvermeidlichen Russen, sie hoppelt im Haus hoch über
Treppen, ins letzte Zimmer, im letzten Zimmer in die letzte Ecke,
die Sexualsoldaten zu dritt hinter ihr her, sie wehrt sich aber, ge-
rudert hat sie schon früh, war also stark, da sticht doch einer zu,
auf ihre Brust ein, sie bäumt sich, die anderen zwei reißen den
Stecher weg und nehmen sie her, sie, die Blutende usw. Anselm
nickte, rief nach noch besseren Getränken für seine Helgaheldin,

aber die glaubte, er glaube immer noch nicht. Doch, doch, er glaubt doch alles. Ungläubiger Thomas, sagt sie und reißt ihren Pullover hoch und legt ihm die Finger, einen nach dem anderen, in vier kleine Narbenmulden unter ihrer Brust. Fröhliche Ostern, sagte Anselm und küßte seiner Helga die Hand und wies ihr in seinen Augen wirkliches Wasser. Sie aber sagte: selig, die nicht sehen und doch glauben. So, dann erzählt er euch von seinem Unteroffizier, der sich russische Kinder in die Luft werfen ließ für sein Pistolentraining. Pfui, riefen die Damen und kreischten, das gehört nicht hierher. Stimmt, sagte Anselm, es gehört *vor* die Thüringer Messerstecher. Und schon beugte sich eine Helga über die Bar herüber, schob den Rechnungsblock als ausgefertigtes Urteil auf Anselm zu, drehte den Block vor Anselm, daß der lesen konnte, deutete mit einem grünen Kugelschreiber von Posten zu Posten, sagte das Getränkeprotokoll noch einmal auf, zeigte schließlich mit der Kugelschreiberspitze auf die Zahl 92.50, sprach aber die Zahl nicht aus. Anselm schaute vom Block auf, schaute seine zwei Helgas an, die schauten ihn an, furchtsam und besorgt. Wird er toben? Aber meine Lieben, sagte Anselm, das ist doch kein Unglück, fünfundneunzig. Da lachten sie wieder. Seine Helga küßte ihn sachlich anerkennend von der Seite, die andere Helga riß die Rechnung ab, sagte, fürs Finanzamt, und zählte ihm Demark fünf zurück. Sie müßten jetzt leider heim, ins Kuschee, es sei kalt und spät und morgen wieder eine strenge Nacht. Anselm fand eine Taxe. Graufrierend. Stechend müde. Böse zum Klirren. Der Nachtportier mußte ihm den Finger vom Klingelknopf lösen. Wecken Sie mich und das Unglück um 11.30 Uhr, schtanden! Diese Zeit war auf der Weckliste nicht mehr vorgesehen. Der Portier eröffnete extra eine Spalte für Anselm und wünschte die Gute Nacht wie mit Bedauern. Anselm fuhr hinauf, wollte seine Zimmertür aufschließen, fand kein Schlüsselloch, ach so, Doppeltür, öffnete die erste Tür, um dann die zweite aufzuschließen, da fiel ihm aber unten etwas gegen die Knie. Das war Barbara, die erste Barbara, die zwischen den Türen hockte und eingeschlafen war. Anselm schloß auf, hievte sie hoch, trug sie hinein auf sein Bett, nahm ihr ihren Zimmerschlüssel aus der klammen Hand, zog ihr die Schuhe aus, massierte an ihrem starren Körper herum, bis sie auftaute, zitterte, sich umdrehte und in sein Kissen heulte. Ihr anstrengendes Aushalten, seine Schuld, er mußte begleichen. Er hätte jetzt ohne weiteres einschlafen können. Es war gleich fünf. Sie erschöpft, er müde. Trotzdem durfte er nicht einfach neben ihr einschlafen. Gab es nicht Anstandsregeln? Ein Anselm schimpfte den anderen Anselm, weil der sich faul wegschummeln wollte, laßmichschlafen rief, nichts mehr wissen wollte. Kommtnichtinfrage, rief Anselm-Eins. Wer hat uns denn das eingebrockt? Wer hat sich denn an der Nasenbohrerin verschaut? Wer hat sich an der Bauchtänzerin in der Klarsichtpackung entzündet? Wer hat Fräulein Salzer belästigt? Wer hat diese Barbara aufgestört, wer? Und jetzt drückt man sich. Ich, siamesisch an Dich gebunden, kann auch nicht schlafen, bis Du Deine Pflicht getan hast. Also los, vorwärts, sonst wird es Mittag und wir haben kein Auge zugetan.

So mußte Anselm seinen Anzettler, Anbändler, seinen Tümmler-Anselm und Einhorn-Sklaven mahnen, daß der wenigstens zum Schein der Sitte genüge. Der rappelte sich denn auch hoch, tat so, als ob es nötig wäre. Es war aber ein Jammer, wie schlecht er arbeitete. Anselm-Eins schämte sich, sprang wieder einmal ein, glich, so gut es ging, mit Gerede aus, aber es blieb und blieb eine miserable Veranstaltung. Auch der abgebrühteste Schiedsrichter hätte das Handtuch geworfen, wenn er diesen besoffenen Boxer gesehen hätte, der nach der geringsten Feindberührung zu Boden ging, sich wieder hochquälte und schon wieder taumelte. Aber in Menschenbetten gibt es den Unparteiischen nicht. Also gibt es kein Pardon. Selten Punktsieg. Verlangt wird Doppel K-O. Im Bett geht es, wenn es schief geht, für immer preußisch zu. Das Mißlingen darf nicht etwa beendet und eingestanden werden. Es hat nach der letzten Patrone fortgeführt zu werden mit dem Bajonett, bis zum letzten Fingerglied. Auch Anselm-Eins zischte preußisch seinem Unterliegenden zu: blamabel! ich degradiere Dich, wenn Du nicht sofort... Anselm-Tümmler grunzte bloß, fiel wieder um und bedeckte den Feind mit seiner erbärmlichen Ohnmacht.

Glücklicherweise mußte Barbara ihrer Kinder wegen schon um sechs Uhr die Kampfstatt räumen. Grüß mir die lieben Kinder, murmelte Anselm. Das war mehr als eine Floskel. Sehen wir uns noch, essen wir doch zusammen, sagte sie unerbittlich. Anselm blinzelte hinauf zur bleichen Feindin, die mit riesigen weißen Schultern im weißen Unterrock stand, der Unterrock ein gleißender Küraß, darunter schauten drohend hervor, schauten ihn an, die Knie, zwei Bulldoggenwülste, Fleischbollwerke, Wievielpfünder, Eishockeyspielerknie. Ja, gerne, sagte Anselm, um halb drei. Bevor sie noch die Tür erreicht hatte, entschlief er ihr.

Umleitungen

Anselm verbot sich die Betrachtung der Umstände, in die er sich gebracht hatte. Er durfte sich nicht vorstellen, wie angenehm es gewesen wäre, jetzt das Hotel zu bezahlen und im warmen Schnellzug nach Bielefeld zu fahren. Mit bewußtlosem Eifer absolvierte er das verhängte Programm. Suchte einen Nachtzug von Bielefeld nach Duisburg, behielt das Duisburger Zimmer bei, bestellte das Bielefelder Zimmer ab. Schließlich waren hier zwei Frauen. Eine hatte er enttäuscht, die andere hatte ihn enttäuscht. Hierher mußte er zurück. Wer diese Krankheit kennt, begreift die Notwendigkeit. Das Tierpark-Restaurant war festlich leer und hell. Hohe Scheiben, Wintersonnenglast, die Ober reglos, Dornröschengesinde, oder sie beteten. Fräulein Salzer trat auf im Kostüm, der Pullover war jetzt weiß, das Blond frisch gewaschen. Anselm fing müde an, nachlässig, bißchen bitter, auch weggeklärt. Für diese Verabredung zum Essen entschuldigte er sich. So ein Nachteinfall. Warum sollten ausgerechnet wir mit einander essen. Sie aber saß als leibhaftige Widerlegung gegenüber, die Mähne vom Wintersonnenüberfall lichterloh, und davor trug sie ein kleines Menschengesicht. Nach einem Sherry plus drei Mosel sagte irgendein Anselm: jetzt mit ihr nach Bielefeld fahren, das wäre wohl lustig. Er wies auf die Sonne. Das war bloß so ein unwillkürlicher Satz. Sie mußte ja wieder ins Büro. Das wußte er. Sonst hätte er so einen Satz doch nicht gesagt. Sie hatte auch einen Sherry und zwei Mosel getrunken und sagte, sie fahre mit. Anselm erschrak und erschrak und erschrak. Er hatte diese Barbara umworben, weil er gehofft und gefürchtet hatte, sie werde davon kaum Notiz nehmen. Er war unterwegs. Andere besuchen Gemäldeausstellungen und Wasserfälle. Die sind dann doch auch eingenommen von den Objekten ihrer Bewunderung. Und zum Bewundern gehört zumindest Hoffnungslosigkeit gegenüber dem Gegenstand. Aber die Schreckwelle, die sich in Anselm verbreitete, war auch eine Bewegung der Freude. Das wird man nie auseinandermessen können, was da zusammenfährt.

Anselm rannte zum Telephon, bestellte das Duisburger Zimmer

wieder ab, wählte Barbara-Eins, bedauerte, er müsse ganz plötzlich, aber ein anderes Mal sicher länger, also, Servus, bis bald, ja ... Die ließ den Hörer leer schmoren. Hallo ... hörst Du, Barbara, bist Du noch ... begreif doch ... knacks. Die Leere erlosch. Anselm war fast immun. Energisch kam er zurück. Gepäck ins Auto und dann unerbittlich durch die Verhinderer durch, hinaus auf die Autobahn. Er hatte das Steuer übernommen.

Als die Nasenbohrerin dem fahlen Wanst ins Ohr geflüstert hatte, wurden die still und ein Paar. Dieses Befremden fuhr auch im Ghia mit. Sie erklärte dann, daß sie mit Anselm sprechen wolle. Deshalb fahre sie mit. Andererseits könne sie bei dieser grellen Beleuchtung nicht davon anfangen. Anselm wollte nicht das Problemgras wachsen hören. Er wollte reden. Bodenlos. Lassen Sie uns doch einfach unterwegs sein mit Lärm und Saus und Braus zwischen Leitplanken und tachistischem Ruhrgebiet, sehen Sie die absoluten Schornsteinfinger, das patzige Gedärm, die schwarzweißen Almen, wir fahren hoch und hinaus, was soll uns das scheppernde Essen, das rostende Dortmund, lege doch selber der berühmte Geselle Karl Kattuschke aus Essen-Katernberg dem Meister oder seinem Krupp die Finger um den Hals, Servinski dat saach ich für Dich: bringe ein jeder um, was ihn bremsen könnte, oder sollen sich mehrere zusammentun, oder vergeigt ihr alles in Schalke und Borussen, oder gibt es eine Pflicht des Gefühls, müßte man einen Werbetext schreiben für Gerechtigkeit, oder gehört sich das so wie es ist, das Ruhrgebiet das relative Jammertal des Jammertals, von klimatisierten Gondeln predigen die Oberzehrer den Solidaritätsrotz hinab, und die anderen Oberzehrer rufen die Infarktmär aus, den höheren Heldentod, ach sorgt doch selber für euch, ihr Unterzehrer, Anselm fährt so rasch als möglich asozial zwischen euch durch und davon, singt bestochen für sein hochumblondetes Kleingesicht und wird ohne ein Rußstäubchen im Auge ankommen in Bielefeld. Basta. Barbara gefiel das. Sie räkelte sich luxuriös und schälte die Lippen von ihren unbeschäftigten Zähnen. Abends diskutierte er für die neueste Barbara zielstrebig über die Freizeitfamilie, kassierte dreihundert, drückte sich vom Geselligen, stand mit ihr wieder am Auto und fragte: jetzt wohin? Sie muß heim, nach Düsseldorf. Wegen Schneeglätte und Konversation kamen sie erst gegen halbfünf Uhr morgens in der Uerdingerstraßezehn an. Er durfte mit nach oben. Er müsse müde sein, sagte sie, zweimal durch die

Porta Westphalica, und die Diskussion. Nicht zu vergessen zweimal Ems, Lippe, Ruhr und Rhein, sagte er, Flüssekreuzen zehrt mir am Wesen. Mich hat der Teutoburger Wald geschafft, sagte sie. Ja, sagte er, Berge helfen zu mir. Oben ging alles denkbar einfach. Er trat ein wie der Tourist in die Kirche tritt. Man bekreuzigt sich nicht mit Weihwasser, ist aber doch angenehm beklommen. Barbaras Einrichtung war geschmackvoll gemeint. Lange Planung, dann alles an zwei Tagen gekauft. Organisationstalent und viel Geld. Aber die Berater hatten das Mädchen nicht ganz und gar knebeln können. Vielleicht hatte sie mit dem Fuß aufgestampft. Die Berater resignierten. Jetzt lagen auf dem Teppichboden langhaarige Fellinseln, türkisgrün und tiefrot. Zum Beispiel. Sie setzte amerikanische Platten in Umlauf. Anselm ging von Pistole zu Pistole. Verstehst Du was davon? Er hatte noch nicht Du gesagt. Nein. Gefallen Sie Dir? Ja-ja. Die sind alle aus dem Orient und aus Nordafrika. Die Pistolen hingen so an der Wand, daß sie, von verschiedenen Niveaus, alle in eine Richtung zielten. Etwa auf die Rückkante des ehrwürdigen Bauernschranks, dessen Türen, in Grün, Rot und Altweiß das in Dornen brennende Herz Jesu, die überm Kelch strahlende Hostie und den frei schwebenden Vogel des Heiligen Geistes zeigten. Oder möchtest Du lieber Brassens? Neinein, ihm ist die Musik schon recht. Baden wir zuerst? Die fragt aber, dachte er und sagte, zuerst sollten wir etwas trinken. Flüssekreuzen macht ihn durstig, entschuldige. Whisky, Champagner, Gin, Wein? Champagner. Den gibt es also tatsächlich. Und dann in die Badewanne. Bloß nicht mit ihm zusammen die Kleider ausziehen. Die komischen Bewegungen. Also nestelte er schnell an ihr herum. Zog ihr, was sie hatte, vom Leib und schickte sie ins Bad. Dafür mußte er allerdings ohne was an von der Tür bis zur Wanne gehen. Sie saß im Schaum, mit Schaumdekolleté, und lachte laut, weil er sich krümmte, Hände vorschützte, hastig einstieg und sich so rasch als möglich unter die Schaumdecke versenkte. Unter dieser Decke, im violetten Wasser, stieß er überall auf sie.
(So, Moumoutte-Melanie, bis hierher und nicht weiter. Ich bin doch zu wenig ein Inder. Melanie, gestatte, daß ich hier aufhöre. Ich weiß schon, wie Du es meinst. Wir sollen tagsüber nicht so tun, als täten wir nachts nicht, was wir nachts tun. Schluß mit der Heuchelei, sagst Du. Alles beim Namen nennen, sagst Du. Ich wollte ja. Kühn habe ich mich in die wichtigste Nacht dieser Reise

hineinerzählt. Mit zunehmendem Herzklopfen zwar, aber Du siehst, ich bin drin in dieser Nacht mit der Düsseldorfer Barbara. Und jetzt die Hürde, ich scheue die Hürde, gehe quer, breche aus, verzeih, Melanie. Schau, am nächsten Vormittag verläßt man so ein Haus, als hätte man darin lediglich eine Police kassiert. Ich rufe doch nicht jedem, der mir im Treppenhaus begegnet, gleich zu, hallo mein Herr, hören Sie gnädige Frau, ich habe heute nacht in diesem Haus mit Barbara ge-weißgottwas-getan. Ich wenigstens heuchle da. Mit Gerichtsvollziehermiene verlasse ich so ein Haus. Ich bin vielleicht doch nicht der Kämpfer für die neue Sittlichkeit, den Du suchst. Ist Heuchelei nicht ein schönes Gewand, das noch genug verrät von dem, was es verbergen soll? Du, liebe Melanie, willst, daß ich beim Namen nenne. Autochthone Wörter willst Du von mir. Es kommt sicher ein Zeitalter dafür. Man spürt es schon. Aber ich selber stamme aus dem Mittelalter, Melanie. Für mich haben diese Wörter noch ihre sündhafte Ladung, mir sind sie im Fleisch schmorende Qualitäten, jedes einzelne eine Bö im Blut, ich kann sie nicht aus den subcutanen Stromschnellen herzerren ins papierene Tageslicht. Erstens geniere ich mich, zweitens könnte ich nicht weiterschreiben, ich müßte wahrscheinlich gleich – bedingt wie ein Pawlowhund – meine Frau überfallen. Die Wörter haben eine Macht über mich, begreif das. Wie die Vulkane gehorchen sie nur erdinnerstem Befehl. Und Du willst, daß ich sie profaniere, sie herausreiße aus ihrer heiligen Anwendung und Notwendigkeit, sie zur Raison bringe, daß sie im Geschirr bloßer Mitteilung gingen. Moumoutte, ich habe nie nach aufgeschriebenen Gebeten beten können. Gedruckte Buchstaben herunterzubeten, kam mir vor, wäre eine Lästerung. Und jetzt soll ich selber heilige Wörter ausliefern zum Nachbeten. Ich habe seit der Ministrantenzeit viele Sprachen erlernt und bin bereit, sie alle auszuliefern. Das erzene Gebell der Jungvolk-Heimabende, den irdenen Militärjargon, die wegschwebenden Universitätsfloskeln, die garnenden Vertretertiraden, die exakten Beschwörungsformeln des Werbetexters, die Feindschaftstonarten der Partypolyphonie, das kreisende Diskussionsdeutsch. Aber die Nachtwörter, die tollkirschenhaft frischen Tätigkeitswörter und Hauptwörter und Haupttätigkeitswörter! Das sind doch gar keine Wörter, Melanie, sechsundsechzig Quellen sind das, sechsundsechzig Substanzen, sechsundsechzig Renner, sechsundsechzig Strategemata, sechsundsechzig Fleischgewürze,

sechsundsechzig Großkommandanten, sechsundsechzig Böen, sechsundsechzig Vulkantöchter, sechsundsechzig brave Unerschöpflichkeiten! Melanie, Du kennst mich nicht. Ich kniete auf Hartholz, sang Singsang, ließ mir eine Seele einbilden, hatte aber andauernd die Mädchenbänke im Blick, unkeusch, so bildete sich die geländegängige Seele, die putzte mir die Nase mit dem Gnadenschleier der vollkommenen Reue, hatte aber neben den Ramsegger Mädchenbänken immer auch den Friedhof im Blick und die mir vom Angeln persönlich bekannten Würmer, holterdipolter ging es mehrspännig ins Leben, sozusagen, gesta puerorum, ich an wem seiner Leine? an wievielen Leinen? und über allem Gottes Dauertrompete, alle Dorfspatzen sein Staatsanwalt! nun mach schon Jüngstes Gericht! dann wurde ich allmählich taub und sagte: wenn ich nicht bald was höre von Dir da oben, dann schneid ich mir die Ohren ab, verstanden! die oberste Mieze meldete sich nicht ums Verrecken, bloß noch in den sechsundsechzig Wörtern spielte sie, spielt sie mir mit und mit mir beim immer noch verbotenen Häckmäck, das die letzte Basis ist für dann und wann ein Stelldichein und Seibeiuns. Jetzt schneien mir schon die Schuppen vom Kopf, Hornhaut wächst auf den Augen, bald werde ich dickere Frauen brauchen.
Verzeih mir, Frau Sugg, die schlampige Elegie. Ich brauche Dein Geld. Also wird die Seele gesattelt zum Ritt ins Gelände mit einer röhrenden Musik. Es soll verraten sein. Und siehe: ich kann nicht, ich kann nicht, ich kann nicht. Nego ac pernego. Nimm Dir einen anderen Kämpfer. Du weißt nicht, was Du verlangst. Du kennst meine Wörter nicht. Dir gegenüber waren sie nicht anwendbar. Verzeih. Die haben einen Siedepunkt, vorher werden sie nicht frei. Verzeih. Ich wage, Dir das zu gestehen, weil ich weiß, Dir ist, was Du Liebe nennst (Du bist eben aus der Westschweiz), mehr als eine Privatsache. Du willst kämpfen. Das Lieben soll aus der scheinheiligen Verbannung usw. Ich verstehe Dich, Moumoutte-Melanie. Ich werde traurig, wenn ich höre, daß unser gleißendstes Wachsein Schlafen genannt wird. Du wirst zornig. Wir haben nicht geschlafen mit einander, weiß Gott. Und deshalb verlangst Du von mir, daß ich endlich (wie bei den Diskussionen) die Rolle dessen spiele, der aus der Rolle fällt. Nun weißt Du auch, Melanie, es gibt jetzt immer mehr unter uns, die, was die Liebe betrifft, schon recht geschickt und gewinnend aus der Rolle fallen. Die teilen, studentenhaft fechterisch gesprochen, doch

schon ganz schöne Sauhiebe aus. Es ist nicht so, daß wir zur Zeit keine Gelegenheit hätten, die Verletzung unseres verurteilten Schamgefühls genießen zu können. In unserem Euro-Amerika sind wir schon gut versorgt mit Ausrufern der radikalen Darmgeigerei, der Blut- und Hodengewitter, der wunderbarsten Sauereien. Oder empfindest Du wirklich noch einen Mangel an öffentlichen, speichellösenden Hosenladeneröffnungen, Venusbergsteigereien, Kaltschnäuzereien, Potenzparaden, Exkrementshypostasen und Schleimseligkeiten? Kann sich daran nicht jeder bedienen? Und bedient sich nicht jeder zwischen San Francisko und hier? Der arme Osten wird schon noch folgen. Warum also, liebe Melanie, soll ich, der ich durchaus kein Sexual-Partisan bin, mich kostümieren und auftreten als Blut- und Hodenritter? Ich hätte auch Sorge, daß es mir an der nötigen Bewußtlosigkeit fehle. Ich bin nicht die blinde Hormonstanze, der bibbernde Lendenpuls, die hechelnde Ader, nicht der stabreimende Stoßer, der brüllende Balzer, die lallende Lippe, der balzende Beißer, der phallierende Flibustier, der omphalierende Delirant. Mir kommt, was im Natogelände unter den Gürtel singt, fast laut vor. Und wie oft werden da Forts gesprengt, in denen niemand mehr wohnte. Aber Sprengkrach ist eben was Schönes.

Von mir erwarte keinen abenteuerlichen Krach. Wenn Du willst, kann ich die Schwierigkeiten des Geflüsters verraten, nachdenken über die Fremdsprachenprobleme zwischen zweien, nachts, überhaupt über die Unabenteuerlichen, über uns, die häufig Vorkommenden, die Allmächtlichen, die die Arme ausstrecken, einander verklären bis zur Verwechslung, die einander ins Ohr beißen, den Fahrplan memorieren, den Hals ablecken, Spuren vermeiden, den Bauch anbeten, an die Krankenkasse denken usw. Im übrigen werde ich, auch mangels Bewußtlosigkeit oder – wie Du sagst – aus bloßer Verklemmtheit, hier und in jeder Öffentlichkeit weiterhin heucheln, eine entzündete Nebensprache sprechen, mit scheinheiliger Textilzunge anzüglich murmeln, werde meine Zuflucht suchen im schlüpfrigen und schielenden Vokabular, im katholisch verkrüppelten Wortschatz, werde wirksamen Gebrauch machen von bonbonsüßen Assonanzen, gerade noch möglichen Tätschelwörtern, ins Blut gehenden Fremdwörtchen, sinnverwirrenden Flüssigkeitsbildern, weichen Gehäusemetaphern und starr eminenten Architekturen, werde also verbleiben in der herrlich stickigen Luft der gemeinen Anspielung, im selig machenden Heuchelmief, im prickelnden Code der Sünde, im aufreizenden Zwielicht der Zweideutigkeit, einen feuchten Hehl werde ich machen aus meiner Lust, eine gewinde-reiche Untugend aus meiner und jedermanns Not. So, Melanie, jetzt zieh Deinen Auftrag zurück. Ich aber mache Dir gleich einen Vorschlag zur Vergegenwärtigung der Düsseldorfer Nacht: Um-schreibung, asymptotische Annäherung an den heiklen Gegen-stand durch Erzeugung schwüler Wortreihen, Golfstromluft, zum Dschungel mische Stadion, Disziplin und Florida, Wechsel von treibenden und mahlenden Passagen, reißende Flößerei und Parkteichgegondel, Waten im Schlick, Flut, Waschbord, Sturm-flut, Gebete, Klabautermann, Elmsfeuer, Sausen, Fliegerei, Atemnot, Absturzängste, Kniffe, Service, Bordmechanik, erfah-renste Fluggesellschaft der Welt, Stimmungsmache, Höhen-schwindel, Halluzination, Pseudolalie, Einschlupf ins Märchen, Konsolidierung des Märchens durch Breittreten eines Bildes: drei Pistolen zum Beispiel, von jener Wand laß ich sie gleiten in der gleichen Richtung auf rutschigem Grund in den Wald, Grün-wald, Laub und Nadel, das nährt sich selber, erzeugt am Wald-rand den Bach, bekannt ist die Angst der Pistolen vor fließenden Gewässern, aber auch ihre Neugier, ihre Sucht, also eine Route zwischen Angst und Sucht, weiter saust die Tautologie, wer war-tet im Wald auf drei Pistolen: werden sie ans Herz genommen, singen Rehe, leckt die Hindin das Pulver von der Pfanne aus Angst, macht es naß, oder will sie Selbstmord machen? und schon werden zwei Pistolen flügge Vögel, fliegen tautologisch im Kreis, zwitschern durch hängendes Laub, den Leib des Waldes, die dritte Pistole, einsam jetzt, ein Lauf, aber gemästet durch die Vo-gelverwandlung der anderen, schlüpft hinab in den Fuchsbau, taucht auf als Schlaufuchs mit Stimme und sagt: Karma, Kairos, Waldaugenblick oder sowas, wedelt buschig, befiehlt: Rehe an-treten, stillgestanden, auf die Knie, Knie der Vorderläufe bloß, hoch die Blume, die Pistole ist da, begleitet von runden Zwit-schervögeln, welche dabei sind zur Verherrlichung eines großen Schusses, den ich jetzt gleich, Achtung, auf die Palätze, Spechte an die Stämme, hoch ihr voyeuristischen Hasen, seid ihr alle da, ihr strumpfstopfenden Mäuse, ihr notariellen Krähen, ihr be-richterstattenden Elstern, ihr ironischen Dachse, ihr heuchelnden Blindschleichen, ihr besserwisserischen Hamster, ihr weitrei-chenden Würmer, ihr verläßlichen Ameisen, ihr vermittelnden

Käfer, seid ihr alle alle da, los, ihr vier Winde, macht das Bett, Himbeer zergeh und dufte, zittere Buschwindröschen! Orgelstämme, Kreuzhölzer, zukünftige Sargbretter schweigt! Mond und Sonne gebt Wucht und Aberwucht! wir lösen den Schuß durch uns alle, da-da-da-danke, bitte, liebe Schwester Wildschwein, reicht mir etwas Moos, damit wir nicht frösteln...
In dieser Art, Melanie, könnte ich Dir einen sprechenden Abschnitt zusammenflicken. Wir können ihn auch ganz wegstreichen oder – was mir peinlich wäre – ihn miteinander überarbeiten. Überleg Dir's. Oder – fällt mir in aller Not jetzt ein – ich könnte anzügliche Wortpaarungen stattfinden lassen, alles überhaupt nur mit Wörtern veranstalten; beginnen, wenn die zwei schon einig sind, aber es muß noch gefummelt werden: Verrutschen, anhaftende Entziehbarkeit, entgegenfassende Überlegenheit der Unterlegenen, das übermütige Quertreiben, das seufzende Längsholen, das Entkommenlassen, die mahlende Zielstrebigkeit, das tapsige Tippen sich dumm stellender Glieder, Ungeduld der Innigkeit, Schluß des Spiels der Verfehlbarkeit, das feierliche Einholen, Steilstürze, Augentournier, preschende Gewißheit, und jetzt Melanie, hat sie den wirklichen Übermut, reißt noch einmal aus, rutscht ihm weg über den italienischen Stiefel, flutsch durchs Mittelmeer, Gepatsche zwischen ägäischen Inseln, sie kriechtkrabbelt Strände hinauf, renkt sich weit aus in den Osten, also Verfolgung einer Hüfte nach Asien, Stolpern in Kalkutta, Niederknien auf Bali, Blitzhiebe, Bestrafung der Kniekehlen, einträchtiger Kraul durch den Pazific, eine schöne warme Strecke, bevor es langweilig wird: der große Grätschschritt über die USA, kurzes Problemintermezzo, uns muß doch was fehlen, krächzen wir mal psychiatrisch, Mensch, sind wir uns fremd und ach so voller Verdrängnis, dann aber in langen Zügen, auf dem Rücken, synchron durch den Atlantik, trippelnd ans heimische Ufer, jetzt holen wir aus, ziehen den Äquator wie einen Straps weg von der Erde, lassen ihn schnellen, das haut aber hin, jetzt spielen wir selber Äquator, umundumspannen unsere kleine Kugel, bis sie uns aus der Umarmung springt, wir ohne alles auskommen, ein Hochsprung, ein Weltriß, eine Ikarustour, angenehm zerschmettert zurück, der Bebenwart meldet örtliches Beben zwischen Niederrhein und Taunus... Also, überleg Dir's, Melanie. Ich fahre fort im Möglichen.)
Also. Sie blieben unter der Schaumdecke vorsichtig, dann dusch-

ten sie, frottierten sie einander, bis beide aus einem Samt waren und gingen ins Zimmer zu den Lampen, Pistolen: auf die farbigen Felle vor Herzjesu, Strahlenhostie und Heiligem Geist. (Melanie, ich laß das jetzt einfach mal aus, ja?) Zu essen hatten sie in Reichweite nur eine ziemlich große Birne. An dieser Birne bissen sie, verdämmerten unter einer Mohairdecke, wurden durchs Telephon erschreckt. Das war auch in Reichweite. Er schaute auf die Uhr. Halb acht. Brüssel, flüsterte sie. Es läutete schon wieder. Soll ich hinaus, fragte er. Nein, bleib. Es läutete zum dritten Mal. Ihr Gesicht wollte heulen. Der Ozelot! Nimm doch ab, bitte, sagte Anselm. Dann bist Du nachher sauer, sagte sie. Ach wo. Es läutete zum vierten Mal. Sie nahm ab. Er biß leise in die Birne. Sie lag ihm im Arm und sagte ins Telephon:... nein wieso wie spät ist... ach... nein aber Lissi heiratet doch Du weißt doch da hat sie uns alle... ja... nein bestimmt schon um *halb* vier... wahrscheinlich wegen der Tabletten ja gleich drei zur Zeit schon... ziemlich Whisky... ich kann doch nicht zwei Reitstunden hintereinander höchstens morgens eine und eine abends aber dann komm ich aus den Reitklamotten nicht mehr... ich bin doch... (Lachen) Aaach... (Lachen tief aus der Kehle)... ich wüßte schon... ich wüßte schon... im Breidenbacher Hof... ja genau... nein Schätzchen im Bett allein Du bist gut... eines Tages werden wir uns dem Trunk... vielen Dank daß Du mir das sagst ich weiß nicht ob das fair war... warum hast Du nicht Sehnsucht nach Bibisch aha und wenn Du noch einmal 15 Jahre jünger wärst und uns beide kennenlerntest wen würdest Du... Du imitierst mich das habe *ich* gesagt daß ich mich auch nicht... (Lachen)... Dein Maurice... nein der Bootsmann ja der hat mir doch erzählt... aber warum denn... weil Du so selten kommst Schätzchen ich habe einen Professor kennengelernt vorgestern... ja... bei so'ner Diskussion der wollte mich mitnehmen nach Brüssel... schön erschrocken... nee-nee mach ich nich Bibisch ist mir... ja-ja die stellt einen an und dann hab ich'n Messer im Rücken... Walloninnen sind... was hat der Pfarrer gesagt... nein ich möchte es wissen vielleicht werde ich auch noch katholisch dann muß ich doch... ach so Todsünde... ja ist denn die Göl schon wieder... ach so Du fliegst... ja ab 1. März aber da will ich doch studieren ab Mai Du willst doch daß ich... Jean Claude Brialy ja in Paris am Nebentisch weißt Du nicht mehr ach Schorsch mein Geburtstag Du sagtest noch er sei homo... nnnnnein... bin ich

123

doch... nur n'bißchen Weißwein... ja... rufst Du mich noch vorher an... von Amsterdam aus... schön... aber nicht so spät weil ich sonst schon Tabletten ge... ja... also Schätzchen... mhmmmm (Katzengejaule).... iiija... Tschüs... Dir auch. Sie legte den Hörer auf, wollte einfach ihr Gesicht nicht mehr zeigen, machte ihm den Hals naß. Also der Ozelot heißt Schorsch, ist aus Brüssel, hat ein Boot in Genua, einen Bootsmann Maurice, eine Frau Bibisch und etwas wie Göl. Barbara hörte auf, Anselm zuliebe zu weinen und erklärte: Ge,u,e,u,el,e, Gueule, so heißt seine Yacht, die liegt aber zur Zeit in Lissabon. Auf der Gueule fährt Barbara im Sommer oft durchs Mittelmeer. Donnerwetter. Und der Ozelot fliegt von Brüssel dann und wann dazu. Barbara will seinen Namen nicht nennen, bevor sie ihn heiratet. Gut, nennen wir ihn Ozelot. Sie lacht wieder. Anselm kritisiert: Du darfst nicht zuerst *ziemlich Whisky* sagen und dann ein *bißchen Weißwein*. Sie erschrickt. Na ja, er hat es offenbar nicht gemerkt, aber in Zukunft, bitte. Sie sagt, sie kann eben nicht lügen. Das kann ich Dich lehren. Aber solang Du's noch nicht kannst, erzähl vom Ozelot. Er ist Berliner, Kaiserreichsadel, Bankier, hat in Brüssel in die Branche geheiratet, Privatbank, nicht gerade Lambert, aber immerhin, war lose protestantisch, jetzt irre katholisch, kann sich natürlich nicht scheiden lassen, aber Bibisch kränkelt. B-i-b-i-c-h-e erklärt sie, so nennt sie sich oder er sie. Barbara wartet also, und wenn es 15 Jahre dauert. Und wenn es fünfundzwanzig dauert? Dann auch. Er liebt sie ihn auch. Sie hat ihn noch nie betrogen, bis jetzt, wenn er kommt, müssen sie in Hotels schlafen, weil Bibiche nachts anruft, dann liegt Barbara neben dran und hört zu, deshalb kann sie nachfühlen, wie es Anselm zu Mute war. Ach, er hörte gerne zu. Weil er sie nicht liebt, sagt sie. Hat der Kinder? Ja zwei, wieviel hast Du? Mal zwei. Sie begreift die Männer nicht. Also hast Du die Pistolen selber geholt? Ja, die in Biserta, die in Soara, die in Sarsis, die in Pantelleria, die in Susa, die Wandteppiche sind alle aus Oran, und im Schrank hat sie auch noch hübsch Beute. Und der Ozelot, was macht der für Geschäfte? Davon versteht sie noch nichts, will ja erst Volkswirtschaft studieren, er ist viel in Afrika, will gerade eine Entwicklungsbank gründen. Zur Zeit ist er mehr im Flugzeug als auf dem Boden, war schon zwei Monate nicht mehr bei ihr, die Politik hat versagt in Afrika, sagt er, jetzt muß die Wirtschaft ran. Die Wirtschaft ist die Fortsetzung mit anderen Mitteln, sagt er. Womit wir wieder beim Kongo sind. Ja-ja, das hat sie geärgert, als Anselm plötzlich gegen Brüssel loszog und Katanga, und den armen Professor Dornseifer beschimpfte, Anselm hat da wirklich keine Ahnung, die Zustände dort unten, was wollen die Neger dann machen ohne Finanzierung, soviel weiß sie auch schon, zuerst finanziert man denen alles und dann werfen sie einen auch noch raus, der Ozelot ist zur Zeit ganz verzweifelt über die Kurzsichtigkeit der Afrikaner, aber er gibt nicht auf, ach sie war oft genug selber an Land, zu ihr waren die ja immer sehr nett, weil sie so blond ist, aber die sind schon irre nationalistisch, das ist einfach wahr. Daß Du diesen weißen Hautbikini hast, ich hoffte immer, auf so einer Yacht legt man ganz ab. Und der Bootsmann und die drei Matrosen! Der Ozelot ist irre eifersüchtig, mußt Du wissen. Anselm zog sich vorsichtig aus dem Gespräch. Sie redete noch dann und wann. Als er wieder aufwachte, lag sie wach. Sie wollte ihn nicht stören. Bevor sie einander in die Münder fallen, beißen sie wieder von der unerschöpflichen Williams-Christ-Birne. Dann will sie sich schon wieder Vorwürfe machen. Sie glaubt, sie darf nur auf den Tod der Ozelot-Frau warten, wenn sie dem Ozelot treu ist. Betrügt sie ihn, hat sie kein Recht, Tag und Nacht den Tod der Frau herbeizuwünschen. Weil Anselm wußte, daß jede Geliebte ihre Hausmacher-Moral braucht, um durchhalten zu können, redete er nicht geradewegs gegen Barbaras Rechtfertigungsmodell. Bedeckt bis zur Brust, die nackten Arme versendend, zog er riesige Redekreise über ihr. Schau, Kind, was ist denn der Mensch? Ein Kotflügel, eine Neuralgie der Erde, ein Eiweißexperiment, ein extrapyramidaler Kandidat! Was kann er denn von Haus aus außer Weinen?! Und ein Gesicht, überhaupt Sinne, hat er nur nach außen, innen kein Licht, also tut er was, so lernt er sich kennen, und weil er wie geschleudert ist, muß er rasch was tun, also die Schleuderzeit mit Warten verbringen, zum Beispiel, liegt ihm überhaupt nicht, lieber eine falsche Richtung nach der anderen, bloß nicht warten, Warten ruiniert den Zellstoffwechsel, der Zellhaufen lernt einen Befehl auswendig, das nennt man einen Krampf, der Krampf sorgt für sich, nur noch für sich, der ist erzkonservativ, ein Diktator, eine einzige Umsatzformel total, im Hirn nur noch eine Gasse grell hell, aller Strom in eine Gasse! Geliebte, hütet euch, wartet nicht, wer wartet, dem wird der Magen hart, der ißt mit trockenem Mund, die Haut wird dürr, die Adern öden, im Schlaf bleibt er wach, also zerfällt er vor

der Zeit... Die Redekreise wurden enger, schraubten sich auf
Barbara zu und mündeten in leichtfertigen Vorschlägen: Barbara
möge Anselm engagieren als Zuhälter und Geliebten, von Oze-
lots Geld könnten sie beide lustig leben. Vorschläge, nicht ernst
gemeint, aber doch wirksam auf die zwei unter der grünblauen
Mohairdecke. Sie lachten und malten sich aus, stellten fest, daß
sie sich schon wieder fügten, dann bissen wir wieder von der
Birne. Und redeten von der Welt, wie es ihnen paßte, wie es eben
Brauch ist bei hoffnungslosen Paaren, beim Vogel Strauß und anderen Idealisten. Plötzlich zuckt sie, springt hoch, läuft, i-Laute
schreiend, ins Bad. Es ist Nachmittag und sie hat die Pille heute
noch nicht genommen. Er läuft neugierig nach. Sie kommuniziert
andächtig, schluckt Wasser nach und sagt: schade. Warum, wenn
der soviel Geld hat, willst Du keine Kinder? falls es dann klappt,
hättet ihr schon welche, wärt gleich eine Familie. Der Ozelot will
keine Kinder, bevor sie nicht verheiratet sind. Oje, denkt Anselm. Aber Barbara sagt: Du müßtest ihn kennen, er, ist, nicht,
so, natürlich. Sie frühstückten. Schinken aus Zellophan, Brot aus
Silberpapier, Saft aus der Dose, fade Eier, bejahrte Butter, er-
stickten Kaffee. Anselm sagte sich grimmig einen amerikanischen
Kirchenvater auf: No tits to pull, no hay to pitch, just punch a hole
in the son-of-a-bitch, konnte ein später John Caples sein, Spezia-
list für Postversandwerbung. Draußen spendete Vater Rhein
mildernden Nebel. Wie hoch fliegen wir eigentlich, Stewardess?
Aber das altholländische Porzellan störte die Vorstellung vom
Panam-Frühstück. Und Barbara trug weißes Frotté. Anselm
hatte sich was Grünes umgeschlungen. Wann landen wir in Kassel? Bei diesem Nebel. Wo ist denn Düsseldorf, wo ein Bahnhof,
ein Fahrplan? Ist das überhaupt eine Strecke: Düsseldorf-Kas-
sel? Aber Anselm wagte nicht, zum Telephon zu gehen und kalt
den Termin zu erfragen. Sowas mußte vorbereitet werden. Wörter und Wörter, zuerst wie ziellos, dann unmerklich ein Stim-
mungsumschwung, Abschiedstrauer, Bedauern, Versprechen,
Fluch den Terminen, der erzenen Notwendigkeit, wann-bitte-
wann-wieder, also, und hinaus. Bevor er aber seinen Umstim-
mungssermon starten konnte, setzte sie sich auf den Boden, barg
ihren Kopf zwischen seinen Knien, machte sich klein. Wie soll
man da vorwärtskommen, ach, Barbara, um 20 c.t. muß Anselm
sitzen, Werbung – Motor oder Bumerang, und sitzt immer noch
hier, hat den Mund zu voll genommen die ganze Nacht, wir haben

uns verstrickt, verspielt, versprochen, verfilzt, verwirkt, haben uns aufgeführt wie für immer, er hat zu Dein-seinem Vergnügen die heftigste Werbung betrieben, mach jetzt nicht aus jedem Wort den Bumerang, er muß doch pünktlich hier raus. Jetzt noch den ganzen Tag hier, den Abend lang und etwa noch eine Nacht, Anselm findet, das muß nicht sein. Er ginge jetzt lieber. Vorerst. Ohne Dich. Nach Kassel. Das kostet ja auch alles. Bedenk. Barbara weinte plötzlich laut heraus, als hätte sie alles mitgehört, was er dachte. Sie grub ihre soliden Langnägel in seine bloßen Waden. Das schmerzte ganz schön. Aber einer so heftigen Äußerung, die er für Wörter zu nehmen hatte, durfte er sich nicht wehleidig entziehen. Er war überzeugt, daß er längst blutete. Aber wahrscheinlich hielt sie, während sie sich tiefer in seine Waden krallte, die Augen geschlossen. Hinunterschauen wollte er nicht. Es schien ihm geboten, diesen ihren großen Ausbruch mit Geradeausschauen zu überstehen. Seine Hände ließ er Haar und Nakken streicheln, rasch, fast massierend. Je heftiger sie heulte, desto dringlicher streichelte er. Krampflösend. Oben hielt er ein schweres Gesicht tapfer in die Luft. Leider sah sie dieses Gesicht nicht. Der gelbblonde trockene Haarhaufen zwischen seinen Knien schütterte wie ein vom Erdbeben geschüttelter Berg. Was da an seinen Beinen naß war, konnten auch Tränen sein, oder Blut und Tränen, sein Blut, ihre Tränen, beides kostbare Flüssigkeiten. Wenn sie wenigstens da und dort hineingekrallt hätte. Aber nein, sie blieb im ersten Griff, den trieb und trieb sie tiefer. Daß er immer noch nicht schrie, fiel ihr gar nicht auf. Denn sie wußte nicht, was sie tat. Die hörte nicht auf. Biß die jetzt auch noch? Entspannen, Anselm, den Nägeln nichts entgegensetzen. Aber wie? Woran denken? Draußen nur Nebel. Mehr Nacht als Tag. Trudelt der Globus abwärts? Was saust da? Ist das in seinem Kopf oder in der Welt? Plötzlicher Einbruch der Ewigkeit. Mit diesem Schmerz also wird er die Ewigkeit verbringen. Unvorstellbar, daß er sich je wieder bewegen wird. Immer mehr Muskulatur klickt in den Krampf ein. So wird ihn Schliemann finden in zig Zeiten, und sie, verkrallt in ihn verbissen, sein Gesicht unlesbar, ein Gewirr debattierender Züge, bemüht um eine Nuance Komik. Weil aber das Leben tatsächlich weitergehen muß, ging es tatsächlich weiter. Plötzlich konnte er zu ihr hinunterrutschen. Die Lageveränderung motivierte er mit Küssen. Ihre Hände krallten sich gleich wieder da ein, wo sie ihn fanden. Eine in die

Schulter, eine in die Nierengegend. Endlich sagte sie was. Sie verdächtigte ihn der Absicht, jetzt seine eigenen Kleider anziehen und seines Weges gehen zu wollen. Und sie hätten überhaupt nicht mit einander gesprochen. Sie muß jetzt endlich mit einem Menschen darüber sprechen. Sie hält es nicht mehr aus. Sie gibt zu, deshalb ist sie in das Tierparkrestaurant gekommen, mit nach Bielefeld gefahren, deshalb hat sie ihn mit heraufgenommen, hat alles mitgemacht, jawohl, alles! bloß, daß sie endlich einen hat, mit dem sie darüber sprechen kann, und Anselm ist so einer, das hat sie gleich gespürt, als sie ihn diskutieren hörte. Er aber, kaum war er im Bett, will er gehen, wie sie zurückbleibt, ihm egal, er muß nach Kassel. Ein Einfamilienhaus für ein ALLERDINGS! Er wagte also kein ALLERDINGS. Er sagte: Barbara, das sind mir Brücken, die das Mißverständnis baut.
Jetzt also die Befreiungsgriffe. Sie hat Dich beleidigt. Machte alles bloß mit, weil sie den Gesprächspartner brauchte. Geschieht Dir zwar recht, warum redest Du auch so daher auf dem Podium, aber ein Fehler auch von ihr, Dir ihre Kalkulation hinzureiben. Oder will sie sich bloß abergläubisch entschuldigen beim lieben Gott, daß der Bibiche trotzdem sterben läßt und ihr den Ozelot beschert, daß ihr diese Nacht nicht angerechnet wird? Vorsicht, Anselm, wenn Du raus willst, meide Verständnis und Feinsinn. Sie hat Dich benutzt, wollte gar nicht Dich, wollte bloß den Ersatzpfarrer vom Podium, das genügt doch. Schau, um ein übriges zu tun, noch die fettgelben Strähnen an, den grauweißen langen Hals, der schon zwei deftige Querschnüre hat, das kleine Chow-Chow-Gesicht, die eben doch zu kurzen Zähne, das zu weit reichende Zahnfleisch, Mäusezähne, die dürren Klöppelfinger, rachitischen Handgelenke, und die Brust ist doch auch bloß fest aus lauter Wenigkeit, also Anselm-Anselm, was hast Du Dir da bloß wieder zusammenstilisiert, Mensch, wie wenig braucht's eigentlich, daß Du noch himmelhoch was draus machst. Die zielt doch mit jedem Schnaufer, hechelt vor Ehrgeiz, Bankiersgattin! dafür dorrt die lebenslänglich, Karrieritis-Syndrom, ein Rechenmaschinchen ist das, und spinnt doch längst. Ja-ja, mag sein, gesehen vom Standpunkt des Menschenkenners, aber Menschenkennerdenken, weißt Du doch, fällt mir schwer, schau doch, die windet sich an mir herum und weiß nichts von allem, was Du über sie zu wissen glaubst, die glaubt bloß, sie liebt den Ozelot, basta, tut alles zuliebe! und selbst wenn sie merkt, sie spekuliert, setzt Leib

und Haare hart riskant ein gegen Frau Ozelot, darf sie etwa nicht, was Du tust mit Maul und Grips! hast Du ihr's nicht selber aufm Podium legalisiert! ist sie etwa nicht eine Schwester der Sachsen, Pfälzer, also eine Blutblumenschwester! und heißt nicht unser Gesetz: Solidarität, solange wir im Souterrain schuften, aber jeder weiß, daß jeder versucht, sobald als möglich und unter allen Umständen, hinaus- und hinaufzukommen! und dazu hat jeder nichts als seine angeborenen Talente! die setzt er ein, und – komisch genug – unsere Talente gelten als unanständig, oben und unten! jawohl, womit einer hochkommen will, das wird ihm verdächtigt, er muß, will er durchhalten, auf eigene Rechnung denken, rücksichtslos sozusagen; und daß er nur an sich denkt, muß er bei sich behalten, sonst wird er unterwegs erledigt von der Moral; aber weil es so zehrt, allein und rücksichtslos nur an sich zu denken, schaut der Strampelnde nach Gespanen aus, die das Souterrain auch verraten haben, abgehauen sind, schon angekommen sind im Niemandsland, so hat diese Barbara Dich gewittert, sich nach Dir gestreckt, um sich auszuquatschen, eine Rast einzulegen; was ist denn die Eiger-Nordwand gegen ihre Tour! also braucht sie einen, der weiß, wie die Tour den Nerv scheuert, braucht für's kurze Biwak einen mit zwei offenen Ohren, dem zahlt sie sich im Bett – das ist ihr Talent – schon mal als Vorschuß aus, wenn der aber, bevor er durch Zuhören, Mitatmen und Tips den Vorschuß abverdient, einfach abhauen will, ja, mein lieber Anselm, da jault sie natürlich auf und beißt sich Dir in was sie grad erwischt. Ja-ja, mag sein, bloß ich – selber auf der Tour – kann doch nicht, ich muß doch nach Kassel, dreihundert plus Spesen, es tut mir sehr leid, also sage ich mir: sie spinnt, sie hat schon zu lange gewartet; sie ist eine, die ihr Ziel nicht erreichen wird. Also bitte, entwinden wir uns so schmerzlos als möglich. Sollten wir nicht in die Stadt und was essen, fragte Anselm. Sie verschob Augenbrauen, kniff Lippen ein, ließ ihren Argwohn Anselm Vorschlag kauen, dann sagte sie: Du hast Hunger? Er tat, als wisse er, wie niedrig es sei, jetzt Hunger zu haben. Aber sprechen könne man auch im Auto, im Lokal. Jetzt war sie dafür. Zum Glück hatte er den Koffer im Auto gelassen. Also Adjö Pistolen, vielfarbige Felle, adjö Herzjesu und Lampenschirm, wir sehen uns nicht wieder. Er sollte vorausgehen. Bis zur Brücke. Anstandshalber. Sie hielt es für möglich, daß Bibiche eine Nachbarin als Amateurdetektivin beschäftigte. O ja, Bibiche weiß, daß es sie gibt. Dafür hat sie gesorgt. Natürlich, dachte Anselm. Das paßt zur Zielenden. Eine Geliebte, die nicht dafür sorgt, daß die Ehefrau ES weiß, riskiert vielleicht weniger, vergeudet aber bloß ihre Zeit. Es ist, als drehe sich eine Schraube leer im Holz. Erst wenn die Ehefrau zu zappeln und zu kämpfen beginnt, zieht die Schraube. Was hat denn diese Bibiche für ein Leiden? Blutarmut, Leukämie, Kalkmangel, wird öfter ohnmächtig, hat Schreianfälle, das ist doch das Gemeine, sie kann einem leid tun, sagte Barbara. Dann ruft sie, schon auf dem Weg ins Bad: Aber sie kann sich praktisch jeden Arzt leisten.

Anselm geht also voraus. Dem Rhein dankt er für den Nebel, in dem man sich aufgehoben fühlt. Ins hergehuschte Auto schlüpft er wie einer vom Geheimdienst. Sie ist wieder im Ozelot. Ihr Blond hat sie wieder steil zusammengefaßt. Das Lokal findet sie von selbst, den Ober sieht sie nicht, mit halboffenem Mund wartet sie, bis Anselm bestellt hat, sie will nur Tee mit Rum, dann sagt und sagt sie weiter auf und aus, was sie loswerden muß. Eine recht natürliche Erzählung, in der eins immer das ganz andere weckt. Für Zusammenhang brauchte sie nicht zu sorgen.

Bibiche erpreßt Schorsch, einerseits schläft sie nicht mehr mit ihm, Du glaubst nicht wie die katholisch sind, von Haus aus ist die Familie ja jüdisch, jetzt hat sie zwei Kinder, Schluß, sagt sie, ganz normal ist sie ja sowieso nicht, irre eitel, jeden Abend irgendwo hin, wo sich alles um sie dreht, ihre Mutter immer in Rufweite, auch im Urlaub, so machen sie Schorsch fertig, dabei hat er die Bank erst zu was gemacht, aber bei Tisch sitzt er noch unter der Schwester, das ist die Schlimmste, Bibiches Schwester, fett und zwei Jahre älter als Bibiche, aber gesund, die wartet auf Bibiches Tod, und die Mutter hat schon bestimmt, Schorsch heiratet die Schwester, wenn Bibiche stirbt, Schorsch sagt nichts, er schuftet und schuftet, er spricht überhaupt nicht viel, sogar seine Kinder haben sie ihm genommen, die sind in Flandern auf einem Gut, allein darf er sie nicht besuchen, da ist immer die Alte dabei oder Bibiche oder Garce, so nennt er die Schwägerin, bringt er Bibiche einen Ring aus Amsterdam mit, muß er auch der Schwester einen Ring mitbringen, sonst steckt die's der Mutter, und er hat wieder die Hölle, überhaupt muß er, wenn er unterwegs ist, unablässig an Geschenke denken, aus jeder Stadt wollen die was, ihm fällt einfach nichts ein, sobald er was kaufen soll für seine Frau und Garce und die Schwiegermutter, also bittet er immer

Barbara, für Bibiche und Garce einzukaufen, sie tut das ja gern, sie darf auch immer für sich was mitkaufen, ein gewisses Nachthemd, schwarze Spitze, hat sie gleich drei Mal gekauft, das möchte sie denen mal ins Gesicht sagen, Schorsch läßt sich zuviel gefallen, fliegt von Leopoldville zurück, weil Bibiche einen ihrer hysterischen Anfälle bekommt und behauptet, er habe dort eine Negerin, was irre ist, Schorsch ist Barbara doch sieben Monate stotternd nachgelaufen, sie wollte ja zuerst überhaupt nicht, in Schiphool treffen sie sich immer, er muß oft nach Amsterdam, fahren ein Stück hinaus über Amstelveen, rennen durchs Gras, auf pappigen Pfaden durchs Schilf, sitzen auf dürren Booten über aussätzigem Wasser, er erzählt und erzählt, außer Barbara hat er doch niemand, seine Mutter, aber die würde sofort hinfahren, Krach schlagen, der darf er es überhaupt nicht sagen, er ist eigentlich zart, sogar fromm, richtig fromm, ihr war Frommsein ganz neu, und dann auch noch so ein steinreicher Bankier, wenn sie in einem Hotel sind miteinander, läßt er sich danach immer mit dem Taxi in eine Kirche fahren, zuerst, in Neapel, hat sie das gar nicht geglaubt, jetzt findet sie das eigentlich sehr schön, ihr Vater hat die Pfarrer gehaßt, die Mutter durfte nicht mucksen, sobald sie heiratet, wird sie auch katholisch, warum nicht, die Katholiken haben es besser, Bibiche hat verlangt, daß er einem Orden beitritt, so einem Männerorden, für Laien, Barbara glaubt, Bibiche kennt da die Chefs, und wenn Schorsch beichtet, erfährt sie's, deshalb bittet sie Schorsch, im Ausland zu beichten, so genau braucht Bibiche auch nicht zu erfahren, was er mit Barbara tut, das ist ja komisch bei Schorsch, bitte, sie hat keine Erfahrung mit Männern, sie möchte aber wissen, ob sie das einfach hinnehmen soll, daß er von ihr geschlagen werden will, und dann bringt er Bilder mit von Bibiches Mutter, von Bibiche und von dieser Garce, und Filme, auf denen die drauf sind, dann erst kann er mit ihr schlafen, oder er muß andauernd von denen reden, auf der Yacht, zum Beispiel, wenn sie aber verlangt, er soll aufhören, fängt er an zu schwitzen und zieht sich sofort an und verläßt den Raum, ist das nicht eigenartig? er hat auch schon gesagt, er werde Barbara umbringen lassen, falls sie ihn betrüge, was soll sie davon halten? Angst hat sie ja nicht, aber ist es nicht komisch, daß er sowas sagt? sein Blick manchmal, und wie er plötzlich aufhören kann, hinausrennt, zurückkommt, um Verzeihung bittet und stundenlang bloß redet, oft heult er sogar, und ein paar Tage später kommt eine Mitteilung von Barbaras Bank, daß ihrem Vermögen fünfzig Nummern nagelneuer SOFINA-Aktien zugeschrieben wurden, aber dann will er wieder ganz genau wissen, was sie mit den Erträgen ihrer Aktien anfängt, Kontenauszüge, Ausgabenbelege, alles prüft er, oft kommt er nur für zwei Stunden, und die vertut er dann mit solchem Quatsch, er will sie erziehen, sagt er, und einmal schlug er ihr ins Gesicht, weil sie ihn auslachte, natürlich entschuldigte er sich sofort, aber diese Ohrfeige hat er keiner Toten gegeben, o nein, die zahlt sie ihm noch zurück, eines Tages, wenn Bibiche tot ist, daß er die Schwester nicht heiratet, ist sicher, ihm wird schlecht, wenn sie ihre Brust an ihm streift, sie verfolgt ihn so, daß es sogar Bibiche zuviel wird, die hätte wirklich umkommen können, ist doch wahr, Mensch, Bibiche halt ich aus, aber wenn dann die Mutter durchsetzt, daß er diese Schwester heiratet, jetzt will sie schon auf die Yacht, Bibiche wollte nie, sie hat irre Angst um ihren Teint, aber die Garce will diesen Sommer auf die Yacht, wenn Schorsch nachgibt, ist er für mich erledigt, entweder sie oder ich, lieber geht Barbara dann endgültig ins Büro, er hat es doch gar nicht mehr nötig, nachzugeben, mit Guy de Rothschild ist er per Du, die afrikanische Entwicklungsbank wird, sagte er, sein Durchbruch, was meinst Duuu, will er diese Garce, weil er sich ekelt? gibt es das bei Männern? die hat versprochen, ihn halbtotzuprügeln, wenn er es wünscht, der macht das Spaß, Anselm, das hält er mir vor, und da hat er ja auch recht, ich habe überhaupt nichts davon, wenn ich schlage, anfangs heulte ich dabei, er tat mir so leid, jetzt habe ich mich daran gewöhnt, aber gern tu ich's nicht, ach Anselm, auf Dich würde ich lieber warten, soll ich?

Anselm hatte schon bezahlt. Bitte, noch rasch zum Bahnhof, sagte er so harmlos als möglich, bloß eine Auskunft.

Sag doch, was Du meinst. Was soll ich tun? Ja, gleich, sagte Anselm, begreif, ich muß wissen, wann ich fahren muß. Ich stehe dort auf dem Programm, bin angewiesen auf das Geld, werde nie mehr eingeladen, wenn ich die sitzen lasse. Sie bot an, ihm den Verlust zu ersetzen. Wenn man das annehmen könnte. Als er ausstieg, sagte er: Oder Du kommst mit nach Kassel? Geht nicht, er ruft doch an nachts, und wenn ich zweimal hintereinander nicht vor fünf zuhause bin, wird er mißtrauisch. Anselm sprengte einen Entschluß aus seinem Gehirnmassiv. Er nahm den Koffer aus dem Auto, sagte: Liebe Barbara, ich muß. Sie kam um das Auto

herum, auf ihn zu, er stellte, um ihr zu zeigen, daß er den Abschied mit großen Gesten auszustatten gedenke, den Koffer in den Schnee, streckte ihr, obwohl das gegen sein Gefühl ging, beide Hände entgegen, umfaßte ihre Hände und krabbelte mit seinen Fingern an ihren dünnen Handgelenken aufwärts in die Ozelotärmel. Für die einschließende Winterdämmerung war er dankbar; an einem geräumigen Sommertag hätte er auf diesem Bahnhofplatz keine solche Abschiedsinzenierung riskiert. Also, Barbara! Seinem Mund wich sie aus. Also, Barbara. Sie entzog ihm eine Hand. Die andere wollte sie ihm auch entziehen, aber er hielt sie fest und schüttelte. Als er sah, daß er damit nichts mehr gut machen konnte, ließ er die Hand fallen, suchte ihren Blick, sie schaute aber steil nach unten. Also, Barbara, ich ruf Dich an, vielleicht komm ich morgen wieder vorbei, je nachdem, wie die Züge fahren, also Barbara, Servus, so lang. Und langte nach dem Koffer und drehte sich und hörte das Geräusch, drehte sich zurück, tatsächlich, die lag im Schnee. Anselm ließ den Koffer fallen; als er sie wieder in der Senkrechten hatte, öffnete sie schon die Augen, sagte: entschuldige, und ging deutlich unsicher ums Auto herum. Ist das Mache oder ist sie so kaputt? frag nicht so dumm! als wär eine, der nichts anderes übrig bleibt, als absichtlich umzufallen, besser dran als eine, die es gegen ihren Willen einfach hinhaut; wahrscheinlich ist sogar die schlimmer dran, die das mit Bewußtsein tun muß, also renn ihr schon nach, nimm sie vom Steuer, siehst Du denn nicht, daß trotz schlechter Sicht Passanten stehen geblieben sind und darauf warten, daß der Rohling sich endlich kümmere um das arme Ding im Ozelot.
Es blieb ihm gar nichts anderes übrig, als seinen Koffer wieder zu verstauen, Barbara auf den Beifahrersitz zu geleiten, sich selber ans Steuer zu setzen und wieder hineinzufinden in eine Straße Richtung Rhein. Sie ließ das geschehen, saß mit vornüberhängendem Kopf. Aber der Kopf wackelte nicht, obwohl der Ghia ganz schön holperte auf der krupeligen Winterstraße.
Wut, Mitleid, Bewunderung. Er hatte gelesen, Gefühle kämpften in dem und jenem gegen einander. In ihm nicht. Das Triplegefühl breitete sich ruhig aus. Vielleicht überwog ein wenig die Wut, weil Barbara ihn aussteigen ließ nach der Brücke und ihn bat, er möge erst zehn Minuten nach ihr das Haus betreten, auch dürfe er nicht auf der Rheinseite der Uerdingerstraße gehen, sondern nur dicht an den Hauswänden entlang. Dann bitte läuten. Es war so gut wie

dunkel, aber er sagte nichts. Vielleicht waren Bibiches oder Schorschs Detektive mit Scheinwerfern ausgerüstet. Er stapfte durch Dusternebel. Wo bloß hin? Keine Frage, die hatte seinen Koffer. Kassel adee. Wenigstens anrufen nachher. Nierenkolik in Düsseldorf. Allergrößtes Bedauern. Hoffentlich kriegte er's dann nicht gleich auf die Niere. Was hatte er falsch gemacht? Warum sitzt er jetzt nicht im Hotel Reiss in Kassel, im warmen Zimmer, mit Zeitungen, Zigaretten und zwei Stunden Bedenkzeit bis zum Stimmen der Instrumente, warum schwindet er hier in der Uerdingerstraße in Düsseldorf? Und weit und breit kein Friseurladen, in den er fliehen könnte, unter das große weiße Tuch, dem Meister die Kehle anbieten. Aber der schüttelt heutzutage auch bloß den Kopf, klappt das Messer zusammen, hängt Dir allenfalls eine Schelle um den Hals und kickt Dich hinaus in den Nebel. Rabiat werden, daß Gesellen und duftende Mädchen Dich bändigen müssen, Polizei erscheint, endlich die warme Einzelzelle.

Anselm erreichte das Haus, ging noch auf die verbotene Straßenseite, wo das Auto unter der herabführenden Brückenstraße stand. Tatsächlich, die hatte den Kofferraum vorsorglich abgeschlossen. Also hinauf. Kassel anrufen. Sie öffnete, trat gleich zur Seite, er ging mit übermäßigem Bewegungsaufwand zum Telephon, wählte Kassel und sagte mit Krankenstimme seine Entschuldigung auf. Flocht auch noch für Barbara ein, daß ihm seine Physis zum ersten Mal einen solchen Streich spiele, nahm in jedem Satz das bestürzte Bedauern Kassels wieder auf, um Barbara spüren zu lassen, wie außerordentlich sein Opfer sei. Die saß aber, als hörte sie nicht zu. Er legte auf. Anstatt sich zu entschuldigen, wenigstens verlegen zu sein oder so zu tun, als sei sie verlegen, fuhr sie einfach fort: Bibiche verfügt über Schorsch, als wäre er... Anselm spürte plötzlich Hunger und Durst. Als wäre er auch taub, fragte er in ihre Entladungen hinein, ob noch Champagner da sei und vielleicht noch etwas Brot oder gar Wurst. Sie sagte bloß Bitte und wies hinaus. Er suchte sich zusammen, was sich aus Plastik und Silberpapier noch herauslösen und abbröckeln ließ. Barbara kam nach, folgte jeder seiner Bewegungen im Meterabstand, half ihm nicht, sondern redete weiter. Also gab er es auf, ihr Verlegenheit beizubringen. Wahrscheinlich kam er weder früher noch ungeschorener aus dieser Wohnung, wenn er sich jetzt grimmig oder sauer gab. Mit einem Tablett voll toter Nahrungsmittel und guter Getränke ging er ins Zimmer zurück.

Sie folgte. Sie saßen dann einander gegenüber. Barbara redete. Er aß und trank. Eine Birne war nicht mehr da. Zu den Farbfellen kehrten sie nicht mehr zurück. Mai vorbei. Barbara lud Erfahrungsschutt ab. Er hielt still. Kreuzfahrten durchs Mittelmeer, darauf war sie stolz, Stürme dauerten achtundvierzig Stunden, die Gueule mit geschlossenen Luken mehr unter den Wellenbergen durch als auf denen tanzend, ach diese verrückten Fahrten westlich von Korsika, die langen, aus Spanien gesendeten Wellen! erst wenn es gefährlich wird, wird Schorsch ganz groß, jeden Brecher genießt er, er wäre lieber Seemann geworden, hat schon Atlantikregatten gewonnen, aber wenn der harte Mistral die Gueule fünf Tage und Nächte in einen Hafen preßt, Segel und Motor nichts mehr nützen, sie können einfach nicht mehr auslaufen, dann wird Schorsch abergläubisch, redet bloß noch von Bibiche, von Garce und der Mutter, ohne Bibiche wäre er schon in Leopoldville, Tshombé will ihn ganz dort haben, die Entwicklungsbank ist doch seine Idee, aber Bibiche graut es vor Afrika, ihr Teint, ihre Hygiene, Barbara würde sofort mitmachen, leider hat Schorsch in Sizilien 'n Freund, eine Art Tierarzt, der nur vom Kastrieren lebt, zu dem muß sie immer mit, so ist eben Schorsch, das ist das, was sie nicht begreift, warum zwingt er sie, beim Kastrieren von Pferden und Stieren zuzuschauen, warum spricht er so gern von der Garce, warum braucht er Filme und Bilder von denen, sogar (Barbara flüstert) von seiner eigenen Mutter, und sie muß immer diese schreckliche, die lachsfarbene Unterwäsche tragen, die ihre Mutter trug, wahrscheinlich seine auch, und immer muß sie dabei Schuhe mit hohen Absätzen tragen, auch wenn sie sonst nichts mehr anhat, muß ihm die spitzen Absätze, ach sie kann es gar nicht sagen, was sie mit den Absätzen tun muß, warum das alles, sag, waa-rumm die Ledergürtel, Reitpeitschen, die alte neunschwänzige Peitsche aus Susa, sie kann sie ihm zeigen, da im Bauernschrank hat sie alles, was Schorsch dazu braucht, extra einen Koffer hat sie für solche Utensilien, den muß sie immer mitbringen! wenn der mal aufgeht! wenn ihr mal was passiert! vor allem beim Zoll, was sie für eine Angst hat beim Zoll! wenn sie den Koffer einmal aufmachen müßte! sie würde einfach losheulen ... Will die wirklich von Anselm wissen, was sie tun soll? Oder genügt da Zuhören? Und wem sollte er dienen? Dem armen reichen Bruder Ozelot oder der verwirrten Barbara? Er konnte nur anbieten, was er hatte. Das aber bald. Von selber würde sie nie mehr aufhören. Also, Barbara, Anselm bietet Dir Verhaltensweisen an, bewährte Modelle, zuerst ein Stuttgarter Modell, eine Kollegin dort heißt Fräulein Pschygode, der Name tut, wie immer bei ganz exemplarischen Menschen, nichts zur Sache: sie kam aus dem Osten, natürlich, anno 55, ich traf sie bei Moser, Ölheizungen, im Vorzimmer, da diente sie Fräulein Bruhns, einem Denkmal für die Unbekannte Sekretärin, da sah sie, was dem Frauenfleisch blüht im Büro: Froschfigur, Roquefort-Teint, Papierhaut, Linealmund, vergiftetes, giftiges Anstandstabellenmushirn, das will sie nicht, also schaut sie so lange jedem Kunden zu lange ins Gesicht, bis sie einen hat, Schrott-Fränkel, der sie in den Bienenstock einweist, das musterhafte Hochhaus für die Geliebten, sie kriegt den Sportwagen, die Reitstunden, läßt aus der DDR die Familie nachkommen, versorgt Bruder, Schwester, Vetter und Onkel in Schrott-Fränkels Sphäre, aber sie darf nicht mit zum Opernball, auch an Ostern spaziert Schrott-Fränkel notgedrungen mit seiner Familie im Feuerbacher Tal, und in die Alte Kanzlei nimmt er sie auch nicht mit, also was soll's? beim nächsten Opernball erscheint sie mit Getreide-Göbel, Schrott-Fränkel zittert, reißt Frau und Tochter mit hinaus, fordert seine Eigentums-Pschygode von Göbel zurück, Göbel, sechzehn Jahre jünger, behauptet, die Pschygode sei ein Mensch, dürfe also selber entscheiden, und sie entscheidet: falls es ihr unter Göbel nicht mehr gefalle oder aber Fränkel sich besser benehme, daß heißt, sie auch an Ostern besuche und nicht bloß besuche, sondern auch ausführe, und zwar bis in die Alte Kanzlei, und sie beim Opernball vorzeige und in die Zirbelstube des Schloßgartenhotels, dann, sagt sie, sei sie wieder die Seine, wie aber, fragt Schrott-Fränkel, soll das gehen? wenn ihm an ihr liege, so schaffe er das, sagt sie und führt ihn zur Tür und öffnet noch auf dem Weg ein wenig die Bluse, aber nicht für ihn, und das macht ihn elend, siebenundfünfzig ist er, soll das das Ende sein? die zuhause haben nichts zu lachen. Jedes Mal, wenn er von den Bittgängen zurückkommt, kann er denen zuhause besser widerstehen. Man darf sagen, die Pschygode schmiedet ihn meisterhaft, sie ist eine geduldige, große Schmiedekünstlerin, nichts reißt, nichts verglüht, sie kriegt ihn hin. Er wird so unerträglich für die Familie, daß Frau Schrott-Fränkel angelaufen kommt und die Pschygode bittet, die Bedingungen zu nennen, und die nennt ihr jede Bedingung: Opernball, Alte Kanzlei, Zirbelstube, dreimal im

Jahr zur Party in Schrott-Fränkels Villa. Die Bedingungen werden angenommen, Schrott-Fränkel darf wieder kommen, die Pschygode darf sich endlich sonnen, es heißt, sie präpariere ihn zur Zeit für eine Scheidung, obwohl sie noch nicht sicher sei, ob sie ihn heiraten werde, schließlich wolle sie ihre Rechte nicht leichtfertig aufs Spiel setzen.

Oder, Barbara, Vorschlag zwo: zieh hier ins Hochhaus zu den Kolleginnen, nimm's ein bißchen politisch, tu' was für euch, ihr seid eine der fundierenden Branchen der Bunzreplik, ihr habt doch die Elite in der Hand und im Bett, einigt euch ein bißchen, gründet einen Club, schreibt einen Brief an die Humanistische Union, tretet ein bei Textil und Bekleidung oder bei Kunst oder ÖTV, ihr seid mehr als ihr wißt, und von eurer Macht habt ihr noch kaum eine Ahnung, gegen euch sind Ärztebauernangestellte bloß ein Dreck, und keine Automation kann euch was anhaben. Auf keinen Fall aber: so weitermachen, warten, zittern, rätseln, dorren, appetitlos verrecken...

Nachts rief wieder der Ozelot an. Was da genuschelt wurde, war nicht zum Eifersüchtigwerden. Die Commerzbank-Aktien sind für Barbara eingetragen, ein neuer Perkins-Diesel für die Gueule, Umstellung der Lichtanlage auf 24 Volt, neben der Pantry für die Mannschaft eine Dusche, am Freitag im Frankfurter Hof, sie soll kommen, Bibiche hat Fieber, Garce hat sich einen Zahn ziehen lassen müssen, sein portugiesischer Bootsmann freut sich auf Barbara...

Barbara gab spitze Antworten ins Telephon, war zu ihrem Ozelot gar nicht mehr so bettwarm wie beim ersten Gespräch. Wehe Dir, Anselm. Oder bildet er sich das nur ein? Nein, der Ozelot empfand das auch. Um halbneun rief er schon wieder an. Was denn umgotteswillen geschehen sei? Anselm stieß Barbara an, deutete ihr an, sie möge doch bitte-bitte wärmer sein zu ihrem Ozelot. Aber sie verstand ihn nicht, wollte ihn nicht verstehen, machte alles noch schlimmer, tat, als sei sie unabhängig, als könne ihr der Ozelot beim Mondschein begegnen. Anselm sprang auf, rannte hinaus, ihm zuliebe brauchte sie nicht schnöde zu sein. Im Bad ließ er, um Barbara ganz sicher zu machen, Wasser so laut als möglich in die Wanne preschen. Er besah sich im Spiegel, den zweiten Tag unrasiert, die Augen rot geädert, er schluckte, Halsweh, die Schläfen feucht, natürlich, er hatte sich erkältet, die Zunge schwer, wie geschwollen, Fieber, kein Wunder, ohne

Schlafanzug, die dritte Nacht ohne rechten Schlaf. Er holte an der Telephonierenden vorbei seine Kleider, zog sich an, war fertig, als sie den Hörer auflegte. Sie konnte es nicht glauben, daß er jetzt gehen wolle. Sie sah und sah ihn an, machte ganz kleine Augen. War plötzlich an ihm vorbei, riß den Schlüssel aus der Wohnungstür, rannte ins Bad, er hörte Geklirr, Wasserspülung. Den Schlüssel sind wir los, sagte sie und wies ihre Hände wie ein Zauberkünstler. Da sie nichts anhatte, mußte sie keine weiteren Beweise liefern. Anselm spürte, daß sein Fieber stieg. Frierst Du nicht, fragte er. Sie schüttelte das Gesicht unter der Blondwolke. Frühstücken wir, fragte er. Sie nickte. Er schätzte die Vorräte in Plastik und Silberpapier. Zum Glück war nicht mehr viel da. Aber da Barbara seit er bei ihr war, lediglich von ein paar Bissen von jener Birne gelebt hatte, konnte er von Hungersnot nicht viel erhoffen. Auch jetzt knabberte sie bloß an einem Knäckebrot und trank schwarzen Kaffee. Er vertilgte den Rest. Zu Mittag sollte sie nichts mehr anzubieten haben. Das war ein bescheidener Plan. Solange Barbara nicht glaubte, er bleibe für immer hier, ließ sie ihn nicht gehen.

Er setzt sich also zu ihren Füßen, lehnt den Kopf an ihre Beine. Er wollte gehen! Darüber kommt sie nicht weg. Sie hat ihn gewarnt gestern abend. Sie hat prophezeit: noch einmal, dann *verliebt* sie sich *garantiert*. Das weiß sie noch auswendig. Und so ist es gekommen. Jetzt pfeift sie auf ihren Ozelot. Jetzt will sie Anselm. Anselm überlegt. Kenne einen Menschen. Sie weiß nicht, daß sie nicht meint, was sie sagt. Wer weiß schon, was er meint, wenn er was sagt. Also beweist Anselm vorsichtig, daß man vorerst den Ozelot natürlich noch nicht entbehren könne. Den betrügen wir einfach, verstehst Du. Der muß Dich noch ein bißchen finanzieren. Und wenn ich mit ihm schlafe, fragt sie. Na ja, sagt Anselm, das müssen wir vorerst in Kauf nehmen, Du prügelst ihn grün und blau, vielleicht fällt Dir das jetzt sogar leichter. Da stimmt sie zu. Na also. Anselm strickt weiter. Am späten Nachmittag holt sie unaufgefordert ihren zweiten Wohnungsschlüssel und schließt auf. Sie will nicht dulden, daß Anselm sich wieder allein hinausschleicht. Arm in Arm mit ihm will sie sich allen Spähern zeigen. Sie essen in der Stadt. Barbara ist ganz fröhlich. Statt vom Ozelot, erzählt sie von ihrem Vater. Der hat Hände wie Anselm, ihre Mutter wollte sie immer zwingen, Wirsing zu essen, aber ihr Vater verbot der Mutter, die Tochter zum Wirsingessen zu zwingen, allerdings hat ihr Vater einmal vor ihren Augen eine Maus zerquetscht... So vertrauensselig war sie geworden, daß Anselm nicht mehr sprechen konnte von einem Abendzug nach Frankfurt. Das Zimmer im Baseler Hof würde er bezahlen müssen, ohne es gesehen zu haben. Und wenn Birga dort anrief? Sollte er den Ober, die Polizei, die Nervenheilanstalt zu Hilfe rufen? Die kindliche heitere Kidnapperin plauderte, rollte die Augen, schloß sie schnell, ließ die Lippen lautlos Duu modellieren und verströmen. Lauter solche Verbindlichkeiten.

Was habe ich bloß falsch gemacht, dachte Anselm. Riet ich ihr nicht zum Ozelot? Gab ihr realistische Eizes. Und jetzt darf ich nicht nach Frankfurt fahren. Morgen um 17 Uhr in Arnoldshain: Der Mensch zwischen Kommunikation und Entfremdung. Jetzt gleich wird er anfangen, sie auf diesen Termin vorzubereiten. Mobilmachung für das Großhirn, jeder Satz steht ab sofort im Dienst, Floskeln, Charmetiraden, Selbstgefälligkeiten etc. werden sofort interniert. Kein Alkohol mehr. Keine Berührung mehr. Aber auch keine ersichtliche Vermeidung. Nichts, was Anlaß sein könnte.

Leider ist Barbara inzwischen weit über jenes Stadium hinaus, indem man den anderen noch beobachtet und sorgfältig darauf achtet, daß jeder Schritt zur Verringerung der Distanz auch vom anderen bemerkt, gebilligt und mitgemacht wird. Sie hatte ihn gewarnt, hatte gesagt: wenn – dann, und zwar: *garantiert*. Ein solider Umschwung. Ein Effekt, so unglaubhaft deutlich wie der, den man durch das Drehen des Lichtschalters bewirkt. Sie boxte Anselm unter dem Tisch mit ihrem Knie, tappte auf seine Schuhe, ließ Zeige- und Mittelfinger ihrer rechten Hand auf dem Tischtuch tanzen, summte auf die tanzenden Finger eine Melodie hinab, ließ die Finger verrückt werden, in den Gelenken knicken, einander umschlingen wieder gerade werden und dann auf Anselm zumarschieren. Dazu sagte sie Kinderverse: Enne-penne-tippe-te-tappe-te-ti... Und mit der letzten Silbe waren die Finger in Anselms Hüfte angelangt, wo sie ihn kitzeln sollten. Ihm war das, schon der anderen Gäste wegen, nicht recht. Gehen wir, sagte er.

Auf dem Heimweg ließ sie ihn plötzlich halten, rannte in ein Geschäft, Anselm sah sie gestikulieren, hinter einer riesigen Tüte kam sie zurück, dann mußte er bis vor die Haustür fahren, es gab keine Späher mehr. Droben sorgte sie aufgeregt für ihn. Schon im Auto hatte sie mit ihren Lippen sein Fieber entdeckt. Er widersprach. Das nützte ihn nichts. Sie war förmlich elektrisiert. Anselm krank, das überstieg offenbar ihre schwelgerischsten Hoffnungen. Anselm wurde gebettet, mußte heiße Milch mit Rum und Honig trinken, durfte keine Hand mehr über der Decke zeigen und mußte versprechen, sich nicht zu rühren, solange sie draußen das Abendessen bereite. Dann kam sie mit kaltem Hummer, Chablis, fünf Brotsorten, Käse und Birnen jener ihm schon bekannten Art. Sie schleppte ihm Kissen in den Rücken, machte das Licht noch schummriger, fütterte ihn, stellte noch eine Flasche Chablis im Kübel neben das Breitbett, schob die Reste vor die Tür, präparierte sich im Bad und schlüpfte dann neben ihn. So, sagte sie, jetzt wird geschwitzt. Anselm dachte an Arnoldshain, 17 Uhr, Der Mensch zwischen..., und er entdeckte, daß der Mensch ein Wesen ist, das überhaupt nicht gut durchdacht wurde von der Natur. Wahrscheinlich darf man da keinen Urheber haftbar machen. Sowas wird eben. Ihre Weihnachtsbescherungslaune, ihren wabernden Eifer, ihre siebzehn zudringlich überwältigenden Rollen, ihr ganzes großes Bestürmungstalent – er schaute zu, es war ihm angenehm, er bewunderte das Frauenkind, aber er dachte an den nächsten Tag, hielt an sich. Und er hätte wohl weiter an sich gehalten, wenn Barbara ihn nicht zuletzt noch auf die einfachste Weise angefaßt hätte. Ja, was soll da ein Mensch denn tun? Man ist doch wirklich ein komisches Wesen. Er hätte ihr in die wuselnde Seligkeit hineinschimpfen müssen. Hätte sie voll und ganz verstören müssen. Eine sozusagen menschliche Möglichkeit gibt es nicht, weil man keine Macht hat über den geschlechtlichen Aus- und Anhang. Dessen bemächtigt sie sich, der votiert sofort für sie, da kann Er innen herumbefehlen und Verdikte vom Hirn abwärtsströmen lassen, und nichts! nichts davon kommt an. Eine entsetzliche Konstruktion sind wir, dachte Anselm, als er zusehen mußte, wie sie sich mit ihm gegen ihn verbündete, er in die Minderheit geriet und diese Machtübernahme dulden und dann nicht nur dulden, sondern auch noch besingen mußte, und nicht nur mußte, sondern dann sogar wollte und wollte. Dafür gibt es im ganzen Universum keinen Vergleich. Ähnlich sind allenfalls die Gefangenen, die durch Folterung ganz ausgeräumt werden, bis sie beginnen, dem Quäler zu flattieren und ihm ihre schrankenlose Mitarbeit anbieten; aber selbst sie sind noch verständlichere Wesen, weil sie eben zuerst ausgeräumt wurden, als Personen vernichtet wurden. In so einem Bett wird aber die Person in einem Handumdrehen vernichtet, hastdunichtgesehen ist sie hin und singt auch schon. Und: der Quäler wird sich dem Gefangenen gegenüber kaum so sehr verlieren, daß er die Geständnisse, die er dem abgefoltert hat, je für Wahrheiten hält. In den Daunenzellen aber werden die Geständnisse von dem, der sie erpreßt, für bare Münze genommen. Und das ist für den, der die Geständnismünze liefert, mindestens so verhängnisvoll wie für den, der sie kassiert. Bei Tageslicht wird diese Währung dann untersucht, und wehe, wenn sie nicht golden gedeckt ist.

Als Anselm wieder erwachte, mußte er sich aus der blaugrünen Mohairdecke herausarbeiten. Mohairhaare kitzelten ihn in Nase und Ohren. Er begriff sein letztes Geträum. Nackt und gefesselt war er in einer Baugrube gelegen, von oben kam immer wieder der Greifer eines himmelhohen Krans, der ihn, anstatt ihn, wie jedes Mal zu erwarten war, zu zermalmen, jedes Mal kitzelte. Er hatte geschrieen. Aber der unsichtbar hohe Kranführer (oder war es eine Kranführerin?) hörte ihn nicht (oder wollte ihn nicht hören), alles fand statt in prasselndem Metall-Lärm, der bei jeder Annäherung des Greifers ungeheuer anschwoll. Barbara, in dunkelgrünem Hausanzug, schlich herein, er schloß noch rechtzeitig die Augen, atmete lang durch, wahrscheinlich stand sie jetzt vor ihm, schaute ihn an. Er recktestreckte sich, spielte den Erwachenden, weil ihm einfiel, daß er als Schlafender bloß Zeit versäume. Von Düsseldorf nach Frankfurt und dann noch nach Arnoldshain, das dürfte gar nicht so einfach werden. Barbara hatte schon ein großes Frühstück bereit. Das hatte er im Bett einzunehmen. Und danach wollte sie ihn immer noch nicht aufstehen lassen. Ach Anselm, war das schön, die ganze Nacht mit Dir zu schwitzen. Ihn schauderte. Immer wieder hatte sie ihn zugedeckt. Sie ist stolz, weil sie kaum geschlafen hat. Trotzdem, Barbara, Anselm muß jetzt aufstehen. Nein, schreit sie, und springt ihn an, drückt ihn zurück, kniet auf ihn, stützt die Hände auf seine Schultern, lauert von oben herab, die geringste Bewegung der Beute beantwortet sie mit übertriebenem Gegendruck. Er produziert Lachtöne. Es gelingt ihm nicht, sie anzustecken. Sie hat keine Lippen mehr. Wenn er diese kleiner werdenden Augen und das vorgeschobene Kinn richtig versteht, denkt sie: jetzt kommt es darauf an. Aber gleich sagt sie, was sie denkt und beweist ihm dadurch, daß er immer noch nicht begreift, wie schlimm seine Lage ist, sie sagt nämlich: Jetzt liebe ich Dich. Er imitiert das Duftprüfer-Mhmm des Konditors und Hutmachers und Haarwuchsspezialisten, das der produzierte, als die Nasenbohrerin ihm was ins Ohr hauchte. Barbara gibt ihm für das genießerische Mhmm eine Ohrfeige. Du, ich bin nicht der Ozelot, sagt Anselm und fängt dafür gleich noch eine. Er wird nachdenklich. Heute haben wir, Moment, ist heute Donnerstag, oder, dieses Tagundnachtdurcheinander, keine Zeitung, wahrscheinlich ist Tshombé längst Natogeneral, also am Montag: Duisburg, Erscheinung Barbaras, Ozelot, Weinrotpullover, graugrüne Augen, zahlt Geld aus, die läßt keiner ohne Suchblick vorbei, zutraulich im mon bijou, haut aber ab, Dienstag: Mittagessen im Tierpark, aufgelöstes Blond, Sonnenglast, das kleine Menschengesicht, hat noch nicht genug, fährt mit nach Bielefeld, Dienstag auf Mittwoch in die Uerdingerstraße, sie zahlt den Vorschuß, er nimmt den Vorschuß, weiß nicht, daß es ein Vorschuß ist, hört sich den ersten Ozelot-Bericht an, also sind wir quitt, Mittwoch: er könnte gehen, sie will weiterreden, also lockt er sie listig zum Essen, da kann man auch sprechen, großer Ozelot-Bericht, er lenkt zum Bahnhof, sie fällt ihm um, er muß wieder mit, Kassel wird geopfert, sie lädt einfach weiter Schutt ab, er bietet Rat an, will die Nacht nicht ganz verschenken, sie droht mit Verlieben, na wenn schon, am Donnerstag wirft sie den Schlüssel ins Clo, er lockt sie wieder in die Stadt, sie blüht immun, ist unangreifbar selig, er muß wieder mit, Entdeckung des Fiebers, ihre Machtergreifung, Freitag: es ist also Freitag, 17 Uhr, Akademie Arnoldshain, Der Mensch zwischen, aber wie kommt er hier raus? abschütteln? Rauferei? nebenbei erwürgen? sie hat einen dünnen Hals, den schafft er mit einer Hand ...

Ja, erwürg mich nur, sagt sie.

Donnerwetter. So leicht ist er zu erraten. Also leiser denken. Und dann: Kurspflege. Jawohl. Was es auch kosten mag. Die ist doch offenbar in einer Art Verzweiflung. Die muß aufgewertet werden. In neunzig Minuten muß die wieder an sich glauben. Dann läßt sie ihn gehen. Nebenbei kann er seinen Kurs noch schädigen. Daß sie ihn noch leichter gehen läßt. Aber: plötzlich springt sie ihm von Brust und Bauch, rennt hinaus, der Schlüssel dreht sich. Barbara! Anselm Menschenkenner beißt seine Lippen. Sie lacht. Anselm zündet sich eine Zigarette an. Schon falsch. Gib mir wenigstens Zigaretten herein, hätte er rufen müssen. Ihn ohne Zigaretten ins Schlafzimmer zu sperren, das hätte sie, selber Raucherin, nicht über sich gebracht. Barbara! Ja? Bitte, schließ auf. Sie muß jetzt einkaufen gehen, sagt sie, für's Mittagessen, tschü-üs. Die Wohnungstür geht auf und geht zu. Anselm hört in seinen Ohren den eigenen Puls. Das Telephon. Aber wen soll er anrufen in Düsseldorf? Hat er überhaupt einen Freund, den er jetzt zu Hilfe rufen könnte? Birga. Natürlich, Birga. Aber was kann sie denn tun? Er wählt schon, hört schon die am Telephon immer wie furchtsam klingende Stimme, ihren zögernden Ton. Wie man auf dem Land vor hundert Jahren durch die Luke gefragt hat, so spricht sie immer ins Telephon. Dann wiederholt sie gleich hellfreudig: Anselm! Sie hat schon im Basler Hof angerufen, sorgte sich schon. Und weil sie sich schon sorgt und schon ein wenig ängstlich fragt, kann er nicht sagen, was er sagen wollte. Statt dessen sagt er: Morgen, Birga, morgen komm ich heim. Wieviel Uhr ist es jetzt, halbzehn, also noch 24, noch 30 Stunden, Birga, höchstens noch 30 Stunden, ist es bei euch auch so neblig, stehst Du am Schreibtisch? ach setz Dich doch, bitte, in meinen Stuhl, was hast Du an? den schwarzen? welchen Rock? den mit den Taschen? Hausschuhe? bitte streif doch die Hausschuhe ab, ja, bitte, zieh die unterste Schublade aus dem Schreibtisch, bitte-bitte, lach doch nicht, sind die Kinder? schön, dann bist Du ganz allein, hast Du die Schublade, Du sitzt doch, also stell den Fuß auf die, oder wart, zieh bitte die mittlere Schublade, ja, bitte, und stell den Fuß auf die alte Kundenkartei, nicht strecken das Bein, den Fuß auf die Schublade, das geht doch, siehst Du, und den linken Fuß kannst Du unter den Schreibtisch strecken, ja, wenn Du alles mitgemacht hast, liegst Du jetzt hübsch in meinem biegsamen Schreibtischstuhl und ich liege im Bett, ach Birga, wenn Du wüßtest, wie ich mich zerstrecke, ja, nach Dir, und wie gern ich jetzt nicht hier wäre, sondern dort...

So redete Anselm sich und Birga in die Enge und durch die Enge hindurch, so erkannten sie einander durch die Ohren. Als er auflegte, die Hand vom Hörer nahm, zitterte seine Hand ein wenig, aber er fühlte sich jetzt gefeit wie ein Kreuzzugsfahrer, der noch rasch beim Heiligen Vater war. Er legte sich wieder hin, konnte nicht liegen, zog sich an, stellte einen kleinen Sessel dicht neben die Tür und wartete. Als Barbara zurückkam und Anselm rief, antwortete er nicht. Das hatte er sich überlegt. Sie rief zehnmal, zwanzigmal, behauptete, sie wisse ganz genau, daß er nicht schlafe, daß er nur warte, bis sie öffne, um dann den Fuß in die Tür zu stellen und an ihr vorbeizurennen. Anselm nickte. Sie sagte: Entschuldige mich, ich muß jetzt kochen. Das hatte er nicht erwartet. Er hatte gehofft, sie werde öffnen. Sollte er jetzt die Tür zusammenschlagen? Mit Hilfe von was? Da war ein sehr zarter Hocker, ein Telephon, ein Schrank, kein Werkzeug. Unmöglich, daß die jetzt die Nerven hat, in der Küche und stehen und Karotten zu schaben. Sie pfiff zwar. Aber ein bißchen zu laut. Anselm legte sich auf das Bett. Wut, Mitleid, Bewunderung. Und wenn sie öffnet, zum Mittagessen bittet, soll er schreien, schweigen, lachen? Muß man sich eine Haltung suchen oder hat man eine? Er probierte ein paar heftige Sätze. Spürte deren Unanwendbarkeit. Barbara war schlechter dran als er. Man benimmt sich nicht freiwillig. Sollte Arnoldshain anrufen, Nierenkolik. Jeder Arm lag tausend Zentner schwer. Die Beine noch schwerer. Ganze 350 Mark verdient. Und die Ausgaben: im mon bijou zuerst 84, dann 95, davor noch 25 im Duisburger Hof, im Tierpark 27, und hier zweimal in der Stadt, die Fahrt, keine hundert werden ihm bleiben für diese Woche, vielleicht keine fünfzig, ja, heilige Penelope, nicht bloß daheim wird heute alles wieder aufgetröselt, und in der nächsten Woche wird er arbeitsunfähig im Bett liegen, die Angina kurieren. Im Augenblick war er fast dankbar für das Fieber. Die Zigaretten aus beißendem Stroh. In der Kehle ein rostiger Nagel. Und im Kopf einen technischen Zeichner, der immer wieder neue Stellen suchte, wo er die Nadelspitze seines Zirkels einstechen konnte.

So lag Anselm und tat sich leid und dachte: momentan bin ich bedauernswert. Wenn er nur in Arnoldshain anrufen könnte. Aber dazu fehlte ihm etwas. Vielleicht das Interesse.

Irgendwann kratzte der Schlüssel, Barbara blieb unter der Tür stehen, rannte her, begrub ihren Kopf an ihm, bibberte, war wie von etwas geschüttelt, er griff ihr durch die Haare, massierte ihr im Genick herum, dann sagte sie, das Essen werde kalt. Sie hatte mindestens zehn verschiedene Arten von Tabletten und Dragees mitgebracht.

Zum Essen gab es Rindsrouladen, Kartoffelpuree und Karottengemüse. Sie schwiegen, als wären sie einer Meinung. Schließlich sagte sie: Du mußt jetzt gehen. Dein Zug fährt um 15 Uhr 18. Anselm verstaute die Medikamente in den Manteltaschen, überschlug, wieviel von seinen Verlusten dadurch ersetzt würde, bat aber, Barbara möge ihm eine Taxe bestellen, weil er Abschied ungern in Bahnhöfen nehme. Sie standen noch eine Zeitlang im Gang. Barbara lehnte sich so eng an ihn, daß er ihr Gesicht nicht sehen konnte. Sie zitterte regelmäßig. Anselms letzter Satz: Ist der Kofferraum offen? Sie nickte, schob die Tür zu, es klickte. Anselm holte Luft ein, rannte die Treppe hinunter und kam ins Freie, ohne daß er noch einmal hätte einatmen müssen.

Heimkehr

Oder: *Rückfahrt*. (Was meinst Du, Melanie?) Nur noch Andeutungen mit Hilfe ausgewählter Wörter: Düsseldorf-Stuttgart. Umsteigen in Köln und Heidelberg. Im Kölner Bahnhof noch zum Friseur. Der Ozelot hat einen Rasierapparat bei Barbara deponiert. Den wollte Anselm nicht benützen. Der Friseur hält Anselms Fünftagebart für einen Karnevalsauswuchs. Der Herr hat sich wohl nicht trennen können. Anselm erfährt, daß am Mittwoch Aschermittwoch war. Und totale Sonnenfinsternis. 135 Minuten lang. Leider bei Nebel. Aber der Friseur hat noch die Zeitung, die er aufbewahren wird. Der Herr hat offenbar alles verschlafen. Das war also, als Barbara ihm ihre Nägel in die Waden trieb, er sich nicht rühren konnte. Der Friseur bringt die Zeitung. Schlagzeile: *Entrüstung über Lumumbas Tod.* In 1000 Jahren nur 659 mal, sagt der Friseur. Wegen der Ekliptik, lesen Sie nur. Und dann ausgerechnet am Aschermittwoch. Der Friseur sagt: Ich bin allerdings kein Kölner. Es geht ihn ja nichts an, aber er vermutet, Anselm habe Temperatur.
17 Uhr 12 ab Köln. Der Zug kommt aus Hoek van Holland. Anselm sucht nicht lange. Ihm egal, wo er sitzt. Beschäftigt sich mit der Woche. Dontag war das, Mienstag das, Dittwoch also das, Fronnerstag, Sreitag, und während er ... wurde Lumumba ...
Birga streichelt ihn aufgeregt, weil er zwölf Stunden früher kommt, als sie ausgemacht hatten. Ich konnte nicht nach Arnoldshain, sagt er, Angina. Sofort wird er tief eingebettet und muß Fenchel- und Salbeitee trinken. Und am Samstag schwitzt er, liest er in der Zeitung: Thomas Kanza als Vertreter der Lumumba-Regierung in New York. Während Anselm ... hat Thomas Kanza 20 Mitglieder des afroasiatischen Blocks bei der Uno gebeten, Stanleyville vor Mobutu und Tshombé zu schützen, während Anselm ... Auch seien die erwarteten Ausschreitungen

gegen die Weißen in Stanleyville ausgeblieben. Es herrsche dort nämlich Trauer. Pauline Lumumba kann man auf einem Photo als Halbnackte anschauen. Sie verbirgt aber ihre Brüste. Und in Brüssel, steht in der Zeitung, sind, post trucidationem Lumumbae, die Aktien wieder gestiegen, während Anselm... Was also hat Anselm wieder falsch... (Nein. Moumoutte-Melanie, entschuldige, wir können das Politische streichen, Du willst ja etwas über Liebe. Findest Du, während dieser Reise sei Liebe vorgekommen? Oder findest Du, Liebe sei da nicht im Spiel gewesen? Bei Barbara, dem Ozelot? Oder gar bei mir? Schreib mir Deine Meinung, bevor ich weiterarbeite. Ich werde mich inzwischen mit dem *Protokoll* beschäftigen, das hier eingetroffen ist. Vielen Dank dafür.)

3. Bitte ums Imprimatur

Einerseits war ich wie selig, fraß der Erinnerung aus der Hand, war bei der Sache wie ein Kind, noch gar nicht mißtrauisch, missing links erzeugte ich wie Zahnärzte Ersatz anrühren, Verlustmeldungen des Gedächtnisses überschrie ich, arbeitete mit untergegangenen Divisionen wie Hitler. Andererseits saß ich doch als eine Art Feigling in der Marsstraße in München; wagte nicht, im exponierenden Märzlicht alles herzubeten, was ich noch wußte aus dem rheinländischen Finsternebel. Die einfachste Schwierigkeit: es war einmal und läßt sich nicht sagen. Wie es wirklich war, ist immer noch nicht gesagt. Und eben das wollte Melanie gesagt haben. Besser, ich schickte ihr noch nichts. Birga bat ich, für alle Fälle, geschichtliche Bücher zu besorgen zur Anregung eines Jubels über hundertjährige Nestor-Schirme. Und als ich Anselm endlich wieder im Ehebett hatte, unter Birgas Händen, versorgt mit ihren persönlichen Tees, rannte ich mit den Papieren in die Küche, sagte: Birga..., ach Du schabst Karotten, Karotten kommen bei mir auch vor. Warum sagst Du nicht Gelberüben, fragte Birga. Hochdeutsch, sagte ich, was das für Schaden anrichtet, davon wollen wir erst gar nicht reden.
Der Auftrag, sagte ich, Du schaust mir ja schon länger zu, neugierig, mißbilligend, doch-doch, das spüre ich, darf ich Dir, ich meine, Du kennst die Personen, das heißt, Du wirst schon sehen,

ich mußte ja über Liebe, bitte begreif, wir brauchen die 2000 im Monat, und wenn es gelingt, kann ich weiter zuhause, also sei nicht gleich... Fang schon an, sagte sie.

Ich las vor, wie im Zug die Nasenbohrerin dem Konditor zufällt, wie die Bauchtänzerin aus der Klarsichtpackung tritt und mit Ekel an Anselm vorbeisteigt, wie Barbara Salzer Anselm nachts stehen läßt vor dem mon bijou.

Und, mehr passiert da nicht, fragte sie.

Ich ließ mich bitten, las dann vor, wie Anselm in Barbaras Wohnung gerät, wie der Schlüssel ins Clo klirrt etc.

Willst Du, sagte Birga, meine Meinung?

Ich schick es nur weg, wenn Du einverstanden bist, sagte ich treuherzig.

Ich bin nicht einverstanden, sagte sie. Ich bin dagegen, daß Du meinen Bauernschrank dieser Barbara, ist das eigentlich die Margit aus Mannheim (ich nickte), daß Du der meinen Bauernschrank in ihre Kitschwohnung stellst, das ist geschmacklos, und meine Pistolen nimmst Du gefälligst auch von der ihrer Wand! mich immer auslachen, weil ich alte Sachen mag, und dann damit die Wohnungen der Geliebten ausstaffieren! und das holländische Porzellan kriegt die auch nicht! stell Dir doch vor, es kommt jemand zu uns, sieht unsere Sachen, und hat das gelesen! und wie Du Dich aus der Affaire ziehst mit der Nachtschilderung, das ist bloß noch lächerlich! anstatt zuzugeben, daß sowas nicht aufs Papier gehört, schleichst Du drumrum, geilst Dich auf und schämst Dich noch nicht einmal, etwas zu benutzen, was nur Dir und mir gehört, woran ich ein Urheberrecht habe, oder läßt Du andere auch ins Mittelmeer rutschen, verfolgst deren Hüften nach Asien, dann allerdings, bitte, verkauf es an Frau Melanie, mit der Du offenbar doch spezieller befreundet bist als Du gesagt hast, aber bitte, merke Dir: alles, was Du auf Papier verkaufst, kommt bei uns nicht mehr vor, und dann: nicht meinetwegen, glaub mir, nur Deinetwegen bitt ich Dich, nimm diesmal einen anderen Namen und laß den Mann nicht verheiratet sein, wenn er aber verheiratet ist, dann mußt Du auch schildern, wie er mit seiner Frau schl... na ja, ein blödes Wort ist es schon, wie er mit der, wie er die liebt. Das muß Dir doch sogar Dein Instinktrest sagen, daß Du nicht mit unseren Bettgeschichten Geliebte dekorieren kannst, und die Ehefrau kommt im Bett gar nicht vor, ich meine, wenn sowas Geschriebenes überhaupt stimmen soll, ich weiß ja nicht, ob das ver-

langt wird, vielleicht wollt ihr euch alle bloß ein bißchen ver-
lustieren, aber solltest Du beabsichtigen, einen Sachverhalt
darzustellen, dann müßte es Dir doch zu denken geben, daß Du
die Elemente aus unserem Schlafzimmer beziehen mußt, um so
einer Flittchenerinnerung ein bißchen Bleibe zu erschwindeln.
Bitte, frage Dich doch einmal, warum stammen die Pistolen, die
Birne, von der man solange abbeißen kann, die Wörter, wieso
übrigens 66, haben wir so viele? warum stammt das alles aus unserem geschmähten Ehemüll, warum liefern Dir die Geliebten
nichts, womit Du sie ausstatten kannst, nichts als Hummer mit
Chablis und altes Zeug aus dem Kühlschrank, das Du bei mir
nicht anrühren würdest! Das müßte Dir doch zu denken geben.
Und zum Schluß: mit Liebe hat Dein Geschreibe natürlich nichts
zu tun, ich würde Dir empfehlen, dieser Frau Sugg rechtzeitig an-
statt Liebe einen anderen Titel vorzuschlagen.
Du hast ihn gerade gefunden, sagte ich.
Ich?
Ja. Anstatt Liebe.
Birga brach die Spaghetti in den Topf. Sie war stolz darauf, einen
Titel gefunden zu haben. Schon ihr zweiter Titel. Ja, mit diesem
Titel wäre sie sehr einverstanden, Anstatt Liebe, besser könne
man diese Kreuzquerschläferei doch gar nicht bezeichnen. Was
wäre aber dann Liebe, fragte ich. Frag Alissa, sagte sie, ich weiß
es nicht mehr.
Ich streichelte Birga schnell, nahm meine Papiere eng an die
Brust, ging vorsichtig hinter Birga vorbei, zurück an den Schreibtisch, schrieb vor *Liebe* ein *Anstatt*, verpackte die Seiten sorgfältig, rief in die Küche, daß ich gleich zurück sei, rannte hinunter
und hinüber auf die Bahnpost und schickte den Entwurf per Ein-
schreiben an Melanie.
So, Herodes, das Nest ist leer, der hilflose Papiersprößling schau-
kelt schon in die neutrale Schweiz.

4. Anselm ringt mit dem Protokoll

Zum Glück gibt es persönliche Fürwörter. Weil es aber viel zu
wenig persönliche Fürwörter gibt, geizen wir im Gebrauch, haben
für einen Menschen meistens nur eins übrig. Sogar das auftrump-

fende Ich bringt es nicht über sich, mit sich selbst auch einmal im Ernstfall per Du zu sein. Ist man etwa kein Fürwörterparlament? Anselm, so heißt das Parlamentsgebäude, darin tagen die Erste Person, die Zweite Person, die Dritte Person. Welche Person in der Einzahl, welche in der Mehrzahl auftritt, ist von Mal zu Mal verschieden. Um Anselm überhaupt als einen Verkehrswert anbieten zu können, habe ICH (!) seine Erste Person oft an den verheirateten, berufstätigen, heldenmäßig häufig vorkommenden Zeitgenossen vergeben, habe seine Zweite Person an den erwartungssüchtigen Einhornsklaven gebunden und eine Dritte Person beauftragt über Anselm Eins und Zwei zu wachen und dann und wann Buch zu führen über das, was sie treiben. Aber es gibt noch eine Vierte Person, die man wegen ihrer Schlichtungssucht, Ängstlichkeit etc. fast eine weibliche nennen muß. Und die Dritte Person hat eine Spielart, die als Fünfte auftritt, als Unpersönlichkeit, eine innige Kapazität für Entfernung. Eine Sechste: speziell für Verrat. Und so weiter. Es wird auch nicht alle vier Jahre, sondern zirka hundertmal pro Tag gewählt. Nein, nicht gewählt. Zirka hundertmal ermittelt der Datenverarbeiter, wie es gerade steht. Was da überblitzschnell zur Koalition gerinnt, was da als Junta auftritt, wie da befohlen, widerrufen, geschworen, dementiert, gehaßt und resigniert wird, das ist zum Glück niemals ans Tageslicht zu bringen. Was in Anselms Erscheinung durch Erröten, Erblassen, Schweißausbruch, Adernschwellung, Ekzem, Schrei, Blickstarre, Schmelzblick, Schafshaftigkeit, Übermut, Untermut, Strichmund, Schläfengrau, Schmiegsamkeit, Nervengelächter, Demutsknick ... noch sichtbar wird, ist nur noch das schon verlöschende Abbild des Anlasses, hat bloß noch Kommuniqué-Charakter.

Das kann heißen: es gibt Entschiedenere als Mich-Anselm. Ich muß das um meinet-unseretwillen gestehen. Findet nämlich jemand, das Benehmen dieses Anselms sei doch da und da wieder einmal zum Kotzen, so muß mein Feind gewärtigen, daß ICH durchaus seiner Meinung bin, aber ICH war vielleicht nicht an der Regierung, als das passierte, und wurde überstimmt, als darüber abgestimmt wurde, wie das Geschehene mitzuteilen sei. Ebenso ist es möglich, daß ICH ganz und gar nicht großartig finde, was Anselm als großartig von sich berichtet und was manche dafür halten könnten. Will sich da also eine getaufte Oberhaut vor Verantwortung drücken?

Kann schon sein. Falls jemand mit Vorwürfen kommt, sicher. Aber bloß, weil Vorwürfe mich langweilen. Angesichts des Tempos, mit dem die Vorwurfsvollen an mir vorübergehen, wundere ich mich selber über das Wort *langweilen* an dieser Stelle. Eines scheint Mir-Anselm vermutbar: in der Zukunft gibt's Genossen. Die wie aus Kinderkanonen abgeschossenen individuellen Willenspakete, auf tolle Freiheitspatrone getauft, werden, unempfindlich gegen ihr besonders einfaches ballistisches Schicksal, noch zu Ende singen. Sie mögen sein, was sie wollen. Heilig und Einfalt. Wir überlassen das Individuum der für Individuen zuständigen Oberbekleidungsindustrie. In jedem anderen Bezug aber bitten wir um Achtung vor unserer Dividualität. Also: Vivat Dividuum. Der Tausendfalt. Und bald ein Hunderttausendfalt. Ist alles schon da im dunklen Parlament unterm Schädeldach. Fehlt bloß noch biologisch Licht.

Soweit ein Anselm, lauschend im eigenen April. Und notierte sich gleich, für alle Fälle, ein Warenangebot für's Vortragsamt: Der Mensch als pluralistische Gesellschaft m. b. H.' (Und zwar: in einem Land, in dem der Gemeinsinnige Idealist geschimpft und der Eigensüchtige zum Materialisten erhoben wird.)

Es war Moumoutte-Melanies Protokoll, das meine Vielstimmigkeit aufregte. Unter welchem Schal hatte sie bloß das Mikrophon verborgen? Lag ja viel herum in dem Zimmer. Sie hatte den Transistor bedient und dann und wann offenbar auch ein Tonbandgerät. Hoffentlich hat ihre Sekretärin öfter solche Protokolle zu transkribieren. Geräusche waren in Klammern beschrieben, Laute unnachsichtig in Buchstabenfolgen wiedergegeben. Mit roter Tinte hatte Moumoutte selber die Onomatopoesie noch peinlich verbessert. Diesen Verlag würde ich nie betreten. Nicht solange diese Sekretärin noch dort arbeitete. Daß die nicht Angst hatte, zuguterletzt umgebracht zu werden als lästig werdende Mitwisserin! Oder war die auch von der Neuen Sittlichkeit ergriffen? Wahrscheinlich. Ich überflog mein Bettgeschwätz. Studierte Moumouttes Feindseligkeiten gegen mich und alle Männer. Wie leicht ich hereinzulegen bin! Durch Herausforderung, Beschimpfung. Mit Du-traust-Dich-nicht hetzt man Knaben über jeden Graben. Ich exzerpierte ein paar Moumoutte-Sätze. Sozusagen zur Lehre. Aber auch, weil ich in den berndeutschen Sätzen den Dialekt nachkauen konnte, der für den Ramsegger Dialekt verantwortlich ist wie wie König für den Bastard.

Itz wott i ga schlafe – Du bruuchsch es blooss z'säge – Ds Miss-
troue hescht Du mir wäggno – Iy cha yschalt si ame Ma gägenuber
– Bis itz hät mer keine vo all dene eidütig gfalle – Wenn ig Dir
öppis Lötzes gseit ha, excusez – Chunnt d'Nacht ligge ig wach im
Bett inn – Itz chumm doch, bis gschyd – Grad as wi myn Ma,
macht kei Mugs, faht afah rede, luuter schuurig fründtlechs Züügs
wo nüt nützt, los mer, was ig im Ärnscht itz säge – Ich habe noch
nie was gehabt. Davon – Myn Vatter isch nid so gsi, sell weiß ig
– Myn Ma gseht nüt, merkt nüt, luegt uf die angeri Syte – Was
hesch Du für ei Schnatten am Buuch – Ig muess ekeine Rücksicht
näh uf myn Ma, het ekei Ahnig, suecht mi z'tröschte,
z'gschweigge, seit mer: bis muetig, freu di, bis ig aafang z'briegge
– Tant pis, mein Mann ist ein großartiger Mensch – I pfyffe uf
Ysicht, Verständnis wo nüt hilft – Man es si, win es wott, schlüüf
inne, fyri mer Hochzyt – Haarig, daß ig nid länger cha warte,
quoique j'ai déjà une angoisse mortelle, fais doucement, te de-
mande une douleur adoucissante – Typisch deutsch: zu grob für
Zärtlichkeit und für Grobheit zu zart – Muess der scho säge, du
zeigsch di vore mingere Syte. Bis halt einmal wi'nen Inder – Myn
Vatter, won ig bin chlyn gsi, a chöschtliche Ma – Blooss es Mueti,
gruusli verkorkst, diü het mi lätz ufzogc vo chlyn aa, won ig bi fö-
ifjahrig gsi, het siä aagfange: Nimm die Hand da weg – Mein
Mann hätte meine Mutter heiraten sollen – Churzwägg, mein Vater ist abgehauen. Di grächti Straf. Mich ließ er bei ihr, jetzt
kannst Du Dir vorstellen – Ich habe eine Salbe. S'ilvousplait –
Quatsch, die Ärzte, hab ich doch alles probiert – Höi, Widerli
liebs. So ne settige luusige Chnürpf – Wo isch es Seftli – O chumm
Du zue mer cho lige, zum Meitschi qui a telle peur – Nai, ig lose
kei Bitz – Nid etwütsche – Gumpe doch – Hööchuuf – 's Zauber-
rueteli – Mir wein is gärn ha – Wottsch mys Gwüsse zum Läbe
erwecke – Hättischt no d'Gluscht no länger inne z'blybe – G'hei
my uf d'Sytc – Ig han keim andre ghört bis hüt – Was säg ig zu-
mene settige Frömdling – Ds Cho u ds Gah isch maximal – Nid
so fründtlech – Nid usenand – Wottsch es fürchterlichs Brüel –
Ja, mitenand – 's Utter, itz zwüsche Zwärchfäll u Läbere, säg dür-
tribnige Wort, Hagel, schryss mer lieber Schüble vo Haar us, er-
füll mer dä Wunsch z'Läbzyte, myn Lyb, sott ig luutuuf briegge
myn Lyb, was wotscht itz mit däm, myn Lyb, ig bringe keis Wort
über d'Zunge, zsäme, tryb donc, säg öppis, wo mir zwöi blooss
chöi wisse, itz büsch im Piet, itz unghüür, settig Tröim git's, itz

no übere Rügge strychle, luusigluusig, zmitts inne, herrlech u fyn, etgäge, grüüsli etgäge, daß mer's Ougewasser chunnt, lueg itz, cha mi chuum fasse, ändtlech, ganz eso itz vo unger bis obe, gschyd, gschyd, zell druf, tuusigerlei douce ... Gspässig – La mi itz rüejig – Ig pfyffe uf die Bettwösch – Bild der nüt y – Hingerdry – Lach nicht – Süsch – Hescht mi ghoue – Ich habe Schmerzen – Weißt Du, daß ich mit siebzehn noch glaubte, Kinder kämen durch den Nabel auf die Welt – So nes Müeti, es treuherzigs, Männer hüüfewys, s'isch die lutteri Wahrheit – Won ig bis hütt han dran gwoorgget. Und wenn ich die Tage hatte, mußte sie mich abwaschen. Uf wyssi Tüecher vo Bluet übersudlet – Gluscht am Läbe, no! I wott hüt no dz Chüssi verbriegge – Los mer, no öppis: mornamorge –

An einigen Stellen war diese Transkription von einzelnen Buchstaben zersetzt. Zu lesen wie eine Notenschrift. Zuerst tauchten Nasallaute auf. Eine Art französischer Melodie. En ... un ... Dann häuften sich reine m's und n's. Die n's verbanden sich mit g's zu ng-ng-ng und ngngng. Rutschten dann anscheinend vom Nasen-Rachenraum immer mehr in die Kehle, verloren an Volumen, wurden spitzer, härter, brachen schließlich ganz auseinander in völlig unverbundene g-Laute. Zuerst noch g mit einem winzigen u-Hauch. Im Protokoll so geschrieben: g(u) ... g(u) ... g(u) ...; dann nur noch g' ... g' ... g' ... g' ... Das sollte wohl den Übergang zum gänzlich vokalfreien, reinen g andeuten, zum kaum noch angestoßenen Guttural. Daß man sich's besser vorstelle, hatte Moumoutte an dieser Stelle in roten Klammern pp eingefügt. Die g' – Gutturale wurden härter, ggg', in Klammern mf, wurden zu k, zu ck, (f), zu diamantharten Konsonanten, zu cck, dann zu chk, also ein bißchen feucht und rauh, zu chchkk, chk-chkk-chkk, chkk-chkk-chkk und chchchchchkchkk-chchkkkk. Ein länger anhaltendes, schön alemannisches Ersticken.

Ich schrieb gleich an Moumoutte, daß diese Notenschrift auch für einschlägig Musikalische nur von zweifelhaftem Wert sein könne. Das selber nachzusingen sei ja nicht möglich. Und Instrumente dafür gebe es wohl nicht.

Was ich Moumoutte-Melanie nicht mitteilte (weil es mir selber unerklärlich war): ich dachte bei der Lektüre dieser Lautschrift viel mehr an Barbara als an Melanie.

Das war offenbar mehr als eine bernalemannische Spezialität.

Auch Barbara war so eine Erstickerin gewesen. Ihre Schluß- und Verschlußkonsonanten waren ein wenig trockener geblieben. Härter. Barbara war einfach besser.

Du beschreibst Deine Reise nach Zürich und baust das Protokoll ein, schrieb meine Arbeitgeberin. Sie will: öppis Gnaus. Mein Parlament brodelte. Soviele Anselme, soviele Meinungen. Aber auch hier der Trend zum Zweiparteiensystem.

Das ist doch der reine Abklatsch, nicht wert, registriert zu werden!

Nein, das ist, wie es ist. Naturwahrheitwirklichkeit. Endlich ist die lügnerisch verklärende Erinnerung abserviert. Es lebe das Tonband, der Dokumentarismus!

Die Kunstform für Denunzianten! schrie die Opposition.

Nicht mit uns! schrie die Opposition. Niemals! Aber die Anselmpersonen, die *für* das Protokoll waren, wußten natürlich, wie flüchtig ein oppositionelles Niemals ist. Und die Opposition, jetzt in Bedrängnis, mußte gestehen, warum sie sich weigerte, das Protokoll in den Sachrom aufzunehmen: meine Damen und Herren, hob der Oppositionsführer an (und er wußte schon, daß er eine süße Heiterkeit erzeugte, wenn er in meinem dunklen Parlament die immer ungewisse Damenexistenz förmlich beschwor), bedenken Sie, bitte, die Rolle Anselms in diesem nächtlichen Dialog. Wir wissen, wer in jenem Zimmer im Hotel Urban das Wort führte, wer aus unserem Anselm sprach, wir wissen, was wir von dessen Ehrlichkeit und Anstand, ja, was wir von seiner geistigen Kraft zu halten haben. Wir wissen, wie er unsere Warnungen, unsere strikten Zensurbestimmungen, ja sogar unsere Redeverbote mißachtet. (Zu einer bestimmten Seite des Hohen Hauses gewendet:) Ja, lach Du nur ... mein Gott, warum geben wir uns mit Dir überhaupt noch ab, Du bist und bleibst infantil. Aber weil wir positive Opposition treiben, gleich der Gegenvorschlag: wir beauftragen uns alle, den Wunsch der Arbeitgeberin sofort zu erfüllen, wollen ihr aber beweisen, daß wir die Zürichreise auch ohne dieses Schandprotokoll darzustellen vermögen. Und sei's unter Zuhilfenahme poetischer Verklärungsmittel. So sprach der Oppositionsführer und hatte Erfolg.

Also sah mich der Große Bruder des 138. Psalms wieder sitzen und schreiben von März bis April und im April.

5. Eine gewöhnlich verlaufende Reise

(Fortsetzung. Februar 1962)

Anselm mußte immer wieder die Augen schließen. Auf so einer Reise passiert einfach zuviel. Schon in München trägt ein alternder Schönling einen Handschuh kreuz und quer über den Bahnsteig. Anselm schwört gleich allem Ehrgeiz ein für alle Mal ab. Auf den Bahnsteigen des Allgäus sind dicke Mädchen fromm angefroren, haben einen Geigensarg in der Hand, schwenken das blaurote Gesicht (Rorategesicht mit Lichtmeßaugen) seit hundert Jahren dem Zug nach, der ebenso aus München kommt, wie er nach Zürich fährt. Geht am Abteilfenster eine entsprechende Dame vorbei, zündet Anselm alsbald eine neue Zigarette an. Ihm gegenüber sitzt eine Frau, deren Nase mit Hilfe zerbeulter Nasenflügel breiter ist als ihr Mund. Müssen Sie wirklich dieses grüne Wollkleid tragen, möchte Anselm fragen. Sie werden mich vergiften, gute Frau. Eigentlich sollte ich doch nach Zürich. Und Sie stellen Ihre Knie breit vor mich hin. Da wären noch vier leere Plätze. Daß Ihre Knie so breit auseinanderstehen, ist Ihnen nicht vorzuwerfen, ich weiß, nie mehr werden Ihre Knie einander berühren, aber muß das vor einem fast unschuldigen Reisenden ausgebreitet werden! Anselm putzt sich die Nägel. Jawohl, er muß sich wehren. Aber er hält nicht durch. Er geniert sich, weil er sich nicht geniert, vor ihr die Nägel zu putzen. Wann, Anselm wird es endlich einmal Du sein, der den Schrecken einjagt. Wozu sonst denn reisen Ritter? Und daß Du als Reisender Ritter gegen Zürich hin fährst, ist wohl klar. Moumoutte-Melanies Brief ist zwar zu lesen als ein vormittags diktiertes Geschäftsschreiben. Aber Du liest palimpsestisch darin die Liebeskriegserklärung. »Ich komme Ihnen bis Zürich entgegen, wenn Sie mir bis Zürich entgegen kommen.« Ich kann nicht sagen, Anselm sei also schlicht und schlecht auf ein Bett in Zürich zugefahren. Ihm war der berufliche Anlaß viel wichtiger. Und es war ganz und gar gegen seinen Willen, daß sich in seiner Vorstellung alles so unentscheidbar ineinandermischte Aber ist je ein Mann mit eindeutigen Vorstellungen in irgend ein Feld gezogen? Hauptsache, er ist aufgeregt, drückt die Zigarette so heftig aus, daß er sich die Finger verbrennt, genießt diesen Schmerz, hört eine Musik aus der

Himmelsrichtung, in die er fährt, und hält vor lauter Aberglauben alles Begegnende für Warnung oder Ermunterung. Der Schönling will ihn entmutigen, die festgefrorenen Mädchen wollen ihn verlocken, die Notbremse zu ziehen und ihnen endlich zu erscheinen, die Monströse mit der zerbeulten Nase will ihn zum Weinen bringen, er aber nimmt den Kampf auf, beantwortet jede Anfechtung umso heftiger, je lauter die Musik aus Zürich wird. Zürich hat also einen Sackbahnhof. Anselm zieht Sackbahnhöfe vor. Denk bloß an die verzettelten Bahnhöfe Hamburgs, was sind das überhaupt für Bahnhöfe, die den Zug so unter sich durchfahren lassen, anstatt ihn aufzunehmen. Nach Zürich fährt man hinein, bis man fast anstößt; da weiß man doch, das ist nicht bloß eine Station, das ist ein Bahnhof.

Es schneit. Damen haben auch dann den Vortritt, wenn sie unter Schirmen warten. Um von ihrem Privileg ungeniert Gebrauch machen zu können, zeigen sie durch ihr Gesicht, daß sie vor diesem schweren Schnee eine Angst haben, die sich ein Mann nicht vorstellen kann. Und was nützt gegen diese schräg zielende nasse Übermacht so ein klitzkleiner Damenschirm. Ja, weil Sie ihn falsch halten, ruft Anselm. Mit geschlossenem Mund natürlich, sozusagen mit den Augen ruft er es jeder neuen armen Dame zu, die auf die unverschämteste Weise beansprucht, was er ihr gern als Höflichkeit erweisen möchte. Er steht, wird naß, die Damen rauschen davon. Das nächste Taxi spritzt an den Bordstein, Anselms Hosen sind schon bis zu den Knien rund und schwer von bräunlich nassen Klattern, wieviel Damen kommen eigentlich aus dem Züricher Bahnhof, wenn es naß schneit? Anselms Lage bessert sich. Je elender er dasteht, naß und verdreckt, je verzweifelter er seine Hand hochwirft, um den Taxikapitän auf sich aufmerksam zu machen, desto mehr fällt den Damen, die sich immer noch rechtzeitig vor ihn schieben, auf, daß er da steht. Er muß zugeben: allmählich schauen sie ihn mit herzlicher Teilnahme an, wenn sie an ihm vorbeidrängen. Mit einer schleunigen Teilnahme zwar. Aber manche winken sogar noch aus dem Fond. Also da ist die Kälte gebrochen, er spürt die Nässe nicht mehr, die schönsten Kalorien der Welt befeuern ihn, kühn springt er vor, keine Angst, meine Dame, er reißt nur den Schlag auf, bitte, gnädige Frau... Manchmal souffliert ihm noch der Egoismus: vielleicht nimmt Dich jetzt bald eine mit. Aber bitte, er weiß doch, es ist Ende Februar 1962, wir sind vor dem Züricher Bahnhof und nicht im Wunschgelände eines zwölf- bis zweiundsiebzigjährigen Männerhirns. Auf die in mindestens fünf Sprachen gegebenen Dankesbezeugungen sagt er: you're welcome, Madam. Solls den Angelsachsen zugutekommen. Ich muß allerdings alle Damen bitten, solch ritterliches Verhalten nirgendwo von einheimischen Männern zu verlangen. Anselm war unterwegs. Die größeren Taten werden immer von Reisenden Rittern vollbracht. Roland wirkte nicht in Bremen, Rommel nicht in Herrlingen, und was herauskam, wenn Old Shatterhand in der Gegend von Radebeul tätig wurde, ist bekannt: Gefängnis! Bleibt einer in der Mancha, wird er bestenfalls ein Komiker. Solang dem Ritter seinesgleichen auf die Finger sieht, kann keine Tat gedeihen. Kein Asphaltliterat kann zersetzend sein wie ein gut gefügtes Schock dörflicher Nachbarn, die seit Jahrhunderten auf einander trainiert sind. Der Ritter braucht ungeheure Entfernungen. Und Anselm war geboren im Dreieck Stuttgart-Zürich-Mannheim, also war Zürich für eine wirkliche Großtat noch zu nah. Das wußte er noch nicht, als er sich, Damen verladend, so recht in den Reisenden Ritter einfühlte. Er sah nur die wirbelnden Flocken, sah, wie sie in den Haaren verschiedener Pelze auf verschiedene Art zergingen, hörte die anrauschenden Autos, das Flutschen der Reifen, das unanständige Schlürfen und Schmatzen der Gullys, verlor allen Widerwillen gegen Sulz und Matsch, ihm wurde multschig zumut, der ganze Bahnhofsplatz schien zu lutschen und zu schlotzen und zu schluchzen, die Damen, die Reifen, die Gullys, der Schneewassermatsch. Endlich schien die große Schmelze anzubrechen, ein rabiater Frühling, und er inmitten, er der Handreicher, der Wegweiser, der Angeschaute ... Weil er trotzdem die Übersicht behielt, bemerkte er bei den Damen, die er in die Wagen bugsierte, plötzlich eine Gestörtheit, sie schauten schräg nach unten weg, sträubten sich wußten nicht mehr, ob sie so rasch wegtransportiert sein wollten oder ob sie nicht noch bleiben wollten in dieser schlürfenden Sprache aus Naß-Schnee, im Gebrause all dieser ziehenden Zischlaute. Anselm, Anselm! Watch out. Ecco. Jetzt sah Anselm auch, was die Damen irritierte. Einen Meter vom Bordstein schwamm etwas her, ein Stück, ein kleines Trumm, rötlich oder bräunlich, schwamm im Sulzwasser, verfing sich in soliderem Matsch, das nächste Taxi fuhr her, alle hielten den Atem an, die Reifen, nein, das Trumm hatte überlebt, war sogar wieder ins Rutschen gekommen, pendelte ein wenig, eine Dame rennt, bevor das nächste Taxi herführt, an den Bordstein, will sie das Stück retten, erobern, sie kommt zu spät, der Wagen hält, sie steigt ein, tut, als hätte sie nichts anderes vorgehabt, alle tun überhaupt so, als bemerkten sie nicht, was da im Wasserschneematsch hertreibt und von Mal zu Mal in Gefahr ist, von den blinden Reifen zermalmt zu werden, aber jede würde jetzt gern jeder anderen den Vortritt lassen, jede linst heimlich hinaus zu dem treibenden Schwimmer. Da eine Dame einer anderen schwer den Vortritt anbieten kann, wird eine nach der anderen von Anselm sozusagen unbarmherzig verladen und keine darf das Trumm sich in die Tasche fischen, um zuhause zu untersuchen, ob es nun eine Karotte oder sonstwas Ausgebildetes ist. Anselm spürt, daß es zu seinen ritterlichen Pflichten gehört, die Damen von diesem Gegenstand der Beunruhigung zu befreien. Am Ende will keine mehr heim, es kommt zu einer Stauung, die Damen erkälten sich. Und ehrlich gesagt, ihm ist es nicht angenehm, diesem hertreibenden Objekt in einer Damengesellschaft entgegenzusehen. Was, wenn die plötzlich alle kichern? Also springt er, als gerade kein Taxi in Sicht ist, hinaus ins sulzige Sargassomeer, greift nach dem Corpus, faßt zu und hat, ja, hat nichts in der Hand, das heißt: nichts als Schneematsch, der unter seinem Griff sofort in alle Richtungen spritzt. Soll er seine Tasche im Stich lassen? Einfach abhauen, hinüber in die Bahnhofsstraße? Er schaut um. Die Damen stehen wie vorher. Entweder sind sie ganz außerordentlich gut erzogen und wollen ihn nicht spüren lassen, daß er sich blamierte, oder sie hatten, was er für einen Gegenstand hielt, überhaupt nicht bemerkt oder nicht für etwas gehalten. Mein Gott, Anselm, wenn das bloß eine Vision war, dann steht es schlecht um Dich! dann paß bloß auf.

Zum Glück fuhr gleich ein Taxi her. Anselm packte seine Tasche, riß der nächsten Dame den Wagen sozusagen aus den Händen, hörte, daß alle Damen jetzt schrill gegen diesen flegelhaften Amerikaner protestierten, hechtete geradezu auf den Rücksitz und sagte: Ins Odeon bitte.

(Ich hoffe, Moumoutte, Du bist einverstanden, daß ich uns zuerst im Odeon verabrede. Gleich im Hotel, das sieht aus, als wäre alles ganz einfach. Ich meine, wenn zwei sich im Hotel verabreden, ist noch nichts gewonnen, sie können dort einander so viele Schwierigkeiten bereiten, daß sie dann wohnen wie nicht unter einem

Dach. Und diese immer bereiten Schwierigkeiten sind, glaube ich, in einer Verabredung im Odeon besser auszudrücken. Es geht doch nicht alles so glatt, wie man es bei uns losgelassenen Menschen erwartet. Meinst Du nicht auch?)

Anselm fand einen Platz, von dem aus er beide Eingänge kontrollieren konnte. Dieses Kontrollieren fiel ihm gleich schwer. Offenbar gehört der Raum dieses Cafés zu den Räumen, die einen mindestens transportieren wollen. Aus orientalischem Wien, marmornem Rom und kaiserlichem Paris erhebt sich Reisewind, flott und benommen geht es dahin. Es sei denn, man wäre Berufsphotograph, könnte ein Auge andauernd zudrücken und das andere schützen mit einer Kamera. Als Anselm, naß und frierend und aufmerksam, Platz genommen hatte, geschah auch gleich eines jener lokalen Wunder, die die Kamera vorerst noch nicht dokumentieren kann. Sonnenfinsternisse kann man vorhersagen und photographieren, Wunder nicht. Und wenn das Wunder sich bemerkbar macht, schaut keiner mehr auf die Uhr. Also weiß ich nicht, wie spät es war, als mehrere Herren, die einander nie gesehen hatten, die zuerst nur dasaßen und ihren zeitlosen Kaffee tranken, als die alle eine, sagen wir einmal: eine Dame anschauten, die sich im Odeon selber eine Zigarette anzündete. Selbst ein Photograph hätte da nicht mehr photographiert. So waren wir weggesaugt aus unseren sonst doch akut empfundenen Biographien. Die Dame verschmälerte ihr Gesicht beim ersten Ziehen. Wir alle nahmen teil an dem Schicksal der Luft, die sie eingesogen hatte, als wäre diese Luft, die jetzt die Dame als Rauch durchzog, uns ein Liebstes. Als der Rauch in den Lungen der Dame auswölkte, sahen wir die Lungenfinsternis sich blau verfärben. Gleich entstand ein Sog, der Rauch durfte nicht länger mit den Lungenlappen spielen, mußte Farbe abgeben, sich farbloser zurückziehen und sich durch die Damennase ausblasen lassen. Wir wollten auch ausatmen. Was aber jetzt aus den runden Nasenlöchern dieser Dame hervorkam, war so alarmierend, daß wir das Atmen noch einmal verschieben mußten. Türkisfarben war dieser Rauch, von dem wir doch erwarten mußten, er sei in den Lungen der Dame grau geworden. Diesen türkisfarbenen Rauch blies sie in zwei auseinanderströmenden Bahnen aus. Solch scheinwerferhaft solide Bahnen dürfen sonst nur aus den Nüstern mythologischer Pferde strahlen. Und erst weit draußen über ihren Knien lösten sich die zwei Rauchbahnen in Wirbel auf. Es entstanden aber nicht für kleinen Beifall ein paar flach schwebende Kringel, sondern zwei wirbelnde Wolken. Ich darf sagen, Anselm hat sofort an Laplace gedacht. Also verstand er es geradezu, als aus dem zweifach türkisfarbenen Brodeln zwei Windhunde sich bildeten. Und wer sich zur eigenen Beruhigung einreden wollte, diese Windhunde seien immer schon dagewesen, vielleicht unter dem Tisch, und hätten sich jetzt erst aufgerichtet, um die rauchende Herrin an ihr Vorhandensein zu erinnern, der mußte sich korrigieren, als die Dame durch einen zweiten Zug an ihrer Zigarette abermals solche Bahnen, ein so zielstrebiges Wirbelchaos und abermals zwei Windhunde produzierte. Die zuschauenden Herren, das wird ihnen keiner verdenken können, warteten auf den dritten Zug aus dieser Zigarette. Die Dame aber, von der die Herren das dritte Paar Windhunde nun schon wie eine Leistung erwarteten, die man verlangen kann, senkte ihre Zigarette wie eine Fackel und drückte sie dann sorgfältig aus, als hätte sie Sorge, es entstünde sonst noch nebensächlich Unerwünschtes. Also nur vier Windhunde. Die redeten wie im Wettbewerb auf die Dame ein. Die Dame, jetzt eher ein Mädchen, lachte, schüttelte den Kopf, kam an einer überraschend anderen Stelle aus den Haaren zurück.

Anselm wurde gestört. An seine Schulter tippte jemand. Er schaute auf, mußte nicht fragen, frisch aus dem Naß-Schnee kommend stand vor ihm: Frau Sugg. Ich stehe schon einige Zeit neben Ihnen, sagte sie. Anselm sagte: Ach. Das Café Odeon landete wieder. Anselm schnallte sich los. Stand auf, gab Frau Sugg die... die.. Hand. Dachte noch, daß er ihre Hand hätte küssen sollen. Aber so gelenkig war er noch nicht. Dann stellte Frau Sugg fest, daß Anselm geradezu dampfe vor Nässe. Er erkälte sich. Also gleich ins Urban hinüber, da habe sie Zimmer bestellt. Mit dem Befehl, sich trockene Sachen anzuziehen, wurde Anselm in ein Zimmer geschickt. Er hatte aber für die kurze Reise nichts zweimal dabei. Also trat er lediglich mit trockenem Kopf in Frau Suggs Zimmer. Das hätten Sie auch gleich sagen können, sagte sie. Los, ausziehen, und Marsch ins Bett. Anselm, unsicher, ob man sich gegen solche Fürsorge sträuben dürfe, setzte sich auf den entfernteren Bettrand, streifte seine feuchten Klamotten ab und barg sich unter der Decke. Sie servierte ihm Getränke und redete.

Sie war höchstens zwei Jahre jünger als er. Also kam er sich erheblich jünger vor als sie. Aber sie kickt einen Schuh so aus ihrem Weg, daß er sofort verstand: bitte, ich bin 33. Also gut, sagt er, dann eben nur 39. Blitzschnell dreht sie sich um: 34, verstanden, 34! Aber gern, sagt Anselm, bleiben wir also bei 38. Lachend erwirkt sie 35. Sein letztes Angebot: 37. Mit Hilfe einer gespielten Zornparade erzwang sie: 36. Also gut, sagte Anselm, was soll ich mich mit mir streiten: sie ist eben 3736 Jahre alt.

(Liebe Moumoutte, über das Alter können wir noch sprechen. Jetzt aber: mir wäre es unangenehm, müßte ich die Auftragserteilung hier oder irgendwo anders erwähnen. Ich finde, ein Roman über Liebe darf keines Auftrags bedürfen. Das würde jeden Leser sofort mißtrauisch machen. Ich müßte viel mehr da und dort anmerken, daß ich mir, nach Erfahrungen so voller Widersprüche, nicht mehr anders zu helfen weiß, als durch Aufschreiben. Dann würde ich also den beruflichen Grund dieser Reise verschweigen, würde auch die Beiden gar nicht mehr zum Essen gehen lassen, das hält bloß auf und Anselm liegt doch ohnehin schon, würde mich also ganz, wie Du es willst, wie es sich vielleicht auch für den Liebesroman schickt, auf das Zimmer beschränken. Was meinst Duu?)

Ritter Anselm war also, bevor er noch einen Mucks machen konnte, ins Bett gesteckt worden. Was hatte er bloß wieder falsch gemacht? Damen verladen, naß geworden, jetzt soll er trocknen. Melanie schaut ihn von oben herab an, reibt sich die Hände, gibt ohne Umstände zu, daß sie die Königstochter sei. Sie greift nach seinen nassen Sachen, er will aufspringen, sie schreit ihn ins Bett zurück, mitleidlos langsam bekleidet sie die Heizungskörper mit seinen Wäschestücken. Also will sie ihn einschüchtern, daß er dann keine Prüfung mehr besteht. Also will sie ihn bemuttern und die Macht ergreifen. Anselm spannt sich unter der Decke. Mal sehen.

Zuerst, sagt sie, will sie den Reisenden Ritter aufklären über die fällige Art von Liebe. Ob er das aushält, will sie wissen. Das ist Aufgabe Nummer eins. (Wieviel Aufgaben sie stellen will, sagt sie nicht.) Sie hat als zeitgenössische Königstochter das Spektrum der Bedürfnisprotuberanzen studiert, all ihre Tag- und Nachtträume. Bedürfnisse sind Fragen noch ohne Antwort. Es fehlt, sagt sie. Und von Anselm will sie nachher Antworten, sonst... Was sonst mit ihm geschehen wird, sagt sie nicht. Also, sagt sie, phylogenetisch gesehen: Adam war noch sowohl als auch. Seit aber Eva einen Namen hat, gibt es den Unterschied. Und der wächst seitdem. Und seit die Untertanen sich nicht mehr schinden müssen, wächst dieser Unterschied reißend. Die sekundären Merkmale schießen ins Kraut. Der Dimorphismus blüht. Der Geruchssinn bleibt den Hunden. Wir spuren mit den Augen. Das Menschen-Geschlecht stülpt sich, treibt Show, macht mit wachsenden Unterschieden der leider sekundär genannten Sichtsignale uns und die Augen scharf. Das optische Tremendum ist jetzt schon allmächtig. Unsere Brunst nicht mehr an keimende Gerste und Nachtigall gebunden, überhaupt nicht mehr saisonal, sondern Appetenz around the clock. Wir sind, bitte, keine Hirnstammwesen mehr. Oder, wie Landsmann Klaesi sagt: die Triebregulationen wandern ins Großhirn ab. Durch Entwicklung solcher Kapazität sind wir aufgefordert, unser Erotisches hell zu organisieren. Wie lange noch, lieber Freund, wollen wir die Taufe dessen, was zwischen Lenden- und Sakralmark und Hypophyse und -thalamus wirtschaftet, dem ängstlichen Katechismus des psychoanalytischen Aberglaubens überlassen, dieser Gebetshaltung der Naturwissenschaft, diesem antiviktorianischen Viktorianismus! Es gilt der Satz: was sie vom Körper nicht wissen, taufen sie Seele. Deshalb tut sich das Licht so schwer in foro, mori et lectibus. Und es fehlt die Freude. Und keiner weiß, ob er sich trauen darf. Und die Weiber vertrocknen den Männern unter der Hand. Und die Männer wissen sich nicht zu fassen. Und Sternstunden gibt's weniger als Nächte. Die Religion mauert. Und in der Schule wird jedes Maienlüftchen konserviert, wenn es sich bloß reimt, aber daß in jedem Kind ein Taifun wächst, davon erfährt einer erst, wenn es ihn beutelt, wirft und oft genug erledigt. Man hat Dir gesagt, Du hast zweiundsiebzig Knochen, bist ein besonderes Säugetier, und wird es Dir mulmig, liegts an der Seele. Und weil man von diesen dekortizierten Museumswächtern nichts mehr erhoffen kann, weil aber Melanie andererseits auch nicht weiß, was tun, importiert sie Erste Hilfe, von wo sie sie kriegt. Also zuerst einmal aus Indien. Eine Schiffsladung Mut holt sie sich da. Seid nicht stolz auf eure Scham, ruft sie, die ist ein Gebräu, das zu entziffern ihr euch schämen müßtet. Redet nicht von der Liebe wie die Pygmäen vom Blitz. Vergeßt nicht, wenn ihr leidet oder lustig seid, daß etwas vorgeht, in euch, das man bald messen wird. Nichts ist unter eurer Würde, als weniger zu wissen als ihr könntet. Eure Natur ist konkurrenzlos fein, ihr aber sperrt sie in den Stall zu Säuen und Ebern, die euch allerdings voraushaben, daß sie ihre Copulation wenigstens dreißig Minuten lang ohne Stottern anständig betreiben. Aber wer wird auf eine Königstochter aus Bern hören, wo selbst Luther ungehört blieb, als er sagte: Eure Weiber sind Eure Äcker, pflügt sie, wie Ihr wollt ... Anselm hörte eine Zeit lang gern zu, aber als sie immer lauter sprach und die Sätze geradezu hinausrief, als wäre er ein Saal voller Zuhörer, da konnte er ihr nicht mehr zuhören, er mußte durch die Wände horchen, weil er jeden Augenblick erwartete, daß Zimmernachbarn klopfen würden, um sich diese unerbetene Aufklärung zu verbitten.

Die dozierende Königstochter, die ihm ihre Sätze aus allen Gegenden des Zimmern zugerufen hatte, bemerkte seine Abgelenktheit sofort. Aha, sagte sie, er hält es nicht mehr aus. Anstatt mitgerissen zu sein vom Neuen Evangelium, geniert er sich, hat Angst davor, daß ein Zimmernachbar ein Wort aufschnappen und ihn morgen im Frühstückszimmer darum anschauen könnte. Also, die erste Aufgabe hat Anselm nicht bestanden.

Zur Exekution der zweiten Aufgabe setzt sich die Königstochter auf den Bettrand, atmet, als wäre sie über 98 Stufen heraufgerannt, entwindet dem Reisenden Ritter die Zigarette, zieht dreimal hastig, stößt den Rauch in wüsten Wirbeln aus (Selber durchgefallen, denkt Anselm, als er sieht, daß sie keinerlei Talent hat, einen Windhund zu produzieren.), gibt ihm die Zigarette zurück und lächelt, länger, sophistikat. Sie ist zwar eine Königstochter, aber, sagt sie, sie hat auch einen Mann. Natürlich ein feinerer Mensch. In Florenz kennt er jeden Farbfleck. Kommt ins Bett mit Botticelli. Stellt sie ihm dann aber eine einfache Aufgabe, fragt ihn etwa, auch im Bett, wie eine Hahnenkammeinheit zu berechnen sei, was tut er? er schaut zur Seite und seufzt und weiß doch, daß sie von ihm hören möchte, ganz selig wäre, von ihm zu hören: das-ist-die-kleinste-Dosis-welche-kastrierten-jungen-Hähnchen-4-Tage-täglich-2-mal-intramuskulär-eingespritzt-bei-planimetrischer-Messung-des-Kammes-am-5.-Tag-eine-Vergrößerung-desselben-um-15-Prozent-bewirkt, soll er es herunterleiern, nicht verstehen, aber bloß sagen, die Aufgabe wäre erfüllt. Er seufzt, sie schreit: ich bin eben östroman! worauf er errötet und sie, daß sie nicht weitersprechen kann, sofort küßt. Ja, griechisch kann er.

Und was meint Anselm zu einem solchen Mann?

Anselm weiß, dies ist eine Prüfung. Es kommt nicht darauf an, was er denkt. Die Antwort heißt vielmehr: dieser Mann ist ein Läppchen, dem fehlt ja die Freude an der Machtergreifung, der wird lieber rot, ein notorischer Succubus ist das, eine Schwitzlende, ein Schleimscheißer, ein Dornröschen, eine rechte Lustpanne, ein Leberblümchen, so ein verhätschelter Ödipinkel, ein Anhaucher, Weihrauchspender, Süßzirper, arbeitet bloß mit Ultraschall und macht's Licht aus ... Wollte sie das hören? Möglich. Aber vielleicht wollte sie das doch nicht hören. Und hätte er das so aufsagen können? Nein. Auch nicht als bloßes Prüfungspensum. Er wollte dem Bruder in Bern nicht so nahe kommen. Also stotterte er vorsichtig herum, nannte den Mann fein (Hab ich selber gesagt, rief sie), nannte ihn einen zarten Menschen, der zu seiner Erregung mit kleineren Dosen auskomme, vielleicht auch keinen Wert auf Trümpfe lege, Macht verachte, Brutalität verabscheue (Weil er keine hat, rief sie), vielleicht glaube dieser Mann sogar, man könne einander verstehen, sicher ein Irrtum, aber bitte, immerhin eine liebenswürdige Einfachheit des Denkens, an sich ...

Die Königstochter unterbrach den Prüfling. Wieder durchgefallen. Sie sieht schon schwarz für ihn. Sie inszeniert die dritte Aufgabe. Vom Bettrand fällt sie über Anselm her und tut, als heule sie. Sie weiß, wie wertvoll ihr Mann ist, jappst sie. Jawohl, sie quält ihren Mann, sie macht ihm alles kaputt; sie sagt, was er nicht hören will; sie liest medizinische Bücher; was ihr imponiert, reibt sie ihm hin; sie weiß genau, was er nicht erträgt, aber er fordert das doch heraus, man kann ihn nur quälen; wenn es ihm wenigstens Spaß machte, gequält zu werden, aber nicht einmal das, er kneift, nennt sie eine Nutte, darüber freut sie sich, endlich! denkt sie, endlich läuft er an! aber das ist schon sein letztes, sein schrecklichstes Wort, und wenn sie ihn bittet, so weiterzureden, sie spüre schon ein kommendes Glück, dann schaut er sie traurig an, nimmt die Decke, schleppt die Decke müde aus dem Zimmer und am nächsten Morgen entschuldigt er sich, er! begreift man das, er entschuldigt sich! sie begreift es nicht, sie weiß doch, daß sie, sie allein schuldig ist, sie will bestraft werden, und er, er entschuldigt sich: so machen sie einander kaputt, so hat sich das eingespielt, ein funktionierendes Dilemma, durch ihre Schuld. Und was meint Anselm zu so einer Frau?

Das wird immer schwieriger, findet Anselm. Wenn er jetzt sagt:

so eine Frau gehört regelmäßig verprügelt, dann ruft sie: Ja-ja! Und der Bruder in Bern ist dann der Schuldige, weil er nicht prügelt. Und zuguterletzt, muß Anselm selber einspringen. Sagt er aber: diese Frau muß nicht verprügelt werden, die kann ja nichts dafür! dann ist auch der Bruder schuld. Sobald eine Frau etwas darstellt, ist der Mann schuld. Da kann sie sich noch so bemühen, alles von allen Seiten aus darzustellen, der Mann ist schuld. Und wenn sie, wie die Königstochter im Urban-Zimmer, sich selber die Schuld schockweise und unter Tränen auflädt, sie tut es so, daß jeder sieht: schuld ist der Mann. Also sagt Anselm: Solange Sie, verehrte Königstochter, Ihre Ehe erzählen, solange ist Ihr Mann der Dumme. Also verweigert der Prüfling, bevor er den Mann nicht gehört hat, die Antwort.

Also durchgefallen, sagt sie. Diesmal aus Feigheit. Er hätte den Mut haben müssen, ihr die Schuld zu geben, sagt sie. Er findet, diesmal hätte sie ihm mindestens ein Ausreichend geben müssen. Das sagt er ihr.

Also bin ich ungerecht, fragt sie.

Bitte, nicht immer und überall, das weiß Anselm nicht, aber vielleicht im Augenblick.

Ja oder nein?

Jain.

Genau wie mein Mann. Also: es bleibt dabei: durchgefallen. O weh, denkt der Prüfling, jetzt ist Notstand. Jetzt wird rücksichtslos geantwortet. Ihr nach dem Mund. Sie inszeniert die vierte Aufgabe. Das geht so: plötzlich küßt sie ihn. Er schaut. Sie küßt ihn gleich wieder. Entfernt sich. Schaut ihn an und sagt, als bedaure sie es diesmal ganz außerordentlich, nichts anderes sagen zu können: Durchgefallen.

Warum?

Er hätte entweder mitküssen oder sie zurückstoßen müssen. Er habe weder kalt noch heiß reagiert, und was mit den Lauen zu geschehen habe, wisse er.

Diesmal gab Anselm zu, daß er versagt habe. Mensch, sagte sie, sowas gibt man doch nicht gleich zu. Das wird ja immer schlimmer. Er murrte: Ohne Birne küss ich nicht gern. Wie bitte? Ja, seit er mal ne starke Raucherin hatte.

Sag etwa Liehiebes, sagt sie.

Das ist also die fünfte Aufgabe.

Anselm richtet sich auf.

Die macht Dich zum Zwillingsbruder ihres Mannes, Anselm, merkst Du das? Die hat eine Initiative im Verderben, wenn Du da nicht sofort eingreifst, bist Du erledigt, und aus dem Geschäft wird dann auch nichts.

Sie hat Vertrauen, sagt sie, aber sie weiß nicht, wie lang noch, Anselm muß sich beeilen, sagt sie, er soll ihr was sagen, etwas, was sie gerne hört, er soll ihr sofort verbieten, weiterzureden, wenn sie weiterredet, zerstört sie, also bitte, sofort eine Liebeserklärung, eine irrsinnige, voll instrumentierte Liebeserklärung, sie will endlich sowas hören...

Welch ein Fehler, Anselm, sich zum Kandidaten machen zu lassen. Aber auch ein Fehler jeder Königstochter: Mit dem Messer der Einschüchterung schneiden sie ihren Kandidaten die Stimmbänder durch, dann sagen sie: so jetzt sing.

Und soviele Aufgaben hintereinander. Und keine fördert die andere. Zuerst die kalt aphrodisische Rhetorik. Und jetzt wird doch Feld-, Wald- und Wiesenliebe verlangt. Verklärung bis zum Te-Zett. Aber bitte: Prüfung ist Prüfung. Und er konnte sich jetzt keinen Minuspunkt mehr leisten. Also sagte er etwas Entsprechendes.

Schön, sagte sie. Sag noch einmal sowas.

Er wiederholte.

Noch etwas.

Auch beim dritten Mal schien sie noch nicht zu bemerken, daß er nur wiederholte. Fünfte Aufgabe gilt als erfüllt.

Sie entkleidete sich. Wollte dabei, weil das offenbar zur sechsten Aufgabe gehörte, sachlich erscheinen. Aber ihre Hände mußten öfter zweimal greifen nach einem Knopf, der sich von ihrer Bewegung nicht ergreifen lassen wollte. Ohne Kleider sah sie aus wie ein konserviertes Mädchen. Vielleicht doch bloß 3536 Jahre alt. Und heizsonnenbraun. Und porzellanglatt. Sie schlüpfte gleich unter. Und war doch hergerichtet, um angeschaut zu werden. Ganz nach ihrer Optik-Theorie. Kein Haar am ganzen Leib. Die Furche exponiert. Und die Brüste, zwischen denen ein Ei leicht Platz hätte, warum scheinen die so? Ach, lackiert, sowas gibt's also. Die Warzenhöfe rot geschminkt, die Mammis selber in dunklerem Rot. Mhm. Sehen aus wie zwei düstere kleine Clowns, die bis zum Hals im Blute stecken. Und das Finger-Zehennägelrot ist mit dem Brustrot penibel vereinbart. Ist das ein Indian Lay Out? Vorerst wollte sie das alles zugedeckt haben.

Und falls die Königstochter mit ihrer Verbergsamkeit die sechste Aufgabe stellte, ob nämlich der Reisende jetzt ein wenig den Kopf verlieren könne, dann hatte Anselm bestanden. Aber was eine rechte Königstochter ist, die stellt die Aufgabe immer so, wie nicht zu erwarten ist. Die Aufgabe lautete nämlich: Kann der Herr trotzdem den Kopf *nicht* verlieren?

Anselm fragt sich. Will die bloß umständlich sein? Formuliert sie die Aufgabe nur so, und wenn er brav und direkt tut, was verlangt wird, dann ist er endgültig durchgefallen? Die feinste und letzte Aufgabe wird so intrikat gestellt als möglich, die muß er im Zusammenhang lesen, und da lautet sie natürlich: ich befehle, bleib ruhig, damit Du nicht ruhig bleibst. Der Teufel weiß es, aber Anselm weiß es nicht. Solch feine Aufgaben sind zu fein für ihn. Gibt es keine andere Art von Liebe, sagt sie. Aber was, um alles in der Welt, meint sie?

Anselm pfeift den Angriff ab. Bleibt aber in Feindberührung. Hindert sie daran, jetzt gleich wieder Zensuren zu erteilen. Diese, die wichtigste Aufgabe gibt er noch nicht verloren. Der nächste Weg zu ihr führt über Tasmanien. Ihre problematische Gegend ist ihr jetzt so fern wie Tasmanien. Unmerklich langsam muß er ihr die Rolle stehlen. Jetzt ist gefälligst er der Prüfende. Brav trägt er die Daten ein in eine Karte namens Melanie. Die Route ins antipode Tasmanien muß sich dann von selbst ergeben.

Jeder Feldherr kennt diese Augenblicke. Die Daten sind zur Hand. Man weiß jetzt alles über den Gegner. Dadurch wird der Gegner erst recht undurchschaubar. Die Daten schützen ihn. Der gute Feldherr handelt jetzt, als wisse er nichts über den Gegner. Er handelt von sich aus. Dazu gehört allerdings Notwendigkeit. Die spürt von zwei Gegnern immer nur einer. Der siegt dann auch. Sollte sich Anselm also nach den Daten richten? Etwa das aphrodisische Programm berücksichtigen, das die Königstochter zuerst entwickelt hatte? Oder waren das nur Bewegungen, die von Stammhirnfrauen mit der Hüfte, von dieser aber mit Wörtern gemacht werden? Was steht ohne Überlegung fest? Die will, daß man ihr nicht länger gestattet, Aufgaben zu stellen. Die will selber Aufgaben lösen. Die will, daß sich die Kandidaten endlich an ihr rächen. Jawohl, die will geprügelt werden. Aber auf welche Weise?

Anselm sagte dann einfach: So, jetzt bist Du dran. Sie schaute unsicher und frech herauf. Dann sperrte sie sich. Dann riß ihr der

Ritter die Sperre auseinander. Dann verbot er ihr, sich zu sperren. Dann tat sie, als wüßte sie nicht, daß sie sich gesperrt hatte. Dann verwarnte Anselm die Königstochter; noch einmal, dann kriegst Du! Dann geht es immer noch nicht. Dann schiebt sie die Schuld auf Anselm, will wieder in die Rolle schlüpfen und Durchgefallen sagen. Dann sagt Anselm: Wenn hier jemand durchfallen kann, bist Du's, verstanden. Dann triumphiert sie und sagt: Bitte, ich tu ja nichts dagegen, Du, Du schaffst es nicht. Dann hätte er die Nase eigentlich voll und möchte rufen: verdorre doch Du mit Deinem Tasmanien. Aber er weiß, dies ist deshalb ein so besonderes Schlachtfeld, weil hier zum Siegen eisige Barmherzigkeit gehört. Dann sagt er: Ich werde Dir schon helfen. Dann gibt er Kommandos an ihre Beckenmuskulatur. Dann verwendet er die Fremdsprache, der sie verfallen ist. Digitale Dehnung, Diathermie gegen Spasmus, so, und jetzt kommt der gestrenge Dilatator selbst Dir unters Dach und lehrt Dich Mores, Dame. Dann lacht sie ihn aus. Dann wird er ängstlich, sieht sich schon geschlagen, verlacht, beschuldigt, eingereiht in die Kolonne der Abservierten, die Königstochter hat einen traurigen Triumph mehr. Dann heizt ihn die Wut, dann will er diesem Ripp von einer Königstochter wenigstens noch die Leviten lesen und im voraus heimzahlen die Niederlage, die sie ihm bereiten wird. Also sagt er ihr, was er hält von ihrer Methode, den Schwarzen Peter von sich wegzuspielen. Eine komische Jungfer bist Du, ein vaginitisches Ripp, ein dyspareunisches Monstrum, ein verkommenes Stück, jawohl. Dann nimmt er Maß, facies ad faciem. Dann appliziert er sich inter femora. Dann spricht er ihr die Satisfaktionsfähigkeit ab. Dann schreit er sie an. Hört sich schreien. Aber es macht ihm nichts mehr aus. Er kämpft hier für eine historische Mannschaft. In uralter Mission. Er ruft an den itälmischen Obergott, der die Seemuschel stuprierte, dem die Seemuschel sein Zeug abklemmte. Das will seitdem jede solche Seemuschelkönigstochter. Aber wart nur, Du Kastrations-Amateuse, geschenkt kriegst Du's nicht. Dann kämpft er ihr die Muskulatur nieder nach Art der Köche, die das Schnitzel klopfen. Handkantenschläge kriegt sie, bis ihr alle Beugerstrecker, Ab- und Adduktoren zerfallen und im Fleisch als heiße Schmerzfelder herumliegen und ihr nicht mehr gehorchen können. Dann besieht er das gebeutelte Weibsstück. Sucht sie ab nach Muskelnestern, die er übersehen haben könnte. Aber das wimmert bloß noch. Die

Augen gehen hinter den unteren Lidern schon unter. Er atmet noch nicht auf. Vielleicht ist sie bloß listig. Lockt ihn in ihre Korallenburg, hat dann eine letzte fanatische Leibgarde von Muskeln zur Verfügung, mit der sie ihn zuletzt noch zerquetscht. Er schlägt da und dort hin. Keine Antwort mehr. Also salbölt er sie noch. Massiert. Arbeitet schwer. Spricht noch kein Wort. Findet aber zurück zur umsichtigeren Kampfart. Jetzt bloß nicht hudeln und schlampen. Er hat keine Erfahrung mit solchen Königstöchtern. Er ist auf alles gefaßt. Wer glaubt, die Stadt schon erobert zu haben und singend hineinrennt, wird meistens noch vor dem Rathaus erschossen. Also Sorgfalt steh ihm bei. Bloß nicht nervös werden jetzt. Und nicht daran denken, daß die Dauer der Werke des Reisenden Ritters nur mit dem Sekundenzeiger zu messen ist. Er muß, obwohl sein Werk kein Morgengrau überlebt, doch jeden Pinselstrich setzen, als wäre er Tizian, als würde für sein Werk noch nach Jahrhunderten eine Million bezahlt. Von seinem rühmenswert komischen Ethos erfüllt, eroberte Anselm die tasmanische Stadt der Königstochter. Und wie immer, jubelte man dem Eroberer zu, als er endgültig erschien. Aber Anselm traute dem Jubel nicht. Er war noch, wie man sagt, von den Anstrengungen des Kampfes gezeichnet. Auch glaubte er, schon freundlicherem Jubel begegnet zu sein. Diese Königstochter hatte ihn nun einmal mißtrauisch gemacht. Er nahm sich vor, das Gelände nächstens wieder zu räumen. Bleiben ist ohnehin des Reisenden Sache nicht. Am ehesten ist er dem Installateur zu vergleichen, der kommt und geht.

(Könntest Du, liebe Moumoutte-Melanie, wenn ich die Reise, in der Art zu schildern versuchte, auf Dein Protokoll verzichten? In mir, sozusagen, wehrt sich, sozusagen, etwas gegen das Protokoll. Mit Herzklopfen schicke ich Dir diesen Entwurf bis nach Bern und bin um so unruhiger, als Du Dich noch nicht geäußert hast zur Reise Stuttgart–Duisburg–etc. Heißt das, ich habe alles falsch gemacht? Gruß, Dein A.)

6. Ein Befehl aus Bern

Geduckt. Öfter zusammenfahrend. Eine Art Untersuchungshäftling. Keine Nachricht von Moumoutte-Melanie. Im Rücken

Birgas zersetzender Argwohn. Konnte er weiterarbeiten? Er krustelte in seiner autobiographischen Schreibtischschublade, fand die rostige Schere, die aus dem Alten Botanischen Garten, die aus dem Februar. Mühsam ergänzte er die Umstände. Er fror jetzt auf eine ganz andere Art. Las auch den Zettel, den er dem Feuerzeug angeheftet hatte: 12. 2. 62, haemanthus coccineus in der Unterhose des Pfälzers im Hbf, mehrere Brüder! Und las den Zettel, den er der Schere angehängt hatte: 21. 2. 62, Alter Botanischer Garten, Fritz, Jaguar, Belkassim Krim verhandelt, Ben Bella noch gefangen, in Algier täglich 60 Tote, bei uns Fibag. Dann kam wohl irgendwann gegen Ende April der Anruf aus Bern. Die Arbeitgeberin entschuldigte sich für einen Brief, der vielleicht schon angekommen sei oder gleich ankommen werde. Ich-Anselm möge den Brief nicht *tragisch* nehmen etc. Der Brief kam, ich öffnete ihn mit tauben Fingern, setzte mich zum Lesen, schluckte erst wieder, als ich alles gelesen hatte. So geht's nicht, schrieb sie. *Anstatt Liebe,* in dieser Einstellung des von ihr empfohlenen Titels kommt Anselms Abweichung ganz zum Ausdruck. Pfyffedeckel, von *Anstatt* will sie nichts wissen, Liebe-Liebe-Liebe, verstanden! ES HANDELT SICH UM LIEBE, verstanden? Blöde Drückebergerei! Sie will gefälligst ÖPPIS GNAUS. Nimmt er es nur genau, dann darf herauskommen, was will, es wird den Titel LIEBE verdienen. Was soll denn das Wort noch, wenn wir uns vor lauter historischer Einschüchterung seiner nicht nach unserer Art bedienen! Hat unsere LIEBE mit der überlieferten nichts mehr zu tun, so brauchen wir nicht gleich Au-wei zu schreien. Was wissen wir schon von früher? Vielleicht haben sich die bloß verstellt. Egal. Wir haben das Wort, es ist unser Wort, wir brauchen es. Und wenn es früher was anderes hieß, dann ist es um so wichtiger, zu sagen, was es heute heißt! Aber, schreibt sie, zuhause ist Anselm natürlich gehemmt. Ihr Fehler. Sie hätte das schon vorher bedenken müssen. Dafür entschuldigt sie sich. Und schlägt vor: am 1. Juni zieht er für unbestimmte Zeit ins Seehaus Blomich am Bodensee (zwischen Wasserburg und Lindau), dort kann er arbeiten ohne Ablenkung etc. Widerspruch zwecklos, sie hat schon Hans Blomich verständigt. Am erstensechsten kommt der Chauffeur und holt ihn. Ab. Seine für ihn sorgende Moumoutte.
Ich schloß die Tür, rannte zur Schreibmaschine und hämmerte darauflos. Es war mir nicht möglich, immer nach dem rechten

Buchstaben zu suchen. Dann las ich, wieder ohne zu schlucken, was ich da, ohne irgendwas auszuixen, geantwortet hatte.
Liehiebe Manoutte-Selanie,
zo, zo, vas kenaus villst Du, Öppis sehr Gnaus, Vas? Follst Du chaben, Zobelschickse, Du, Dir zerlieb soll ich Flimmertiergen vortvörtlich fangsen, zerlustieren willzdu Dich, willzst ßenzazzionell Schmotz und Sooze schingseln ßehn, Vas?! Schmetz mick dooch em Arpf. Öppis Gnaus, dazz ick it lach. Bittebitte, sollzdu haawen. Was sowieso schövär und tlaulig fir mich, ßoo unkenau zu ßein. Zuer Reise kört nämlich die Haimkeer: Birga, schöwesterlich, mitten der Tür, wißtrauisch, beletzt seit Jaarunddaag, awwer tlotzdem, wenn Er ankonft, Sü siebt ihn, Hinherzerrcherei, lautloslaut, ein Schmaufen, Augzucken, Röten, Schweigseln, Seefzen, Widerblikken, Verkennen, Bezeihen, ver splicht zerst, ver ßagt vas, sü oder ich? Nix darvon liestu bei mir. Nix von Nachher wenn sü aus ihrne Klaidser herforget und immer gröösser vird, biss Sü liggt, glitzglein liggt Sü, als wi varschwindenend, schmölzend von Grohooß zu Glitzglein, da muuß ich abr schnäll machen hinzkommen, dass Sü mr aso nakkt net glänzlig zergeet. Also hinn denn, en Vous servant, Dame, très bien nourrie. Und schon waxt Sü wider mich, stöllt Knü auff, liggt rüsig, waxt noch in bsondere Taille, Reggionen, Samtschafften, also nimm die bewaxene Axelhööle, da bisst schön unterweegs biss du da durch bisst. Undüberall hastu Fellwälle, Mundungen, Spielgelengge Schmuchten, Schmieglen, Mammteien, Blubben zum Blabben, lange Mandunen womit Du mendeln kannst, Mooßenauen, blüsene Blefzgen zum Zerbezzen, litschige Lotschen für alle Art Ligglegg undsohalt. Nix liestu darvon bei miiier. Nix. Nix von der Grooßruttschbahn wellche füürt von der Knüün ab ins Valle Femora zum Meinstieg durchs Büsch und Fließ ins Birgisch Inlet welches ißt aus föichtem Purpur. Nix liestu bei mir vom gay saber unserer sexmalsedici modi. O Dame, gaie et bone et bien nourrie, o joy en loiaute, o angelhombrutische, jetzt soll Dein renom heraus, eprisiert soll's werden, calque linguistique, wie Sü jovente bele et riant mir fallt und staigt, daß dem Mönch von Montaudon schlecht werden möcht. So Belanie wöttscht Du jetzt all noch Kenauikeit wenn ich saagg dazu kört dann auch die Heimkeer aus Zürich wo akkurat die 1491ste Betretung Birga's sich aso vollenzog vas abr der Schwiftsteller wenn ich den Beruuf rächt versteeh besser verschweigst weilen nach dem Urteil der

Welt Liebe zuhaus fir Kunst nix härgibt also verlank nicht Kenauikeit sonzt lass ich die Haimkeer nicht wegg weil die zum Kapittel ainer Raise kört wi's Amen in der Kirch wail doch im auswärtigen Krieg die Würze süch erst bildt welche so aim 1491sten Conjugalis was Liehiebes eintuut und das Ehewerk zu aim Schmankerl macht. Oder stell es Dir foor: ich ferraat, dass das Ehewerk ainen Forteil hat durch die längere Waile, dadurch dass man's gar mit'em Minutenzaiger messen kann und die Teuschung süch bildt es sai ain wenig weniger fir die Katz! Also ich hap Dir nix von der amour loial von der luzdicken conjugalen Conjugation nix Dir zugemutet und sogar jetznoch verschwieggen was laut wird in diese schmörzlich inständige Sitazionen die klabben aso gschmiert wi aine Liddannei und Liddurgiie und ein jeds Muskäll waiss im voraus wass kommd und es geet gehöörig zu mit Schmeide und Schmuus und Schmack und Schelan und Sprüchflüüchwörtersumms eine schlotzige Oper und Zammenarbeit zwischen mir und Birgi die mir süüße geräuschfolle Nämen verlaiht und ich erwais ührem föichten Purpur maiste Ehr mit Schlupfnämen und Fertonungen von Birga. Abr wi gsagt das iss der Schrüftstellerei gopfert worden als neglischabl und iss mir jetz blooss hochkommen wail Du partuu öppis Gnaus willzt und ich saagg: wennschon kenau dann auch die Haimkumft zur Frau und wailen ich mich ins Schrüftstellerishe hinaindenk und drum waiß das geht nicht an bleibtz also dabei wi ich das aufgschrieben Oderabr wir sind halt verkracht und Du ziegst das Geld zruck von mir. Amen Adjö.

Als Ich-Anselm das gelesen hatte, schluckte ich, spannte ich einen neuen Bogen ein, diesmal mit Durchschlagpapier, und schrieb: Liebe Moumoutte, vielen Dank für Deinen Brief. Vielleicht hast Du recht. Machen wir einen Versuch. Schick den Chauffeur aber erst am viertensechsten. Ich kann nicht an einem Freitag verreisen, und schon gar nicht, wenn ich am Donnerstag (Christi Himmelfahrt) noch mit der Familie nach Maria Eich hinaus wallfahrten geh'. Herzlich Dein Anselm.

7. Fortsetzung der Reise in die Wirklichkeit

Ein Abschied wiederholt den anderen. Abschiede pauken sich uns ein, bis wir sie können. Der Abreisende tut so, als glaube er fest an seine Rückkehr. Die Zurückbleibende tut so, als finde sie selber ihre Angst übertrieben. Aber kann er ihr nicht immer noch abhandenkommen wie in Rußland? Hat sie also geweint am viertensechsten? Sollte man's überhaupt vorsorglich regnen lassen an so einem Tag? Sie könnte sich mit einfacher Frauenkraft rasch die ganze Sommerzukunft einfallen lassen. Oder streichelt sie besser bis zuletzt Taschentücher ins Gepäck? Für wen hat sie ihn da wieder ausgerüstet? Er will weniger Hemden und Unterwäsche und schon gar nicht seinen besten Anzug, er will doch nicht wie ein Urlauber ausgestattet werden, er fährt an die Arbeitsfront, auf Montage, jawohl, ihr fünf armen Waisen! Warum mag sie ihn nicht ohne sorgfältigste Ausstattung ziehen lassen, wenn sie doch Angst hat, schon dadurch lenke sie die Schlange auf ihn? Was könnte nicht alles verhindert werden durch schmuddlige Wäsche! Hat also Birga dann doch noch geweint? Wenigstens unhörbar und ohne Verwüstung des Gesichts, aber dafür hinter dem Gesicht, daß man sieht, die Züge schwimmen wie Schollen auf Wasser, also ist sie innen überschwemmt, das Gesicht schon aufgeweicht, es wird zerfahren, sobald man weg ist? Die Hände werden jetzt schon weich davon und können nicht mehr straff gestreckt werden. Aber so war es doch nicht. Vielleicht bin ich angefüllt mit Alissa-Abschieden. Birga weichte nicht auf. Entweder wußte sie, daß Anselm ihr offenbar in keinem Bett abhanden kommen könne oder es war ihr eher egal. Die Frau eines Trinkers. Sie wirft sich ihm nicht mehr in den Weg. Sie begleitet ihn an die Tür. Zeigt Mitleid. Und glaubt auch dann, er renne in die Kneipe, wenn er selber glaubt, er wolle in die Kirche gehen.
Kein Abschied gleicht dem anderen.
Hatten wir je einen solch brutalen Zeugen wie diesen Chauffeur? Ein männliches Unwetter, gleich in die Küche, gnädige Frau, sein Name ist Heinrich Müller, will aber von allen guten Menschen Heini genannt werden. Schert öfter plötzlich den rechten Fuß aus, läßt ihn kreisen, eine Hand kreist mit, die andere sucht den Bauch, er knickt, taucht wieder auf, grinst, scheint aber auch stolz zu sein auf die gerade exekutierte Harlekinsverbeugung. Mit weit

ausgewinkelten Füßen geht er geradezu schleppend schwer auf Birga zu, ein Tänzer nach der Großanstrengung. Zwei Hände fährt er zur Begrüßung aus. Die Rechte besteht aber nur noch aus einem Daumen. Das ist allerdings ein ganz besonderer Daumen. Ein Daumen von doppelter, nein, von dreifacher Länge. Fleisch vom verlorenen Handballen wurde verarbeitet bei der Herstellung dieses roten und beweglichen Narbenschafts. Und diesen riesigen Daumenrüssel – der war der Stolz des Chirurgen, das sieht man doch –, den hält er Birga hin, die kann wohl nicht abschlagen, er aber deckt gleich die Linke über den Händedruck. Die Linke ist eine Prachtshand, so braun wie der ganze Kerl. Behaart bis zu den Fingernägeln. Wo die Haare an den Steilseiten der Hand aufhören, beginnt gleich eine auffällige Blöße. Er muß schon fünfzig sein. Hat eine braun spiegelnde Glatze, einen schwarzen Schattentrichter in der linken Bartschattenbacke, den man wohl Grübchen zu nennen hat. Wie lange will er eigentlich Birga seine Stummelhand so hinhalten? Wie lange ihr kerzengerade in die Augen schauen? Er amüsiert sich offenbar, weil sie die Augen niederschlägt. Vielleicht läßt er nicht ab, bevor sie nicht den Blick so tief erwidert wie er angeboten wird und dazu sagt: Sie haben aber schön großbraune Rehbockaugen! Wenn er wenigstens seinen unflätig beweglichen Lippenmund zähmen könnte. Der malmt eine Passion. Birga schaut zu mir. Ich müßte helfen. Vor zehn Minuten wußten wir noch nicht, daß es diesen Kerl gibt. Jetzt können wir nur hoffen, er werde es nicht zu weit treiben. Mir scheint nichts anderes übrig zu bleiben, als seinen Mund zu beobachten. Sonst bewegt sich ja nichts mehr. Oder bewegt sich etwas unter der deckenden linken Hand! Schaut Birga deshalb wie in Not? Endlich entstehen aus der malmenden Rotfleischbewegung wieder zwei Lippen. Sie streben pappig auseinander. Er scheint Birga zur Genüge durchschaut zu haben. Er lacht heraus mit rechteckigen weißen Zähnen, die alle gleich groß sind, von denen keiner den anderen berührt. Wollte er zuerst seine Rüsselhand, dann seine Rehbockaugen, dann seinen Mundwulst angeschaut wissen, so lädt er uns jetzt ein, die interessanten ebenmäßigen Zwischenräume zwischen seinen Zähnen zu besichtigen. Immer mehr Zähne erscheinen. Er hat viel mehr Zähne als man fürchtete. Zuletzt scheint die Zahnentblößung auch für ihn in eine Anstrengung überzugehen. Ich nicke. Sehe zum ersten Mal eine Wirkung. Er läßt den Lippenfleischvorhang

die Zahnparade begraben. Bückt sich schnell, schaut den Händedruck, den er immer noch durchhält, von schräg unten und von
der Seite an. Na, na, was tun denn die mit einander, sagt er, zieht
seinen Rüssel zurück und versetzt ihm mit der Linken einen
Schlag. Läßt sich mit Ausfallschritt nach hinten fallen, wendet
sich dabei mir zu und sagt: Nur ein Späßle. Unterländisches
Schwäbisch. Schätze, Heilbronn. Birga reibt ihre Hand ein wenig
am Kleid. Gepackt ist auch schon, sagt er. Er wende sich also jetzt
gegen die Wand. Nein, dem Töchterle widme er sich, bis die Gatten sich auseinandergeweint hätten, der wichtigere Teil des Ab-
schieds, hoffe er, habe schon in einem anderen Zimmer stattgefunden. Der für eine Tochter genommene Philipp schrie auf,
sobald der Chauffeur mit seinen ungleichen Händen nach ihm
griff. Guido erschien neugierig an der Küchentür. Wollte zu Birga
flüchten. Aber Heinrich Müller fing ihn ab, ließ sich gleich zu
Guido hinab in eine herzliche Hocke. Guido hatte hohes Fieber.
In den Augenwinkeln Eiterklekse. Er hatte sich auf unserer
Wallfahrt erkältet. O ja, der gehörte ins Bett. Aber von Birga
durfte man keine Bewegung mehr erwarten. Und von mir? Ich
versuchte tatsächlich, seinem Befehl folgend, mich hinter seinem
Rücken rasch von Birga zu verabschieden. Aber Birga schüttelte
den Kopf, drehte sich weg. Nicht, solang der in der Nähe ist! Aber
wie den los werden? Ich komme gleich runter, hätte ich sagen
müssen. Er erinnerte mich an Josef-Heinrich. Waren Sie bei der
Luftwaffe, hörte ich mich plötzlich blöde fragen. Vielleicht weil
er so enge farblos helle Köperhosen trug, mit ausgebuchtetem
Gemächtepaket, oder weil er so sportlich aussah, oder eben weil
er unverschämt war wie mein Freund und Jagdfliegerheld Josef-
Heinrich. Er spiralte sich schnell aus der Hocke herauf und
herum. Nein, sagte er, bei der Marine und streckte gleich die
Hände vor, umfaßte mit den Armen eine unsichtbare Tänzerin,
schwenkte seinen prallen Arsch umher. Wieso jetzt das? Ist Marine gleich Tanzen oder will er das Schlingern eines Schiffes andeuten? Minensucher, sagte er und grinste und schnalzte mit dem
linken Daumen senkrecht in die Höhe. Birga hatte, seit er so zwischen uns gefahren war, noch kein Wort gesagt. Wie kommen wir
fort? Wie beruhige ich Birga? Soll ich sagen: das ist doch nur der
Chauffeur! Ich kannte einmal die Frau eines Herdfabrikanten,
sagt der mit samten schuldbewußter Stimme, die hatte es auch
nicht leicht! Mensch, hören Sie auf, sollte ich rufen, raus! runter

174

jetzt! Ihre Wirkung auf meine Frau ist keine gute! Als ihr Mann starb, sagt er sehr ernst, schrieb sie mir, lud sie mich zu sich ein. Ich berührte Birga an der Hand. Streichelte Guido, an dem Birga schwer zu tragen hatte.
Heinrich Müller erzählte milde weiter: Aber ich schrieb ihr zurück: man kann nicht überall sein.
Gehen wir, sagte ich.
Ja, sagte er, verehrte gnädige Frau, es ist soweit. Ich streifte rasch Küsse an meine Familie, bestellte Grüße an Lissa und Drea, spuckte im Vorbeigehen den Hunden ein wenig in die Nasenlöcher, überließ diesem Heini nur die kleine Reisetasche und ratterte mit den zwei Koffern die Treppe hinab. Birga stand vor der Glastür. Ich pass schon auf ihn auf, rief der Heini zurück. Nur um etwas dagegen zu rufen, rief ich, weil mir so schnell nichts anderes einfiel: Hab ich die Kofferschlüssel? Das lenkte Birga sofort auf Sachsorgen zurück. Bitte, schau nach, rief sie. Jetzt mußte ich wohl oder übel nachschauen. Also setzte ich die Koffer ab, zog mein Taschentuch aus der Tasche, obwohl ich wußte, die Schlüssel müssen in der Brusttasche sein. Und mit dem Taschentuch zog ich die Taschenuhr heraus, die ich vergessen hatte, an die Kette zu legen. Sie fiel mir voraus, die Treppe hinunter, kullerte, zerfiel in zwei Rundstücke, dann fiel das Werk aus dem Boden, und von Stufe zu Stufe wurden es mehr Teile, Rädchen, Ringe, Federchen, Kleinzeug. Bringt Glück, rief Heini. Ich schaute treppaufwärts. Birga, Philipp und Guido starrten herunter. Die Kinder preßten die Gesichter wie Tiere ins Geländergitter. Birga hob die Hände langsam. Als sie vor dem Mund ankamen, waren sie steil gefaltet. Aus der Glastür des vierten Stocks kann also die immer bereite kleine Kleopatra mit der Lodenkotze herrennen und uns helfen, Schräubchen und Aberschräubchen zusammenzusuchen. Birga jedenfalls fiel aus. Sie liest Literatur. Also ist sie im Aberglauben trainiert, also weiß sie, was es bedeutet, wenn in einem solchen Augenblick die Taschenuhr des Mannes zerspringt. Viel mehr, sie weiß es nicht, deshalb empfindet sie Bedeutung. Bedeutung ist ja, wenn man nicht weiß, warum. Ich überschlug den Schaden, den Zeitverlust. Und die Wirkung auf Birga. Zuerst der unholde Chauffeur, jetzt der Fall der Uhr. Und die war ihr Geschenk. Arme Birga. Was habt ihr aus der Zeit gemacht, bloß weil sie vergeht! Und eine Uhr, Birga, hat mit der Zeit noch weniger zu tun als die Philologie mit dem Pfingstwunder, also fasse Dich

175

doch, ich kann auf der Treppe keine Vorträge zu Dir hinaufsprechen, ich gebe Dir sogar zu, daß mir dieser Aufbruch nicht zuletzt dieses nichtssagenden Zufalls wegen im Gedächtnis bleiben wird. Aber das heißt doch nicht, daß er deshalb an Bedeutung gewänne. Das heißt nur, unser Gedächtnis ist ein Allesfresser.

Als wir alles Auffindbare in mein Taschentuch gelegt hatten, verknotete ich das Taschentuch und schwenkte das Bündelchen zu Birga hinauf. Alles wieder da, was willst Du! So, und ab jetzt. Aber der Unholde ging schon mit weitwinklig gestellten Füßen und engen Beinen, also in seiner schrecklichsten Tänzermanier, auf das Kreidegesichtchen Kleopatra zu, reichte seine Rüsselhand – auch sie wagte offenbar nicht, das Krüppelglied abzuweisen –, deckte seine Linke über den Händedruck und lud sie ein, zum Dank, sagte er, mit uns zu fahren. Fräuleinchen, sagte er, auf zum blauen Bodensee. Herrschaftszeiten! rief sie und lachte laut auf und entzog ihm die Hand. Da bin ich immer noch kitzlig, sagte sie und wies auf die Innenfläche ihrer Hand. Ich packte die Koffer, rannte hinab, wartete. Er kam dann schlingernd und tirilierend und Zähne zeigend. Als wir nebeneinander im Auto saßen, sagte er mit der Samtstimme: Nur zur Manöverkritik, so schnell hätten Sie nicht weglaufen dürfen! Noch fünf Minuten, und die wäre mitgefahren.

Als uns die Eisenbahnunterführung schluckte, sagte er noch ergreifender: Jetzt fahren wir eben allein.

Vergangenheitsform für einen Sommer

Das Gedächtnis ist gleichsam der
Magen der Seele.
Augustin

1

Der dritte Anlaß, über unser Erinnerungsvermögen
verwundert zu sein

Kauernd im November. Zeitbla-bla, das Jahr im Eimer, schon schwillt der Schmotz von der Bleiberei, das Seehaus erscheint, bayerisch-italienisch-toskanische Villa, schlößchenhaft, Ziegel-zierat, das Dach fast flach, fetzenweise melden sich ehemalige Damen und Herren, Seehäusler jeder Art, Gewölle Erinnerung, eine scheppernde Hohnlippe deckt den ganzen Bodensee zu, New York ist die Stadt des 20. Jahrhunderts, Sätze von wem? das Luftgekaue NDB's, er wartet immer noch auf die Antwort des Erledigten, kaut und kaut die Luft mit klingenden Prachtzähnen, wird's bald, Herr Schlupp? Beinstunde, eingedickte Schreck-sekunde. Heißt also das Darwingesetz für das Überleben in Erin-nerung: je schlimmer es war, desto mächtiger wird es sein? aber Frau Kölsche, kurzgekämmte Blomichsekretärin, suchte mich doch am zweiten Tag im Gästehaus der Villa auf und sagte: wir führen Sie, wenn's Ihnen recht ist, als Werbeberater, das Gäste-haus ist, verstehen Sie, ausschließlich für Zwecke der Firma be-stimmt, und ich verstand, behielt *den* Satz auch, weiß nicht warum, schlimm war der nicht, im Umkreis des Schreckens wohl oder der Furcht, Melanie würde kommen, Schreibseiten zählen: hast Du Dir jetzt endlich die Liebe erbuchstabiert? Sucht mich nur heim, Sommertrümmer, Seehausgelichter, ich liege auf dem Mund wie die Boote im März und November, wenn ihr mich pie-sacken wollt mit euern (von wem) ausgesuchten Erscheinungen, dann bitte ich Birga um Schutzhaft, beichte Dr. Weinzierl endlich das Geständnis hin, auf das er wartet, erlöse endlich die vorbei-gleitenden Tierblicke der Kinder, rufe Kommtallezumir, berührt mich, Heil Uns Miteinander, drängt euch bitte so eng, daß es das Licht schwer hat, in unseren innigen Kreis zu dringen, denn schon das Licht kann vom Wasser reden und Blattgrün hereintranspor-tieren, also redet mir bloß vorerst nicht von Bäumen, nicht von Süßwaren, Fernsteuerungen, Spanferkeln, Booten und Bootsste-gen, nicht von Rothaaren, Lyrik, Messingfarbe, Nasenbluten, Rasenmähern, Mikrophonen, Haifischen, redet mir nicht … ich werde euch einen Katalog überreichen, der alle unerträglichen

Erwähnungen aufführt, dieser Katalog wird sich auch selber auf-
führen. Also wird abgerechnet mit dem Erinnerungsungeziefer,
Verhalten wird nachgeholt, alles wird ins dunkle Licht meiner Ei-
genliebe gelockt, das ich heizen und scharf machen will, wenn es
sein muß, mit Haß, dann wird versehrt, verbrannt, dann rächen
und lackieren wir und schummeln und rühmen wir zu keinem anderen Ende, als zur Erzeugung eines Gleichmuts, der über Nacht
hält.
Nichts sei, was es war. Das paßt mir jetzt. Aus einer Farbe macht
Gedächtnis ein lausiges Wort. Ein Felsmassiv stellt es Dir auf einen Zehennagel. In seiner auflösenden Bewahrungsweise gleicht
es dem Möbelwagen. Allerdings sortiert es feiner. Man kann sich
immer darauf verlassen, daß man die Nasen bei den Hasen und
Henkelvasen, Tropfhahnen, Widderhörnern, Pyramiden, Retti-
chen und Schiffsbugen finden wird. Falls man auch Nasenlöcher
benötigt, findet man die bei den Bullaugen, Jackenärmelmün-
dungen, Zwillingsgewehren und Würfelbechern. Und diese Öffnungen sind, das ist das Geheimnis des Memorialmagazins, so in
einander gefügt, daß 1 Mio Öffnungen im Gedächtnis noch nicht
den hundertsten Teil eines Stecknadelkopfes Platz brauchen. Das
Auflösungsvermögen unseres Gedächtnisses nimmt denn auch
auf wahre Größe keine Rücksicht. Ich glaube, die Erscheinung
wird in eine Funktion verwandelt. Auf Bedeutung wird gepfiffen.
Die kopfinnere Lebensweise besteht aus Abhängigkeiten. Je länger so ein Kopfdunkel existiert, desto mehr wird darin von einander abhängig gemacht. Nur was abhängig gemacht werden kann
von einem schon vorhandenen Datum, kann überhaupt dazu
kommen. Und was dazu kommt, muß aufgehen im dimensionslo-
sen Alphabet der Abhängigkeit. Aber es gibt wohl kein einziges
Datum, das nur von einem einzigen anderen Datum abhängig gemacht werden müßte, und dann hätte man's schon im Gedächtnis.
Jedes Datum wird in ein ganzes System von Abhängigkeiten ein-
gewiesen, kann dann unter den verschiedensten Stichwörtern ek-
phoriert werden, von der mechanischen Assonanz bis zu exakten
Verweisen in den Zusammenhang der zeitlichen oder räumlichen
Herkunft (also weckt, wer Kirchenglocken weckt, bei mir auch
Zopfbrot, wollene Strümpfe, Sonntagmorgen etc.) Das alles ist,
so unüberschaubar es scheint, kein Wunderwerk. Erstaunender
und immer noch fabelhaft, und das mächtigste und anziehendste
Geheimnis überhaupt, ist aber der Verkehr, den die Daten mit

einander haben, ohne daß man's weiß. Ein Verkehr, der mörderisch sein kann, für den, in dem er sich ereignet. Ein Verkehr, der mit so hoch geachteten Namen bezeichnet wird wie Phantasie und Seele. Freud hat diesen Verkehr zu ausschließlich an sexuelle Geschichte gebunden. Er hat jede Produktion des endokrinen Labors kurzbündig mit Bedeutung versehen. Zweifellos hat jedes System unseres Labors am Datenverkehr den Anteil nach seiner natürlichen Wichtigkeit, also könnte der Reifungsgeschichte der größte Anteil zugestanden werden. Aber formuliert sich dieser Anteil so hübsch als Reaktion auf bürgerliche Sexualmoral wie der große Freud das etikettierte? So anthropozentrisch ist der Mensch kaum zu erklären. Da zärtelt noch der gleiche Menschenglaube, der aus dem Regenbogen eine Veranstaltung zur Freude der Netzhaut macht und die Netzhaut zum Vorposten der Seele.

Das sollen die uns, bitte, mit weniger dramatischem plot, mit geringerem Motivaufwand noch einmal liefern. Solange ich aber mit dem schwierigen Gedächtnis allein gelassen werde, muß ich selber für erste Hilfe sorgen, wenn ich plötzlich entdecke, daß sich ganze Abhängigkeitsketten und -ströme mit einander verbinden und ihrer dienlichen relativen Indifferenz entgleiten und sich informieren als belästigende Kolonnen und mir hinreiben, was ich nicht hingerieben haben will. Das ergibt schwer erträgliche Zwänge und Zeremonien. Also muß ich, mangelhaft ausgerüstet, die Heimsuchungen an irgend einem gespensterhaften Zipfel packen, von Abhängigkeit zu Abhängigkeit verfolgen, entblößen, Kontaktstellen stören, eingespielte Verbindungen zerhakken, Rädelsführerknotenpunkte isolieren, austrocknen, zerstäuben, wegblasen, und die Bahnen begünstigen, die es besser meinen mit mir.

Also will ich sorgfältig zurückschimpfen. Wörter eignen sich insofern dazu, als auch sie, wie die Gedächtnisfunktionen selber, Ameise und Wolkenkratzer gleich groß machen, Ameisen und Wolkenkratzer in eine Qualität auflösen, in der Groß und Klein insofern keine Rolle mehr spielen, als beide nichts als Wörter sind, eine Qualität also, in der es zwischen Groß und Klein nur noch den Unterschied gibt, der im Kopfinnern zuhause ist, den Unterschied zwischen Wörtern. Zwischen denen allerdings gibt es, hoff ich, geradezu verwöhnbare Unterschiede. Das will ich überhaupt annehmen: statt etwas, bleiben Wörter.

2

Das Seehaus. Der Seehausbesitzer. Das Seehausbesitztum. Der Drang, so ein Seehausbesitztum zu verbergen. Hinter einer Thujamauer, zweizwanzig hoch, fünfundachtzig tief. Kann wirken wie Barmherzigkeit. Ihnen, Herr Blomich, gehört ja ganz schön was am Bodensee, wo die Erde langhaarig ist und sich ausspricht in hochversunkenen Bäumen. Meinerseits kein Neid, Herr Blomich. Ich-Anselm bewunderte gleich Ihren Mut. Schön, die Thujamauer schützt. Das Panzerplattentor schützt. Viel schützen die hochentfalteten Bäume. Und das übereifrige Strauchwerk nimmt es im Schützen infanteristisch genau. Aber das viele vertuschende Grün schützt doch bloß die draußen gegen so ein Besitztum, daß sie's nicht sehen und unverletzt heimfinden können in ihr Ruhrgebiet. Aber Sie, Herr Blomich, wer schützt Sie vor der Gewalt so eines Besitztums? Genügt es, das zu besitzen, und dann hat es sich? Ich-Anselm war gleich froh, daß mir das alles nicht gehörte. Ich war auch gleich unfroh, weil das alles nur Herrn Blomich gehörte.

Heini gab das Ultraschallkommando, das Panzertor wich, die Bäume rauschten auf. Ungetaufte Damen- und Herrengottheiten, anzubeten mit schmerzendem Nacken. Aber von denen ist nichts zu wollen. Zwetschgenbananen pünktlich auf den Zentner die Ernte! nix da. Die stehen herum. Behaupten in Nomine Domini Wirsindschonlängereine Villa. Das Licht, das an ihnen schon vorbei ist, kriegen sie vom Wasser noch einmal zurück. Plustern sich silbern, beruhigen sich hellgrün, oder zeigen in schwarz-grünen Tatzen rötliche Krallen. Schorsch darf gerade noch durchfahren, dann gibt der Vorarbeiter das Zeichen, die Seilwinde zieht an, ein entasteter Herr, bis auf den Happen durchgesägt, stürzt glatt und genau in die ihm gewiesene Schneise.

Jetzt, Herr Blomich, komm von der Arbeitsstelle, erklär uns diesen Pyrrhussieg. Er hält es nicht für nötig. Er tritt auf, kostümiert wie auf Beumanns Nabelschau-Fest. Mao Tse-tung. Nein. Eleganter. Tshu En-lai. Jetzt in hellem schmiegsamem Stoff. Heini ihm entgegen. Zerhackt den Weg mit Verbeugungen. Frißt dann zuerst einmal etwas Süßes aus der flachen Hand seines Herrn und kommt wie ebenbürtig rechts neben dem her.

Blomichs linkes Ohr ist nämlich taub. Von Geburt an, hat Frau

Frantzke dem ausfragenden Heini verraten. Herrn Blomichs Schwester kommt also öfter mal her, um in Lindau zu spielen. Dann kennt er auch den Kollegen Bert? Und ob er den kennt, den Schlawiner, und die Frau, die einfach zu schön ist für den! Melitta! Da haben Sie aber recht, lieber Heini.

Blomich selber erwähnt also lieber, daß er als Artillerieoffizier verletzt worden sei. Auf jeden Fall soll Anselm ihm immer aufs rechte Ohr zusprechen.

Anselms unwillkürlich arbeitender Verhaltensgenerator lieferte zwei Empfehlungen für die Begrüßung des herannahenden Blomich. Es waren genau acht Tage vergangen seit dem schwarzen Börsentag, dem schlimmsten Tag seit dem Freitag anno 29. Hatte Blomich Effektenkredite? War ein Depot schwach geworden? Hatte er unter Zwangsverkäufen zu leiden gehabt? Dann begegne ihm, also sei ihm eine liebe Tante gestorben. Für einen Baisse-Spekulanten, der kleine Sparer schlachten will, darfst Du den nicht halten. Und zweitens: Dir fällt zwar, wie er so herankommt, plötzlich und zum ersten Mal ein, daß er ein Bergkamerad ist vom Monte Melanie, aber bitte, sag nicht: gell, wir könnten ein Lied singen! sag nicht: gell, das war eine schwere Wand! die Überhänge! der Gipfelkamin! Sei kein Kegelbruder. Solche Kumpanei ratifiziert man mit einem einzigen Blick und vergißt sie. Gefälligst.

Unnahbar freundlich schickt Blomich mich gleich ins Gästehaus. Dazu spricht er in einen kleinen Metallstift. Ein schwarzweißes Mädchen wirft die Beine von den Knien ab hinter sich und kommt dadurch rasch näher. Sie nimmt mich mit. Am Seehaus vorbei, treppab. Moment, Fräulein... Maria. Dieser Wiesenteppich, ausgelegt bis zur Ufermauer, ein Hafen, echsenhaft verwitterte Mauer, einszweidrei Boote, ein Steg noch weiter hinaus, zum gelben Badehaus, und draußen an der Boje die Yacht, gosh! diese Yacht, bitte, Blick komm zurück, zurück! sag ich, faß' Dich zwischen den ungleichen Herrenbaumsäumen links und rechts, bleib auf der Wiese, weil eine Wiese... aber nein, Wasser zieht, tränkt die Augen, macht sie schwer, führt sie fort, über die Grenze, über den See, wo die Erde sich zu Gebirgen entschlossen hat. Also gut: die Schweiz. Berge von links bis rechts. Aha, die Gipfel. Eifersüchtig neben einander. Erstens soll keiner höher sein. Zweitens jeder anders als der andere. Wieviel breites immergleiches Massiv ist nötig, daß so ein Gipfelchen droben für sich erscheinen kann. O Du politische Versammlung da drüben. Ein Gipfel, visioniert Anselm drauflos, ein Gipfel war durch geologisches Versehen zu nahe am See hochgeschossen, fand sich, als er kühlte und zu sich kam, so dicht am Wasser, daß er sich gespiegelt sah. Er erschrak bis ins Mark. Kam er zweimal vor? Und schon stürzte er sich hinaus ins Wasser auf seinen Doppelgänger und begrub sich im See. So also wäre Lindau entstanden. Als flache Insel muß der ehemalige Gipfel jetzt Lokomotiven, zweierlei Kirchen, eine bayerische Verwaltung und ein Kurorchester ertragen...

Gehen wir Fräulein Maria, wieder den schaukelnden Schleifen ihrer Schürze nach, also abwärts, am linken dunkleren Baumsaum entlang, unter dem durch, durch die Pforte in der Thujamauer ins Nebengrundstück, auf dem das Gästehaus Blomich steht, mit der Schmalseite zum See.

Heini: Das hat er extra für seine Proletarier gebaut. – Ja, was meinen Sie, was hier dat Aar kost? – Seitdem liegt er natürlich auch mit der Villa steuerlich besser, iss ja wohl klaar. Wie so mancher Süddeutsche, der bis über die Ohren in einen zähen Dialekt hineingeboren wurde, versuchte auch Heini öfter durch kühne Sprünge in ein phantastisches Berlinisch dem heimatlichen Sugo zu entkommen und machte dadurch erst so recht aufmerksam auf seine schwere Not.

Maria behauptete, mein Zimmer sei das schönste. Die Melodie kenn ich. Sind Sü öppa gar ou vo Ramsegg? Das dachte ich nur. Liegt ja ganz in der Nähe. Hinter der ersten Hügelkette, auf dem Südbauch der zweiten.

Das Zimmer läuft unter dem Dach hin. Schräge Wände, schmale Decke. Verkleidet mit hellstem Holz. Unterm Giebel, dem See zu, die Balkontür. Der Balkon zur Hälfte vom vorspringenden Dach beschützt. Drunten im Gras, am unbefestigten Strand: Frauen und Mädchen. Reglos. Das Gesicht zur Erde oder wie für immer nach oben. Halboffene Münder, entglittene Arme, ausgediente Beine, gekrümmte Leiber, weißes Fleisch. Welche Katastrophe hatten die hinter sich? Angeschwemmt? Ein Fischsterben? Ein Walfriedhof? In was für ein Lazarett war ich geraten? Die Münder sagten nichts mehr. Die klafften bloß noch, zeigten bloß noch, ob der letzte Schrei ein Schreck-O gewesen war oder ein Schmerz-A oder reines Gewimmer. Übertreib nicht, Erinnerung, das waren doch keine Münder mehr. Entgleiste Lippen. Keine Kraft mehr, die argen Zähne zu schützen. Das Zahnfleisch wie nicht mehr frisch. Picasso-Pferdefriedhof nach dem Angriff auf Guernica. Aber hier: weißblaubleich bis rosa, ausgestellt auf dem allergrünsten Rasen. Kommt alle her, mes fins voyeurs artistiques des avantgardes, und betrachtet genau das dicke blaue Gewürm unter der weißen Haut der Schenkel und die rotblau gleißenden Riste dieser auf Venenentzündung und Embolie abonnierten Steharbeiterinnen vom Steinfußboden. Ja-und die jüngeren Leichname dieser Ausstellung, verehrte Vernissagefreunde, haben wir in belehrender Absicht zwischen die späten Camembert-Plastiken gelegt, um zu zeigen, was aus was wird, was also möglich, bzw. gang und gäbe ist. Und ich bin sicher, meine verehrten Damenherrn, Sie werden jetzt mit mir das Cocktailglas von Berlin bis San Franzisko heben und es mit einem Esperanto-Prosit leeren auf die erste Ausstellung der Plastik der Grausamkeit, und einer wird gleich groß malen, was wir noch von nachsichtigen Badeanzügen bedeckt sein ließen und einer wird's dantesk dichten und danach können wir die Modelle vom Bodenseerasen getrost wieder zurückschicken in die Fabrik. Erstens, weil wir sie dann ja in der Kunstfigur für immer haben, und damit können wir unser Erschauern herstellen, wann wir wollen. Zweitens werden die Frauen in der Fabrik wieder gebraucht. Maria sagte, als müsse sie sich entschuldigen: Die sind erst heute vormittag angekommen. Ein Schub bleibt 14 Tage. Immer ein Schub Weibliche, dann ein Schub Männliche. Aber doch mehr Schübe Weibliche. Bei Blomich gibt's viel zu tun, wozu Frauen gut sind.

Sie unterweist mich im Gebrauch des Nests, das ich eher für eine feine Kajüte halten möchte. Haare hat sie mehr als sie befestigen kann. Vor den Ohren abwärts solider Flaum. Die Augenbrauen berühren einander noch auf der hohen Nasenwurzel. Die könnte von den Madlehners von Ramsegg sein. Oder von den Fugunts von Ramsenbühl. Jardes von Atlashofen sind auch so haarig, aber nicht so dunkel. Vielleicht eine kompliziert Verwandte, eine Kalbrecht von Liebenau. Sind Sie von Liebenau, frag ich. Nein, von Retterschen. Ach, noch näher. Retterschen, also Zayfang? Nein! Abrell? Nein! Also frag ich: Grabherr? Ja. Leider hält sie es für ganz selbstverständlich, daß jedermann, woher er auch komme, die Familien von Retterschen kenne. Sie sagt nicht: wie kommt es, daß . . . sie sagt: Also, gute Erholung. Und geht. Auf der Balkonbrüstung landen in raschem Wechsel der schöne Vater, die schlichte Mutter einer Rotschwänzchenfamilie. Das Nest muß unterm Giebel sein. Hat einer der Gatten seine Riesenschnake, seinen Wurm bei der aufkreischenden Brut abgeliefert, startet der andere steil von der Brüstung, steht noch flatterndschwirrend eine Sekunde in der Luft vor dem Nest, schaltet auf Vorwärtsflug, und gleich verkündet das spitze Gezeter, daß der Wurm der sich gerade noch im Versorgerschnabel krümmte, nun sein Ende gefunden hat in den rosigen Rachen der Nesthäkchen. Unten eine Stimme. Heini? Er hielt eine Begrüßungsrede an die Frauen und Mädchen. Offenbar in eigenem Auftrag. Rat und Tat bot er an. Und sich selber auch. Ein paar Mädchen kicherten. Gibt's da noch Zweifel? Ja-ja, quakten zweidrei Stimmen. Die werden beseitigt rief er. Ein Sprung, ein Kreischen, als fahre der Fuchs in den Hühnerhof. Ich spähte hinunter. Er hatte eine Jüngere an einem Arm und an einem Fuß gepackt und wuchtete sie nun und drehte sie im Kreis immer schneller herum. Sie quiekste vor Schreck oder Vergnügen, ihr Badeanzug rutschte schon da und dort weg. Ho-ho-ho schrie Heini bei jeder Drehung. Schließlich ließ er die Beute sanft im Gras landen, da lag sie und wunderte sich. Die Mädchen klatschten, die Frauen riefen Bravo. Heini lenkte den Beifall auf die Partnerin. Und wie heißt mein Schwarm, rief er. Sonja, riefen zweidrei Stimmen. Sobald Sonja ihren Namen hörte, erwachte sie, lief zurück zu den anderen und legte einer Gleichaltrigen den Arm um den Nacken. Plötzlich hinter dem posierenden Heini ein Zweizentnermann in einem blauen Russenkittel, farblos engen Hosen, barfuß in Sandalen. Sein Kopf glatt geschoren. Die Frauen kreischten. Heini drehte sich um, versuchte einen formschönen Fluchtschritt. Der Herr Kerkermeister persönlich, rief er. Meine lieben Damen, adjö. Heini verschwand im Grünen, der schwere Mann schrie ihm nach: Laß Dich bloß nicht mehr blicken hier, Du Schwein! Dann hielt er eine Rede an die Frauen und Mädchen. Sein Name: Ivo Kops. Aus Magdeburg. Ist Maler. Macht hier den Hauswart. Blomich zuliebe. Blomich ist mein Mäzen, versteht ihr. Hat fast meine ganze kubistische Periode gekauft. Also, daß mir Ordnung herrscht. Er ist kein Kerkermeister. Weißgottnicht. Aber ihr seid hier, euch zu erholen. Um 22 Uhr ist jede im Bett. Vor 7 Uhr will er nichts hören. Lest die Hausordnung. Ausgearbeitet von Dr. Drexel, dem Werksarzt. Ist ja bloß euch zuliebe. Wer sich nicht fügen kann, anderen die Erholung verdirbt, wird zurückgeschickt. Das Gästehaus hat feine Ohren. Und hütet euch vor diesem Schwein. Ein lausiger Chauffeur. Letztes Jahr hat er wieder eine geschwängert. Da braucht ihr gar nicht zu grinsen. Wenn es passiert ist, grinst ihr auch nicht mehr. Menschenskinder, seid doch vernünftig. Macht mir keinen Ärger, mit mir kann man wirklich auskommen. Und mit meiner Frau auch, nichtwahr, Spatz. Die magere Frau neben ihm, wohl aus der kubistisischen Periode, nickte mit ihrem breiten Kopf. Mit grell brüchiger Stimme gab sie Regeln bekannt: Euere Binden nicht ins Clo, auf den Zimmern nichts waschen, schminkt euch doch ab, denkt an die Kissen, und keinen Mann mit ins Haus, so eine fliegt, begreift doch, wo kämen wir hin... Gute Erholung.

Ich zog mich zurück. Saß im Sessel. Wie verschleppt. Warum kommt einem, sobald man fort ist, so vieles feindlich vor? Wehleidig sah ich den Vogeleltern zu, die unablässig Futter herschafften. Eine strampelnde Querladung nach der anderen. Ja-ja, ich weiß, ich sollte auch was tun. Ich bin noch nicht ein Schrittchen weiter als ihr, schwirre herum für nichts als Futter. Jeder Tag eine Kalkulation. Was habe ich heute verdient? Wieviel haben wir heute verbraucht. Es soll höhere Wesen geben, die arbeiten um der Arbeit willen. Wesen, deren Arbeit einen Sinn hat nicht bloß für sie selber. Wesen, die, was das Futter angeht, überhaupt nichts mehr tun müßten. Dafür wäre glatt gesorgt. Trotzdem tun sie noch was. Da beginnt wahrscheinlich der mir unbekannte Sinn. Der uns unbekannte Sinn. Es gibt ja noch mehr Rotschwänzchen, die ihr Leben nur-nur-nur damit verbringen, Futter herzuschaffen für die Brut. Und die, die zuckende Beute im Schnabel, schwitzend davon träumen, daß sie einmal fliegen dürften ohne elendige Notwendigkeit. Ja-ja, Melanie-Moumoutte, ja, Birgi-Birga, ich reiße mich jetzt gleich an der eigenen Nase aus dem Sessel hoch, schleppe mich auf genadelten Beinen zum Schreibtisch, beuge den Kopf unters helle Holz und fange auftragsgemäß an, die Liebe noch einmal zu schildern, und meine anachronistische und deshalb geschäftsschädigende Scham löse ich, wenn es sein muß, im Alkohol auf.

Interesse für Blomich. Idiotisch genug. Und was Dich das kostete. Das hättest Du Dir nicht leisten dürfen. Den Auftrag in der Stirn. Auf der Jagd nach Wörtern für Moumoutte. Und da fängt dieser Anselm an, Blomich zu studieren. Malt sein Interesse mit Tarnfarbe an, daß es als Hilfstruppe in seinem Kampf um Dasein mitmarschieren kann. Die erste verführerische Erleuchtung: Blomich ist der gesuchte Held für den Sachrom von der Liebe. Hans heißt der Held, nicht Anselm. Hans verlegt einer gewissen Rosa Luft-Land- und Seewege mit Geschenken, Hans läuft herum wie der vergiftete Hund, Hans hat zwei weit auseinanderliegende Elefantenaugen, den Elefantenblick, der seinen herabgelassenen Lidern das Meiste verdankt, Hans hat die verwitterte Haut, zwei große Furchenrahmen an den Mundwinkeln vorbei, drei Großfurchen quer und unparallel und mehrfach gebrochen in der Stirn, Hans ist trainerhaft schlank und schleppt doch schwer an seiner Seidenstoffchinesenkleidung, Hans kann seinen Kummer nicht halten, macht sich komisch für halb München, sitzt in den Küchen seiner Freunde und holt sich bei deren Putzfrauen jahrhundertealten Rat und Aberrat, Hans sucht nach immer neuen Ohren für den täglich frisch wuchernden, petroleumfarbenen Schmerz, der Wort wird und in Hans nicht wohnen will, der zerspränge denn, Hans hat auch das nötige Geld, kann für 1000 Mark hinter Rosa hertelephonieren, Hans hat aber zu Anselm im Seehaus kein Wort gesagt über den Schmerz des laufenden Tages. Mir zuliebe behaupte ich, er war jetzt in einer anderen Phase. Er näßte nicht mehr jeden Platz, auf den ihn sein Schmerz drückte.

Anselm stellte sich so lange vor die viel zu neue Glashalle neben dem Gärtnerhaus, betrachtete solange die drei ganz ungleichen Maschinen, bis Blomich anrückte und redete. Seine drei Maschinen. Hat er entworfen. Bis jetzt läßt er noch auswärts bauen, bei Werner und Pfleiderer in Stuttgart und in Viersen bei Hansella. Und erklärt, schon selig, die teilereichen Fremdlinge, als könnte Anselm dann Trichter auf Trommel reimen, ein Rührwerk, für schwer und schwerste Massen, sei es Nougat, vorziehen einer Dressiermaschine bloß zur Aufarbeitung weicher und flüssiger Teigmassen. Also die Süßwarenfabrikation hat ihm der Vater befohlen, die will er los werden, wenn es sein muß, an den Konservenschwager Frantzke. Ach diese publikumssüchtige Branche. Eingeklemmt zwischen die Festtage des Kirchenjahres und den launischen Gusto unbefriedigter Schleckwitwen, ja-und die Preisschleuderei in der Branche, Rabattludereien, preiszerstörender Werks- und Behördenhandel, Hochkömmlinge, Fremdfettverarbeitung, amerikanische Einflüsse, Walfett, Persipan soviel wie echtes Marzipan, der Rohkakaopreis in den Krallen tief verheirateter British Cocoa Marketing Boards, die immer noch Afrika erpressen, Kakao immer noch für eine sterling commodity halten, swollen shoot desease, kranker Weltzuckermarket, seit die Russen praktisch Kuba haben, oder glauben Sie vielleicht, der Ostblock halte sich noch an irgendein Londoner Zuckerabkommen? Ihm solls recht sein, er ist Ingenieur! Ob gegen einander laufende Rührflügel dem schneller laufenden einfachen Flügel überlegen sind, war ihm immer schon wichtiger als Rohstoffbörsenfieber, das Zugabe-Unwesen und das Konditorgeheimnis des optimalen Krem oder Fondant. Jetzt denkt er herum an einer kombinierten Mehrfarben-Gieß-Einstempel-Auspudermaschine, ach nein, denken tut er schon lange nicht mehr, seit, er weiß es nicht, kann er sich nicht mehr... Und murmelte was und schleppte sich weg. Bleibt stehen, überlegt, rentiert es sich überhaupt? ja, er würdigt Anselm, kommt her und sagt: Mein Vater hat Konditor gelernt in Herisau, drüben im Toggenburgischen. Als Lehrling hat er mal im Lokal eine alte Frau beobachtet, die saß vor einer Dreifachportion Schlagrahm, hatte eine gelähmte Zunge, schaufelte also den Schlagrahm gleich tief hinein und malmte dann mit Hilfe von kreisenden Kieferbewegungen den Schlagrahm bis zum Gaumen, von da an ging es dann ganz schnell. Das hat ihm sein Vater an die hundert Mal erzählt, um ihm zu beweisen, wie wichtig dem Menschen die Süßigkeit ist.

4

Anselm ging immer langsam und, wie er dachte, schriftstellerisch grübelnd, an den Souterrainfenstern auf der Seeseite der Villa vorbei. In diesem vorspringenden Souterrainraum, hausbreit wie die Terrasse, die ihn deckte, bastelte Blomich jeden Tag. Anselm schlurfte auch manchmal. Endlich rief Blomich.

Blomich, ernst und gefangen im Gerank blühender Drähte, mit-atmender Glühbirnen, zwinkernder Signallämpchen. Anselm wußte, diese Labor-Fauna mußte bestaunt werden. Also nickte er sein Jagibtsdennsowas all den hochwerten elektrischen Sorg-fältigkeiten zu, den Röhren, Spulen, Oszillographen, Kondensatoren, Antennen, Bildschirmen, den offenen Metallschränken und ihren vielfarbigen Drahtinnereien und den Akkus, Drosseln etc. Aber auch den Spielzeugbooten, Flugzeugen, Rennwagen, Traktoren etc. Aber auch den elektrischen Bohrern, Drehbänken, Lötkolben, Schweißapparaten etc. Aber auch Herrn Blomich im weißen Mantel.

Heute kann ich Ihnen was zeigen.

Anselm mußte sich vor einen Bildschirm setzen. Blomich setzte sich neben Anselm, schnipste aus seiner Manteltasche ein Knipsgeräusch, der Bildschirm rappelte sich auf, zeigte einen kleinen Hafen, in dem eine Spielzeugflotte lag. Draußen, unterm Badehaus, erklärte Blomich. Blomich knipste wieder in der Tasche. Ein Tonbandgerät lief an. Auf dem Bildschirm senkte sich ein Bootshaken, hakte nach einer Leine, holte die Leine nach oben, ein Motorboot war frei, schüttelte sich ein wenig, zeigte plötzlich eine Absicht, fuhr ohne Zögern rückwärts aus dem Hafen, das Bild folgte vor den Hafen hinaus, folgte dem drehenden Boot, kam dem davonfahrenden Boot näher, blieb dann allmählich zurück. Seit das Boot mit dem Wasser allein war, sah es nicht mehr wie Spielzeug aus. Erst als es sich weit draußen dem Pfahl näherte, der den Dampferkurs markiert, wurde es wieder ein Spielzeug. Diesen Pfahl umrundete es und kam wieder näher. Blomich legte die Zigarette weg, stand auf. Es kommt darauf an, daß es die Hafeneinfahrt trifft, rief er. Das Boot wurde undeutlich, dafür kam der Hafen ins Bild, Schärfe auf der Einfahrt. Der Bug zielte genau auf die Einfahrt, dann verschob er sich, Blomich rannte zum Tonbandgerät, stellte es ab, bediente eine Art Morsetaste an einem Kästchen und verhinderte so, daß das Boot die Hafenwand rammte. Das Boot drehte, von Blomichs Sondertaste dirigiert, energisch bei, passierte die Hafeneinfahrt, stoppte, schwankte, von oben kam die Drahtschlinge am Haken und legte sich über einen kleinen Poller auf dem Vorschiff.

Schade, sagte Blomich. Dann erklärte er, wie oft er das Boot von Hand ferngesteuert habe, wie oft er die Signale dieser immer geglückten Fernsteuerungen auf dem Tonband gespeichert und dann miteinander verglichen habe, wie er sich dann für einen durchschnittlichen Verlauf entschieden habe und seitdem versuche, dem Tonband die Steuerung des Senders zu überlassen. Aber eine unvorhersehbare Welle genüge, das Programm zu stören. Nahm den Sender, führte Anselm zum Badehaus hinaus, zeigte ihm den kleinen Hafen zwischen den Pfählen, auf denen das Badehaus stand, dann zog er das rote Motorboot auf den Holzrost und sagte zu ihm: Wenn man dem Ruder den Ausgleich beibringen könnte. Anselm durfte nichts tragen. Blomich grüßte und hastete die Treppe hinauf. Am Bug des Bootes las Anselm *Rosa III*.

5

Maria unter all ihren Haaren. Bleibt immer auf der Schwelle stehen. Dann sagt sie auf. Kommt sich schon zu erwachsen vor für das Aufsagen. Also sagt sie auf wie eine Achtkläßlerin das Gedicht der Schwester aus der zweiten Klasse aufsagt. Der Herr Direktor, sagt sie auf, würde sich freuen, wenn Sie Lust hätten, heute abend zum Essen herüberzukommen, es kommt noch ein Gast, heißt Dr. Blagge und ist Psü-cho-loge und es wird sicher interessant.
Sherry vor riesigen Vitrinen. Den Sherry in der Hand, dürfen wir die Marzipan-Ausstellung anstaunen. Marzipanhunde, Marzipanschweine... Marzipankarotten, Marzipanpilze... Marzipanwürste, Rollschinken aus Marzipan, Marzipan-Stilleben. Marzipanmarzi. Herr Dr. Blagge staunte für mich mit. Jeden seiner Blicke wirft er immer so deutlich irgendwohin, daß Blomich sofort freudig erklärt, was Dr. Blagge freudig entdeckt. Dieses Blickwerfen und Erklären klappt von Gegenstand zu Gegenstand besser. Richtig, das sind holländische Barockvitrinen. Und schon landet Dr. Blagges Blick in dem komischen Holzschild, das die aufschwingenden Vitrinenkurven krönt. Richtig, das ist eine Rocaille, Sie sehen's ja, nicht ganz original. Aber sie paßt ganz wunderbar, sagt Dr. Blagge. Fliegt ein Flugzeug über das Haus, sagt Blomich, dann zittert sie.
Wir essen Barsche. Von Michel, dem Gärtner gefangen. Getrun-

ken wird Weißherbst. Herr Dr. Blagge, von allem ein Kenner, liefert die Komplimente. Ich muß nur nicken. Bedient werden wir von meiner Tante Therese.

Erschrak ich nicht doch ein wenig? Blomich sagte Du zu ihr, vermied aber den Vornamen. Wenn sie in meine Nähe kam, rieb ich mir die Schläfe. Erkannte sie mich wirklich nicht? Oder war sie nur eine Jahrgängerin und Nachbarin von Tante Therese? Die selben Gebete, die selbe Luft, die selben Männer. Für diese Tante hätte ich mich nicht genieren müssen. Blomich behandelte sie wie einen Gegenstand, der ihm teuer war. Er schien fast stolz zu sein auf Tante Therese. Wie auf ein eigenes Produkt. Nannte sie öfter: Meine Gute. Trotzdem fragte ich nicht: Sind Sie meine Tante Therese. Heute weiß ich: sie kann nicht Tante Therese gewesen sein. Erstens hätte mich Tante Therese sofort erkannt. Zweitens hätte sie mir sobald als möglich einen von den anderen nicht zu bemerkenden Wink gegeben, mich und sie nicht zu verraten. Die echte Tante Therese hätte nämlich sofort gefürchtet, mir könne es schaden, wenn es sich herausstelle, eine Tante von mir sei Blomichs Wirtschafterin. Also mir zuliebe hätte sie sich und mich sofort verleugnet. Die Schwestern meiner Mutter sind so geworden. Und ich wuchs auf unter ihren ängstlichen Atemzügen.

Ich starrte also lieber den Fischen in die verbrühten Augen. War sie die echte Tante Therese, dann würde sie Komplikationen heraufbeschwören durch den Versuch, allen Komplikationen vorzubeugen. Auf die zerlassene Butter, die in der Mitte des Tischs zu erlangen war, verzichtete ich.

Zum Glück war Dr. Blagge ein jüngerer, scharf gebildeter Mensch, der wie von selbst sprach. Vielleicht kam er aus Leverkusen. Sein Gesicht war rosig. Die Gesichtszüge hatten sich allerdings an einen Ausdruck gewöhnt, den ich als Tadel empfand. Nach dem Essen wandelten wir aus dem Eßzimmer hinaus auf die Terrasse. Dr. Blagge mußte seufzen, als er den-See-das-Gebirge sah. Wie ich bemerkte er, daß die hochherrlichen Baumreihen links und rechts den Blick hinausbugsierten. Hinausgeleiten, sagte er. Und draußen, sagte er, macht ihn das Wasser schwer. Zusätzlich und ausdrücklich begeisterte sich Dr. Blagge noch über den Baumsaum, der rechts zum Ufer hinunterführte. Schön, sagte er, daß Symmetrie vermieden sei. Links: dunkel, unregelmäßig, Thujen, Rotbuchen, Mammutbäume, kanadische Nadelriesen, rechts: die sorgfältigste Allee, links: der Steinplattenpfad, ins Gästehaus, rechts: unter der Zweierreihe der Lindenallee der breite Kiesweg zum Hafen. Schwärmend zählt Dr. Blagge auf, was er sieht, und zählt gleich: zweiviersechsacht-Donnerwetter – 48-tolle-Linden-Donnerwetter.

Und wir bogen ins erste Terrassenzimmer und ins zweite, Dr. Blagge warf Blicke auf Venezianisches und Oberschwäbisches und war ganz entzückt von der Annaselbdritt, deren Anna gewaltig viel größer war als die Maria auf ihrem Schoß, während Jesus auf Mariens Schoß schon so groß war, daß er wohl bald abspringen würde. Von dieser Gruppe mußte man Dr. Blagge, wollte man weiterkommen, fast mit Gewalt lösen. Ach ja, sagte er, ach ja. Blomich warf nun seinerseits einen Blick auf seine eigenen bloßen Zehen, die sich in den Sandalen bewegten. Also, sagte Dr. Blagge, holte den Zettel hervor und sprach.

Er hat zu danken im Namen seiner Firma. Blomich hat den Auftrag nicht an eine amerikanische Firma gegeben. Es gibt deutsche Firmen, die tun das. Aber seine Firma hat doch auch Erfahrung in der Analyse der Frauenarbeit. Will er allgemein vorausschikken. Die weibliche Psüche, das kann er sagen. Aber auch die Lunge der Frau! 20 Prozent kleiner! Frauenblut: 30 Prozent weniger rote Blutkörperchen, das Becken der Frau, die Bauchmuskulatur, er wird darauf zu sprechen kommen bei den schweren Lasten, zuerst und zuletzt aber die Psüüüüche. 71,9 Prozent bei Blomich sind weiblich, bei Gott, es war Zeit für die Untersuchung. Also konkret-konkret, wie sagt doch schon der Dichter: die Wahrheit ist konkret! Also ad 1 produziert die Muskelarbeit Gift, Abbauprodukte des Kohlehydratstoffwechsels, die sattsam bekannte Milchsäure, und die Frau mit kleiner Lunge, weniger Rotkörperchen, also weniger Sauerstoff, muß alle 2 Stunden 3–5 Minuten an die Frischluft, dann steigt die Leistung gleich wieder an. Ad 2 ist die Frau nach der Schrecksekunde um 25 Prozent später reaktionsfähig, also weg mit ihr von Gefahrenstellen. Ad 3 des Beckens wegen, der Muskulatur wegen, weg mit ihr vom *Hercules,* vom Kühl- und Wärmetisch, von schweren Trögen, hat seine Firma doch fast nur noch in Finnland und bei Blomich die Frau am *Herkules* gefunden: Unterleibsstörungen, Indispositionen, häufiger Wechsel, es rentiert sich einfach nicht. Ad 4: heraus mit der Frau aus der Eintafelei, senkt doch Lärm ihre Leistung um 17 bis 22 Prozent, beim Mann um 4 Prozent, Leistungsverlust auf den Lohn bezogen: 11 Prozent. Ad 5 die Keimabtötung durch

Ultra-Violett Bestrahlung der Raumluft: ist umzutaufen, weil Wörter wie Bestrahlung und Keimabtötung unterschwellig Furcht und Abwehrreaktionen auslösen, die zu Leistungsabfall führen, nennt doch die Lampen Air-Cleaner! oder macht sie ganz unsichtbar! Ad 6 die Attraktion einer Süßwarenfabrik für die Frau: a) helle Gebäude Wände schwachblau mit Bildern voll Blumen die Fenster alle Sockel lindgrün und etwas Musik: Konzessionen an die weibliche Psüche machen sich rasch-rasch bezahlt am Band an der Maschine kann die Teilarbeit beliebig gesteigert werden ist nur das Milieu freundlich ist der Frau die Monotonie schon egal. Aaber! bei Beleuchtung Schlagschatten vermeiden! b) der Lebenswandel der Arbeiterin muß anständig sein draußen gilt sie für die Firma ist aber der Lebenswandel der Arbeiterinnen schlecht will eine Anständige nicht zu *denen* gehören also kommt sie nicht also ist eine mit häufigem Männerwechsel ungeachtet ihrer Leistung für die Firma unerträglich. Ad 7 die Steharbeit schärft zwar die Arbeitsspannung steigert aber den Nähraufwand um 12 Prozent die Beinleiden wie Krampfadern also besser sitzt die Frau. Ad 8 Die Kinder wenn vorhanden soll die Firma übernehmen von der Frau am Morgen wenn sie sie bringt sind die geschlossen in den nächsten öffentlichen Kindergarten oder einen eigenen zu führen was der Frau Kraft spart steigert die Leistung. Ad 9 pro 150 Frauen eine Fürsorgerin ausgebildet als Sanitäterin mal probeweise um zu sehen ob die Ausfalltage sinken gegen früher mal ganz abgesehen vom sittlichmoralischen Wert einer solchen Einrichtung. Ad 10 der Faktor Psühüche generell im Lebensablauf der Frau in der Süßwarenfabrik: sie ist zwar von 16 bis 30 geschickter und mit 30 sind ihre Finger auf dem Höhepunkt aber von 16 bis 30 hofft sie ist also unruhig hat nicht den Ernst für die Arbeit begreift sie erst wenn die Aussichtslosigkeit zunimmt die Einsicht daß sie sagen wir nicht zum Heiraten kommt oder ihr Mann nie verdienen wird was sie braucht das ist jetzt die Chance des Betriebs der ihre Arbeit schätzt die Bedienung von Packmaschinen oder Pralinenfertigung oder das Schminken von Marizpanartikeln sind zu loben als hochhandwerkliche Leistungen denn wer die Frau lobt vervielfacht ihre Leistung wird sie steigern wenn alle Abteilungen ausschließlich mit männlichen Leitern und Vorarbeitern durchsetzt sind die keine Frau bevorzugen und Mißgunst und Neid nicht wachsen lassen Streitereien schlichten und selber eine saubere aber durchaus männliche Haltung zeigen weil festgestellt ist daß Schwärmerei für einen Vorgesetzten einer weiblichen Abteilung zu fabelhaften Leistungen verhilft und der Frau Befriedigung in der Arbeit gibt durch sittliche Impulse für die ist sie empfänglich als Frau will sie ihr Seelisches geweckt sehen in einer menschlichen Beziehung dann ist ihre Leistung ebenbürtig der Leistung des Mannes. Das wär's. Zehnpunkteplan ausgearbeitet bis ins Detail hat er Frau Kölsche gegeben.

Blomich beobachtet seine Zehen. Die bewegen sich. Wollten sie ihn auf etwas aufmerksam machen? Seine Unterlippe war ihm entglitten. Er sagte: Danke, Herr Doktor. Das war sehr interessant. Wir werden sehen. Mich entschuldigen Sie jetzt. Ich habe noch... Aber bitte, bleiben Sie doch. Sie werden bedient.

Dr. Blagge steckte seinen Zettel ein. Ich blieb noch ein wenig bei ihm, gab ihm den Tip, bei Herrn Blomichs Schwester vorzusprechen, Frau Frantzke sei immer bereit für was Neues; ich schilderte ihm die Reden, die Frau Frantzke im Frühling auf dem Hof zwischen K VI und B II an ihre ca. 3-5000 weiblichen Psühüchen hält, also zwischen Rinderschlachthalle und Gerberei, wie unverblümt sie sich müht, ihre Arbeiterinnen gegen die Gefahren des hereinbrechenden Frühlings leistungssteigernd zu immunisieren. So geht's wirklich nicht, sagte Dr. Blagge und erzählte mir alles noch einmal. Als ich ihn fragte, ob es die hübscheren Frauen leichter hätten, erzählte er mir noch einmal alles nocheinmal. Danach glaubte ich, mich auch verabschieden zu dürfen. Er blieb bei der Annaselbdritt, ihn interessierten, sagte er, die Proportionen,

6

Es kommt mir vor wie früher Morgen. Noch ungestörter Vogelsang. Die Thujamauer, die gegen Westen schützt, gerät an mehreren Stellen in gebärende Bewegung. Aber nur an einer Stelle bohrt sich unter Rascheln und Rauschen ein Schildkrötenkopf heraus. Dabei bleibt es. Vor der dunkelgrünen Wand ein Schildkrötenkopf. Wie angenagelt und bereit, Falada zu heißen. Aber bitte, ich bin kein Gedächtnisverehrer, ich will mich nicht verbürgen für diese lausige Institution: es kann auch Abend gewesen sein, als Falada so wortwörtlich erschien. Einen Dr. Blagge, der sich wiederholt, kann man aus dem Gedächtnis herausmelken, naturrein ohne Bedeutung. Über den Schildkrötenkopf in der Thujawand läßt sich die selbstherrliche Institution nicht befragen. Ihr ist der Schildkrötenkopf nichts als ein Wort aus Wörtern. Was für Kopulationen haben da stattgefunden? Die Nabelschnur zum Gewesenen flattert. Die Wörter richten sich auf und fressen Gras. Und weil ich sowieso von der ganzen Gewesenheit nichts habe, kann ich es auch zulassen, daß der Schildkrötenkopf quer im Maul ein Zuavenmesser trägt. Diese züngelnde Klinge hilft mir sogar, die Schildkröte am Grinsen zu hindern. Dazu neigen ja Schildkröten trotz aller Begabung für faladische Traurigkeit. Mich interessiert dieser Schildkrötenkopf des züngelnden Zuavenmessers wegen, und weil er sich so durchs dichte Grün preßt, an die Kämpfe, die bayerische Vorfahren unterm Raupenhelm in den heckendichten Hopfengärten bei Weißenburg anno 70 so siegreich bestanden, daß ich Zuaven danach nicht mehr geschichtlich erwähnt fand. Aber um mich an diese Metzelei im Hopfengarten zu erinnern, erscheint, hoffe ich, kein Schildkrötenkopf mit Messer in Blomichs Garten. Zweifellos ist Blomich gemeint. Sobald der Schildkrötenkopf erscheint, knistert die Villa, alles ist plötzlich – um in Blomichs Bastelwelt zu bleiben – wie unter Strom, es entsteht eine Nachricht. Die Königstochter kommt. O freue Dich, Seehaus, die Mesiasin hat doch noch zugesagt, mit der Boeing sieben-o-sieben schwebt sie in Klothen ein, Hans selber wird sie erwarten, und wenn sie vor uns aus dem weißen Bertone-BMW steigt, singen wir im Chor. Aber ohne Michel, den Gärtner. Der wird Schleie und Zander gefangen haben. Wird sich umgebracht oder versteckt haben. Er hat immer violettschwarze Ekzeme im Gesicht, also rasiert er um die Schorfe herum, die Schorfe bleiben, vom rotblonden Stoppelbart überwachsen, unglückliche Inseln. Aber außer Michels Geischt und Händen gab es nichts im und am Seehaus, was nicht verschönert werden konnte. Daß ich Blomichs Hunde endlich nenne: Dalmatiner. Regellos schwarzweiß überfleckt. Wenn sie zusammenstehen sind es mindestens vier. Sie bellen die Arbeiter von der Bierflasche weg. Blomich schaut in die Baugrube hinab, läßt sich vom Bauleiter Papiere ziegen. Der Schluchtschacht auf der Landseite der Villa, da wo der Baum stand, muß fertig werden. Die zwei Kugeln und die stählerne Röhre müssen noch vorher hinunter, müssen drunten zusammengeschweißt werden zu einem Stahl-knochen aus zwei Kugeln und einem zylinderischen Gang. Und wohin mit den Ypsilonträgern? Die Installation hat dann Zeit bis zum Herbst. Heini zieht am Unterlid und springt instinktsicher diesmal ins Rheinische: Jejen de Bombe. So schnell hat er auf den Spiegeltitel reagiert? Neenee, dat is lange jeplant.

Nicht zum Bühnenbild der herannahenden Oper gehört das Gästehaus. Da herum segeln wie immer von vielen Bäumen die steten Geschwader seidiger Samen auf die ausgelegten Frauenleiber hinab, die aber sind schon von der Sonne erkannt, gebrand-schatzt, wurstrot geschäntzündet. Ich werde auch präpariert. Mein Held Blomich dreht sich plötzlich um, kommt in seiner Spur zurück, stellt mich, beult die Gesichtsfalten, hebt die schweren Lider, ich soll mir wohl selber meinen Teil denken über seine Verlegenheit. Am 14. Juli macht er sein Sommerfest, jeder Gast bringt seineine Frau mit, mehrere Gäste kommen aus München, meine Frau könnte, falls sie nicht selbst, überlegen Sie sich das bitte, ja! zum Sommerfest brauchen Sie einfach eine Dame. So schlimm steht es also, Herr Blomich, um Sie. Sie sind mein Held. Mir wächst gleich in Schultern und Schenkeln ein tendenziöses Kraftgefühl. Der will also Männervalenzen von vorneherein ge-bunden wissen an herbeigerufene Frauen. Der hat jetzt schon Angst. Geht eisig weg, weil ich nicht gleich die Frau zugesagt habe. Mobbing nenn ich das, Herr Blomich. Dabei war ich doch gar kein Gegner, sondern bloß der Kriegsberichterstatter. Froh, endlich vom Selbstversuch erlöst zu sein, einen Helden zu haben, der sichtbar liehiebt. Seit ich Blomich beauftragt hatte, mein Held zu sein, atmete ich wieder durch. Man kann sich nicht andauernd selbst beobachten und gesund bleiben. Andere dagegen sind, weil man von ihnen nichts weiß, der Musik vergleichbar. Auf jeden Fall voller Signale. Von Blomich durfte ich legendäre Liehiebe erhoffen. Vielleicht war Melanie mit seiner ehrwürdigen Ge-schichte zu bestechen, erließ mir die rücksichtslose Genauigkeit, zwang mich nicht länger, über mich selbst hinauszuwachsen. Blo-mich war ein Held aus bewährtem Stoff, er würde mir schon noch Schicksal liefern.

Melanie rief an. Sie will noch vor der Königstochter kommen. Ich verstehe. Melanie gibt vor, sie möchte sehen, was ich in diesem Juni über Liebe schrieb. Nichts, hätte ich gestehen sollen. Ich habe bloß hinabgeschaut auf den Frauenfriedhof unter der Sonne

und Blomich belauert. Aber weil ich Moumoutte-Melanie schon
fürchtete und an die 2000 Mark dachte, beugte ich mich gleich
unter die Kajütenwand, stellte mir Barbara vor, verlegte Barbara
ins Urban, stattete Moumoutte-Melanie mit schmeichelhaften
Barbara-Talenten aus, verlieh ihr exemplarischen Rang, taufte
sie Typ Nummer Eins: Große Erstickerin. Die Frau, die gacksend
in die Binsen geht. Drucksend die Augen verdreht. Stumm
schreiend die Kiefer aufklappt. Den Fischblick kriegt. Mit dem
Fischmund quappt. Kein Lidschlag mehr. Aber noch knirschen
die Zähne, mahlen die Kiefer. Dann wird der untere Kiefer wieder zu schwer. Und sie sticht den Zeigefinger zwischen die Zähne.
Beißt ihn nicht ab. Sabbert bloß. Druckst und lallt. Kriegt den
großen Basedow. Die bewußseinslose Nymphnovene. Silber-
speichel rinnt aus erledigten Mundwinkeln. Und unter stammes-
geschichtlich ergreifendem Lallen, Kichern, Gacksen gehen ihr
die Augen endgültig unter. Später leckt sie erloschen noch einmal
breit hoch an seinem Hals, als wäre der das pure Salz. Amen.
Maria Grabherr von Retterschen unter der Tür. Frau Sugg. Maria
läßt Moumoutte herein, sie selber will gehen. Neinein, bitte, bleiben Sie. Vielleicht im Dialekt. Maria hört, fliegt her, ist bei mir
vor Melanie, dreht sich zu der, den Kopf zieht sie ein, rundet die
Schultern, zeigt natürliche Nägel, stößt Laute aus, Moumoutte
versteht, stellt, ohne von Maria wegzuschauen, die schwarze
Lacktasche ab, greift an, will Maria an den Hals, kriegt aber Marias Knie in den Bauch, knickt, sackt, rutscht, umfaßt noch Marias
Knie, Maria fällt, über Moumoutte hin, sie wälzen sich über einander. Strapse krachen, mit Feuerprasselgeräusch reißen die
Blusen, die Hände sind in den Haaren verkrallt, die Gegnerinnen
stöhnen einander an durch entblößte Zähne, ein schreckliches
Unentschieden wird vorstellbar, und ich darf nicht eingreifen, so
unfair darf ich nicht sein, nicht einmal anfeuern darf ich Maria,
bloß beten darf ich für den gerechten Sieg: und schon reißt Maria
die Hände aus den Haaren, würgt Moumoutte, bis die erlischt,
dann legt sie die Ohnmächtige auf mein Bett, knickst und verschwindet. Halt-halt, der falscheste Platz. Oder Sie nehmen mich
mit!
Entweder hat sie mich nicht mitgenommen oder sie hat überhaupt nicht gekämpft für mich. Vielleicht war ich zu feige, um
Hilfe zu schreien. Wie sonst soll ich mir erklären, daß Moumoutte-Melanie, kurz nachdem sie in der Tür erschienen war, mir

auf den Knien saß und mich mit Ausrufen und kleinen Küssen lobte für meine schwindlerische Beschreibung der Urban-Nacht. Daß sie nicht die Beschriebene war, fiel ihr nicht auf. Antlech öppis Gnaus, sagte sie. Eso mach wydder.

Melanie war also da, Rosa konnte erscheinen. Der Boden zitterte natürlich, durch die Bäume wehte es wie eine Information, Rosa trat aus dem weißen BMW auf den Boden, ein zartes Datum, ein messingfarbenes Kordkostüm, kein Rock, eine Bundhose nämlich, Netzstrümpfe, senkrechte Rauten, messingfarbene Wildledersandalen, messingfarbenes Langhaar, o-ja, das spürte der Kriegsberichterstatter gleich, das war die Odeon-Künstlerin oder deren Zwillingsschwester, Windhunde zeugend aus was sie will. Aber nicht aus mir, gefälligst. Und wie vorsichtig sie auftritt. Das Blinzeln soll uns wohl schonen. Andererseits spuckt sie zuerst einmal einen Kirschkern aus. Ein blubbsendes Geräusch. Ich sehe den naß-roten Kirschkern fliegen und fallen und in weißen Blütenblättern naß-rot verschwinden. Dann bückt sie sich gleich, streichelt die weißen Blütenblätter. Die haben Sie für mich streuen lassen? Ein Teppich, sagt sie. Vom Regen, sagt er, vom Tau. Und in jedem Blättchen an der gleichen Stelle die rostige Narbe, sagt sie. Ein Muster, sagt er und schaut, als sie sich aufrichtet, an ihr vorbei, vermeidet es, die Handbreite, um die sie trotz der flachen Sandalen größer ist, mit einem Blick nach oben zuzugeben!

Sherry vor Vitrinen. Blomich machte sich diesmal lustig über Marzipanausstellung und breite Hüften holländischer Vitrinen. Aber Rosa erlaubt das nicht. Helle Laute stößt sie aus vor Tierchen und Gemüse. Ja-könnte man denn nicht zum Beispiel Abstraktes noch hübscher herstellen aus Marzipan, sie kennt einen Schweden, den, Hans, bring ich Ihnen, das wird ein Geschäft, glauben Sie mir. Melanie grinst. Wir nehmen Platz vor Weißherbst, Zander, Schleie und Tante Therese. Mir gegenüber: Herr Blomich. Melanie gegenüber: Rosa. Rosa aber, von mir aus gesehen, links. Als es ihr gerade wieder einmal gelungen ist, ein Blinzeln in einen offenen Augenaufschlag zu verwandeln, ohne daß sich die ausschweifenden Wimpern ineinander verstrickten, fällt ihr Blick auf mich. Allem Anschein nach zum ersten Mal. Ich wollte gerade einen Hemdsärmel unter der Jacke hervorziehen, weil ich fürchtete, ein Jackenärmelende, das auf einem bloßen haarigen Handgelenk mündet, dürfe sich über diesem Tischtuch nicht blicken lassen. Sie schaute mir auf die Finger, die schon unter dem Jackenärmel nach dem Hemdsärmelende suchten, ich schaute jetzt auch hin, meine Finger erstarrten, Rosa schaute mich an, offenbar wollte sie mich gerade noch freundlich ermuntern, mein Manöver zu beenden, aber das dazu passende, fast komplizenhaft verständnisvolle Lächeln verfiel. Ihre Augen trübten ein. Das ganze Gesicht hatte plötzlich mit einem Schmerz zu tun, der ihr bekannt sein mußte, denn sie schien fast ein wenig ärgerlich, als hätte sie gehofft, von diesem Schmerz nicht jetzt schon wieder, nicht gleich am ersten Abend in dieser Villa belästigt zu werden. Vielleicht hatte ich sie durch mein unfeines Hemdsärmelmanöver verletzt. Es gibt weißgott feine Menschen, die sind so empfindlich. Und sie unterscheiden sich überhaupt nicht von denen, die bloß wissen, daß man so empfindlich zu sein hat. Kurzum, ich habe mein Manöver nicht beendet. Ich errötete. Fern hörte ich Geschirr auf Porzellan ticken. Ich wagte vorerst nicht mehr aufzuschauen. Hatte Blomich bemerkt, daß seine Rosa schon in der ersten Stunde unter mir litt, dann war es besser, morgen abzureisen.

Jetzt die einmalige Begebenheit! Ich frage meine Beine, meine Kniekehle frag ich und den linken Oberschenkel! Keine Antwort. So ist es. Damals an Blomichs Tisch meldeten sie mit tausend Nerven mir eine Berührung, zuerst bloß ein Antippen, ich schaute auf, wollte mich schon entschuldigen, zog auf jeden Fall die Beine ein, aber das hörte nicht auf da drunten, Moumoutte-Melanie, ich bitte Dich, was soll das bei Tisch! nein, sie plauderte, und Blomichs Fuß, nein, was mir da unters Hosenbein fuhr, war, das war, ach das war Rosas barer Fuß. Ich schaute Rosa an. Sie hatte noch immer den Schmerz im Gesicht. Noch mehr Schmerz als vorher. Obwohl, der Mund hing jetzt ein wenig offen wie bei einem Menschen, der einem zu leisen Geräusch nachhört. Und dabei sah sie mich einfach an. Ich runzelte die Stirn. Der Barfuß rutschte an meinem Bein abwärts. Ich atmete auf. Aber gleich kam der Fuß wieder, diesmal außerhalb des Hosenbeins, dafür aber weiter herauf, umgotteswillen, wie weit denn noch! Rosarosa! Ich schaute, hoff ich, sehr ängstlich in die Tischmitte. Rosa anzuschauen wagte ich nicht mehr. Meine Beine, nun schon beide betroffen, antworteten diesem neugierig zudringlichen Fuß. Jeder Muskel, sobald er berührt wurde, antwortete, stemmte sein Willkommen entgegen. So ist das doch, heute wollen diese tauben

Pakete nichts mehr wissen, heute wissen sie auch nichts mehr davon, damals liefen sie über, eines nach dem anderen arbeitete der Eindringling entgegen, ich aber kommandierte von oben hinab: keine Regung! stellt euch tot! seid taub! gefühllos! macht keinen Mucks! ich bin hier Gast, Berichterstatter, muß hier noch bleiben können! benehmt euch, daß ich hier noch bleiben kann! bitte-bitte! denkt an Blomich! er ist mein Held! ich will nichts zu tun haben mit den Kämpfen in dieser Villa! ich bin bloß der Beobachter, froh, endlich nicht Partei zu sein, also! bitte! ja! Aber wem predigte ich da! Einer schon verschworenen Nerven-Muskel-rotte. Sensazzion! meldete die Kniekehle, machte den Oberschenkel meschugge, schon bevor der selber was spürte, Sensazzion! meldete der Oberschenkel von iks Stationen, eine Feuerspur kroch herauf, dem inguinalen Delta entgegen, ach Herr Blomich, ich habe Sie angeschaut, aber Sie erklärten gerade, daß Ihr Anwalt den Kampf gegen den Anwalt der Stella-Maris-Stiftung aufgenommen habe, weil diese Stiftung auf dem westlich angrenzenden Grundstück ein Altersheim bauen wolle, dann würde der Strand von Greisen wimmeln, Rosa, sagten Sie, möchten Sie da noch baden? Nichts gegen alte Leute, sagte Rosa, aber einzwei Dutzend davon in der Badehose sind wohl kein sehr beruhigender Anblick, eben-eben, sagte Blomich, hoffentlich komme ich durch, ja-hätte ich denn da unterbrechen können, Rosa kalt verraten wie sie gerade Blomich verriet? ihm gleich hinreiben: lassen Sie das Altersheim ruhig entstehen nebenan und suchen Sie Ihr Auskommen mit denen, das ist besser als von einer Dreiundzwanzigjährigen verkauft zu werden! hätte ich das sagen sollen? wäre mir Blomich nicht tot vom Stuhl gefallen? und Rosa? kannte ich sie denn? die konnte doch glatt auflachen und rufen: Hans, Ihr Gast hat aber eine krause Phantasie! der wünscht sich wohl was! Neinein, ich bin heute noch sicher, ich konnte nichts anderes tun, als meine Körperteile zu ermahnen, den tastenden, reibenden, stubbsenden und bohrenden Fuß von Potiphars Weib mit keuscher Zurückhaltung zu begegnen und, falls dies wegen lokaler Ohnmacht und Überwältigtheit nicht möglich war, das Entgegenkommen wenigstens so einzurichten, daß nicht der Tisch zu wackeln begänne. Und verrichtete mit geschlossenem Mund ein Tischgebet auf meinen Teller hinab: O was geschieht durch uns am Tisch mit blütenweißen Händen rostgenarbt ein Rabe wird gegessen in jeder Schüssel dickes Blut. Ich hör

Dich sagen, daß Du Witwe bist. Und mit der Messerhand an meinem Hals sagst Du: junger Rabe iß.
Als die Schildkröte zum dritten Mal schrie, war ich naßgeschwitzt. Rosa zog ihren Fuß erst zurück, als Tante Therese kam und zum Nachtisch süßen Weinschaum reichte. Diese Süßspeise ließ von Rosa nichts übrig. Rosa stöhnte, so gut schmeckte ihr der Weinschaum. Und Blomich beobachtete ihren ernsthaften Genuß mit heller Freude und diese Freude bügelte ihm das Gesicht, daß von Petroleum und Schildkröte nichts mehr zu sehen war.

7

Sämtliche Anselme schwärten im Sessel. Die Kajütentür hatten wir verriegelt. Wir wollten mit uns zu Rate gehen. Aber das Parlament döste, stöhnte, fluchte wie im Schlaf, keine Behauptung wurde laut, kein Gegner eiferte, bleierne Einigkeit darüber, daß man Rosa aus dem Weg zu gehen habe. Schade, maulte einer hinter vorgehaltener Hand. Wir-alle nuschelten nach: schadeschadeschade.
Ich-Anselm sah auf dem Teppich leider einen Kirschkern liegen. Naß und rot. Den wollte ich nachher nicht in den Teppich treten. Kann ich aber gleich aufstehen, hingehen, mich bücken? Offenbar nicht. Anstrengend, einen Kirschkern anzuschauen, der sich nicht rührt. Den hat mir diese Rosa nachgespuckt. Verschiebe den Blick vorsichtig um 10 cm nach links. Da liegt auch ein Kirschkern naß und rot. Das hast Du gewußt. Du nimmst doch nicht den Blick von einem naßroten Kirschkern und schaust dafür auf den leeren, musterlosen Teppich. Den neuen Kirschkern kannst Du nicht länger anschauen als den alten. Tiefer unter den Tisch mit dem Blick. Da liegt auch einer. Also weiter. Auch einer. Also weiter. Ach so, überall Kirschkerne naß und rot. Oder transportierst Du mit entzündetem Blick den einzigen Kirschkern kreuzundquer. Ich sprang auf, kehrte mit den Händen auf dem Teppich herum, kein Kirschkern blieb mir in der Hand, ich fand keinen Kirschkern mehr. Dafür klopfte es aber. Wer immer da kommen mag, ich bin ihm dankbar. Natürlich Moumoutte-Melanie. Meingott, wie alt bist du plötzlich, Moumoutte. Wievieltausend Jahre trocken-braun und überhaupt nicht naß-rot.

Die Arbeitgeberin stöhnt auch. Ihr Freund Hans, der jetzt draußen, siehst Du, in der Flaute liegt mit seiner Rosa, siehst Du die welken Segel, der ist verrückt, dieses Titelbildding, verprügelt gehört die, Marzipan abstrakt, aber Männer sind so, ach es ist schade um Hans, er wird sie heiraten, vorausgesetzt, sie will, hat aber Angst wie ein Kandidat, beim Sommerfest will er testen, Generalprobe für Rosa, hier in der Provinz, bevor er sie im Herbst in München produziert, deshalb lädt er befreundete Feinde ein, vor allem NDB, er will es jetzt wissen, behauptet er, aber was er wissen will, sagt er nicht. Ob er sich mit ihr blamiert? ob sie ihm einer nimmt? er will ein Agrément, daß er sie im Herbst nach München bringen darf, das vermutet Moumoutte-Melanie. Hanna, seine Frau, und jetzt: Marzipan abstrakt! Moumoutte stöhnt. Lächelt. Was geht's uns an. Kommt näher. Chumm itz. Ist es dafür nicht zu heiß in meiner Kajüte? Riegelt ab. Bittet um die 66 Wörter. Was für? Ach die. Ehrlich, die gibt es gar nicht. Ausflüchte verbittet sie sich. Aber ich habe sie doch gar nicht gezählt. Also los, zählen wir sie. Ach nein, Melanie, jetzt, am hellen Nachmittag. Feigling. Es gibt sie auch gar nicht. Glaubt sie nicht. Um der neuen Sittlichkeit willen soll ich aufsagen, was ich weiß. Nein, Moumoutte. Dann eben ohne Wörter. Chumm itz. Widderli. Kennst du Heini? Lenk itz nid ab. Ich bestehe darauf: Heini wäre der Richtige. Ach so, Du bist zu schwach. Ach, Moumoutte, die Masche zieht nicht, schließlich habe ich im Urban bewiesen. Was? Nun ja, ich weiß, für's Getane gibt die Frau nix. Was? fragt sie. Also wird sie höflich an die schwere Arbeit erinnert, die meine vereinigten Anselme an ihr verrichteten. Und selbst im Protokoll ist nachzulesen, daß man erfolgreich war. Da preßt sie die Lippen. Kriegt das Feindinnengesicht. Lacht heraus. Was hat sie denn gehabt im Urban? etwa ihr Sach? lächerlich! gespielt hat sie! ihm zuliebe! jawohl! die Männer sind ja so stolz, wenn sie's schaffen, also tut man so, als schafften sie's, aus Mitleid, verstehst Du, aus Liebe vielleicht! Und das Protokoll? Die Kehllaute? Das Große Erstickungsfinale? Aber lieber Anselm, daran siehst du, wie gern sich ein Mann täuschen läßt! hast Du wirklich geglaubt, Du hättest das erzeugt? das habe ich doch einfach so dazugeschrieben, für das Buch. O weh. Ich legte diese erschreckende Auskunft gleich meinem Parlament vor. Dem dokumentensüchtigen Flügel. Da habt ihr die Verläßlichkeit, ihr tonbandgläubigen Toren, ihr! Hereingefallen. Hab ich nicht gleich gesagt, die Verschlußlaute erinnern mich mehr an Barbara als an Moumoutte? Das gehört ihr noch hingerieben. Und daß ich sie ausstattete mit den Schluß-Wehen von Barbara, und sie bemerkte es nicht und glaubte wohl, sie habe mir das so ergreifend vorgespielt! Nein, reib ihr's nicht hin. Die Offenheit hat eine Grenze, und die zieht der Mann. Was auch immer Du sagst, Sie wird es zu Deinem Nachteil auslegen. Du bist verantwortlich dafür, daß sie ihren Exitus kriegt, das hat Dein Stolz zu sein, davon hat Dein Selbstgefühl abhängig zu sein, so haben die Dich nun einmal in der Hand. Und wie verkorkst sie selber sind, darüber darfst Du nicht reden. Und dann kann so eine nachher immer noch, um Dich noch einmal aufs Kreuz zu legen, behaupten, sie hätte nur simuliert. Wie sie uns eine Zeit lang weis machen konnten, wir seien nicht die Väter unserer Kinder. Verkneif Dir Einiges. Der Stärkere ist nun einmal der Schwächere. Und glaube denen in Zukunft nichts mehr, kein Wort und vor allem: keinen Laut.

Armer Anselm, sagte sie. Ach nein, sagte der. Von draußen ein Knattern. Die kommen mit Motor, sagte Melanie. Teezeit, Hans will, daß wir kommen, er hat scheint's Angst, daß es dem Titelbild sonst langweilig werden könnte, ist ja auch das Schwierigste, einen völlig anspruchslosen Menschen gut zu unterhalten.

Der Tee wurde in einem alten Rolls Royce getrunken, der unter den Linden, rechts des Weges, auf und ausgebaut war. Rosa kam barfuß. Blomich war jetzt fast gleich groß. Melanie saß aufrecht unter ihrer festen Friseur-Frisur. Rosa konnte unter ihrem Haargehänge kaum hervorschauen. Sie zog die Knie über die schwarze Tischkante herauf, umfaßte ihre Knie, ließ sich gegen Blomich fallen, fütterte die Dalmatiner mit Teekuchen, sagte, wenn das kein Paradies ist, bloß das Altersheim, sagte Blomich und deutete hinüber, das schaffst Du doch, Hans, sagte Rosa, Hans müsse härter auftreten, finden Sie nicht auch, hat er dem Bauern achthundert pro Jahr bezahlt für den Schatten, den die Linden werfen, daß der dann stikum an 'n Altersheim verkauft, überhaupt, Naturschutz, Landschaftsschutz, und dann das Ufer mit so'm Haus voller Todeskandidaten verschandeln, was die denn noch vom Wasser hätten? sie mag ja alte Leute, aber wenn einer oder eine mal fünfzig sei, dann bitte nicht mehr im Badeanzug, Melanie hüstelte, Rosa fragte mich, ob ich's auch fände, das Schlimmste ist doch, wenn die alten Männer am Morgen so lange husten, der Vater ihres ersten Mannes, iieh, sie darf gar nicht daran denken, eigentlich müßte man sie unterbrechen. Ihre Knie sind wieder unterm Tisch. Ich hätte meine Füße rechtzeitig in Sicherheit bringen sollen.

Sie klemmt ein Stück meines Wadenmuskels zwischen ihre Zehen. Oben sagt sie, wir sollten ihr helfen, einen Namen für Hans zu finden, Hans, findet sie, paßt nicht zu ihm, finden Sie nicht auch? und heute abend, wo fahren wir heute abend hin? nach Zürich oder wenigstens nach Lindau, sie will spielen, viel Geld gewinnen. Dann kam Maria und sagte, die Bügelmaschine sei da, ob der Herr Direktor die Vorführung sehen wolle. Blomich sagte: Rosa, was meinst Du? Rosa zuckte mit Schultern, wir kletterten aus dem Rolls-Royce, Rosa sagte: den Rolls zum Teetrinken find ich prima. Im Waschhaus stehen schon mehrere um eine vierzigjährige Frau herum, die einen riesigen Bettüberzug durch eine Bügelmaschine quält. Der Mann dieser Frau steht zwischen seiner Frau und den Zuschauern. 13 cm in der Minute, sagt er. Aber die weiße Fläche kommt und kommt nicht vorwärts. Die Frau sagt: Es kommt auch auf den Stoff an. Je besser der Damast, desto leichter schlüpft er. Der Mann holt einen Schraubenzieher aus der Tasche und zieht hastig eine Schraube nach. Blomich sagt: Wie breit ist die Bahn? Der Mann sagt: 50. Meingott, sagt Blomich, da muß man das Stück ja dreimal durchlaufen lassen. Rosa sagt: Das stell ich mir ziemlich langweilig vor. Ja, gnädige Frau, sagt die Vierzigjährige, Hemden, kleinere Wäschestücke, überhaupt Geformtes, das ist natürlich kurzweiliger, vor allem Kinderkleider, das macht richtig Spaß. Heini ruft: Maria, lauf zu meiner Frau, sie soll Dir was von Sabine geben. Maria kommt mit zwei Blusen und einem Kleid. Die Frau sagt: Soll ich die dritte Bahn noch durchlaufen lassen? Nein, sagt Blomich. Er geht näher hin. Die Frau hat sich eine Bluse vorgenommen, dreht die Bluse hin und her, weiß noch nicht, wie sie die der Maschine anbieten soll, zieht und zurrt, sagt, die Knöpfe immer oben, egal was für Knöpfe, auch Perlknöpfe, ganz runde Knöpfe, nur immer nach oben, verstehen Sie, die Walze gibt ja nach, die ist extra gepolstert. Rosa flüstert mir zu laut ins Ohr: Wahnsinnig aufregend. Die Maschine hat die Bluse ergriffen. Aber gleich gibt es Schwierigkeiten mit dem Kragen. Alle anwesenden Frauen, außer Melanie und Rosa, kommen jetzt näher, beugen sich vor. Das liegt am Kragen, sagt die Frau und wischt sich mit dem Unterarm den

Schweiß von der Stirn. Ihr Mann hält den Schraubenzieher mit beiden Händen. Der Kragen, verstehen Sie, sagt die Frau, der Kragen ist nicht ganz egal. No-no, sagt Heini, jetz mach aber en Ponkt. Und als der Rücken der Bluse nicht einfach durchgebügelt werden kann, weil sonst die Armansätze zerbügelt werden, als es sehr kompliziert aussehender Drehungen bedarf, das obere Rückenstück glattzukriegen, ohne die Ärmelansätze zu streifen, sagt die Frau: Wenn das jetzt ein Herrenhemd wäre, könnte ich es glatt durchlaufen lassen, da würden die Ärmel nicht erfaßt werden, verstehen Sie, der Rücken eines Herrenhemdes hat die ideale Breite, also für ein Herrenhemd gibt es wirklich nichts besseres, das kann Ihnen mein Mann bestätigen, Ja-ja, sagt der, das ist wirklich wahr. Ich trage nur Nyltest und Cottanova, sagt Blomich und lächelt, da gibt es nichts zu bügeln. Und Sie sind zufrieden damit? fragt die Frau. Ja, sagt Blomich. Herr Direktor, ich kenne einen Professor, ruft die Frau schrill, der ist gar nicht damit zufrieden, der sagt: über gebügelt geht nichts. Und der ist Chefarzt. Schon gut, sagt Blomich, Ihre Maschine ist für Herrenhemden, und für Herrenhemden brauchen wir keine Maschine. Sagen Sie Ihrer Firma, sie möchte noch ein bißchen was tun an dieser Maschine. Wenn zum Beispiel die obere Walze schwenkbar wäre, dann sähe die Sache schon anders aus. Ich danke Ihnen für die Vorführung. Herr Direktor, sagte die Frau. Aber Herr Direktor, rief der Mann. Wir waren schon im Freien. Wahrscheinlich wollte das Ehepaar sagen: ... bei Ihnen macht es doch wirklich nichts aus! wer denn, wenn nicht Sie, Herr Direktor, sollten eine so teure und wenig brauchbare Maschine kaufen können!

Weil Rosa spielen wollte, fuhren wir abends zur Spielbank und spielten. Von meinen 400 Mark verlor ich dreihundertsechzig. Melanie schaute nur zu. Blomich und Rosa wußten nicht, wieviel sie verloren hatten. Rosa schwor auf der Heimfahrt, daß sie das alles wieder zurückgewinnen werde. Rosa wollte noch etwas zu trinken. Also tranken wir noch etwas. Als Rosa soviel getrunken hatte, daß sie nur noch lachte und ihre Arme mal um mich, mal um Melanie, mal um Blomich legte, nahm der sie mit. Melanie und ich sahen denen nach. Hörten noch eine Zeit lang Rosas Gelächter. Dann auf einmal nicht mehr. Ich bat Melanie um Vorschuß auf den Vorschuß. Vielleicht vierhundert, zu verrechnen zu je zweihundert im August und September. Melanie sagte: Chumm itz. Ich folgte. Aber ich bestand darauf, das Seehaus noch vor dem Morgengrauen verlassen zu dürfen. Ich wollte nicht am Vormittag vom Personal gesehen werden. Etwa von Maria.

8

Jetzt hol ich Verhalten nach, distanziere mich von jenem Anselm, laut sage ich mir: das hätte ich nicht getan. Daß die Tür ging, hat er nicht gehört, gut, lag ja noch keine zwei Stunden, aber irgendwann spürte er was, und als weitgereister Ritter spürte ich gleich, was er da spürte, eine Oberschenkelhüftkurve, Atem, die Luft sättigt sich mit, nenn das Duft, lass Deine Augen trotzdem geschlossen, stell Dich weiterhin schlafend, unruhig wildtief träumend, stöhne aus halboffenem Mund, Mensch, nun grins bloß nicht, weil Dir einfällt, daß Du nichts anhast als die so gewandhaft anmutende Seeluft, diesen schmiegsamsten Schlafanzug. Er könnte jetzt so unschuldigen Schlaf spielen, daß sie sich nicht traut, ihn zu stören, aber seine Hände greifen schon wie traumdirigiert in die Luft, finden sofort zwei Schultern, ziehen was herab, Haare und Haare und dann einen Kopf, gleich entsteht im benommensten Halbschlaf das Kommando: meide den Mund, keine Birne zum Frischbeißen, also meide ihren Mund! ach so, die trägt auch dieses Kostüm aus Luft, jetzt bloß die Augen nicht öffnen, das wird sie schon sein, und sehenden Auges wär's ohnedies nicht erlaubt, und weiß man denn, wieviel man im Halbschlaf weiß, auch wenn man glaubt, man sei wach? O der wußte genau jeden Griff, genauer als wenn er wach gewesen wäre, so fließend und fehlerlos, zwei Körper, ein Reimgedicht, volksliedhaft einfach, sowas von direkten, sofort einsetzenden Reimen, mal Stab-, mal End-, mal Schüttelreim, Reime weiblich und männlich, das funktionierte, war das Birga? bloß die Augen nicht aufmachen! das ist das Schwerste, hätte sich doch gern persönlich überzeugt von diesem Vorgang, aber seine Unschuld war ihm wichtiger, solange es ihr nichts ausmachte von einem Schlafenden geschätzt zu werden, bitte, vielleicht verzog sie sich dann und es war wie nicht gewesen, ein Sommermorgentraum. Aber plötzlich zerriß sie die von Gymnastikgeräuschen belebte Stille, konnte sie es nicht lassen, sich mit Menschenwörtern naseweis einzumischen, als hätte man in diesem Moment den Mund bloß, um damit zu sprechen, ichliebedich, sagte eine tiefe Stimme. Also doch nicht Maria. Niemals käme Maria so einfach nie. Er kennt diese Stimme. Jetzt muß er überrascht sein. Ach, Du bist es. Was dachtest du? Ich weiß es nicht. Schuft. Ach Rosa, Blomich, begreif. Schscht, was hat denn das mit Blomich zu tun? ist sie vielleicht sein Eigentum? Nein-das-nicht-aber. Also, hör mir auf mit Hans, schade um die Zeit, um halb neun kommt er vom Tennisplatz, dann muß sie wieder drüben sein, ichliebedich. Sie besteht darauf. Eigensinnig. Du schreibst doch ein Buch darüber, das weiß sie von Blomich, und dann noch die Jackenärmel endend auf den behaarten Gelenken, ich bin auch zu schutzlos, weißtu, stell mir gleich was vor, auf jeden Fall will sie ins Buch. Ach. Anselm nahm's als Anregung. Du bist also ein Experte. Umgotteswillen Neinn! Wieso lassen sie Dich dann ein Buch darüber schreiben. Achgott, Rosa, ein Irrtum gibt den anderen. Glaubt sie nicht. Ihm recht. Ganz gewaltig wird ihm. Der Experte gibt eine Demonstration. Komm also Schulkind. Arbeiten wir also hellwach weiter. Jetzt fehlt das Tonband. Er wird's ersetzen. Schließlich hat er den Auftrag. Vielleicht liefert Rosa ein paar Daten für das Sachbuch. Andere spießen Schmetterlinge auf. Setzen der Katze Elektroden ins Hirn. So im Dienst wollte sich Anselm fühlen. Und was er erzeugte, um es festzuhalten, läßt sich arglos wiederholen.

Der vierte Anlaß, über unser Erinnerungsvermögen verwundert zu sein

Vide, ut illud in animo habeas, sagte mir der großheilige Augustinus, den mir Birga gestern mit tolle – lege befahl. Ja, rief ich gleich, prima, das Gedächnis der Magen der Seele, also wenn wir jetzt Seele noch vorsichtig ersetzen, dann müssen wir zugeben, wir haben schmählich wenig dazugelernt seitdem. Birga, was ich immer sage, da-schau: *bei ruhender Zunge und schweigender Kehle sing ich,* entweder Dein Augustin ist doch nicht so groß, oder es stimmt einfach und deshalb kommt ein jeder drauf. Auch wie alles *geordnet und artweise* aufbewahrt wird, gutsehrgut, bloß, er täuscht sich, natürlich, das kommt von der Seele, er täuscht sich (wie alle), wenn er glaubt, was man wieder hervorrufen kann, hätte man, wieder! Mensch, dabei weiß er doch, daß alles in Wörter zerlöst werden muß für die Unterbringung in Abhängigkeit, auch in Geruchs- und Farb- und Schwere-, Leichtigkeits- und andere Formeln. *Bilder* nennt er das. Von mir aus. Aber daß er behauptet (wie alle) er *erlebe es noch einmal, was und wann und wo mein Tun gewesen und was ich bei diesem Tun empfunden,* ach Augustin, unter uns, das ist doch nicht drin bei uns, eine Farbe wird keine Farbe, ein Geruch kein Geruch mehr, und wie sich Rosa anfühlte, also geh mir weg, großer Sünder und Doctor Gratiae, hier liege ich im November, ich weiß noch ne Menge, aber von Erleben, Empfinden, also von Leben kann keine Rede mehr sein. Wohl nagt an mir noch, daß ich Blomich betrog. Komisch, sowas hält sich offenbar länger. Aber die Hand- und Gliedergreiflichkeiten mit Rosa, die sind mit Wörtern so ruhig herzustellen, als hätten wir zusammen Mathematikaufgaben gemacht. Und ich war damals sicher nicht ganz so dienstlich, wie ich mir das erdachte. Auch ich, o Augustine, ziehe in der Erinnerung den Honig dem Most vor, mich beider erinnernd, unterscheide ich sie, aber ich habe wirklich nichts davon, denn schmecken tut der Erinnerungshonig so wenig wie der Erinnerungsmost. Oder ich leg mir Rosa wieder zu Seite! Ja, gibt es denn Keuscheres als so eine nackte Erinnerungsrosa im bloß noch denkbaren Bett. Rosa, ein Wort, Bett, ein Wort, Rosa, Deine Knie undsoweiter, kann ich was streicheln, kratzen, könnt ihr mir irgendetwas Spürbares tun? Rosa, mit Deinen Schreilauten bleibst Du für immer die größte Vokalistin, begründest mir den Typ Zwei: die Schreierin. Da wird Birga böse sein, ich kannte Dich nämlich längst durch Birga, die auch eine Schreierin ist. Ihr biegt den Kopf zur Seite ab. Kriegt rasch das Pferdegesicht. Weite Nüstern. Ihr braucht eine Menge Atem. Kommt aber mit wenigen Wörtern aus. Rosa reduzierte sich auf JA. Ganze Ketten von JA's. Dann wieder ein einsames JA. Und gleich wieder ein ganz anderes JA. Als käme sie vorwärts und entdeckte was dabei. Und entdeckte so von einander Verschiedenes, daß kaum ein JA dem anderen glich. Sie fährt im dunklen Tunnel, kommt hinaus und schreit überrascht: JAA. Einige JA's haben die Glaubwürdigkeit fröhlich freiwilliger Geständnisse: JA-JA-JAA – ich geb es doch zu, JA-DOCH-JAAA. (Natürlich bricht ihr bei solchen Schreien jedes Mal die tiefe Stimme.) Dann das St. Gotthards-JA: auf der Nordseite regnet es, auf der Alpensüdseite stößt man plötzlich ins schönste Wetter und ist staunend und JA-jubelnd einverstanden. Das nächste JA ist heftig reflektorisch: Meingott-das-ist-JA. Dann das jagende Dreifach-JA, das man ausstößt, wenn der, der einen am Rücken kratzt, endlich die richtige Stelle findet. Mit den JA's lenkt man ihm die Hand und löst sich auf in einem Erlösungs-JAA. Plötzlich ein NEIN. Ungläubig, staunend. Noch ein NEIN. Eine Serie von NEIN's, die nicht wahrhaben wollen. Man trägt ihr den Mann tot ins Zimmer: dieses NEIN-NEIN schreit sie. Und mit jedem NEIN fliegen die Hände. Ballen sich plötzlich, hämmern trotzige NEIN's ins Bett, werden, immer noch als Fäuste, vor den Mund gepreßt. Viele NEIN's verschwinden in einem Gewimmer. Die Augen sind überschwemmt. Da springen wohl Quellen. Das ganze Gesicht steht gleich unter Wasser. Das sind Tränen. Mit denen kommen die JA's wieder. Schwer niedergehende JA's jetzt. Jedes JA jetzt eine Wucht. Moderato-maestoso. Dann al fine con moto zunehmend ein Endspurt mit treibenden Achtel-JA's, Sechzehntel-JAA's, Sportplatz-JA's, dem Favoriten zugeschrien, für die letzten 20 Meter, daß es der Weltrekord wird, dem er schon entgegenläuft. Zweiunddreißigstel-JA's, nein, Vierundsechzigstel-JA's, oder sind das schon Indianer? Wer möchte da noch irgend einen Hohen Laut ausschließen! Der Sportler jedenfalls stürzt hier ins Ziel und das Ziel stürzt ihm-nur-ihm in seinen letzten Riesenschritt entgegen wie auf keinem anderen Sportplatz der Welt. Wieviel später folgen dann weltlich-gebräuchliche Jaja's Abschminkkommentare, Kabinen-Seufzer. Aber auch diese Nachhall-JA's haben noch einen fast feierlichen Rand. Jedes beansprucht eine Lichtung für sich. Ach Du schön positive Welt. Positives hat halt einen kurzen Atem. O Augustine, Anselm konnte nicht umhin, schon hic et nunc zu sagen: Es wird gewesen sein. Es wird aber nicht so gewesen sein, wie es jetzt ist. Es wird also nicht so gewesen sein, wie es war, als es war. Es wird halt gewesen sein, als wäre es nicht gewesen. Deshalb tropfte dem Anselm mitten im Flagranti sowas aus dem Mund: was ist denn jetzt überhaupt? Antwortet prompt der Heilige: *Elend im Haben, elend im Mangel.* Find ich ja auch. Aber Rosa schrie doch allegrisch JA-JA-JA ... Das könnte ich natürlich auch jetzt noch in der Art der wiedererweckenden Programm-Musik anordnen, so recht zum Miterleben, stoßend und so, und endend. Hat mir nicht jemand was einschlägig Englisches empfohlen? Könnte ich! wenn

210

ich nicht andauernd einsehen müßte, daß die Erinnerung ihre JA's nur mit geschlossenem Mund aufsagen kann. Soll man denn sich oder wen noch aufregen? Und wer den Mund zum Singen aufreißt, der verrät bloß den Stein auf der Zunge. Diesen sehr persönlichen Kiesel verriete ich ungern. Er ist mir meine eigene Last. Rosa schlüpfte hinaus, ihre winzige Uhr ließ sie liegen. Sowas Winziges legt man aber auch nicht ab. Ich habe jetzt dafür die Sorge. Oder, Rosa, ich benutze Deine Uhr, bis meine eigene wieder zurück ist von der Reparatur. Dann werde ich jedes Mal, wenn ich mich über Dein winziges Zifferblatt beuge, daran denken, wie Birga und die Kinder zuschauten, als meine Uhr von Stufe zu Stufe zerfiel und dieser Heini schrie: Bringt-Glück-bringt-Glück, und Guido und Philipp preßten ihre Gesichter wie Tiere ins Geländergitter und Birga hob langsam die Hände und faltete sie.

9

Draußen sind das Vögel, die mir, nach abermals einbiszwei Stunden schrill den Schlaf zermetzeln mit Gekreisch, Flügelschlagen, Stimmen aus scherbendem Schiefer, Frau Kops ist dabei, die in allen Gelenken knarrende dürre Hausmeisterin mit dem Lampionsgesicht auf dem Steckenhals, vom Zweizentnermann Spatz genannt, sie dirigiert das Frauengeflügelgezeter, hört sich konzentrisch an, die wirken zusammen. Vielleicht gegen was Stummes in ihrer Mitte.
... hat es geknackst so gegen halb fünf glaub mir es war fünf egal neinein ich weiß vor fünf denn als es schlug hatt ich die Schritte schon Schleichschritte ja-ja richtige Schleichschritte schon gehört als es schlug ich-auch-Frau Kops-ich-auch
Und nichts mehr dann bis sechs doch-doch Geräusch schon im Gras Knacksen und wie Geflüster oder was Streifen oder Abstreifen stimmt Abstreifen ich-auch-ich-auch ich konnt doch nicht mehr schlafen jetzt denk ich ist sie dran ich brodelte horche jeder Nerv gespannt
Aber wie erklären Sie sich daß es dann von fünf bis sechs so still war es auch wieder nicht jeder fängt gleich an wie man weiß wie das geht zuerst mit leiser Schmuserei also leise sag ich zu Margot

die sind noch nicht einig hat sie gesagt das stimmt bestimmt kriegen wir noch etwas zu hören sag ich rede nicht horch doch da kommt nichts mehr bis auf einmal um sechse das stimmt das hab ich-auch-ich auch erst kurz auch erst kurz nach sechs glaub mir das haben wir wohl alle gleich nach sechs ging das los was da losging darüber herrscht kein Zweifel

Wer kann das noch bestätigen wir alle ich-und-ich-und-ich-auch

Und wie war das nun ja zuerst bloß so ein Atmen sag nur ruhig Schnaufen warum nicht denk ich sie ist ja jung aber dann die Schreierei von ihr daß Inge sagt die braucht Hilfe sag ich ja aber Irmgard sagt von wegen Hilfe hab ich gesagt was da am Passieren ist kenn ich sag ich und hätte gesagt laßt sie doch das ist bloß menschlich die Schreierei aber nee-nee die war mir und-mir-und-mir-und-mir-auch

Um was für eine Art von Schreierei handelte sich denn da möchte ich lieber nichts dazu sagen ich bin nicht prüde aber so ne ekelige Oper Frau Kops sowas von ner Arie von einer Frau erwarte ich sowas nicht daß ich prinzipiell dagegen wäre wohl nichts zu sagen aber die Frau hat andere Mittel um auszudrücken daß sie dafür ist doch der Mann da als der treibende Faktor ist doch der Mann trat da ja gar nicht in Erscheinung mit keinem Pieps vor Lauter Ja-ja verstehen Sie jetzt die Oper so auf einer Silbe immer schlimmer sag doch gleich geil so iss es doch das Schlimmste war wie das war wie sie am Kommandieren war der unter der ihrer Fuchtel unter immer schlimmeren Ja-ja's wie ein Gaul unter der Peitsche schamlos sag ich sag ruhig tierisch das ist noch geschmeichelt und das in der Morgenstille in all der Natur und nu schlafense mal laut Hausordnung vor sieben kein Mucks weil wir uns doch erholen sollen wir dem Flittchen das durchgehen lassen wir uns auf'n Arm nehmen von der ihrem Ja-ja-ja aus purer Absicht geschrien aus Provokation daran ist kein Zweifel

Und wie lange zog sich das so hin bis nach sieben

Aber gesehen haben Sie nichts Direktes geht ja nicht vom Fenster sehen Sie nicht hinter die Fliederbüsche sind die nicht von ungefähr liegt da noch die Luftmatratze wundert mich sowieso daß die nicht noch Wert drauf legte daß wir ihr zukucken wo sie doch schon kein Blatt vor'n Mund nahm die und'n Blatt also sowas von keinem Blatt mehr Frau Kops und wußte genau daß wir wach im Bette lagen und zuhörten und nicht schlafen konnten

Haben Sie denn die Stimme klar erkannt sogleich Frau Kops nicht

wahr Irmgard hab ich gesagt das ist Irene ich-auch-ich-auch-ich-auch sollen doch Helga mal und Traudl was sagen die denn dazu wo sie das gleiche Zimmer haben die was bemerkt hab ich nichts ich auch nicht ich schlief aha die halten schön dicht
Und als Sie erwachten lag Irene in ihrem Bett wie sonst auch igittigitt
Fiel Ihnen irgend was auf mir nicht mir auch nicht sie schlief wie immer das heißt wir alle haben bloß schlecht geträumt sind plem-plem soll doch das Häufchen Elend selber kann sie wohl den Mund nicht mehr aufmachen vor lauter JAJA und nix wie druff und jetzt Rotz und Wasser soll sie's doch wenigstens zugeben was wahr ist kannst Du doch von so einer gar nicht verlangen
Also Irene was ist jetzt es wäre gut für Sie wenn Sie uns alles sagen könnten wir von einer Meldung absehen und Sie versprechen die Hausordnung zu halten und sagen uns wer der Mann ist das müssen wir wissen vielleicht ist es einer der schon öfter hinter unseren Mädchen her war begreifen Sie doch die begreift doch nichts Irene hören Sie ich war's nicht ach dann war's wohl eine von uns was ich kann nur sagen daß ich's nicht war
Also dann kann ich Ihnen auch nicht helfen, Irene, kommen Sie, gehen wir zu meinem Mann.

10

Wenn man nicht anders kann. Vorübergehend wird der vielfältige Mensch ein Individuum. Prall vor Notwendigkeit. So gefeit. Das sind erlebenswerte Fähigkeiten. Anselm steht auf der Hafenmauer. Blomich erscheint. Die alte Schildpattfarbe. Ein Petroleum von konkurrenzloser Traurigkeit. Das Gesicht voller Schildkrötenschmerz. Also Euthanasie. Früher hätte man diese Art von Unschuld bei frühem Büchsenlicht unter sabbernden Bäumen duellgerecht erschossen. Heutzutage muß Anselm Rosa und Blomich ins Beiboot bitten, beide hinauswriggeln zum Schärenkreuzer, den auftakeln, das Ruder übernehmen und die Schoten, den Blick in die Segelbäuche verschicken, und zu den richtungweisenden Bendseln, daß sich Blomich allein fühlen kann mit Rosa, muß warten, bis Blomich mittschiffs in Luv steht, sich mit Rosa aufs Kajütendach setzt und querab schaut, dann muß er warten, bis Rosa herüberblinzelt, dann hoch an den Wind, dann eine jähe Wende, das Ruder herum, kein Gegenruder, der Großbaum fliegt, Rosa duckt sich, Blomich kriegt den Großbaum in den Nacken, dazu neigt sich das Schiff, Blomich klatscht ins Wasser, Rosa ruft Bravo, Anselm gibt Gegenruder, Rosa rutscht ins Cockpit, im glasgrünweißen Gewirbel hinter dem Boot taucht Blomich auf, das Schildkrötengesicht, Rosa reicht den Bootshaken, Anselm lehnt den Bootshaken als eine willkürliche Grausamkeit ab, schwimmt doch Blomich zu seinem Glück nicht dem Ufer zu, sondern hinaus, will also den See überqueren, triefend in Rorschach an Land, der Schweizer Polizei seines Ausweis' zerlaufene Stempel zu zeigen, oder besinnt er sich noch kurz vor dem Schweizer Ufer? warum in die Schweiz? wollte jeder, der von einem anderen ins Wasser gestoßen wird, heutzutage in die Schweiz schwimmen, wäre dort längst kein Platz mehr, die schwimmenden Flüchtlinge müßten zurückgetrieben werden in den See, also kehrt er um, läßt sich vom Südwest gegen Lindau treiben, vorbeifahrenden Seglern winkt er zu wie jemand, der freiwillig unterwegs ist, soll er in Lindau an Land? soll einer, den man ins Wasser stieß so eigensinnig sein und zurückkehren? dann doch schon lieber ins Ausland, also wendet er wieder, schwimmt langsam und zäh im kälter werdenden Wasser und murmelt Grüße in die Wellen: recht so, Anselm, murmelt er, Rosa macht aus jedem einen Täter, aber paß auf, Anselm, der 14. Juli, das Fest, paß auf, die befreundeten Feinde kommen mit 25 Autos, was sie wollen, ist klar, sie wollen Dir Rosa nehmen! wäre es da nicht besser, Rosa ins Wasser zu werfen? Auf jeden Fall, entschied Anselm, ist Blomich unter diesen Umständen eher ein Bundesgenosse als ein Feind. Also rief er, als er Rosa blinzeln sah, bevor er den Großbaum nach Steuerbord warf, Achtung! also duckte sich nicht nur Rosa, sondern duckte sich auch Blomich, also blieb Blomich an Bord, Rosa murmelte: Feigling, Blomich sagte: das Fest hat begonnen.

11

Während das Fest noch dauert, kann es einem schon als Oper erscheinen. Laut, wenig Text, und doch glaubt man zu verstehen.

Je länger das Fest zurückliegt, desto mehr wird es eine Oper. Aber die Erinnerung hat die Oper in einem geradezu abgenagten Zustand bewahrt. Als eine Menge strenger Schritte. Als ein Gewirr aus Gesetzmäßigkeiten. Also empfiehlt die gewesene Oper, ich möge mit ihren letzten Bleibseln so wissenschaftlich umgehen als möglich. Das Fest ist also nicht noch einmal zu feiern, es wird nur betrachtet in seinem überlieferten Zustand.

Vorspiele

Anselm vor dem Schildkrötenkopf an der Thujawand. Wer, bitte, sag doch, ist der Königssohn? wer wird die Debütantin kriegen? Der Kopf antwortet zwar, ist aber wegen des immer noch quer im Maul liegenden Zuavenmessers unverständlich. Müßte Anselm also dir nur das Messer aus dem Maul nehmen, dann kriegte er gleich klare Auskunft? Der Kopf nickt. Anselm rennt weg. Er nimmt kein Messer nimmt er nicht.

Vor der Seehauskulisse. Anselm allein, aber mit sich. Denkt in großem Ton eine Arie: Erginge es anderen wie mir, solche Feste könnten nicht stattfinden. Ich vergesse immer, wem zulieb so ein Fest veranstaltet wird. Bei Hochzeiten sogar, zu denen ich nur als entferntester Vetter geladen werde, kommt es mir, wenn ich die Mutter der Braut nicht ununterbrochen im Blick behalte, gleich so vor, als sei das mein Fest. Ich hoffe, anderen fällt es leichter, sich als Gast und nur zur Feier eines anderen zur Verfügung zu stellen. Leider bin ich ebenso bereit, ein Fest veranstaltet zu empfinden nur gegen mich. Dieses zum Beispiel. Rosa hab ich doch schon. Mich treibt kein Einhorn zum Fest. Bloß zur Verteidigung muß ich. Rasch wachsen riesig werdende Gegner von überall her. Ausgerüstet mit phantastischen Autos. Und ich darf nicht auftreten als Rosas Herr und Beschützer. Meine Taktik also: Rosa verteidigen für Hans Blomich. Then end life-life-life when I end loyalty. Aber so ein Titelbild ist nicht leicht zu verteidigen. Nicht wahr, Herr Blomich, das wissen wir.

Am Mittwoch findet die vom Tonband gesteuerte Rosa III zum ersten Mal ohne nachhelfende Handtastung zurück in den Hafen unter dem Bootshaus. Blomich stottert vor Freude. Seine Augenlider hängen sehr hoch. Rosa und Anselm und Melanie

müssen zuhören. Er hat die Empfindlichkeit auf der Empfänger-
seite gesteigert, weil das viel wichtiger ist als die Senderleistung
zu steigern, ist doch die Feldstärke am Empfangsort nur der Wurzel aus der Senderleistung proportional. Melanie grinst. Anselm
boxt ihr in die Hüfte. Laß doch dem Liebenden seinen Aberglauben. Bleiben Zeichen und Wunder aus, muß er sie selber schaffen. Darum hat Blomich die Antenne verbessert, ein neues Ser-
vorelais eingebaut und eine neue selbstneutralisierende Ruder-
maschine, und jetzt klappt's. Jetzt will er, sagt er, der Rosa III
noch vor Samstag eine kleine Bordmusik und einen Lämpchen-
kranz einbauen, denn zum Fest soll sie ihre Fahrt beleuchtet aus-
führen und mit Musik.

Eine Begrüßungsszene

Schon am Donnerstag, dem 12. Juli, die feindliche Vorhut. Professor Mack und Veeser, chauffiert von Hans Sohn. Unverschämt
langsam, lüstern langsam mahlt sich, knirscht sich das hellgelbe
Großauto vom Tor her bis vor die Villa. Selbst Blomich steht da
nur noch wie ein Dienstbote. Professor Mack steigt aus. Ein
Wind, vorher nicht spürbar, bringt seinen Sommeranzug zum
Flattern. Mack zeichnet sich ab als ein Mensch, gebildet aus Hüh-
nerknochen. Schon während des Aussteigens kräht er blechern:
Aha. Veeser, an dem die gleiche Kleidung flattert, ruft: Wo ist
der Fernschreiber? Hier! ruft Frau Kölsche. Veeser eilig ab mit
ihr ins Haus. Hans Sohn, in schwarzer Lederkleidung, hat bisher
nur den Kopf zu uns gedreht. Jetzt dreht er den ganzen oberen
Körper uns zu. Wir grüßen schon seit einiger Zeit.
Nach abermals Zeiten rennt Köchin Berta aus der zu ebener Erde
gelegenen Küche. Die Hände wirft sie über dem Häubchen zusammen. Herr-Direktor-Herr-Direktor, er hat den Finger in die
Sauce gesteckt. Hinter ihr tappt, an seinem Finger leckend, Veeser. Professor Mack setzt ein schepperndes Gelächter frei. Dieses
Lachen also war angestrebt von Anfang an zur Erlösung dieser
Szene. Jetzt geht alles flüssig von selbst. Der riesige Hans Sohn
wird vom Fahrersitz erlöst, kommt her, schüttelt jedem lange die
Hand, sagt zwar nichts, schaut aber einen jeden an, als habe er
Bedenken. Berta will ihm die Hand nicht geben, er brummt wild

auf, nimmt schon die Sonnenbrille vom rötlichen Gesicht, Blomich, geistesgegenwärtig, ruft: Berta, in die Küche! Berta schluchzend ab. Professor Mack stellt sein Lachen sofort ein. Veeser pariert hell: Die Sonne zieht Wasser. Der zweimetergroße Ledermann mault tief parodierend dagegen: Wenn bloß das Wetter hält, was!

Freitagmorgen

Mit hellroten Hundsrosen kränzen Mack, Veeser und Sohn das gelbe Großauto. Stoßen sie schrille Laute aus oder was? Auf jeden Fall seh ich sie fuchteln. Der riesige Sohn geht, sobald er Hundsrosen aus den Laubenranken gerupft hat, als ginge er auf einem Drahtseil und müsse balancieren. Pirscht sich Mack an Michels Edelrosen heran, tun Veeser und Sohn, als müßten sie ihm Feuerschutz geben. Die Kölsche trippelt her, schwenkt Papier. Ein Fernschreiben, wichtig, von dpa. Veeser nimmt's. Mack greift derweil schon zum gleißenden Sprachrohr und verkündet dem summenden Morgengarten: Veeser, Hans Sohn und Professor Mack fahren jetzt sowieso nach Lindau, um ihren großen kleinen NDB zu holen, verstanden! Langsam schleppt sich das Auto hinaus. Mack und Veeser winken, als wär's für immer.
Bahnsteig 2, Lindau Hbf.
Mack, Veeser und Sohn, Rosen in Knopflöchern, in den Händen kleine Sträuße. Pressephotographen, zwei Journalisten. Ein alter Mann mit einer Zeitschrift, so aufgeblättert, daß das letzte NDB-Photo sichtbar wird: NDB am Ufer des Genfer Sees, auf einem Esel reitend. Der Zug hält, NDB bleibt unter der offenen Tür stehen. Er ist gekleidet wie ein Schweizer Uhrenfabrikant des Jahres 1913; wozu ein Strohhut gehört, der mit Hilfe einer Klammer am kurzen Revers befestigt ist. Die Photographen verrenken sich. Basil Schlupp möchte auch in den Türausschnitt drängen. NDB läßt das dadurch zu, daß er ganz rasch auf den Bahnsteig tritt, also kommt Schlupp erst in die Tür, als die Tür nicht mehr im Sucher ist. Die Journalisten drängen. Mack gibt bekannt: Basil Schlupp ist NDB bis nach Zürich entgegengeflogen. Alles weitere auf der Pressekonferenz um 15 Uhr im Seehaus Blomich.

In der Villa eines Freundes am Bodensee empfing NDB einen Beauftragten des Kultursenators von Berlin. NDB gehöre, sagte der, längst nach Berlin. Eine Villa stünde dort für ihn so ruhig wie am Genfer See, mit Ufer, und von Bayern ebensoweit und noch weiter von Rom. NDB antwortete fröhlich: Edel sei der Mensch, hilfreich und ein Berliner. Auch ich bin ein Berliner. Berliner zu sein ist ein schöner Beruf. Es wäre aber ein Irrtum, anzunehmen, der Beruf, Berliner zu sein, könne nur in Berlin ausgeübt werden. Im Gegenteil. Und die nächste Oper? Die gibt er gerne nach Berlin. *Penicillus* heißt sie. Darf man schon Näheres? Für NDB antwortet sein dramaturgischer Mitarbeiter Professor Mack: Penicillus ist ein Deminutivum von peniculus, dies wiederum ist ein Deminutivum von penis, wir haben diesen Stamm noch in unserem Wort Pinsel. Der Oper wird unter solchem Aspekt die Taten Alexanders des Großen darstellen, insbesondere seinen Zug nach Indien.

In der Villa eines Freundes am Bodensee empfing NDB einen Beauftragten der Ruhrfestspiele, dem er versicherte, das Oratorium *Franz und Klara oder Ein Kommunismus in Umbrien* werde er rechtzeitig beenden. Die endgültige Zusage zur Uraufführung in Recklinghausen wolle er erst geben, wenn es der Festspielleitung gelungen sei, Chagall als Bühnenbildner zu gewinnen.

In der Villa eines Freundes am Bodensee weigerte sich NDB, den extra aus Dresden hergereisten Dramaturgen der Dresdner Staatsoper zu empfangen. NDB gab bekannt: Der hat doch sowieso nichts zu sagen. So wie die Dinge drüben liegen, müßte sich schon Herr Abusch bei mir melden oder Herr Norden oder Felsenstein. Was soll mir der Unteroffizier.

In der Villa eines Freundes am Bodensee empfing NDB den Schweizer Fabrikanten Pius Mayrock aus Frauenfeld (Automatic-Schaltungen). Mayrock erbot sich, in Frauenfeld ein Opernhaus nur für NDB-Werke zu erbauen. NDB lehnte ab. Er wäre einverstanden, wenn das Haus in Berchtesgaden gebaut würde. NDB: Gutes soll einmal auch aus Berchtesgaden kommen.

60 Sekunden-Interview mit NDB auf deutschem Boden. Warum

lassen Sie sich im Mercedes-300 fahren?
NDB: Absichtlich.
Warum darf Sie nur Ihr Hans Sohn chauffieren?
NDB: Er ist in Finnland geboren.
Warum fliegen Sie nie?
NDB: Ich habe Angst vor den Engeln.
Warum fahren Sie längere Strecken nur mit der Bahn?
NDB: Ich liebe die Geranien auf den kleinen Bahnhöfen und den Ernst der Stationsvorsteher.
Warum ziehen Sie nun doch nicht nach Berlin?
NDB: An Krankenbetten sind Heuchler gern gesehen. Das stört mich.
Vermissen Sie etwas, wenn Sie in der Bundesrepublik sind?
NDB: Meine schwarze Frau, mein weißes Beauharnais-Bett und meine sieben rothaarigen Kinder.

Ein Akt am Freitagabend

An solchen Tagen findet gegen Abend das Gewitter statt, zerfetzt die lappige Luft mit Donner, Blitz und Wolkenbruch. Am Freitag, dem 13. Juli 1962, fand kein Gewitter statt. Also hechelten die Hunde weiter mit himbeerroten Zungen. Ich hörte Waffengeklirr. Michel prüft, ob die farbigen Birnen, die unter der Terrassendecke von einer eisernen Säule zur nächsten wie Girlanden hängen, auch wirklich Licht geben. Blomichs Stimme aus dem Garten: Auf dieser Seite kommt kein Baum zweimal vor, ein Prinzip meines Vaters, der noch der Schüler war eines Schülers des Fürsten von Pückler-Muskau, der seinerseits lernte vom Engländer Repton, bevor er in Muskau in der Niederlausitz seinen natürlichen Garten schuf.
Schlupps helle Stimme: Hochinteressant. Und warum klingt dieser Stamm so dumpf?
Auf der Hafenmauer, schwarz im Gegenlicht, NDB, den Kopf gesenkt, die Hände auf dem Rücken, reglos, ein Scherenschnitt. Noch im Umriß für alle Zeit sichtbar die Fellachen – oder Mönchseleganz. Oben etwas aus schwarzer Wolle, ein wegfallender Kragen, aber nicht flach wegfallend, es bleibt ein Wall und Wulst, der den Kopf ausstellt, eine fertige Porträtbüste.
Mack und Veeser knien im Gras, rupfen verblühten Löwenzahn,

219

blasen die Samen weg, zeigen einander die Makel auf den blank-
geblasenen Samenböden, Mack lacht wieder einmal.
Rosa geht brav zwischen Schlupp und Blomich von Baum zu
Baum. Schlupps Stimme: Als Lyriker interessiere ich mich natürlich für die Namen. Perückenstrauch gefällt mir bis jetzt am besten. Tante Therese schlägt gegen den Gong. Von mehreren Seiten nähern sich Gäste. Mehr als zwölf oder vierzehn sind nicht
eingeladen für die Vorrunde. Ist das jetzt Waffengeklirr? Oder
Vogelgesang? Rosas Stimme dringt immer noch durch: Nein,
Hans, Basil, bitte, was hab ich gesagt: Lustig oder hastig?
Schlupps Stimme: Lustig, Herr Blomich, lustig, das kann ich be-
schwören. Melanie klappt ihr Buch zu, verläßt den Liegestuhl,
also schaffe ich mich eifrig an ihre Seite, die Luft ist mulmig, die
Vögel werden laut, ich erschrecke immer noch. Dieses Gezeter,
mir immer verständlicher. Wenn Blomich das hört! Oder ein
Gast! Ein Mensch neigt dazu, etwas auf sich zu beziehen. Komm-
Dubloßhierher – Schfitz-Du! Das ist ein Star. Wirst-Dichjetzt-
gleich-Zipps Du! Ein anderer Star. Ichichichauseisundeisenich.
Flaschelasche. War das eine Amseldame? Michsiehmichichbin-
honighartholzjetztundimmer. Mürbekürbe-Du. Diese Übersetzung ist eine Übersetzung, das ist klar. Im Original klang das
noch ernster. Zum Glück sprachen die Gäste selber und hörten
einander auch zu. Es war doch ein friedlicher Abend. Der See
wie für immer reglos aus blauem Blei. Die Gästeliste jedem verständlich. Auf der Terrasse, zu Tante Thereses Erdbeer-Bowle,
singt uns Blomich an. Macht uns alle zu Freunden. Keine
schlechte Fessel das. Hätte er mich gleich so zu einem Freund
gemacht, vielleicht hätte ich Rosa wieder fortgeschickt. Die Uhr,
wann werde ich Rosa die winzige Uhr zurückgeben können? Das
erste Gläserklingling, die Vorrunde hat begonnen.
Anselm lauernd, mobilgemacht, einsatzbereit. Zwei Zentren.
Eine Gruppe um unser Titelbild. Eine Gruppe um NDB. Gegen
jede Erwartung. Warum geht NDB nicht auf Rosa los? Hat NDB
erwartet, Rosa werde gleich auf ihn losgehen? Leute verhalten
sich sicher gesetzmäßig. Trotzdem können sie sich nichts vorneh-
men. Sobald ein Zweiter hinzukommt, wird Einer abhängig.
Aber der auch von ihm. Und er wieder von dem. Und wenn ein
Dritter kommt, verändert der die zwei und die ihn und so ein
Vierter und so wirkt jeder, der da ist, auf alle, die da sind, und
alle wirken auf ihn. Diese infinitesimale Interdependenz hat, zum

Glück, auch invariable Größen. Jeder trachtet unentwegt durch alle ihm aufgezwungenen Umwege und Verrenkungen hindurch nur danach, zu seinem eigenen Ziel zu kommen. Er will unterwerfen. Und sei es dadurch, daß er sich unterwirft. Er will der Wichtigste sein. Um das zu beweisen, führt er sich nötigenfalls auf, als halte er sich für den Unwichtigsten. Also ist unter mehreren Einer immer so sehr er selbst, als es ihm von allen anderen gestattet wird. Je weniger ihm das gestattet wird, desto heftiger versucht er es. Der Gelassenste ist der, dem die Meisten gestatten, er selbst zu sein. Er ist auch unter allen Umständen der Schönste. Jeder hat ihm etwas vom eigenen Anspruch geopfert. Das macht ihn schön. Entweder haßt man ihn, weil es zu seiner Gelassenheit gehört, unabhängig zu erscheinen, also undankbar zu verschweigen, daß er von unserem Verzicht lebt, oder man liebt ihn, weil er ist, wie man selber gern wäre. Auf jeden Fall hat man ihm nur geopfert, daß er es zurückzahle. Mach ich ihn schon zum Größten, so soll er mich wenigstens zu sich emporheben, möglichst über mich und sich hinaus.

Zwei Zentren also. Das ist gefährlich. Blomich pendelt hin und her. Um Rosa trippeln und drängen die männlichen Gäste: Basil Schlupp, Dr. Keckeisen, Karsch, Hans Beumann, Professor Arnold Laberlein, Ivo Kops, Mayrock, Mack und Veeser. Um NDB herum ballen, biegen, balgen sich die Frauen. Aber zur Sicherheit stehen da auch Blomich und Ich-Anselm. Und, großen Ernst beweisend, stehen da noch Edmund und Wollensak. Wollensak zeigt geradezu Andacht. Edmund zeigt auch Andacht, aber er muß sich immer wieder einmal, wie die Mutter in der Kirche, davon überzeugen, ob auch das Kind genug Andacht zeigt. Offenbar hat Edmund seinem Wollensak zur Unterwerfung geraten. Jetzt wollen sie NDB ihre entschlossene Ergebenheit darbringen, das sieht man. (Sie sind jetzt beide renommierte Berliner. Edmund, schlitzäugig: Kultureller Strandhafer, fordgedüngte Dünenbewehrung. Offenbar glaubte Edmund, er und Wollensak täten da etwas nur scheinbar.) Melanie steht NDB am nächsten. Diesen Platz behauptet sie. Am liebsten wäre sie jetzt so breit, daß sie NDB abschirmen könnte gegen alle. Ihre Haare sind heute ein Versuch in NDB's Rot. Sie legt gleich los und spricht schriller und gescheiter über Musik *than usually falls to the share of her sex*. NDB's Körper zeigt durch ein paar Schauder- und Schlingerbewegungen, daß NDB sich nicht wohl fühlt. Er kommt mir unter Melanies Rede zart vor. Melanie möchte dann doch einmal unterbrochen werden. Solange kann sie auch wieder nicht reden über Musik. NDB läßt sie hängen. Schließlich springt er wie über einen Zaun. Vielleicht, sagt er, ist es einfacher. Er macht ja Muusikk, Musiek sollen die Laboranten machen. Er habe vormittags plötzlich Freude an Geigen, die scharf darauf sind, Flöten zu stören; Flöten, unbeirrbar, machten sich darüber lustig; Celli versuchten, den Geigen zu zeigen, wie schön es ist, zu resignieren; Trompeten flegelten nur dazwischen, weil sie hier gerade nichts zu suchen hätten und benähmen sich überhaupt, wie sich eine Fußballmannschaft benimmt, die einem Beerdigungszug begegnet, aber bloß einen Augenblick lang benähmen sie sich so frech, dann könnten sie plötzlich besser weinen als die Witwengeigen, die am offenen Grab dazu übergehen, um die Trompeten zu werben, unsittlich wie nur Geigen werben könnten ... Melanie bittet NDB, über die neue Oper Penicillus zu sprechen. NDB führt die Oper für uns auf. Wird Rosas Kreis das aushalten? NDB singt, rezitiert, imitiert Orchester, spielt seine Alexanderrolle, zieht als Alexander für uns nach Indien, ein Flüchtling, getarnt als Eroberer. Erstens flieht er vor seinem Halbbruder Philipp Arrhidaios, der gilt nur für schwachsinnig, Alexander hält ihn für noch größer als sich selber, kommt der Idiot doch ohne Ruhm aus. Zweitens flieht Alexander vor den Einteilungen des Aristoteles. Drittens flieht er, um auf Dionysos' Spuren zu vergessen, daß er Alexander ist. Er möchte nämlich am liebsten sein, wozu er am wenigsten gewachsen ist. Dionysos möchte er sein. Aber er hat offenbar ein Fehl, ein körperlich-männliches, das geht ihm nicht bloß nach, das trägt er mit sich, sein unvollkommenes Zeug, ein doppeltes Deminutiv, das ihm nicht gehorchte in Makedonien und Griechenland und nicht bei der iranischen Roxane. Was bleibt ihm da, als abzuhauen, an der Spitze von harten Heeren die Welt zu erobern und sich wenigstens zum Gott erklären zu lassen in Didyma, Ägypten und Babylon, dann, als Eroberer verkleidet, nach Indien zu wallfahrten, von wo schon einmal einer mit stabschwingenden Frauen unter Evoë-Gebrüll und mit tollen Fähigkeiten zurückkam. Der mußte Knoten nicht mehr durchhauen, dem schmeichelten die Schnüre und lösten sich schmiegsam von selbst. Alexander aber kehrt aus Indien anders zurück: er bringt Ameisen mit, so groß wie Füchse, abgerichtet zum Scharren von Goldsand; Elfenbein zur Herstellung noch verläßlicherer Zirkel; die

Reispflanze bringt er; einen neuen Schleusenverschluß; bessere Seide; leichtere Sättel; ein chinesisches Meßtischblatt etc. Jung wie er ist, stirbt er nachts an sich selbst in Babylon. Umgeben von den Tempelmädchen der assyrischen Mylitta. Die lernen an der starr werdenden Leiche gleich das Näniensingen. Jede erzählt, wie es war mit ihm. Jede schwört: nach Alexander will sie keinen mehr. Darüber sind sich die erfahrenen Mylitta-Mädchen ganz einig. Es gibt keinen wie er einer war. Schäumte er bei Dir auch vor Scham, entschuldigte sich für seine Geringheit und Schwäche, ließ sich, was er Penicillus nannte, mit Lorbeer-Reis peitschen? Ja, bei ihr auch. Ja, bei allen. Und doch sind alle einig darüber: er war der Größtebeste, keiner wird sein wie er einer war. Und wenn man's ihm beteuerte, wollte er davon nichts hören. Schmeichelei! Speichelleckerei! schrie er, man hätte das Leben riskiert, hätte man weiter zu seinen Gunsten verglichen. Er war Alexander der Größte, kein Zweifel. Aber wie traurig: sich selber war er vielviel zu gering. Die Damen waren aufs angenehmste schokkiert. Melanie flehte NDB an, er möge ihr das Libretto überlassen. Sie will es drucken, Picasso soll's illustrieren. Indien, NDB, Sie wissen gar nicht, wie sehr Ihre Oper für mich musiziert! Der Kreis um NDB wurde enger. Ich fand mich plötzlich außerhalb des Kreises. NDB suchte rückwärts Schutz am eisernen Blatt- und Rankenwerk des Terrassengeländers. Rosa war inzwischen von ihren Verehrern in die entfernteste Terrassenecke gedrängt worden. War das Blomichs Regie? Hatte sie überlaufen wollen zu NDB und die Herren hatten zusammengearbeitet? Blomich und ich im Niemandsland. Was tun wir bloß jetzt? Erkannte er die Gefahr? Zwei solche Zentren erzeugen Spannung. Drei Zentren, und alles wäre gut. Aber so oft Blomich auch hin- und herlief zwischen den Zentren, es gelang ihm nicht, Teile abzusprengen und einen dritten Kern zu bilden. Wozu diese Jonisierung führen mußte, was solchen Spannungsinduktionen zu folgen hatte, mußte er als Ingenieur wissen. Die Damen um NDB wurden immer positiver. Die Herren hingen mit ihren ganzen negativen Ladungen an Rosa. Oder waren die Damen und die Herren einfach notwendig, um Rosa und NDB zu neutralisieren? Würden die in einem Blitz zusammenschmelzen, wenn die klammernden Ringe nicht wären?

Rosa stand inzwischen schon auf der Sitzbank, die gebogen ist aus zierlichem Eisen. Offenbar ging es gerade darum, von wessen Zigarette sie den nächsten Zug nehmen würde. Sie schlug leicht auf mehrere Hände. Das waren die Hände von Ivo Kops, Fabrikant Mayrock, Mack, Veeser, Dr. Keckeisen. Die waren also abgeschlagen. Basil Schlupp, Professor Arnold Laberlein, Hans Beumann und Karsch hielten ihre Zigaretten noch bittender empor. Ja, auch Basil Schlupp, den man doch wirklich für ein Mannmädchen hätte halten dürfen, auch er war also umgepolt und wußte sich nicht mehr zu helfen. Und Karsch, der sich sonst nur mit der Pfeife traktierte, war plötzlich ein blöder Zigarettenraucher geworden. Waschküche, rief Rosa und schlug Karschs Zigarette als nächste ab. Zittert, rief sie und traf Laberlein. Dann schaute sie Beumann an und schaute Schlupp an und nahm aus Schlupps langen Langfingern die Zigarette und sog an ihr mit geschlossenen Augen. Die Besiegten bewarben sich sofort mit mehreren Aschenbechern um die Asche. Bei wem würde sie abstreifen? Bei-mi-bei-mi-bei-mir! Rosa sah Basil an. Basil hob eine Hand hoch, ließ die Hand vom Gelenk an noch über den rechten Winkel wegfallen, krümmte seine schöne Hand zum schönsten Aschenbecher der Welt, Rosa bediente sich. Die abermals Besiegten heulten auf. Das gilt nicht, rief Beumann. Schiebung, rief Professor Laberlein. Blomich zermürbte sein Schildkrötengesicht mit Lächeln. Ach mein Blom-Ich, siehst Du die Rosa-Effekte an jedem Herrn! Der riesige Karsch! Verbiet ihm doch das. Den Schuh ausziehen, auch noch die Socken! Hätte man nicht in die Bowle ein begütigendes Pulver mischen müssen? Seine Zehen will er zeigen! Aus ganzer Tiefe lachend läßt er heftig seinen großen Zeh nicken. Dreht sich in schrecklicher Pirouette auf einem Fuß und schwenkt die Welt ab mit dem nackten Riesenzeh. Blomich ruft rasch: Ein kleiner Imbiß, meine Freunde, ein kleiner Imbiß!

Die Tischordnung zersetzt die Gruppen, aber die entgegengesetzten Ladungen wirken noch. Eigentlich zittert der Tisch, klirrt das Geschirr unter den plötzlich gestauten Erregungen. Wenn es wenigstens acht Zentimeter hohe Steaks gäbe, so raw als möglich, daß man was zu zerreißen hätte. Aber diese farblosen zarten Fischfilets. Wem wird zuerst das zierliche Weinglas in der Hand zersplittern? Wer gibt zu, daß er es nicht mehr aushält?

Kaum saßen wir vor den Marzipan-Vitrinen am Rande des weißen Damasts, übernahmen Messer und Gabel die Herrschaft über uns, die Domestikation stülpte sich als Tischsitte über einen jeden. Ausgerechnet in der Schweiz wetterleuchtete es. Bei uns lagen die Wetter Blei in Blei in Blei. Kein Blitz. Dafür Gesänge mehrerer Personen bei Tisch: Regenbogenforellen sind was Gewürze angeht die züchtet man am besten selbst Basilikum ist auf den Süden angewiesen der das Negerproblem in jenes scharfe Dilemma treibt das Faulkner so sehr empfindet man in Indien Basilikum als ein Erotikum daß man die Pflanze alljährlich um Wischnu zu ehren mit einer Muschel kopuliert wäre das eine Oper Herr Bruut über die Lynchjustiz in den Südstaaten ist die sexuelle Konkurrenz ein Politikum auch bei de Gaulle dem Grotesk-Zwilling Thomas Manns der für die Oper sicher begabt ist selber eine Staatsoper oder eine Kathedrale an die man glauben muß wie Adenauer jetzt in Reims den Sinn einer solchen Begegnung erfaßt hat im Fernsehen kann man die historische Bedeutung Wagners ermessen wenn nach dem Verlust Algeriens bei einem solchen Händedruck in der Pariser Staatsoper noch sexuelle Konkurrenz im Spiel ist selbst beim späten Faulkner ganz sicher auch bei Tolstoi wo die Provinz ja auch die Welt ersetzt die Welt ohne separate Literaturen seit Goethe trennen ja bloß noch die Hauptstädte während die Provinzen konzentrisch sind zum Humanen das bei uns leider durch den nationalen Schiller als Zitatenneckermann hat Goethe doch schrecklich viel schlimmer gewirkt als Schiller hat nur Zitate geliefert aber Goethe bewirkte in jedem Hänselgretel die Fähigkeit selber Gemeinplätze zu fabrizieren ist ein Abstieg der Sprache zur Opernsprache schon bei Goethe und Schiller der Brauch sexuelle Konkurrenzen im klassischen Libretto zu tarnen je länger je mehr lesen Sie in meinem Buch heißt das die Oper muß wieder vulgär werden die Demokratien ohnehin ist das Schöne nichts anderes als das Vulgäre befreit von Notwendigkeit wird das Vulgäre das letzte Spielerische im hygienisch organisierten Zeitgenossen im overamericanised man durch die Kunst wird das Vulgäre etwa bei Bruut dem Häßlich-Ordinären enthoben und der Angewiesenheit und Herkunft aus der Gosse und Schmiere entledigt er das Obszöne und macht es ohne Verlust an Vitalität zum Schönen zum Südlichen Bravo Herr Professor es lebe das Südliche war ja schon immer im Libretto z'haus im Giovanni so gut wie bloß nicht bei Wagner vielleicht über das Indische dann landen wir wieder beim Arischen nein im Zenit des Sinnlichen im konkreten Verbrennen so hell wie düster wie Basilikum mit Zotten und Ammonitenkopulation kopuliert gegen Rassenreinheit wie Wischnu und Krischna gegen alle Einhelligkeit ist gutes Gewürz ambivalent nicht aufzuschließen in Solches und Solches ist ein Gewürz also ein Dilemma ist ein gutes Gewürz das hohe Geschmacksdilemma der ganzen Negerfrage mit all ihren sexuellen Implikationen die Faulkner solange er lebte ist er vielleicht gestorben ist er vorletzte Woche Karl Aloys Schenzinger auch Hitlerjunge Quex und Anilin und auch wir leben nicht ewig werden wir beglotzt von den ehemaligen Augen der Regenbogenforelle.

Ich saß schon weniger starr, die Nachtischerdbeeren fingen schon fast an zu schmecken, die Gefahr schien hinter uns zu liegen, ich glaubte, die Gästeauswahl noch genauer zu durchschauen: Wortführer hatte er eingeladen; die würden sich und NDB in Wörter verwickeln, die ersten Augenblicke, die Zündaugenblicke würden in Diskussionen verzischen, und einen Tag später müßte jeder von denen zugeben, daß er Rosa sozusagen als Blomichs Eigentum anerkannt hatte, und jeder war dann, als ein alter Getreuer, gegen die neuen Gäste einzusetzen. Aber der Mensch denkt und Gott lenkt auch nicht. NDB war, zum Nachtisch, gebeten worden, auch noch etwas zu sagen. Also sprach er über sich, weil er wußte, wenn er schon mal da war, wollten die Leute, was sie längst wußten, einmal aus seinem eigenen Mund hören. Am liebsten, sagte er, erzählt er, weil er kein Theoretiker ist und von Ideen Hautausschläge kriegt, aus seinem Leben. Sein Vater ist ein Zigeuner aus Vaduz, seine Mutter, die ledige Tochter einer ledigen Organistentochter und späteren Pfarrköchin aus Eisenach in Thüringen, die wurde dann eine Operettensängerin. Deshalb ist er auch in einem Vorort von Odessa geboren. Unter traurigen Juden also. Aber bei seiner Geburt hat er gelacht, das hat er schriftlich.

Ich hörte der wunderbaren Erzählung zu, sah aber nicht nur NDB an, sondern auch Rosa. Zwischen Rosa und NDB war nur eine Tischecke. Rosa hatte die Ellbogen aufgestützt, ganz innig lag das Kinn in der Schale aus Händen, Atem holte sie, wenn NDB Atem holte. Dann wurde ihr Atem kürzer als NDB's Atem. Und sie mußte sich aufrichten. Wieder einmal tief Atem holen. Und die Schultern fielen zurück. Und ihre Brust wuchs vor. Dann fielen ihr die Hände auf den Tisch. Wie erledigt. Und ihr Gesicht hatte plötzlich mit einem Schmerz zu tun, der ihr bekannt sein mußte. So wehr dich doch, rief sie sich selber zu. Dann wehrte sie sich.

Kämpfte gegen diese Art Ertrinken auf dem Lande. Hob das kleine Kinn. Offenbar wollte ihr Mund aufklappen und JA rufen. Ich sah das. Ich sah, wie sie schließlich nach dem Obstmesser griff, nach einer Birne griff. Jetzt, dachte ich, jetzt ist es überstanden. Aber sie konnte ihre Augen nicht bei Messer und Birne lassen. Das Messer sank durch die Birne. Sie aber schaute NDB an. Ein ziehender Trübsinn eroberte ihr Gesicht. Der Mund klaffte jetzt doch ein wenig. Mein Gott, so schau doch auf das Messer! Sie schaute nicht. Ich sah, wie das Messer durch war durch die Birne, wie es den Daumen erreichte, immer noch weiterschnitt. Die Birne blutete, das Messer blutete, der Daumen blutete. Und das Tischtuch wurde blutig. Sie saß. Düster. Konzentriert. Jetzt, jetzt arbeiteten schon – ich sah es doch an ihrem prüfenden Gesicht – ihre Füße unterm Tisch. Sie beobachtete NDB's Gesicht mit jener Konzentration, mit der der Chirurg, dessen Hände den bloßgelegten Herzmuskel des Patienten massieren, den Zeigerausschlag beobachtet, der ihm die Wirkung seiner Massage mitteilt. Und sie konnte zufrieden sein. NDB antwortete herrlich auf sie. Sein kleiner massiver Körper wuchs, wurde immer leichter. Mutwillig hielt er seine Legende in Merseburg an. Da gastierte meine Mutter, sagte er, ich war vier oder fünf, saß in der Bühnengasse auf einer zuckrigen Kutsche, meine Mutter holt Atem, stürmt hinaus, verscheucht das Ballett, die Elfchen nichts wie ab, nehmen im Vorbeirennen, plötzlich sinds Riesinnen, mich von der Kutsche, eine nimmt meine ledernen Hosenträger zwischen die Zähne, haut ab mit mir, die anderen flutsch hinterher, durch Gänge, sag ich Ihnen, Gewölbe, in was Halbdunkles, wo's überall weich ist, da läßt sie mich fallen, ich fall auf einen Haufen kaiserlicher Roben, sie hält mir den Mund zu, ne zweite zieht mir den linken, ne dritte den rechten Schuh aus und die Strümpfe, alles ziehen die mir aus und dann betrachten sie mich, legen mir Hermelin unter, dann will eine nen Fuß, ne andere bloß'n Finger und jede, die was von mir hat, bereibt sich damit so gut es geht, aber mich kitzelt das, weil die ja rücksichtslos reiben, ich lache, das freut die, ganz verrückt reiben die sich nun mit mir, vor Lachen krieg ich keinen Atem mehr, Aufhören-Aufhören-Au-Au-Au, schrei ich, Mama! glauben Sie, eine von denen hätte aufgehört, und ich denk schon, ich komm um, bis ich plötzlich was Gutes spür, es tut weh, aber es ist was Gutes, alles, was ich bin, versammelt sich an einer Stelle, irgendwo an mir, und das ist nun nicht zu verachten, obwohl, weh tut's schon, aber ich bin einverstanden mit diesem Schmerz, mehr, schrei ich, mehr-mehr davon, ja, schrei ich, ich bin der Kaiser, schrei ich, gebt dem Kaiser, was des Kaisers ist, gebt ihm Süßes-Süßes-Süßes. NDB schnaufte auf. Hielt den Atem. Und? fragte jemand. NDB fiel in seinen Stuhl zurück und sagte: Ich kriegte genug davon. Aber die hörten nicht auf. Jetzt wußte ich, die wollen Dich umbringen. Da schrie ich hoch und hörte nicht auf, hoch zu schreien, bis eine abließ und wegrannte, da ließen gleich alle ab und rannten weg und ließen mich liegen, naß oder blutig oder kaputt, das weiß ich auch nicht, schaut doch selber nach, ihr seid ja alle dabeigewesen.

NDB wurde finster. Blomich hüstelte. Gehen wir rüber, fragte er, in den Salon oder auf die Terrasse? Rosa lag an der Rücklehne ihres Stuhles. Düsterselig. Unheimlich zufrieden. Den Daumen tief in der Serviette. So seh ich sie liegen und fürchte doch, sie lag nie so an der Lehne. So belügt mich die Erinnerung. Falschgeld ist das, liebe Gedächtnissparkasse. Und ich habe es dankbar entgegengenommen. Der überragende NDB auch nicht besser als ich! Das würde mir so passen. NDB noch schlimmer als ich! Wie immer mir die Gedächtnisrose das herblättern will, ich darf es nicht annehmen. Bitte, zahl noch einmal zurück. Und sei's in einer für mich peinlich harten Währung.

NDB rezitiert also: Mein Vater ist ein Zigeuner aus Vaduz, ein Scherenschleifer, der über dem sausenden Wetzstein ehrliche Lieder sang und bezahlt wurde mehr für seine Lieder als für das Scherenschleifen. Von Frauen, denen unterdes die Mehlschwitze verbrannte. Meine Mutter ist die ledige Tochter der Pfarrköchin aus Eisenach. Sie wurde Sängerin bei der Operette, und das wegen ihrer mehr streichelnden als strahlenden Stimme. So kam es, daß ich geboren wurde in einem Vorort von Odessa, wo mein Vater und meine Mutter mit Gesang und Handlung Geld verdienten. Scherenschleifen hatte mein Vater aufgegeben, weil die Kundschaft behauptete, er zerkratze den Solinger Chrom oder was die da draufhatten. Soviel war ihnen sein freimütiger Gesang auch wieder nicht wert. Also wurde ich dort unter traurigen Juden geboren. Aber bei meiner Geburt hab ich gelacht, das steht geschrieben. Soweit kam er wohl in Wirklichkeit, dann unterbrach er sich, griff unter den Tisch und sagte: Entschuldigen Sie, aber ich werde hier in Versuchung geführt. Rosa quiekste, aber er hatte ihren Fuß fest im Griff, hob ihn über die Tischdecke, die ihn von Rosa trennte, legte den schönen Fuß auf den weißen Damast, schimpfte ihn, als wäre der ein kleines Tier, das nicht artig war. Rosa, zu Blomich hingekippt, bat den um Hilfe. Ich habe gedacht, Du bist das, Hans, mir war's so langweilig von all dem Gerede, Hans, er soll loslassen, Hans! NDB ließ nicht los, sondern trug den Fuß wieder unter den Tisch, sprach aber sofort weiter in seinem hübschen Lebenslauf. Das war viel schlimmer als wenn man sich nun hätte lustig unterhalten können über Rosas Irrtum. Weil aber NDB so unbarmherzig weitersprach, konnte sich die Schrecksekunde nicht auflösen. NDB redete über diese Peinlichkeit hinweg. Das tat er so deutlich, daß jedes seiner Worte diese Peinlichkeit befestigte. Zu allem Unglück kam er jetzt auch gleich noch auf seine Ehe mit der ungarischen Pianistin Magda Szegeszy zu sprechen, mit der er, wie er sagte, in graniten monogamer Ehe lebe, nannte sich und seine Frau das glücklichste Paar der Welt, er rühme sich dessen nicht, er sage das bloß, weil die Leute komische Meinungen hätten über ihn wegen seiner Opern; abgesehen von seinem persönlichen Glück, glaube er doch, daß nur Infantile beiderlei Geschlechts zur Monogamie unfähig seien, aber bitte, er sei kein vielzüngiger Moralist, zum Gewissen anderer Leute könne er also nicht reden, er sei eben nicht polyglott, er sei wie sein Vater und seine Mutter, deren zwölftes Kind er sei, ein von Treue besessenes Familientier.

Rosa konnte das nicht zu Ende hören. Sie stand aber vorsichtig auf, wie jemand, der einen Vortrag zu früh verlassen muß, weil sein Zug gleich fährt. Sie küßte sogar noch Blomich auf die Schläfe bevor sie ging und drückte ihn, als er auch aufstehen wollte, auf den Stuhl zurück. Dann winkte sie uns allen noch zu. Wies auf den wieder blutenden Daumen. Ein kleiner Unfall, bitte laßt euch nicht stören. Sie bewies wirklich viel Kraft bei ihrem Abgang. NDB sprach weiter, als bemerke er ihren Aufbruch nicht. NDB zählte noch die 17 Berufe auf. Was war er nicht alles gewesen, bevor seine Musik ihn reich machte! Mir imponierten in dieser notorisch abenteuerlichen Vita am meisten der Zuhälter in Casablanca und der Croupier in Campione. Aber sicher war er – und das mag anderen imponieren – auch Bergmann in Wales und Rangierer in München-Ost. Blomich hielt das kaum noch aus. Er saß schrecklich aufrecht, sein Schildkrötengesicht war wieder um ein paar hundert Jahre älter geworden. Wie kann er in seinem Alter bloß glauben, ein halb so altes Ding hätte was übrig für ihn. Fünfzig, das hält die doch für den Namen einer Krankheit. NDB beendete seinen Vortrag, alle klatschten, Blomich beugte sich zu Ivo Kops, dann ging er ab. Viel schlechter als Rosa. Er rannte davon. Ivo Kops teilte uns mit, der Hausherr lasse sich entschuldigen. Dann bin ich die Hausherrin, rief Melanie.

Ich bilde mir ein, die Szene nach Rosas Abgang, nach Blomichs Flucht sei – welches Licht auch immer dadurch auf mich selbst fallen mag – so gewesen:

Anselm kocht, sucht nach einem Stein, empfindet sich als David, im Salon setzt er sich so, daß er den NDB-Goliath im Schußfeld hat, und wartet darauf, daß der ihm den Stein liefert, mit dem Anselm dann Rosa und sich rächen wird. Selber hat er den Stein nicht. Nichts hat er in der Hand. NDB ist im Recht. War anständig. Herrlich sauber. Also bleibt Anselm nichts anderes übrig, als für das Unrecht, für Unanständigkeit und Schmutz zu kämpfen. Gekämpft muß werden. So darf auch ein NDB nicht umgehen mit Rosa. Die liegt jetzt sicher quer im Bett auf 'm Bauch und heult in die Daunen. Und Blomich sitzt stumm auf dem Rand und weiß nicht, wem er zuerst helfen soll, ihr oder sich. Dieser Scheiß-NDB, hat er's also doch noch geschafft. Ach Rosa, Du hinreißbares Kind, daß Du auch auf diesen Tugendgroßbesitzer fliegen mußtest!

Die Gäste haben sich im Terrassenzimmer um NDB herumgesetzt. Ruhe, Anselm, Jäger müssen warten können. Vielleicht gerinnt Mehreres rasch zu einer Allianz. Die wollen sicher alle heute noch Rosa rächen. Du allein gegen diesen Musik-Khan, das wäre bloß noch tollkühn. Und Vorsicht wegen Melanie, sie ist, scheint's, scharf auf ihn. Die will, weil Rosa abserviert ist, was erschnappen. Denk an die 2000 pro Monat. Mensch, da soll einer noch ein David werden. Jetzt koch mal vorerst tief innerlich. Wart auf die chinks in his armour. Dann mit dem Zuavenmesser hinein in die anständige Sau. Und ab, entspannt ins Gästehaus, wo Irene liegt in Acht und Bann, bis sie sich Ivo Kops vor die riesigen Canossa-Füße wirft. Birga anrufen, das wäre auch eine Erlösung. Sie soll kommen, gleich morgen. Widerrufe die Legende von der Arbeit, die nicht gestört werden darf. Birga, verzeih, dies ist so ein Augenblick, hier, mitten unter den gewappneten Hechten, ruft mit seinem Karpfenmaul Dein Anselm etwas kläglich nach Dir. Oder dachte Anselm bloß so vor sich hin: sind wir denn noch nicht müde, gesättigt und ohne Durst? müde wären wir schon, wenn wir würden, wovon oder wessen, aber weil wir nicht wissen, wovon oder wessen wir müde sein dürften, gehen wir immer noch gegen elf in den Salon, gesättigt und ohne Durst, können nicht ins Bett, immer nachts will noch jeder vom anderen, was der von ihm will, was ihm der nicht gibt und er dem nicht, oder was sonst ist das, was jetzt in Europa die Müden unermüdet scheinen läßt um elf-uhr nachts? sie erwarten, was keiner, fragte man ihn, recht sagen könnte, nur daß er nicht allein weggehen kann, wüßte er, allein in ein Bett kann er erst, wenn er nicht bekommen haben wird, was er erwartet hat, was er erwarten durfte als so gewiß wie das Ein-treffen der Nachricht, er stürbe nie.

Oder: ging Anselm zwar kochend hinüber ins Terrassenzimmer, aber auch berechnend, daß er als Rosas Rächer einen Effekt er-ziele, märchenhaft zu seinen Gunsten. Alle, außer NDB, auf sei-ner Seite, Glückwünsche, Herr Kristlein, davon wird man noch im Winter in München, Zürich und Hamburg reden und in beiden Berlins.

Auf jeden Fall saßen da mehrere Monstren, einander musternd. Die Blicke auf den unteren Lidern gelagert. Träge. Zielend. Wessen Kinnlade klappte zuerst? Wer zeigte zuerst die Dreiecks-flosse, die am Bodensee erschreckend wirkt? Ich-Anselm wußte plötzlich: was auch immer Dir hier noch passieren mag, Nasen-bluten darf es nicht sein. Unter Haifischen darf man nicht bluten. Wer ist jetzt dran? Gleich werden wir's wissen. Einer wird es nicht mehr erfahren. Der, der dran ist.

Mit Hilfe dieses kleinen Angstanfalls verschob ich meinen Auf-tritt als Rächer Rosas auf später. Lange konnte ich meine schüt-zende Angst nicht nähren in dieser Umgebung. Freunde proste-ten einander zu, jeder Freund von seinem Sessel in eine ruhige Landschaft von Gliedern zerlegt. Mir gefällt dieser Pfeifenrau-cher, sagte NDB. Er zeigte auf Karsch. Der hatte sich als einziger nicht in einen der Sessel gesetzt, die wir um NDB herum geordnet hatten. Karsch hatte sich, als gäbe es keine Gefahr oder als seien ihm Gefahren gleichgültig, weitab von uns allen neben die Tür zur Terrasse gesetzt. Auch trank er Whisky. Wir aber tranken Weiß-wein. Wer ist denn dieser Pfeifenraucher, fragte NDB. Als meh-rere nicht glauben wollten, daß NDB Karsch nicht kenne, rief NDB zu Karsch hinüber: Bitte, sagen Sie mir doch selber, wer Sie sind.

KARSCH *ein wenig zu leise:* Kein Komiker.

NDB Prima. Darf man fragen, was denn sonst?
KARSCH Ein Komiker.
Schade, sagte NDB, so'ne schöne Leber und gibt sich tiefsinnig.
Was meinst Du, Professor, wieviel wiegt dem seine Leber?
Nachher, wann mer's wiegen, sag ich's Dir, sagte Mack.
Karsch sagte laut: Staub. Was sagt er? Staub, sagte Mack. Sie wissen, sagte Professor Arnold Laberlein, Adorno hält Sie bloß für einen virtuosen Traditionalisten, während ich in meinem Buch behaupte, Ihre Verwendung der Tonalität ist rein parodistisch, was halten Sie übrigens von meinem Buch? Ich interessiere mich mehr für die Leber, sagte NDB und schaute Basil Schlupp an. Der spielte herzlich mit, deckte seine Lebergegend gleich mit seinen schönen Händen und bat NDB, er möge sich doch zuerst um Melanies Leber bemühen. Fern hörte man Karsch STAUB sagen. Melanie bot ihre Lebergegend an zum Betasten, wollte dafür aber nachher NDB's Hand. Handlesen kann ich selber, sagte der. Sie hält Handlesen für Aberglauben. Sie aber hat einen Test, sagt sie. Einen unfehlbaren Mittelfingertest. Dazu will sie seine Hand. Aber sobald sie danach greift, steckt NDB schnell beide Hände in die Taschen seiner voluminösen Wolljacke. Teste verachtet er, Verlaß ist nur auf Aberglauben. Das Anarchisch-Chthonische, sagt Laberlein. STAUB, sagt Karsch im Hintergrund. Merkt ihr, er hält es nicht aus, sagt NDB. Also, Basil, was ist nun mit Ihrer Leber? Mack, wetten, er hat eine scharfe Leber, schau Dir mal diese Elfenbeinhaut an, da gammeln Sammelläppchen, diese Leber hat einen anziehenden goût, Mack, das spüren wir doch. Basil rief: Ich empfehle Karsch, Karsch hat eine Riesenleber, eine Ost-Westleber hat der. O, sagte NDB, eine Ost-Westleber, Mack hörst Du. O, sagte, Mack, eine Ost-Westleber, oweh.
Leider wußte ich nicht, was LEBER bedeutete in diesem Gespräch. Bezog sich das auf ein mir noch unbekanntes Werk NDB's? War das ein Gesellschaftsspiel? Melanie konnte ich nicht fragen. Sobald NDB in der Nähe war, wurde sie für mich unansprechbar. NDB hatte nun den Einfall, gesalzene Erdnüsse auf seine flache Hand zu legen und sie mit einem schnellenden Zeigefinger auf Karsch abzuschießen. Er traf den bewegungslosen Karsch ein paar Mal hintereinander. Auch ins Gesicht. Karsch duldete das ohne weiteres. Er war offenbar kein Spielverderber. Manchmal drehte er sogar seinen Kopf zu uns herüber und sagte STAUB. Er sprach das Wort deutlich aus, als müsse er es Ausländern vor-

sprechen. Plötzlich stand NDB auf, ging zu ihm hin, beteuerte noch einmal sein Interesse für eine Ost-Westleber, ob man die nicht mal sehen dürfe, wie schafft das die Leber, ist die Zentralvene geteilt, oder gibt's solche Läppchen und solche und zweierlei Gallenkapillaren, oder ist der DDR-Teil am Zwerchfell angewachsen und die Pars libera als Westleber ausgebildet, oder hat er einfach deren linken Lappen brav nach Osten, den rechten simpel nach Westen vergeben, oder teilt er gar jede Zelle, kriegt jede Zelle ihr Blut aus dem Osten und führt Galle nach Westen ab...

NDB tanzte um Karsch herum, mußte nach jedem Satz zuerst das große Gelächter, das jeder Satz bei den Eingeweihten hervorrief, verebben lassen, dann kam der nächste Tanzschritt, der nächste Satz über Karschs vermutliche Leber. Immer näher kam er dieser Leber. Es war zu erwarten, daß er sie gleich kriegen würde.

Daß diesem Kampfspiel trotzdem kein erlösender Erfolg beschieden war, lag ganz allein an Karsch. Der hatte vielleicht doch zu wenig Humor. Vor einem Stier, der sich nicht zu einer einzigen Bewegung hinreißen läßt, der nur manchmal – wenn auch sehr deutlich – STAUB sagt, vor einem so lethargischen Stier ist auch der reizendste Torero verloren. Daß NDB nicht ganz und gar scheiterte, hatte er allerdings doch Karsch zu verdanken. Der stand plötzlich auf, NDB wich ein wenig zurück, schaute hinauf zu Karsch, der verbeugte sich vor uns allen und vor NDB extra, wurde ganz zierlich dadurch, sagte feinleise Guten Abend, und ging an NDB vorbei, hinaus auf die Terrasse, in den Garten, fort. Luft kauend kam NDB zu uns zurück. Edmund und Wollensak riefen Feigling in die Richtung, in der Karsch verschwunden war. Danke, ihr lieben Fordstipendiaten, sagte NDB und setzte sich und kaute Luft mit klingenden Zähnen. Dann fragte er: Kann mir jemand von den verehrten Intellektuellen sagen, was er meint mit STAUB. Schlupp: Vielleicht sich. Edmund: Der ist doch bloß noch besoffen. Laberlein: Aber das ist doch vollkommen luzid. Wie der Verdurstende in der Sahara bloß noch WASSER sagt, so sagt er aus seiner Whisky-Überschwemmung nur noch STAUB. Wollensak: Oder eine Erinnerung an die DDR. Beumann: Vielleicht religiös. NDB: Kurzum ihr wißt es auch nicht. Herr Mayrock, was meinen Sie? Herr Mayrock, nicht darauf gefaßt, in solchem Kreis gefragt zu werden, sagte: Ich weiß es wirklich nicht. Prosit, rief Melanie, das war auf jeden Fall ein Sieg. Nach Punkten, sagte

Mack. Also die Moralistenleber, rief Wollensak. Richtig, sagte NDB. Basil behauptete, seine Leber sei ganz uninteressant. Aber NDB verbot ihm diese Bescheidenheit, behauptete, Basil habe eine hübsche Dreipfundleber, hübsch krank, eine mit einem goût, Moralistengoût, wahrscheinlich durch Pfortaderstauung, das führe zu Unterfunktionen, also zu Vergiftungserscheinungen, erste Zeichen einer späteren Zirrhose, die wiederum die Hormone für den Schwulen favorisiere, also da soll ihm keiner von einer uninteressanten Leber sprechen. Dieser Basil, verdient sich Geld und Moralistenruhm mit Hilfe einer kranken Leber, und dann schmäht er sein Erfolgsorgan, höchst undankbar und schnöde. Basil versuchte, von sich abzulenken, er wollte einfach nicht mitspielen. Aber alle waren dafür, daß NDB jetzt mit Basil Schlupp spiele. Und NDB spielte mit Basil. Als Moralist macht Basil anderen Leuten Vorwürfe, sagte NDB. Ein musikalischer Mensch, trotzdem lebt er von Vorwürfen. Und sagt nicht dazu, daß die ihren Grund nicht in den Leuten haben, sondern in ihm selber, in seiner Leber. Das sei ein toller Trick. Ein Zirkusgag. Wie macht man das andauernd? Wie pflückt man aus der eigenen Leber lebenslänglich Krankheiten der Welt? Als Künstler interessiert er sich für den Trick.

Basil griff mit seinen weißen Händen in seine Haarhaube, riß sich ein kleines Büschel seines seidig schwarzen Gefieders aus, reichte es NDB hin und sagte: Bitte, spalten Sie ruhig weiter. Aber NDB sagte, mit Haaren gebe er sich nicht ab. Also Vivisektion, sagte Basil. Jetzt hat er begriffen, sagte Mack. Basil war aber kein guter Spieler. Er sagte knabenhaft ernst: Mit mir könnt ihr das nicht machen. Ich glaube, er täuscht sich, sagte Wollensak. Oder er unterschätzt uns, sagte Edmund. Neinein, Kinder, der glaubt, er hat keinen Humor, sagte NDB. Das kommt, weil er immer bloß Vorwürfe macht, so lernt er sich nicht kennen. Wenn ihr dafür seid, soll er jetzt seine Leber kennenlernen. Ja-ja-ja, schrieen wir, seine Leber!

Wir prosteten einander zu, tranken auf Basils zu erwartende Leber. Melanie schrie: Soll ich ihn frei machen. NDB sagte: Das muß er selber tun. Los, Hemd hoch, Schlüpfer runter. Aber Basil kriegte einfach nicht die rechte Laune. Er wurde ganz klein in seinem Sessel. Er verkroch sich geradezu. Sein Mädchengesicht wurde zusehends älter, er sah uns fast an, als wäre er schon eine alte Jungfer. Und dann passierte ihm etwas, das uns zeigte, wie weit er von der rechten Laune entfernt war. Er kriegte plötzlich das Nasenbluten, das ich vermieden hatte. Er hatte zwar rechtzeitig das Taschentuch an der Nase, warf auch sofort den Kopf weit zurück, trotzdem quoll Blut aus den Nasenlöchern, rann auf beiden Seiten zu den Mundwinkeln hinab und wurde dort vom Taschentuch verwischt, aber nicht weggewischt. NDB war sofort aufgesprungen. Interessant, sagte er. Jetzt sprangen wir alle auf, drängten uns um den auf der Sessellehne aufgebahrten Kopf, schauten hinunter auf das weiße Gesicht, die dicht rahmenden Haare, hinein in die Augen, die uns gar nicht anschauen wollten, die sich wegdrehten, aber überall, wo sie sich hindrehten, sahen sie über sich einen von uns, ein neugieriges Gesicht, also gaben sie diese Fluchtversuche auf und schlossen sich. Mack sagte: Amen. So, schrie NDB schier in Atemnot, jetzt gleich die Messe. Wild sang er uns vor. Das, was er selber NDB's Nationalhymne nennt, und was deshalb auf der ganzen Erde, Nordkorea, Rotchina, Mongolische Volksrepublik, Sowjetunion, Nordvietnam, Albanien und DDR ausgenommen, NDB's Nationalhymne heißt. Die versetzt eine alte Melodie in den Swingstil. Der Text hält sich eng an das Original: Großer Gott jetzt lobe mich, preise meine Stärke. Vor mir neigt die Erde sich und bewundert meine Werke. Wie ich war vor aller Zeit, so bleib ich in Ewigkeit. Mack und Veeser zogen kleine Glöckchen und klingelten ununterbrochen. Herr und Frau Mayrock gingen rasch hinaus. NDB tauchte den Zeigefinger in das Nasenblut, das an Basils rechtem Mundwinkel zusammengelaufen war, zeichnete damit Basil ein Kreuz auf die Stirne, segnete so auch Mack und Veeser. Ite, ite, missa est. Dann sagte er: Wird's bald, Herr Schlupp? Dann kaute er die Luft so laut wie noch nie. Das hält der nun für eine abendfüllende Einlage, sagte NDB und hielt den Zeigefinger mit dem Basilblut uns allen hin. Und will ein Künstler sein, sagte Wollensak. Beumann rannte hinaus, wir hörten ihn würgen und stöhnen, es platschte naß, er hing über dem Rankengeschlinge des eisernen Terrassengeländers und kotzte. Seine dicke Frau Anne war ihm gleich nachgerannt. Sie rieb seinen Rücken und sprach ihm gut zu. Basil stellte sich weiterhin tot. Schlaumaier, sagte Professor Mack und kitzelte ihn mit einem Asparagus in den Ohren. Basil rührte sich aber nicht. NDB wischte seinen Zeigefinger in Basils Haaren ab und sagte: Ich bin ja glücklich über jeden, den ich wirklich nicht schätze. Mack, Veeser, kommt, wir haben noch zu arbeiten. Die sagten Gutenacht und marschierten schnell und zielstrebig hinter NDB hinaus. Beumann wurde von seiner Frau hereingeführt. Sie bettete ihn in einen Sessel, wischte ihm das Gesicht ab und säuberte den Anzug. Seine Stirnnarbe war jetzt wieder grellrot. Maria, die immer nachgeschenkt hatte, kam mit einem nassen Tuch, legte das Tuch auf Basils Stirn. Dann fragte sie: Wird noch etwas gewünscht? Du, sagte Wollensak. Dann wünsche ich eine gute Nacht, sagte Maria, knickste und verschwand. Wir saßen herum. Wollensak stimmte, weil inzwischen der 14. Juli angebrochen war, die Marseillaise an. Niemand sang mit. Edmund tupfte Basil ab. Melanie saß plötzlich neben mir und zischte mir ins erschauernde Ohr: Chumm itz.

Sommernachts-Akt

Bühnenbild: Man lebt hier nach Süden hin. Also male ich für den Morgen des 14. Juli die Sonne links oben über gleichen Massiven und ungleichen Gipfeln in österreichischem Rotweißrot. Gegen elf passiert sie die Grenze. Bei Rheineck setzt sie über den Rhein, benützt zum Stundenzählen jetzt die ungleichen Gipfel der Schweiz, den Säntis, der als besonders hoch gilt, nimmt sie um zwölf, bleibt stehen und rollt dann, fast so rasch wie das Jahr nach dem 21. Juni, über den flacheren Thurgau hinab und verschwindet als Glühpfennig Altgold hinter nächsten Bäumen, Wasser, Konstanz, und Burgund. So macht sie Platz für das Fest, das sein Licht selber hat, wo es will, denn es braucht auch Dämmerung und Dunkelheit, vielleicht Finsternis.
Prolog: Komm aber langsam herauf, Fest, aus der Memorial-Banse. Oder rufe ich besser gleich den Magen der Seele, den entsprechenden Pansen an? Ja, ihn, die Muse der Feste, ihn, der hübsch erweicht. Ihn und den angeschlossenen pedantischen Netzmagen frage ich: was habt ihr noch vom Sommernachtsfest? Bitte, antwortet nicht mit stürmisch-rhythmischem Herzaufkotzen, ich ziehe vor das sorgfältig herliefernde, zarte Erbrechen, das ich mit geschlossenem Mund ertrage, dann will ich meinen Teil durch Wiederkäuen tun und den rumor rumenis und den rumor reticuli et olulae direkt und psalterweise ins Psalterium hinabschicken, in Omasus und Abomasus zum unwillkürlichen Lab und glücklichen Ausgang per ano saeculi saeculorum. Amen.

Erster Schwall: Unter zu Wörtern gewordenen Bäumen laß ich
zuerst einmal sprichwörtliche Damen lauthals lachen. Im Grünen
stampft's. Der Clinch ist enger als in den Hopfengärten bei Weißenburg. Aber die Wenigsten tragen das Messer quer im Mund.
Mehrere Damen sehen so aus, als würden sie dem zuständigen
Mann mit einem Schnapp die Nase aus dem Gesicht beißen. Tun
sie aber nicht. Dafür lachen sie, machen Prost und Klingling.
Läuten andauernd die Wandlung ein. Aus ärmellosen Kleidern
quillt meistens das Oberarmfleisch. Aber erst beim Glasheben,
Klingling und Tieftrinken öffnen sich die tropischen Achselhöhlen als innen bärtige Mäuler, zahnlose Mundhöhlen, heftig starren die Herren hinein. Befinden sie sich auf einer Expedition? Sie
waren auf solche Naturereignisse nicht gefaßt. Ein ganz Mutiger,
der Rohkakao-Importeur aus Bremen, ruft hinein: Livingstone,
have ye been here? Da saust der Arm, die Achselhöhle schließt
sich. Worüber sprachen wir?
Über Rosa.
Überall taucht Rosa auf. Von ihrer Schildkröte buchstäblich an
der Hand geführt. Rosa, von den Schenkeln an rückwärts geneigt.
Als müsse sie zurückschlagenden Zweigen ausweichen. Rosa in
stark durchbrochenem Weiß. Schon eine Handbreite unter den
Hüften fangen diese Durchbrechungen an und nehmen nach
oben hin zu. Immer mehr muß da die Haut herhalten, bis diese
Bekleidung, wenn sie dann auch noch zu früh aufhört, nur noch
ein grobes weißes Netz ist. Daß diese Bekleidung an ihr hält,
scheint Rosas Verdienst zu sein. Blomich, der den Weg bahnt,
sieht im weißen Smoking verkleidet aus. Haben die beiden nicht
gefrühstückt? Melanie wußte beim Nachmittagskaffee noch
nicht, ob Blomich sein Zimmer überhaupt würde verlassen können. Was fehlt ihm, fragte NDB.
O Falada.
Tatsächlich, das Zuavenmesser wie unbenutzt quer im ernsten
Maul. Die acht hochweißen Köche, einer ein Neger, arbeiteten
mit einfacheren Messern. Spanferkel, da braucht's nicht viel. Die
wurden an vier Spießen automatisch gedreht, was austropfte,
wurde aufgefangen und wieder darüber getröpfelt, bis die Ferkel
außen knusperbraun und innen rosig und nachgiebig waren, bereit für die Aufschneider und die Zuschauer, die die braunglei-
ßenden Ferkelchen noch gern ansahen, bevor die Messer zu por-
tionieren begannen. Zu-den-Tischen-zu-den-Tischen! Unter die

Linden, die Ketten farbiger Lämpchen! Die Bedienungen beladen sich schon mit den Holztellern und starten und bahnen sich
ihren Weg mit Hilfe von Schutzmannsmienen und kleinen
Schreien. Selber entdeckten die Gäste, daß für Getränke die
Ober da waren. Selber sprachen die Gäste diese Entdeckung
herum. So geschah es, daß die Nachricht auch noch zu Tischen
hinübergerufen wurde, an denen sie schon bekannt war. Man
konnte sich eben nicht genug tun. Von solchen Tischen rief man
zurück, man wisse das längst. So entstand also Heiterkeit. Und
wer Fisch will, für den glüht der Grill am Hafen. Auch so eine
Nachricht. Es kann ja sein, daß einer Spanferkel nicht mag oder
er darf nicht. Tatsächlich hatten schon einige Fischesser an den
Tischen unter den Linden Platz genommen, wo man sich laut zu
den Spanferkeln bekannte und schon Gedanken austauschte über
Basilikum, Rosmarin, Thymian. Als die Fischesser ihren Irrtum
bemerkten, wollten sie nicht erlauben, daß die Bedienungen die
gegrillten Fische und die Salate für sie vom Hafen herauftrügen.
Neinein, sagten sie, das kommt nicht in Frage, aber-was-denn, da
gehen wir doch selber, setzen uns unten am Hafen an die Tische
unter die Silberpappeln zu den anderen Fischessern, alles-was-
recht-ist. Und brachen auf und zogen als laute Gruppe zum Hafen
hinab. Dadurch wurden wieder welche aufmerksam, fragten,
kriegten fröhlich Bescheid, griffen ihre Damentaschen, zogen
den Stühlen die Herrenjacken wieder aus und liefen lachend dem
Wasser zu. Da waren wir ja ganz schön verkehrt, riefen sie. Oder,
Senta, bleiben wir, Wolfgang, Spanferkel, was meist Du, elsässi-
sche? Manche kehrten dann tatsächlich wieder um. Na ja, Spanferkel, nicht wahr. Und wie sich die drehen. Der Neger macht's
am besten. Er belauert seins förmlich. Finden Sie auch, daß Ferkel aussehen, als grinsten sie. Ach pfui, die armen Wesen. Mein
Gott, Hans, wo ham Sie bloß all die hübschen Holzteller aufge-
trieben? Also da besteh ich drauf, daß er sich heut neben seine
Schwester setzt, Rosa, kommen Sie, dann bleibt ihm gar nichts
anderes übrig, Dr. Fuchs kennen Sie, nein, also. Kann ich Ihnen
doch noch die Hand drücken, Sie waren immer so umringt, ich
dachte schon. Der Anfang, nicht wahr, bis jeder mal sitzt. Zum
Wohl. Auf das Ihre. Wie Du alles illuminiert hast, Hans, die Fas-
sade, sag ich nicht immer, es ist ein Schloß. Wie gut Spanferkel
ist, hat man gar nicht mehr gewußt. Und überhaupt nicht fett. Ja,
Hans, das war eine gute Idee. Von Rosa. Ach. Ist das wahr, habt

ihr tatsächlich den NDB hergekriegt? Meinen Kammermusik-
preis, das weiß ja heute keiner mehr, da war er noch, als er den
kriegte, kannte ihn keiner, wo sitzt er denn?
Im Rolls.
So, sagt Schlupp, der zuletzt kommt, gibt's noch einen Platz?

MELANIE Ich habe Sie den ganzen Tag vermißt.

SCHLUPP Ich war im Bett.

WOLLENSAK Karsch ist abgereist.

SCHLUPP Und Laberlein verrät uns schmunzelnd an die Hochfi-
nanz, sitzt bei Herrn von Salow.

EDMUND Wie finds'n Du das von Karsch? Kopfweh?

SCHLUPP Kopfweh. Dann hätte ich auch abreisen können.

ANSELM Ich auch. Entschuldigen Sie, ich habe Sie unterbrochen.

NDB Mir ist immer noch nicht aufgegangen, was Sie hier tun? Sie
gehören zum Haus?

ANSELM Für ein paar Wochen.

NDB Also zur Firma.

MELANIE Er ist Schriftsteller.

ANSELM Texter.

NDB Ogott, so einer, Texte, kleingeschrieben.

ANSELM Neinein, nur Werbetexte.

NDB Das geht noch. Obwohl, stell ich mir auch schrecklich vor,
Reklame machen für andere. Tun Sie doch was für sich, statt für
doofe Artikel.

ANSELM Für doofe Artikel geht leichter.

NDB Find ich gar nicht. Aber ich trinke auf Ihr Wohl, Sie können's brauchen.

ANSELM O ja, das schon. Danke. Zum Wohl.

MELANIE Anselm verdient Ihre Sympathie, NDB.

ANSELM Aber Melanie.

NDB Jetzt iss es ihm peinlich, sehen Sie. Dabei find ich ihn wirklich ganz nett.

MELANIE Ist er auch.

NDB Also noch einmal: zum Wohl, lieber Anselm. Ich liebe die
Stillen, denn man muß ihnen nicht zuhören.

ANSELM Ja, danke, zum Wohl auch.

SCHLUPP Muß ich mich eigentlich entschuldigen?

WOLLENSAK Schaden kann's nie.

SCHLUPP Ich vertrag einfach die Sauferei nicht, wenn's heiß ist.
Wahrscheinlich hab ich mich blöd benommen.

NDB Ich bin bekannt als nachtragend. Prost.

MELANIE Nicht schon wieder streiten, bitte. Wir sitzen alle im selben Rolls. Essen alle vom selben Ferkel, zum Wohl. Auf der Terrasse tanzen sie schon.

WOLLENSAK Darf ich bitten.

Du darfst.

Berta Frantzke erlaubt's dem Bruder. Aber nur einen Tanz, sonst sitzt sie da mit Dr. Fuchs, den hat sie öfters. Schon steht eine Bedienung, preßt die Nase mit dem Finger, findet für diesen Holzteller voll Ferkel den Gast nicht mehr, der wollte doch noch. Blomisch steuert Rosa im Sog zur Terrasse. Aber an Laberlein ist kein Vorbeikommen. Herr von Salow, seine Tochter, der Schwiegersohn Dr. Alwin. Herr von Salow möchte bloß noch einen Satz beenden, meine Frau kennen Sie ja, deshalb ist die Anhebung des administrativen Zinsniveaus kein Allheilmittel.

Ein Allheilmittel.

Was Rosa am Hals hängt, dem Kälbchen, Laberlein hält's na, für indianisch, ein Fetisch, er ist vonhausaussoziologe, aber daß das indianisch ist, hat er gesehen, und wofür hielte man's schaute man nicht sehr genau hin? für einen Fernsehturm, jetzt lacht sie, jetzt schaut nur, wie sie lacht, er bedauert jeden, der da von Landschaftsschändung spricht, Fernsehtürme, Rosa, über kurz oder lang, überall werden Fernsehtürme steigen, redet er denn vom Programm, nicht daß er pessimistisch wäre, ist hineingegangen in mehrere Gremien, die Türme aber, besäße man einen, Utopie, gewiß, aber hätte er Geld, dann, Rosa, nur in Fernsehtürme, nichtswürdig die Landschaft, die sich von einem Fernsehturm geschändet fühlt, jetzt biegt sie sich, jetzt schaut bloß, wie sie lachen kann, nee-nee, er macht keinen Punkt, Stahlbeton hat erst begonnen, der arme Eifelturm, die viktorianische Matrone mit breitgehäkelten Hüften, bei Gott, kein Wahrzeichen mehr, über kurz oder lang werden aus allen Wälderkuppen Fernsehtürme in die Wolken stechen, andere Finger, glaubt-ihm-glaubt-ihm, und werden in die Psyche breiter Kreise wirken, unterschwellig, und aufgehen im Somatischen, heute schon konkurrieren die Städte mit ihren Fernsehtürmen wie früher mit Kathedralen, hat Stuttgart den schönsten, Dortmund den dicksten, will München den längsten, Fernsehtürme, glaubt-glaubt ihm, werden indianische Silberbammel vom Hals der Mädchen vertreiben und die restlichen Kreuze, Fernsehtürme werden regieren zwischen der Kehle

240

und dem wie auch immer ansetzenden Schattenschnitt.
Herr Kristlein!
noch einmal, wie aus Fiesco-Kulissen, scharf intrigant: Herr
Kristlein! ich, arglos, drehe mich, und erkenne sofort, der hat
schon viele angerufen, die hörten schlechter, also tritt er jetzt mit
bühnenbreiten Armen eilig auf den zu, der auf ihn hörte. Ach,
Herr Kristlein, Sie hier, ich froheuö mich, wirklich, ich bin glücklich, Sie wiederzusehen, Sie nicht, ich-seh's-ich-seh's, bin ja nicht
einmal eingeladen, Carlos Haupt wird nicht mehr eingeladen,
und wer mich mitgebracht hat, sach' ich, ihn zu schonen, lieber
nicht, Gefängnis, sach' ich Ihnen, ist human, jawohl, eine süße
Stätte, möcht ich saachen, glauben Sie, ich möchte zum Tehater
zurück? onein, mein Freund, diese Intriechen, gönnt denn einer
dem andern ein Lux? Lux, mein Freund ist eine Maßeinheit zur
Bestimmung der Lichtstärke, darum giert doch jeder wie ein
Luchs nach jedem Lux, hahaha, wer spricht, kriecht Licht, vorbei,
heute werden nur noch Dekolletés ausgeleuchtet, schweichen Sie
mir, bitte, schweichen Sie mir vom Tehater, ich mache in Synchron, München, eine humanere Stadt, nicht so human wie das
Gefängnis, aber humaner als das Tehater, die Frauen, beim Tehater, was verderben die eigentlich nicht? haben Sie den Beweis
nicht vor Auchen, dieses Flittchen, nu' schauen Sie, schauen Sie,
was die hermacht, wie die Bursche kuschen vor sowas, was Sie an
jedem Kiosk für fuffzich Pfennich kaufen können! leider ach ist
unser Prozeß nicht das Fanal geworden, das er werden sollte, unsere Verteidicher, Banausen, mein Freund, warum habe ich mich
nicht selber verteidicht? warum nicht? ich, Carlos Haupt, jawohl,
ich war Rose Kipper, der weite Schomboos, ein großer Lude, jawohl, die Nazis sind wieder dabei, da-da-da, sehen Sie den
Dr. Fuchs neben seiner fetten Donna, in der schon Annaberg-
stürmer untertauchten, ach trinken wir was, in dem Nobelcar haben wir die kichernde Netztutte aus'm Gesicht, lassen Sie sich mal
verschleppen, man sitzt nicht jeden Tach
Im Rolls.
Schlupp mit Temperatur. Er redet. Seine sonst so losen Hände
fliegen streng waagrecht weiß über den Tisch, stoppen vor dem
Gegner, einem allerfeinsten Herrn, der eine Brille hat, die er beliebig zerknautschen kann, während er selber aus härtestem Material zu sein scheint. Was Basil sagt, belächelt der Harte. Offenbar hört er alles zum zweiten Mal. Carlos Haupt und ich bleiben

stehen. Was Basil gerade zeigt, kann man nicht stören. Mionäre greift er doch nicht an, bloß weil sie Mionäre sind. Er erklärt, warum er sie angreift! Einen sehr speziellen Ekel beschreibt er. Offenbar haben Mionäre einen ganz schlechten Geschmack. Basil kennt diverse Häuser. Ihn graust. Ehrlich gesagt. Basil möchte überhaupt höhere Anforderungen stellen. Auch politisch. Spüren die Mionäre vielleicht die Verpflichtung, die sie haben, jawohl haben! der Gesellschaft gegenüber, tun sie was für die Zukunft? Basil entwirft ein Bild von diesen Reichen, daß Anselm am liebsten rufen würde: Und das wollen Mionäre sein! Aber er ruft nicht, Basil ist ja noch lange nicht zu Ende. Anselm begreift jetzt, daß der Angesprochene auch ein Mionär ist, aber der ist nicht gemeint. Denn dieser Mionär hat erstens deutlich viel Geschmack, zweitens ist er ganz schlank und hart, und Basil wettert gerade gegen die Körperfülle der Mionäre, ja, dick sind sie, fett, schwammig, rülpsende Säcke, schlaue Wanste, parfümierte Böcke, einenhalb Tricks im Brummschädel, das reicht, der Rest ist röhrende Yacht, Glenn Miller, Bayreuth, Großwildjagd, geiler Tourismus. Edmund schlug dazu mit flacher Hand den Watschentakt auf den Tisch. Basil zog sich zurück, machte schlappe Hände, sagte als schmollendes Mädchen: Ach, Herr Büsgen, Sie lassen mich reden, haben Ihren Spaß, weil Sie zwar genau so denken wie ich, aber Sie finden's schon wieder lustig, was mir als einem dummen Menschen noch nicht gelingt, ich bin dumm, sonst wäre ich abends auch lieber zynisch, aber Beckett, um auf den Ausgangspunkt zurückzukommen, ist die einzige scharfe Position, die wir dagegensetzen können. Wir haben Zugang, Kristlein, Sie? wo ist unser Unsterblicher hin? Edmund sagte: Der ist bei den anderen Mionären. Dann wollte er vorstellen, aber die Herren hatten längst von einander gehört. Ein Männchen, ein Würzelchen von einem Menschen mußte doch noch vorgestellt werden. Hieß Kleist, und Basil sagte dazu: Der einzige Adlige, den ich kenne, der das Von wirklich streichen ließ. Dieser kleine Kleist verbeugte sich sogar vor mir. Neben ihm saß jemand, von dem Carlos Haupt auch gehört hatte, ich aber nicht. Jemand, der Paul genannt wurde. Kleist wollte, auch von mir, Fritz genannt werden. Kleist war über fünfzig oder über sechzig. Als Basil KLEIST sagte, sagte der sofort: Ich heiße Fritz. Gab mir eine harte kleine Hand, verbeugte sich, tauchte wieder auf, sah mit schief gelegtem Kopf zu mir herauf, sah mich an. Ich fand ihn merkwürdig. Sein langes Unterkinn, das steinige Kasperlegesicht, das graue Drahthaargestrüpp, der lippenarme Mund, beunruhigt von der geringsten Bewegung im Raum, und hinter den großen Bakkenknochen Augen, die wahrscheinlich als grüne Flüssigkeit auslaufen würden, wenn er das Gesicht nicht immer wieder rechtzeitig schräg nach oben richtete; wobei ihm sein lang ausladender Hinterkopf zugutekam, der zog nach hinten hinab als Gewicht, so kippte das Gesicht gern von selber nach oben. Ach Fritz Kleist, ich hielt Ihre Hand wohl zu lang, ich gebe es zu, ich wollte Sie sofort Oberon nennen, oder wenigstens Elfenkönig. Und Kleists Schützling, oder sonstwas von Kleist, war Paul. Und Paul war sicher noch nicht achtzehn und hätte, obenhin betrachtet, ins Mädchenpensionat gehört. Dem gab ich also auch die Hand, der stand auf, ein ziemlich großes Mädchen, schaute mich an, ich schaute schnell zu Oberon zurück, verflucht, was macht ihr hier? wer ist das? Paul? jetzt Fritz Kleist Oberon, hilf doch mir, schau' nicht aus Deinen tiefen Augenteichen so fromm herauf, hilf mir weiter, Steinkasper, ich habe doch offenbar Pauls Hand in der Hand, und dieser Paul schaut mich an, in was zerlegt der mich? und hört nicht auf, der Erlkönigssohn oder was er ist, so ein Achundweh verursachend in mir, daß ich schon eine Ballade bin, etwas ohne triftigen Grund, fortgesogen, Mensch, wohin denn noch? ich bin doch schon patentiert, mach mich bitte nicht so irre vergeßlich, ja! ich schau Dich jetzt einfach an, Du bist ein Mädchen, ich ein Mann, ist doch nicht mehr als recht und billig, daß ich mich bestürmt fühle von dieser Mädchenhaftigkeit, also sag ich zu Dir jetzt mit zielender Sorgfalt mein Angenehm, ich sage Angenehm, und sehe, der glaubt mir das, der-die-das Paul, ma douce suer! die alte fette Schludertante Carlos lacht schon längst, oder furzt da ein verreckendes Pferd, Edmund kichert, was tut der Brillenknautscher Büsgen? der bringt mich um, klar! was die wollen, weiß ich, die wollen alle bloß Paul, und Paul gehört Fritz Kleist Oberon, und so ist das herrlich, dafür will ich gern Blut lassen, die-das Paul kriegt der Büsgen nicht, wozu hätte ich sonst Wein getrunken und spürte wie die Rolls-Beleuchtung mir zum Universum wird und ich eine entscheidende dritte Kraft. Ich darf also zwischen Basil und Oberon sitzen. Also sitze ich mit Paul auf einem Polster. Gegenüber die Schrecklichen. Büsgen aus Stahl, eng violett kostümiert. Edmund, magermilchweißgrün, im feinsten schwarzweißen Konditorkaro. Triefend Carlos Haupt, im ehemaligen

Smoking, Revers mit grauem Star. Sobald Basil sich wieder vorbeugt, zum nächsten Ausfall, ist zwischen Oberon und mir die Bahn frei. Oberon nickt, faltet seine Hände und führt sie auf indische Art vors Gesicht. Dann greift er plötzlich ins graugrüne Tweedjackett, zieht eine Schachtel Zigarretten, reißt sie auf, reicht sie herüber, ich will eine nehmen, er aber kommt mit der zweiten Hand und schließt mir damit meine fünf Finger um die Schachtel. Ich schaue immer noch fragend. Er nickt. Und hinter, über, neben ihm nickt mit kleinerem Ausschlag sein größerer Paul. Eigenartig, wie die zwei nicken. Offenbar würden sie es beide nicht überleben, wenn ich die Schachtel nicht nähme. Bin ich ein Menschenfresser? Wachsen mir Hauer aus dem Maul? Bin ich ein Erdrutsch, ein Blasbalg, ein Sechzigtausendtonner oder was für ein Ungetüm, daß die so komisch zart werden vor mir? Ich schaue die Schachtel an. Schwarz. Goldene Aufschrift. Darin goldenes Siberpapier. Darin schwarze Zigaretten mit goldenem Mundstück. Ich schaue zurück, bemühe mich, jene Freude ins Gesicht zu bringen, die, dem kolonialen Hörensagen nach, Farbige zeigten, wenn was Glitzriges aus Manchester kam. Fritz und Paul schauen einander an, nicken einander zu: es hat ihm gefallen. Zum Glück fällt jetzt endlich auch mir etwas ein. Ich biete Paul eine von den interessanten Zigaretten an. Er schaut schnell seinen Fritz an. Der nickt: nimm nur. Da nimmt Paul. Die Hand steigt vom Gelenk weg, biegt sich mit zwei unternehmungslustigen Fingern über den Rand der schwarzen Schachtel, das Goldpapier knistert, die zwei Finger überlegen eine Sekunde, entscheiden sich dann sehr deutlich für eine ganz gewisse Zigarette, die kennen da also Unterschiede, die erwählte Zigarette wird sanft geschnappt und ergriffen, eigentlich jaulen jetzt alle nicht erwählten Zigaretten vor Kummer, ein großer harter Blitz knackst über den Tisch, wie das ganze Ruhrgebiet steht Harry Büsgen mit einem phantastischen Feuerzeug vor Pauls Gesicht und vor seiner Zigarette, Oberon muß Büsgens Feuerzeug ein wenig zurückschieben, sonst hätte Paul unter der Flamme zu leiden.

Soviel merkte ich, Carlos Haupt wollte Büsgen einladen. Der hat doch seine Illustrierte verkauft, der muß doch Zeit haben jetzt, oder trägt der ihm auch das Gefängnis nach, das Carlos auf sich genommen hat für alle, jetzt stinkt er gegen den Wind, was! kein Schauspieler mehr, was! keine großkotzigen Rollen mehr, auch fehlen los pipos für Kostüm und Riechwässerchen, was! jetzt glaubt man ihm wohl nicht mehr, daß er gelernt hat, das Tehater zu verachten, wo bloß noch der als Totengräber besetzt wird, der Würmer hat, und zum Wurm brauchst du Gallenstein', jetzt hat also Herr Büsgen durchaus keine Zeit, nun bietet aber Carlos Haupt eine Occasion, Herr Büsgen, sowas kriegen Sie auch nicht in Berlin, sein liebster Freund hat nämlich draußen in Grünwald hat der zwei Pygmäen, so meine lieben Kinädchen, jetzt staunt ihr, was Carlos Haupt, abserviert wie er ist, doch noch auftut, zwei Pygmäen, die werden ja nicht größer, versteht ihr, und unser Paragraph soll sich unterstehen, da Mätzchen zu machen, die zwei Bursche sind mit einundzwanzig notiert, gelten als Gärtner und Koch, sind süße Bursche und wachsen überhaupt nicht, und sind gesechnet mit einem Gemüt, dagechen sind doch hiesiche Kinner schon abgekochte Greise, aber glauben Sie ja nicht, Herr Büsgen, Sie könnten jetzt mit Ihrem Geld auch Pygmächen importieren, das ist vorbei, der Kongo ist kein Paradies mehr, also ist meine Occasion eine einmalige! So, Herr Büsgen, vielleicht besuchen Sie mich doch mal, was! dann kann ich mir's überleechen, ob ich Ihnen da Introitus verschaffe, inzwischen leckt mich doch am Arsch. Carlos Haupt weinte laut auf und fiel vornüber auf den Tisch.

Fritz Kleist hatte öfter zu Paul hingeflüstert. Paul hatte genickt, gelächelt, hatte manchmal die Hände vors Gesicht gehalten oder die Hände vor dem Gesicht zusammengeschlagen oder die Unterlippe zwischen die Zähne geklemmt. Er hatte aber immer erst reagiert, wenn Fritz Kleist ihm wieder etwas geflüstert hatte. Offenbar verstand Paul selber nicht deutsch.

Im Schutzknochen. Das Messer.

Gegen Mitternacht wußten mehrere etwas, das sagten sie nicht weiter, für alle wäre im Schutzknochen kein Platz gewesen. Die, die's erfahren hatten, wurden erst recht verschwörerhaft erregt, weil man zur Schachtsohle hinab nur über eine Leiter gelangen konnte. Damenschuhe und -röcke komplizierten den Abstieg. Als mehrere Damen ihre Schuhe auszogen, andere den Abstieg verweigerten, sie würden denn angeseilt, war eine abenteuerlich heitere Stimmung gesichert. Der Gesandte von Somali hatte einen Erfolg, weil er die Leiter hinabsteigen konnte, ohne seine Hände zu benützen. Professor ten Bergen sagte: Das Naturkind. Professor Laberlein hielt auf halber Höhe an, ihm war ein Gedanke gekommen. An jenem 14. Juli mußte der Dritte Stand die steilen Leitern an der Bastille hinauf, heute verkriechen wir uns vor dem Vierten Stand unter die Erde, weil wir unsere historische Mission... Da trat ihm ein anderer auf die linke Hand, er schrie Au, mehrere machten Schscht! weil doch der Abstieg leise vor sich gehen sollte. Jenseits des Bauzauns, auf der Landseite der Villa, feierten die Fahrer und das entbehrliche Gesinde, die sollten den Abstieg so wenig bemerken wie die Gäste, die man nicht hatte einweihen können. Dieses Gebot, leise zu sein, bis man drunten und drin sein würde, ist dem Unternehmen sicher zugute gekommen. Eine gestaute Heiterkeit unter mehreren ist jeder anderen Heiterkeit überlegen. Und gleich folgte das nächste Stimulans: die zwei Kugeln und die sie verbindende Röhre waren nur notdürftig hergerichtet. Man konnte sich schmutzig machen. Grobe Bretter. Bohlen. Unverkleidete Pfosten. Eisenklammern. Vergitterte Baulampen, zu denen die Leitungen sichtbar führten. Eine Bar aus Kisten. Diese grobe Unfertigkeit wurde von jedem, der durch die verhängte Tür schlüpfte, mit Halloo begrüßt. Jeder klopfte mal an die gebogenen Wände. Manch einer mußte sofort singen. Einer lobte die Akustik durch Jodeln. Wie ansteckend das ist, weiß man. Jetzt durften wir wieder laut sein. Die Gasschleuse, der Notausstieg, die Tür in den Vorraum und die Tür vom Vorraum ins Freie waren mit dicken Matten verhängt. Also Prost auf Blomichs Bunker. Er will jetzt keine Führung veranstalten, falls aber jemand eine Frage hat. Das Fest ist harmonisch verlaufen, der Drink im Schutzraum möge in der Erinnerung seiner Freunde. Zum Wohl. Vielzuviele Herren wollten auf einmal ihr Glas gegen Rosas Glas stoßen. Rosa lachte. Es klingelte. Wer Ministrant gewesen war, dachte wieder an Wandlung. Oder wird einer gleich die Pistole ziehen? So ein unterirdischer Aufenthalt fördert etwas. Oder ist es Rosa, oder Rosa in ihrem weißen Netz, oder Rosa in ihrem weißen Netz in diesem hallenden rohrgroben Schutzknochen? Die Herren tranken ihr zu wie wild. Nach uns die Chinesen, setzte sich als Trinkspruch durch. Rosa war auf eine Kiste gesprungen. Oder hinaufgehoben worden vom Andrang der Männer. Hans, paß auf, die trinken sie Dir kaputt, rief Frau Frantzke. Er heißt nicht Hans, rief Rosa, ich habe ihn Joe getauft, wer ist noch für Joe, Hand heben! Alle waren für Rosa. Wenn schon getauft werden soll, dann soll Rosa getauft werden! Der Geschäftsfreund aus Bremen (Rohkakao) will Rosa endlich Rose

taufen, Mayrock würde jeden umbringen, der das wagte, er schreit Rosi-Rosi-Rosi, eine Dame, laßt doch auch einmal eine Dame, Frau Dr. Alwin, bitte, ja-sie hat ein Mädchen gehabt, Alex, die aus der Pfalz, der man alles zweimal sagen mußte, die hieß Rosi, deshalb findet sie, wenn sie auch Befangenheit zugibt, Rose doch besser, also ist da noch jemand für Rosi? Rosa selber gewiß nicht, ihr erster Mann nannte sie Rosi, der war Lehrer in Bamberg und spielte dort auch Karten, ließ sie Hefte korrigieren, korrigierte nach, schrie Da-Da-Da, wenn ihr was entgangen war, Rechtschreibung ist nun einmal nicht Rosas Stärke, wissen Sie, was sie machte, wenn sie's satt war? schlüpfte aus ihrem Schuh, stubberte dem in der Kniekehle rum, da war's aus mit Korrigieren, den hätte sie glatt ruinieren können, wenn sie immer aus'm Schuh geschlüpft wäre, aber so wild war sie nicht auf den, Kopfarbeit, sagte der immer, ist nicht Deine Stärke, ja warum um Gotteswillen ließ er Sie dann korrigieren? ist doch klar, Rechtschreibung war doch's Einzige, wo er ihr über war, her den Kerl hauen wir, arme Rosa-Rose, oder besteht Herr Mayrock unter diesen Umständen immer noch auf Rosi? neinein, also Rosa jetzt oder Rose? und wer darf sie taufen? wer außer Dr. Alwin, oder ist da noch ein Syndikus? und ein Syndikus ist, solange kein Pfarrer da ist, ist ein Syndikus, Rosa will nun doch zuerst wissen, ob das was Hübsches ist, ein Syndikus, oder klingt es bloß so? jetzt sind aber alle ganz hin von ihrer Unschuld, entzückend ruft Anne Beumann, Ilse Alwin zweifelt noch, aber Frau Beumann besteht darauf, daß Rose es wirklich nicht weiß, also hilft Professor ten Bergen: nun foltert sie doch nicht mit Definitionen, getauft soll werden, ja, wer darf denn jetzt taufen?
natürlich Dr. Keckeisen, der hat doch, als der Bataillonspfarrer gefallen war, dem sein Umhang geschnappt und hat manchem Kameraden, der nicht mehr so genau hinsehen konnte, die letzte Stunde
Schiebung, keine Ahnung, immer noch Stündchen
stimmt, ja – so vergißt man, also viele letzte Stündchen hat er und wir haben noch immer den Namen nicht, Rosa oder Rose? Rose, das weiß Dr. Alwin sicher, Rose bringt Glück, denn Rose hieß seine Kiste, ein Stuka, siebenundzwanzig Monate unversehrt im Einsatz zwischen Rotterdam und Tobruk, und das mit einem Stuka
was ist jetzt das wieder

das weiß allerdings auch der Gesandte von Somali nicht, dem
wird es von Edmund erklärt, und der Gesandte nimmt, um besser
zu verstehen, die Pfeife aus dem Mund, die sowieso nicht mehr
brennt, er hat es nämlich aufgegeben, in dieser Nacht noch einen
zu finden, der mit ihm eine Pfeife rauchte und ein wenig annähme
von seinem afrikanischen Tabak, er aber neigt jetzt zuhörend seinen Kopf und läßt sich sagen, daß ein Stuka ein Sturzkampfflieger
sei aus dem Weltkrieg
ja-wie, Dr. Alwin, Sie waren Stuka
so ist es, Herr Beumann, bloß kein Neid
was sagen Sie, Frau Dr. Alwin, zu Ihres Mannes Metamorphose
aber Rosa zerlacht schon wieder die Sprechenden, ihr habt aber
auch Wörter, Kinderkinder, zuletzt werd ich noch rot
ach wissen Sie, Herr Beumann, eine Frau sollte sich nie einbilden,
sie wisse schon alles von ihrem Mann
bravo, Ilse, das hast Du aber formuliert, trotzdem bringt Rose
Glück, wie oft ist er in siebenundzwanzig Monaten in seiner Rose
senkrecht runter auf den Feind mit Heulsirene und Bomben und
hat ausgeklinkt und knapp die Kiste überm Boden wieder hoch-
gerissen aus dem Hagel der Abwehr
o Gott-o Gott
er lebt ja noch, daß aber Professor ten Bergen noch lebt, das ist
schon ein Wunder, als Kriegsberichter immer auf Feindflug
gestatten schon, Laberlein ist dagegen das reine Lourdes, der war
nämlich Stabsintendant, Verpflegung, Rosa, verstehen Sie, da
hieß es fressen, wer nicht mitgefressen hat, wurde an die Front
versetzt, friß oder stirb, da hat er eben gefressen, mörderisch war
das, nicht zu reden von all dem Alkohol
na-na-na, zur Beschämung solcher Späßchenmacher jetzt das
wirkliche Wunder, geschehen am zwanzigsten Juli vierundvier-
zig, als Dr. Fuchs in Berlin schon vor den Gewehrmündungen
stand
darf man fragen, vor wessen Gewehrmündungen?
das ist Ihnen ziemlich egal, junger Freund, wenn Sie erst die zwölf
Läufe ganz rasch ruhig werden sehen und der Kommandierende
macht schon den Mund auf, den Atem hat er schon geholt und
dann, verstehen Sie, dann erst rattert durch die Hofeinfahrt das
Krad, ein Engel schreit: Walküre gescheitert, da denken Sie nicht
mehr an Wagner, das sag ich Ihnen
Beumann muß es jetzt endlich sagen, diese Herren erzählen Mär-

chen aus Abrahams Schoß oder ist vielleicht einer wie er mit dem Porsche den Drackensteiner Hang hinuntergetrudelt, über die Mauer geflogen, hinuntergeplatscht auf die Gegenfahrbahn, einem Laster direkt unter die Räder, daß man Beumann nachher für tot herausschweißte aus dem Schrott, und er tat auch noch drei Wochen später kein Auge auf, erst in der vierten gelang ein Blick auf all den Gips über 33 mal gebrochenen Knochen, die Narbe, Rosa sieht die ästetreibende, rot brennende Narbe, sie küßt den ihr hingehaltenen, feurig konservierten Unglücksblitz, also ist Beumann der Sieger, bis jetzt, er darf Rosa taufen wie er will, oder bietet einer noch Schrecklicheres?

ja! Frau Frantzke! keine Sorge, sie will nicht die in letzter Sekunde abgewehrte Entführung ihres Adalbertchens zum Besten geben, sie weiß schon, man witzelt darüber, sie hat Humor, Hauptsache, die Entführung wurde vereitelt, aber zum Schrecklichen jetzt, sie hat's von ihrem Bert, der kam selber dazu, und wenn's einer nicht glaubt, läßt sie Bert auf der Stelle herunterholen, als Augenzeugen,

also geschehen in Biberach vor knapp drei Wochen, ein Laster mit Stahlplatten drauf, eine Platte über der anderen, hinter dem Laster ein Motorrad, da rutscht der Stahlplatten eine vom Laster ab nach hinten, köpft den Motorradfahrer, und in diesem Augenblick schaut der im Laster in seinen Spiegel, noch fährt das Motorrad, noch sitzt der drauf, aber kein Kopf, bloß so eine rote Fontäne, also kriegt der im Laster 'n Herzschlag, verreißt, zusammensackend, das Steuer, schießt der Dreitonner stockvoll ins nächste Schaufenster, Damenmoden, und zerquetscht zwei Schaufenstergestalterinnen total

bravo-bravo-bravo, da capo, oder noch sowas

da man ihr so acclamiert, dürfte sie jetzt Rosa wohl umtaufen, das tut sie aber nicht, Rosa gefällt ihr nämlich, und nicht nur, weil sie selber Berta heißt, und um gleich noch ein Gerücht zu killen, nicht deshalb hat sie sich einen Fahrer zugelegt, der Bert heißt, auch nicht, weil sie immer schon Brecht verehrte, wie manche Hinterwäldlerinnen witzeln, die als Fahrer jetzt natürlich einen Günter nehmen, möglichst mit Schnauz, ihren Bert hat sie, weil er ein ängstlicher Mensch ist, also ein sehr guter Fahrer und damit Momentmoment, gnädige Frau, so kann Mayrock, trotz aller Ergebenheit der gnädigen Frau gegenüber, diesen Wettbewerb nicht enden sehen, er hat ja noch gar nicht mitgestritten, und was er zu bieten hat, dürfte sogar für NDB ein maximales Sujet liefern, passiert ist das in einer Schweizer Stadt, die nennt er nicht, weil die Dame noch lebt, sie ist von Adel, ist über die Maßen interessiert

sparsam, übersetzt Edmund dem afrikanischen Gast

darum hat sie im Winter in ihrem Haus ihre zwei Abortbrillen selber lackiert, dann setzt sie sich zu früh drauf, und als sie aufstehen will, spürt sie, sie klebt, kommt nicht mehr los, also ruft sie der Haustochter

Dienstmädchen, flüstert der Übersetzer

die holt die Bockleiter, schlägt über der Aborttür das Oberlicht ein, will hinunterlangen, schneidet sich aber so beträchtlich, daß gleich am Oberarm die Sehne durch ist, 's Blut spritzt nur so, mit der Linken ruft sie den Arzt an, der kommt mit dem Schlosser, der Schlosser bricht die Tür auf, natürlich geht zuerst der Arzt hinein, bedeckt die Dame, der Schlosser schraubt vorsichtig die Brille los, der Arzt rutscht im Hinausgehen im Blut der Haustochter aus, schlägt mit dem Kopf gegen ein Leitungsrohr, der Schlosser rennt auf die Straße, ruft um Hilfe, Passanten verständigen den Unfall, der Arzt und die Dame werden auf der Bahre abtransportiert, im Hospital wird die Brille gelöst, der Arzt wird genäht, die Dame fragt nach der Haustochter, man weiß nichts, die Dame wird heimgefahren und findet es Meitschi im Wohnzimmer neben dem Telephon, verblutet

das gibt einen Beifall, den muß man nicht messen, der Sieger und Täufer wird wohl Mayrock heißen, aber Rosa ruft nach weiteren Angeboten, wendet sich gleich direkt an den Herrn Gesandten, um eine afrikanische Geschichte, wie wär's! ja-ja-ja, schreien mehrere Damen, der Herr Gesandte lacht mit den Zähnen, die zu ihm gehören, er breitet seine rosigen Handflächen aus, das Lachen hält er ohne Lachgeräusch beliebig lange durch, dann läßt er es verschwinden und behauptet ganz ernst, in Afrika gebe es keine schrecklichen Geschigten mehr, und die, die es noch gebe, seien ein wenig zu seriös

heraus damit, die will man hören

und was macht er, wenn er gewinnt und soll taufen? das kann er doch nicht, er ist doch, weil die Patres täglich kontrollierten, ob die Schüler saubere Wäsche trügen, aus der Missionsschule weggelaufen, hat sich aber auf einem Zettel mit Vergil entschuldigt: Quidquid id est, timeo Danaos, et dona ferentes, also muß er sich heute quasi exkommuniziert vorkommen, also ist er nicht der rechte Täufer, auch fürchtete er ein wenig für seinen Kopf, weil doch Täufer...

Da hörte man Maria draußen schon Herr-Direktor schreien, dann in der Türluke schrie sie immer noch, schluchzte, die Hände schlugen ihr, wie sich's der Wünschelrutengänger wünschte, wir drängten ihr nach, kletterten ihr und rannten ihr nach bis zum Gärtnerhaus, da lagen Stühle, Tische, Menschen durcheinander. Das Parterre des Gärtnerhauses, ein einziger Raum, wohl für Geranien und Palmen im Winter, war mit dem Vorplatz bestimmt zum Festgelände für die Fahrer und für Angestellte Blomichs. Da die Herrschaften und die Fahrer im Seehaus und im Gästehaus untergebracht waren – man hatte einen Schub Weibliche zwei Tage früher heimgeschickt –, durften die Fahrer schon was trinken. Das waren sie wohl nicht mehr gewöhnt. Wir fanden, von Lampions farbig beleuchtet, ein balgendes, ächzendes Knäuel von Männern halb unter Tischen. Blomich schrie: Heini, Heini! Frau Frantzke schrie: Bert, Bert! Mayrock schrie: Friedrich, Friedrich! Herr von Salow schrie: Peter, Peter. NDB schrie: Hans, Hans. so schrie jeder, der anrannte, sobald er dazu den Atem hatte, den Namen seines Fahrers in das Gebalge aus gleichen Uniformen. Der und jener bückte sich sogar rasch nach einer Mütze. War das die von Peter oder Alfred oder Günter oder gehörte sie Friedrich? Die scharf zielenden Rufe wirkten rascher als man das für möglich gehalten hätte angesichts der weitgehenden Verschlungenheit aller Glieder. Zuerst löste sich, weil er ohnehin nur obenauf lag und nur hinunterdrosch, Bert aus dem Haufen, glättete sofort seinen Anzug, nahm die Mütze in Empfang und begann eifrig zu erklären. Dann kroch unten Peter hervor, der kriegte seine Uniform nicht so leicht wieder hin. Das waren Blutflecken.

Einer nach dem anderen hörte auf seinen angestellten Namen, entzog sich dem Gebalge, kam, seine Uniform säubernd, folgsam zum Herrn. Michel Enzinger, der Gärtner, rutschte auf den Knien herum und tastete nach seiner Brille. Jemand reichte ihm das Gestell. Das setzte er auf. Einige seiner Bartinseln näßten rot. Zuletzt rappelte sich Hans Sohn hoch, seine schwarze Lederkleidung hatte sich bewährt. Nur ein Auge war kleiner geworden und die Nase blutete. Einer lag noch. Heinrich Müller. Der hörte momentan weder auf den drohenden, noch auf den lockenden Ruf.

Maria kniete schon neben ihm und wischte Blut von seiner Stirn und drückte eine Schürze gegen die blutende Schulter. Dr. Keckeisen löste Maria ab. Arbeitete aus einem Verbandskasten auf Heini hinab, bis der Krankenwagen vorfuhr. Heini schlug die Augen auf, hob gleich seine Krüppelhand, bewegte den Rüssel, prüfte ihn rundum, schien zufrieden. Als er an uns vorbeigetragen wurde, sagte er in ruhigem Meldeton: Herr Direktor, angefangen hat Hans Sohn. Das mußte, schon der Körperverletzung wegen, richtig untersucht werden. Herr von Salow schlug vor, jeder sollte sich von seinem Fahrer den Hergang schildern lassen. Alle waren einverstanden. Für Heini sprach Maria. Dann schickten die Herrschaften die Fahrer in die Quartiere. Die zogen stumm ab. Die Herrschaften setzten sich im Weißen Salon zusammen und tauschten, unter Dr. Keckeisens Vorsitz, die Aussagen aus. Zuerst gibt der Doktor einen Bericht über die Wunde. Er ist Psychiater, also nicht zuständig fürs Körperliche, er glaubt aber, daß die Schulterwunde nicht schlimm ist, das Schädeltrauma kann seriöser sein, interessanter für diesen Kreis muß aber doch die Wunde in der Schulter sein, weil man das Messer nicht gefunden hat, und mit dem Messer hätte man sofort den Täter. Das Schädeltrauma rührt her bloß von einem stumpfen gläsernen Gegenstand, wahrscheinlich doch von einer Flasche, das Messer aber, das in die Schulter drang, muß ein ganz besonderes Messer gewesen sein. Hat also einer der Fahrer der verehrten Herrschaften ein Messer mit einer wellenartigen Klinge, vielleicht ist die Klinge sogar gezackt wie eine Säge, so ein Messer müßte der betreffenden Herrschaft sicher schon aufgefallen sein. Vielleicht ein Finnenmesser, ruft einer. Wieso ein Finnenmesser? Ja, er hat doch in der Zeitung gelesen, Herrn Bruuts Fahrer sei Finne. NDB kann die Herrn wirklich beruhigen, Hans Sohn ist Deutscher, er ist nur geboren in Tampere in Finnland. Ja, warum steht dann sowas in der Zeitung? Das ist jetzt nicht unser Problem, meine Damen und Herren, wenn keiner unter Ihnen bei seinem Fahrer je ein solches Messer entdeckte, es könnte doch sein, daß auch zu Ihrer Sicherheit so etwas mitgeführt wird? also nicht, dann bleibt nichts anderes übrig als die Aussagen zu sammeln, wer fängt an? Die Aussagen sind schmeichelhaft für die Herrschaften. Die Fahrer saßen, tranken. Redeten schon mal über ihre Herrschaften, wer hat es gut, wer hat es noch besser, welcher Wagen ist der beste, möchte vielleicht einer von euch in dem kanariengelben

Dreihunderter herumkutschieren? mit dieser harmlosen Frage
hatte Bert einen Erfolg, das ärgerte Hans Sohn, der sowieso den
ganzen Abend lang tut, als sei er was Besonderes, trotzdem bleiben die anderen freundlich, sprechen von langen Fahrten, wer hat
die längste Fahrt hinter sich, wieviel Stunden brauchst du von
Bremen nach Arosa? Peter will Amsterdam-Salzburg in sechs-
einhalb Stunden gemacht haben, das stimmt, sagt Herr von Salow, nu' hören Sie mal, der Importeur aus Bremen, mit dem Fer-
rari, hat Bremen–Basel noch nie unter, meine Herren, wenn wir
das auf nachher, sicher ist also, daß Bert vorschlug, man möge
Hans Sohn fragen, ob der schon mal Amsterdam–Salzburg in einem Stück gemacht habe, alle waren für diese Frage, Hans Sohn
war jetzt der Mittelpunkt, hat er also Amsterdam–Salzburg mal
in einem Stück gemacht? Hans Sohn hat geantwortet: so oft Sie
wollen, oder: schon öfter als Sie, das ist nicht mehr mit Sicherheit
festzustellen, weil es gleich laut wurde, in welcher Zeit macht
Hans Sohn Amsterdam–Salzburg? los, die Karten auf den Tisch!
fahre er denn nach der Uhr, sagte Hans Sohn, oder er sagte: ich
bin doch nicht blöde und fahr nach der Uhr, sicher ist, daß er behauptete, er fahre nie über hundert, und das haben alle als eine
Provokation empfunden, bloß Heini rief: das glaub ich aufs Wort,
drum sitzt er doch immer so senkrecht am Steuer wie unserem
Herrgott sein Fahrer, Bert schrie: bei uns wär' der längst in der
Botenabteilung, und Friedrich sagte in sanfter Art, sein Chef
würde Sohn dem Roten Kreuz schenken, aber ohne Spendenbe-
scheinigung, rief lustig Heinrich Müller, naja, sagte dann wohl
Sohn, und das scheint für alle der entscheidende Satz gewesen zu
sein, denn alle hatten den ihrer Herrschaft halbwegs wörtlich
wiederholt, na-ja, hatte der unverschämt ruhig gesagt, er würde
auch nicht jeden Chef fahren! was soll das heißen daß Du etwa
Herrn Blomich nicht Du könntest Dir die Finger ablecken nach
einem Chef wie der meine würde so einen Schleicher wie Dich
überhaupt nicht ... Während dieses Wortwechsels muß es zu ersten Tätlichkeiten gekommen sein, waren doch die Fahrer ver-
ständlicherweise ganz außer sich, weil dieser Hans Sohn, den sie,
die einander von da und dort kannten, zum ersten Mal sahen, daß
dieser Finne, der mit jedem per Sie war, dieser Finne, jawohl, einer nannte ihn gleich einen Finnen, daß der sich mausig machte
und praktisch eines jeden Herrschaft beleidigte, also da konnten
sie sich nicht mehr halten, da brachte auch der bedächtige Fried-

rich keine vermittelnde Hand mehr dazwischen, da schlugen sie zu, da wollte der vieräugige Gärtner den Finnen noch retten, da traf wohl einmal ein Schlag einen Kollegen, weil ja der Finne viel zu wenig Masse bot für soviel Entrüstung, also kam es zu Mißverständnissen, also vermutete der oder jener, daß da Kollegen übergelaufen seien, also wehrte sich bald ein jeder so gut es ging und schlug sich bloß noch für die Ehre seiner Herrschaft.

Ach, es sind doch gute Kerle, rief Frau Frantzke. Alle sollten gleich auf das Wohl aller Fahrer trinken. Das wollten alle gern tun, aber Blomich sagte schnell: Auf den mit dem Messer trink ich nicht. Ach so, ja, aber wer war das nun? Alle schauten NDB an. Der sagte: Jetzt solls also ich gewesen sein, ja? mein Hans hat aber kein Messer. Professor, das wüßten wir, wenn Hans so ein Messer führte, oder wüßten wir das nicht? Mack sagte: Das wüßten wir, überhaupt, Hans ist mild und schwer erregbar. Herr von Salow schlug vor: Wir trinken auf alle Fahrer, aber auf den Messerstecher trinken wir nicht, und wir wollen die Sache unter uns abmachen, jeder hat ein Auge auf seinen Fahrer, spricht noch einmal in Ruhe mit seinem Fahrer, wer was herausbringt, meldet's Dr. Keckeisen, der, denke ich, in dieser Sache federführend bleiben sollte, den ich, wenn alle einverstanden sind, bitten möchte, sich für den braven Fahrer unseres Gastgebers etwas Hübsches auszudenken, für anfallende Kosten, schlage ich vor, bilden wir, auch unter Dr. Keckeisens Federführung, einen Pool, wenn Sie damit einverstanden sind, schließen wir diesen ebenso rührenden wie bedauerlichen Zwischenfall für heute ab und trinken auf eine baldige Genesung des Verletzten, wie war doch sein Name? Heinrich Müller! also zum Wohl von Heinrich Müller. Zum Wohl! Zum Wohl unserer braven Fahrer! Zum Wohl! Zum Wohl

ruft Dr. Alwin, aber gleich fällt ihm auf, daß Herr Schlupp nicht mittrinkt. Der entschuldigt sich. Er hat keinen Fahrer. Noch nicht, rufen mehrere. Wie wär's, wenn Herr Schlupp wieder einmal ein bißchen Zorn zum Besten gäbe, ruft Frau Frantzke. Ja, statt immer nur schriftlich, ruft der Importeur. Wo wir doch grade in so ner Schwitzenden Villa sind, ruft Dr. Alwin, was meint eigentlich Schlupp mit den Schwitzenden Villen, dieses Gedicht hat Dr. Alwin, ehrlich gesagt, nicht ganz begriffen. Also das fand Frau Frantzke nun gerade sehr hübsch. Sie weiß genau, was er gemeint hat, nicht wahr, Herr Schlupp, wir beide kennen so'n paar

Schwitzende Villen, und sie findet, auch der anwesenden Gesell-
schaft könnte so'ne richtig Schluppsche Predigt nichts schaden.
Aber Basil behauptet, momentan im Urlaub zu sein. Aber die
Herrschaften behaupten, ein Dichter sei auch im Urlaub ein
Dichter. Aber Basil will heute nicht. Aber Dr. Alwin will dann
wenigstens wissen, warum Basil überhaupt in so eine Villa
kommt. Basil sagt, er ißt gern gut. Aha, ruft der Importeur. Wie
Brecht, sagt Frau Frantzke. Ist Eßkultur vielleicht keine Kultur,
ruft Herr Mayrock. O doch, sagt Basil und läßt sich herbei den
Herrschaften zu erklären, warum die reichen Leute soviel kulti-
vierter essen müßten als die Armen. Wer an der Maschine steht
oder vor Ort oder auf der Baustelle, der kann abends wirklich alles essen, dessen Nähraufwand muß nur assortiert werden nach
Kalorienzahl, das kostet nicht viel, so einem schmeckt's schnell,
aber der arme Reiche, der hat vom Mittag noch das Völlegefühl,
der ist nicht viel los geworden am Nachmittag, und doch soll er
abends schon wieder essen. Oft muß er sogar dem Geschäftsfreund zuliebe. Zeigt er dem keinen Appetit, glaubt der doch
gleich, die Firma ist fallit. Also bedarf es phantastischer Speisen,
köstlicher Reize und eines zwingenden Aufwands beim Servie-
ren, kurzum, es bedarf der Eßkultur, sonst müßte der Reiche jeder Mahlzeit mit Schrecken entgegensehen, und das nenn ich,
sagt Basil, ohne Spott Gerechtigkeit, das will Basil nicht verstanden wissen als einen kritischen Einfall, das beschreibt er als histo-
risch-biologische Tatsache. Eßkultur als aktive Anpassung der
Reichen an ihre unverschuldete Appetitlosigkeit. Die Reichen
wollen nicht besser essen, sie müssen. Und selbst unter ihrem
Feinsten leiden sie noch, denn geht's auf's Clo, die Damen mögen's verzeihn, ist der Arme schon wieder besser dran. Wer kann
den listenreichen Kampf, den die besseren Kreise um ihre Verdauung führen, ohne Anteilnahme betrachten? wer kennt nicht
den Zorn gegen die heillosen Ärzte, die einem bloß Mühsal ver-
schreiben, anstatt einem zu helfen! auf den Spazierweg schicken
sie einen, alles muß man selber tun, Gymnastik, sinnlos den
Rumpf beugen, und wer nicht durchhält, wem etwa die Energie
ausgeht bei der minutiösen Überwachung der schrecklichen Verdauung, der liegt herum in gastrokardialen Wehen, dem drückt's
das Zwerchfell unters Herz, daß er den Schnaufer nicht mehr
kriegt, grad, daß er noch rufen kann: der Infarkt ist da, und dann
kommt der Doktor und sagt: Roemheld, Herr Direktor, Ihnen

fehlt die Bewegung, also der Wind, ja, das ist ein ergreifender Jammer! Ob einer Hungers stirbt oder an der Fettembolie ist doch wirklich egal, trotzdem gilt die Sympathie der Welt einseitig den Opfern des Elends, da fragt man sich doch, ist das noch gerecht...

Und so weiter sprach Basil. Die Herrschaften hatten sich, sobald sie sahen, daß Basil vom Eifer ergriffen war, zurückgelehnt. Basil wurde eine immer schönere Erscheinung. Er machte Schritte, kreuzte die langen Beine, schleifte einen Fuß auf dem Boden seitwärts, verlagerte spät das Gewicht, schloß die Füße, stand ganz aufrecht, war bei seiner Sache. Wir alle-alle dankten ihm mit Klatschen und Bravo ganz herzlich für seine schön scharfen Einfälle.

Frau Frantzke sagte: Einen besseren Nachtisch gibt es nicht.

Zum Wohl

sagte Professor Mack und stieß sein Glas gegen Basil Schlupps Glas und wollt ihn ein wenig mit sich ziehen. Basil zögerte, Mack lachte. Aber leiser als sonst. Sehen Sie, Kristlein, er mißtraut mir, sagte er. Darunter leidet Mack, jawohl, Prost! immer dieses Mißtrauen! Wer seinen großen Chef fürchtet, der mißtraut dem armen Mack. Mensch, Basil, NDB ist ein Monstrum, eine anstrengende Größe. Aber Mack kann uns einen Tip geben. Zeigt NDB, daß es bei euch im Sexuellen hapert, dann seid ihr ihm sofort sympathisch! ich bin ihm sympathisch, mir hängt zwischen den Beinen eine Katastrophe, geht euch nichts an, verstanden, sag ich bloß, um euch Mut zu machen, dem großen NDB hängt da nämlich auch ne Katastrophe, ja, glotzt nur, das bindet, versteht ihr, darum verehr ich ihn und sein tyrannisches Schamgefühl, hat ne Phimose an seim Huppelchen, so n' richtigen Maulkorb vor der Mündung, ihm tut weh, was anderen Spaß macht, und er geniert sich, versteht ihr, geht nicht zum Arzt, um sich das ein bißchen schneiden zu lassen, daß er's leichter hätte, das kann er nicht mit seinem absoluten Schamgefühl, heut hätt er auch Angst, es wird publik, er will nicht verstanden werden als einer, bei dem's vom Maulkorb kommt, daß er singt. Oder er hat Angst, daß er ohne den Maulkorb tatsächlich nicht mehr so schön singen kann, auf jeden Fall ist das Geheimsache, verstanden! Warum, meint ihr, kommt er sonst auf die Idee, seinem Papst sowas einsetzen zu lassen! von sowas träumt er in seiner Katastrophe, und was für eine Katastrophe! bedenkt, daß er jede haben könnte, glaubt mir das, bitte, EINE JEDE, und er hat nichts als Mühsal und Schmerz, ist das eine Katastrophe oder nicht? es ist wirklich ein Glück, daß er ein Genie ist und sich helfen kann, trotzdem haßt er euch, weil er denkt, ihr habt's leichter, darum sag ich doch, Kinder, zeigt ihm, ihr habt's auf eure Art auch nicht leicht, dann könnt ihr ihn um'n Finger wickeln, aber solang ihr so lustig ausschaut und herumflaniert als Herrliche, da haßt er euch natürlich, begreift das doch, zum Wohl!

Zum Wohl

sagte Oberon und stieß sein Glas gegen mein Glas. Fritz Kleist Oberon trug in dieser Sommernacht genagelte Halbschuhe. Jeder Schritt klang. Paul schaute mich wieder an, als wage er es nicht, mich anzuschauen. Und wagte es doch. Aus seinen Wimpern hätte man mehrere Mädchen ausrüsten können. Dann mit einem Schritt zu mir, legt schnell seinen Kopf auf meine Schulter, und ist schon wieder weg. Büsgen knautschte seine Brille und sagte scharf: So-so, unser Engel geht fremd. Paul nahm mich an der Hand und führte mich an dem mörderisch lächelnden Büsgen vorbei, über Treppen hinab, dem Ufer zu, stoppte an der Hafenmauer, setzte sich, schaute herauf, also setzte ich mich auch. Paul lehnte sich ein wenig an mich. Das war wieder so eine Frage. Einerseits kribbelte und wanderte mir alles durcheinander. Andererseits saß ich ganz und gar starr. Sein Kopf berührte schon meine Schulter. Was aber erwartete er von mir? Hoffentlich keine Wörter. Ich hätte ja zur Not ein paar europäische Dialekte anschlagen können. Wenn er taubstumm war, würde ich dadurch auf seinen Mangel aufmerksam machen. Nein, Wörter wurden nicht erwartet. Das wußte ich plötzlich. So sicher habe ich selten etwas gewußt. Blut schoß mir in die Lippen, ich hatte das Gefühl, als wüchsen mir die Lippen, als würden meine Lippen wärmer, einen so riesigen Mund hatte ich wohl noch nie gehabt, gleich würde die Nase auf den Lippen liegen, Paul, könntest Du mir, bitte, den Bodensee über diese immer noch schwellende Lippenlandschaft gießen! Paul verstand aber schon gar alles. Er kniete gleich neben mir, drehte meinen Kopf, der sperrte sich, ließ sich dann aber, sobald ich die Sperrung spürte, doch drehen, Paul behielt mein Kinn in seiner Rechten und spielte mit Zeige- und Mittelfinger seiner Linken einen Triller auf meiner Unterlippe. Bei jedem Anschlag wurde die Unterlippe von der Oberlippe weggerissen, der anschlagende Finger sprang hoch, die Lippe schnellte mit einem voluminösen Blubb an die Oberlippe zurück. Weil meine Lippen so groß aufgegangen waren, wurden diese trillerschnellen Blubb-Blubbs unheimlich laut. Wer von Paul nichts wußte und diese Geräusche hörte, mußte glauben, im Seegrund seien Luftlager aufgebrochen und platzten jetzt großblasig und doch sanft aus dem Wasserspiegel. Als ich Rosa, Männer und Frauen von der Terrasse herunter auf uns zulaufen sah, dachte ich, sie wollten sich nach diesem Naturereignis erkundigen, aber sie kamen nur, um zu baden. Paul hörte auf, kniete aber noch, als Rosa schon bei uns stand und Aha sagte. Dann beugte sie sich herab, sah Paul aus großer Nähe an und sagte: O. An ihrer Hand sprang er auf. Sie ließ seine Hand nicht mehr los. Sie drehte sich und zog Paul einfach mit. Er schaute noch um, mich an. War er in Not? Der Steg schwankte. Einige zerrten schon an ihren Krawatten. Rosa war die erste, die die Badehausplattform mit Kopfsprung verließ. Paul folgte im Schneidersitz, die Nase hielt er sich schon vor dem Absprung zu. Die anderen tasteten sich vorsichtig über die Treppe hinab. Frau Alwin jauchzte. Hans Beumann stieß Kehllaute aus. Jemand gellte als Indianer. Das Wasser spritzte bis zu uns herauf. Ach, Herr Kristlein, freut mich, auch wasserscheu. Professor Laberlein. Dabei bin ich gar nicht wasserscheu, ich war nur ein wenig verwirrt, weil ich nicht wußte, wie ich mitten in der Nacht, mit Paul und Rosa gleichzeitig baden sollte. Laberlein wollte offenbar auch etwas tun, was er sonst nicht tat, also stimmte er das Lied von dem Walfisch von Askalon an, hängte seinen kurzen Arm bei mir ein, dirigierte mich hinauf zur Terrasse, sang immer weiter – am meisten bewundere ich immer den, der viele Strophen kann –, droben eroberte er zwei Gläser und sagte mit dem Rest seines Atems: Zum Wohl.

Zum Wohl

sagte Melanie, die auftrat als ein Teil von Wollensak. Als sie sah, daß ich sie sah, streichelte sie Wollensak so sehr um meinetwillen, daß mir das sogar recht gewesen wäre, wenn ich sie gern gehabt hätte.

Dann

kamen die, die gebadet hatten, als eine Gruppe zurück, denen überlegen, die nicht gebadet hatten. Und Blomich tappte quer in die Terrasse, blieb stehen wie ein ausgebrochenes Pferd, das zwar Grund genug gehabt hatte, irgendwo auszubrechen, aber jetzt weiß es plötzlich nicht mehr weiter. Frau Frantzke griff nach ihm,

er wollte weg, sie hielt ihn, er mußte trinken, also kippte er das Glas, rannte weg. Bevor man sich über ihn schlüssig wurde, entdeckte Laberlein, entdeckten gleich alle die aus Lichtzeilen bestehende Silhouette von Rosa III. Wir mußten leise sein. Die Bordmusik. Cembalo. Blomich war wieder unter uns. Er folgte dem Kurs von Rosa III, als müsse er das Schiff mit den Augen steuern. Rosa III hielt guten Kurs, gab dem Dampferpfahl Licht, rumrundete den Pfahl, die Musik wurde wieder lauter, Rosa III spurte heimzu, traf auf keinen Schwimmer, entdeckte kein Köpfepaar. Drunten klang Beifall auf, die Jungfernfahrt hatte geklappt. Blomich verschwand. Als er wieder erschien, war er von seinen Dalmatinern begleitet. Frau Beumann rief: Wo ist Rosa? Jetzt wollten alle wissen, wo Rosa sei. Aber sie ließen Blomich nicht antworten. Wir helfen sie suchen, sagte einer, obwohl Blomich nichts von Suchen gesagt hatte. Wir haben ja die Hunde, los, wir suchen Rosa-Rose-Rosa-Rose. In all ihrer Fröhlichkeit bemerkten sie noch nicht einmal, daß sie ohne Blomich und die Hunde ins Dunkel seewärts zogen. Blomich ging quer über den Rasen, in Richtung Gästehaus. Will er Rosa und Paul zerreißen lassen? weiß er denn, wie er Rosa antreffen wird? möglich, sie sitzt mit Paul auf der Luftmatratze und erzählt dem gerade, daß sie in Handarbeit immer eine Fünf hatte, weil sie für den Hohlsaum einfach zu lebhaft war, und Paul nickt, als verstünde er jedes Wort, gibt ihr, sobald sie eine Pause macht, einfach die Hand, jetzt will sie aber endlich von ihm wissen, wie er seine Wimpern pflegt, die kommen ihr noch länger vor als ihre eigenen, möglich, Herr Blomich, die haben uns satt! könnten Sie sich nicht an Herrn Kleist oder an mir ein Beispiel nehmen! ich, der am meisten verliert, sitze besoffen und mit feuchten Augen, drücke mich in die eiserne Vegetation des Geländers, mir käme es übrigens viel scheußlicher vor, geschähe Paul was in der Nacht, darum schau ich auf Oberon, der in benagelten Halbschuhen beispielhaft ruhig tänzelt. Oder ist der so blind wie Paul stumm? ist Paul eine andere Rosa? und unterdessen schildert der zarte Oberon, hör ich, die Schönheit Schottlands. Ihm begegneten dort unterwegs ledige Pferde, die auch unterwegs zu sein schienen, und zwischen langen Hügeln liegen vom Himmel gefallene Seen, um die man ohne Absicht herumgeht, ist er denn überhaupt kein Besitzer? oder warum hat er gar keine Angst?
Etwas wie Angst.

Oder nur etwas Zerreißendes. Sicher eine Drohung, die jeder verkörpert. Aber jeder ist angewiesen auf das hier, auf jeden anderen. Also zähmt er die Drohung. So entsteht Heiterkeit. Wir stehen gegen einander wie nur zum Scherz. Nur die Zigaretten werden beim Ausdrücken zermalmt. Der Gesandte aus Somali ist ein Floß geworden, auf das die Damen klettern, von dem sie einander hinunterstoßen. NDB ist auch so ein Floß. Die Gruppe, die Rosa finden will, verwildert im Dunkel, kommt öfter und immer unordentlicher an der Terrasse vorbei. Frau Dr. Alwin ist stolz auf ihre zerrissene Bluse. Laut ruft sie den Preis der Bluse. Herren, denen das Hemd bis zum Gürtel klafft. Roosa – Roose rufend, ziehen sie einander wieder in die Richtung, aus der sie gerade kamen. Da kann Rosa nicht sein. Also wirkt es, als zögen sie suchend durch die Nacht nur in Rosas Namen. Hans Beumann bleibt zurück. Bevor er sich uns zuwendet, setzt er seine Hände als Trichter an den Mund und brüllt hinaus: Roose, komm, ich dreh einen Film mit Dir. Sie kommt aber nicht. Fehlt auch ein Herr, fragt wer. Nur unser Gastgeber. Dann ist doch alles in Ordnung, sagt Frau Frantzke. Aber Büsgen ruft: Paul fehlt auch. Wer ist Paul? Fritz Kleist sagt: Paul ist, weil er müde war, vor einer halben Stunde weggefahren. Und mit wem? fragt Büsgen. Er weiß es, sagt Büsgen, Paul ist ab mit Rosa. Fritz Kleist marschiert mit seinen schweren Halbschuhen sofort auf Büsgen zu. Seine Händchen fassen nach dem Saum seiner graugrünen Tweedjacke. Vor Büsgen stoppt er wie auf Kommando Abteilung halt! Will Büsgen Paul verleumden? Büsgen wiederholt. Dafür kriegt er von Fritz Kleist eine Ohrfeige. Büsgen wiederholt lauter dasselbe. Kriegt eine in die andere Gesichtshälfte. Fritz Kleist scheint Links- und Rechtshänder zu sein. Büsgen versucht, die Terrasse in imponierender Art zu verlassen. Carlos Haupt rennt ihm nach. Fritz Kleist wendet sich uns zu und sagt leise: Entschuldigen Sie, bitte. Frau Frantzke muß ihm gleich gratulieren. Das wird ihr Bruder ihm nie vergessen. Die Anlässe, die die Damen um den Gesandten und um NDB zu grellem Lachen veranlassen, werden jetzt immer geringer. Immer schriller werden die Schreie der Suchenden. Aber man hört auch, daß die Suchenden selber über ihre Schreie lachen. Wie sie Roosa-Roose rufen, zeigt, sie wollen sich dadurch ausdrücken. Der nächste Vagierende, der auf die Terrasse zurückkommt, ist Professor Laberlein. Wir haben sie nicht gefunden, sagt er und wischt sich Schweiß und Buschbruch vom blanken Kopf. Wir lachen. Blomich und Rosa haben sich zurückgezogen, gibt Frau Frantzke bekannt. Ach. Und Laberlein wollte Blomich doch noch sagen, daß die erste Frau bei Laberlein war. Aber wie! Seine Frau ist Zeuge. Mit Schmuck. Sie reist für eine Pforzheimer Firma. Ist das nicht peinlich? Ach, bei Ihnen auch, ich wollte es gar nicht sagen, aber bei uns war sie auch, sagt Dr. Keckeisen. Bei uns auch, sagt Beumann. Sie besucht nur bessere Leute, sagt sie. Dr. Keckeisen hat ihr natürlich was abgekauft, aber peinlich ist es doch. Das muß man Blomich saagen! Dagegen muß er sich doch weehren! Sie kriegt doch genügend Geld von ihm. Das tut sie doch nur, um sich zu rächen. Eine traurige Art, sich zu rächen, finden Sie nicht. Aber wie soll Blomich sich dagegen wehren? Kein Mensch kann ihr das Hausieren verbieten. Das nicht, aber er kann seine Zahlungen einstellen, wenn sie selber verdient. Dann wird sie's schön bleiben lassen. Sie war immer schon radikal. Unterlegen war sie. Eben, und deshalb radikal. Dem Schwächeren ist alles erlaubt. Aber Herr Beumann, das sagen Sie doch nicht im Ernst! Doch, sagt er, seine Sympathie hat sie. Er trinkt auf das Wohl von Hanna Blomich, die ihm oft eine liebe Gastgeberin war, und wer nicht mittrinkt, ist ein Schuft. Ich, ruft NDB, vielleicht nur, weil er aus dem Leiberring der Damen entkommen will. Ganz klar, ruft Beumann, Sie gehören ja auch zu den Starken, Sie wissen ja nicht einmal mehr, daß meine Verlobung dazu benutzt wurde, den Kammermusikpreis zu stiften, den Sie dann kriegten, bitte, Frau Frantzke bestätigt es, aber sonst weiß das heute keiner mehr, das interessiert euch nicht mehr, euch kümmert es einen Scheißdreck, daß meine Verlobung herhalten mußte, um diesen Kammermusikpreis zu stiften, den dann Herr NDB als erster kriegte, wenn einer von euch behauptet, ihn interessiere noch, wozu meine Verlobung mißbraucht wurde, dann lügt er, los, ich will es jetzt wissen! interessiert euch das noch, daß meine Verlobung herhalten mußte für die Stifung eines Kammermusikpreises, den dann NDB kriegte, interessiert euch das noch? Nein, sagte NDB, Sie können's also ruhig noch ein paar Mal wiederholen, lieber Beumann. Prima, sagte Beumann, Du bist ganz prima NDB, Du sagst wenigstens, was Du denkst, allerdings ist das nicht ganz so toll, wie Du glaubst, Du kannst es Dir nämlich leisten, ich sage aber, was ich denke, ohne daß ich mir's leisten kann, seht ihr, da, meine Frau hat schon Angst, ich verplappere mich, sag zuviel, mach uns unmöglich, so

261

wird man unterschätzt von der eigenen Frau, gut, ich sag vielleicht mehr als mir morgen recht ist, aber alles sag ich nicht, Anne, glaub bloß nicht, ich sei so meschugge, ich kenn den Laden fast so lange wie Du, deshalb sage ich nur, es interessiert heute keinen mehr, daß meine Verlobung herhalten mußte, um so einen Scheißkammermusikpreis zu stiften, und das war doch meine Verlobung, nein, war es eben nicht, es hat bloß geregnet, Leute waren da, es war eine Veranstaltung zur Inszenierung des zukünftigen Ruhms dieses Herrn, dazu war meine Verlobung gerade gut genug, aber nicht einmal das weiß man, und warum weiß man's nicht? weil ich überhaupt kein bedeutender Mensch bin! Man muß ihm widersprechen, sagte NDB, hört ihr denn nicht, wie er bettelt um ein wenig Widerspruch. Nicht nötig, großer Meister, rief Beumann, ich bin zwar ein schlechter deutscher Filmregisseur, aber ich habe auch meinen Stolz, ich weiß nämlich, daß Sie, großer Meister, Sie würden es keine acht Tage aushalten, ein schlechter und – was es erst schlimm macht – auch noch ein erfolgloser deutscher Filmregisseur zu sein, Sie können nämlich ohne Ihren Erfolg nicht leben, Sie sind eine Kreatur Ihres Erfolgs, jawohl, ich aber kann leben ohne Erfolg, das habe ich bewiesen, Erfolg macht erfolgreich, Erfolglosigkeit macht erfolglos, egal, trotzdem, ich meine-ich-sage-Sie-Sie-mit-Ihrem-ich-ich-verachte-Sie-samt-Ihrem-Erfolg, jawohl, ich-ich... Halt-halt-halt, lieber Freund, sagte NDB, Sie gestatten, daß ich mich, wenn es um Erfolg geht, zu Wort melde, es wäre ja möglich, ich hätte über Erfolg auch etwas zu sagen. Wir lachten. Also, lieber Freund, ich bin ganz sicher, daß wir alle einer Meinung sind über den Erfolg. Die Erfolgreichen mit den Erfolglosen. Alle wissen, der Erfolg ist wetterempfindlich, man muß ihn sorgsamer pflegen als den südlichsten Zierfisch, er macht viel von sich her, aber ist vielleicht seinen Preis nicht wert undsoweiter. Also verachten wir den Erfolg nach Kräften. Aber es ist zu komisch, die Erfolgreichen sehen einfach hübscher aus, wenn sie den Erfolg verachten. Den Erfolglosen sieht man leider leider die Anstrengung an, die es kostet, etwas zu verachten, was man noch gar nicht hat. Deswegen, lieber Freund, sollten Sie sagen: Ach, wie gerne verachtete ich den Erfolg, wenn ich ihn erst hätte. Und schon sähen Sie viel hübscher aus, man würde Sie lieber anschauen als jetzt, wo Sie dastehen und uns weismachen wollen, nur wir wären an Ihnen schuld. Wäre das so, dann dürfte, so wie Sie dastehen, keiner mehr schlafen vor schlechtem Gewissen. Halten Sie doch bitte den Beschwerdeweg ein. Beschweren Sie sich zuerst mal bei Ihrem Herrn Vater. Den kenne ich nicht, sagte Beumann fast höhnisch. Na Junge, dann mach Dir doch einen, sagte NDB und winkte ab und drehte sich weg. Da war es Zeit für den gestauten Beifall. NDB hatte genug, aber Beumann konnte einfach nicht mehr aufhören. Ich hasse euch, schrie er, euch alle, und ich sag euch auch, warum! weil ich vor euch verrecke, an meinem Kopf nämlich, und ihr werdet mich vergessen, ihr würdet mich sogar vergessen, wenn ich nicht vor euch eingehen würde, weil ich kein bedeutender Mensch geworden bin, aber vielleicht täuscht ihr euch, ich schreibe was zur Zeit, sogar im Auftrag, jawohl, in mich wird Geld investiert, stellt euch vor, und worüber läßt man mich was schreiben? na, ratet mal? interessiert euch gar nicht, was? ich sag's euch trotzdem! über Liebe, jawohl, davon verstehe ich soviel wie der Herr Großkünstler aus Thüringen, Odessa und Vaduz, den ich hasse wie ich euch alle-alle ausnahmslos hasse, lacht nur, lacht noch lauter, dann schrei ich noch lauter, ich hass-hass-hasse euch, biegt euch vor Lachen, umsomehr hasse ich euch, ob ihr's glaubt oder nicht: auch ein deutscher Filmregisseur kann hassen... Halt! rief NDB, den Satz kenn ich, den hab ich schon mal gehört, wo hat er sich den ausgeliehen? Sofort entschuldigst Du Dich bei mir, schrie Beumann, los, sofort, sagt ihm daß er sich entschuldigt, sonst schlag ich den Haufen glänzender Tonscheiße zusammen, los, sagt es ihm, ihr wißt, der Satz ist von mir, das ist mein Satz, den will er mir nehmen, der Vielfraß, los jetzt, ich zähle bis drei, wenn er sich nicht entschuldigt, schlag ich, Eins... Beumann stand, die Faust in der Luft, seine Frau sprang hoch an seinem Arm, umklammerte mit beiden Händen das ihr erreichbare Handgelenk, wollte die Faust mit ihrem ganzen Gewicht herunterziehen, aber Beumann hatte jetzt eine so große Kraft, seine Frau brachte die hoch gereckte Faust bloß ein bißchen zum Schwanken. Bevor Beumann bis drei zählen konnte, hing auch Fritz Kleist an seinem Arm. Aber offenbar gab es momentan keine Last, die diesen starr gereckten Arm herunterziehen konnte. Fritz Kleist ließ also den Arm sofort wieder fahren, wandte sich Beumann zu, küßte ihn auf beide Backen und sagte ganz ernsthaft: Ich liebe Dich. Da fiel der Arm tatsächlich zusammen. Beumann fiel mit seinem ganzen Gewicht auf eine schmale Kleistsche Schulter, der Kopf hing über Kleists Rücken hinab.

Der zierliche Fritz Kleist sah aus, als habe er sich einen Riesen über die Schulter geworfen. Daß er nicht zusammenbrach unter dieser Last, war verwunderlich. Aber dann schickte er auch noch eine Hand über sich, um seine Last zu streicheln. Plötzlich schnellte die Last von Fritz Kleist weg, Beumann rannte die Treppe hinunter, fiel drunten im Rasen auf die Knie, es platschte, würgte und stöhnte. Seine Frau rannte nach, rieb seinen Rücken. Wir sahen zu. Keiner sagte was. Schließlich richtete sich Beumann mit Hilfe seiner Frau wieder auf. Sie hatte aus ihrer Handtasche schon das weiße Tuch geholt, mit dem wischte sie ihm Mund und Augen trocken, dann ging er mit ihr um die Hausecke, wir hörten noch, weil nicht gleich einer was sagte, wie der Motor ansprang und das Auto im Kies zuerst leer drehte, Kies schleuderte, dann aber griff und sich laut und gewaltsam entfernte. Auf der Terrasse verabschiedeten sich mehrere. Die noch blieben, unterhielten sich leise. Der Beumann verträgt rein gar nichts mehr, sagte jemand. Der Gesandte von Somali war auch nicht mehr da. Melanie saß wieder neben mir und sagte schließlich: Chumm itz. Ich sah zu Fritz Kleist hinüber. Der winkte mir zu. Ich stand auf. Er gab mir seine Karte. Die Hand schüttelte er mir so lange, daß Melanie unruhig wurde. Auf der Karte las ich: Dr. Fritz Kleist, Ministerialrat, München, Rümannstraße 59/VI. Melanie fragte: Was yscht itz das für ene Gartezwerg? Ich sagte: Er heißt Oberon. Melanie, die nicht mehr ohne Hilfe gehen konnte, sagte: Der vunn'ere Titanic. Ja, sagte ich. Mit söllem Ysberg, sagte sie, wo für so' ni antsötzleche Katastrophe isch d'Ursach gsy. Ich sagte: Ja-ja.

Sonntagmontag. Nachspiel

Erwachen, das heißt auch, die Augenlider kippen lassen, nicht nachgeben, nicht den Kopf ins Kissen drehen wie für immer. Die Augen müssen gezwungen werden, das Zimmer zu mustern. Das ist Deine hochgelegene Kajüte, Du bist im Gästehaus, das Licht so schräg, schon mit dem Stich Altgold, Du bist erwacht aus der Narkose, woran wurdest Du operiert? Verbiete Dir sofort, daran zu denken. Die Engramme von gestern bluten, sobald Du sie berührst. Weg-weg-weg damit, spül lieber den Mund oder schlaf weiter, wach nicht auf, Du mußt aufwachen, abreisen, aber wie abreisen, ohne das Zimmer zu verlassen? und dieses Zimmer kannst du nicht verlassen, draußen schwirrt scharfes schneidendes Glas in der Luft, Splitter kreisen, rasende Scherben, die ihre Schneidearbeit erledigt haben und weiterkreisen auf der Suche nach frischen Halsschlagadern.

Ich war wohl der einzige Überlebende. Bevor die historische Weltpolizei der nächsten Epoche eintreffen würde, wollte ich weg sein. Die Fliegen hatten sich schon zu riesigen Arten entwickelt. Sie und die Bremsen und Hummeln würden dieses nächste Äon mit ihren Geräuschen beherrschen. Dröhnend teilten sie einander mit, daß noch einer übrig geblieben sei aus der vergangenen Zeit. Sie schickten Kundschafter über mich hin. Ich stellte mich tot. Sie trauten mir nicht. Ich traute ihnen nicht. Ich sprang auf. Aufgeregt meldeten sie's hinaus. Ich schlich, obwohl ich doch der Letzte war, leise die Treppe hinunter. Dann aber, drüben im Seehausgelände, in der Lindenallee, auf dem Boden, da rutschte etwas auf Knien, rutschte einen Meter, zog einen Kübel nach, stellte den Kübel ab, beugte sich mit dem Gesicht dicht übers Kies, ließ die Hände übers Kies tasten, bis die Hände was fanden, was sie in den Kübel werfen konnten, dann richtete sich das Wesen auf, rutschte auf den Knien einen Meter weiter, holte den Kübel nach. Dabei klirrte etwas. Glasscherben. Möglich, der wußte noch nicht, daß die Zeit, in der das von ihm verlangt werden konnte, vorbei war. Möglich, er diente schon den Fliegen. Die indes feierten auf den verwüsteten Tischen, besoffen sich in Gläsern, machten sich über Ferkelreste her. Ich schlich auf dem Plattenweg aufwärts. Bevor ich das Seehaus passierte, hatte ich noch eine Halluzination. Hinterm eisernen Rankenwerk der Terrasse sah ich einen Augenblick lang NDB, Mack und Veeser und zwei unbekannte Herren sitzen und ihre Münder bewegen, ein Herr reichte Mack gerade einen Din-A-4-Bogen, deutete mit einem Füller auf etwas, Veeser beugte sich zu Mack, schaute auf dieses Papier, NDB zündete sich eine Zigarette an, aber Rauch sah ich nicht, da war die Erscheinung schon vorbei, ich schon auf der Nordseite. Einer Gewohnheit gehorchend, schaute ich zur Thujahecke hinüber. Aber der Schildkrötenkopf mit dem Zuaven- oder Finnenmesser war nicht mehr zu sehen. Auf der Straße nach Bad Schachen hielt ich mich eng am grünen Saum, eilte im Straßengraben vorwärts und überlegte die ganze Zeit, warum es mir nicht möglich war, auf die linke Straßenseite zu wechseln um dort, wie es vorgeschrieben war, am Straßenrand weiterzugehen. In Bad Schachen trank ich Kaffee. Wunderte mich, daß ich den bezahlen konnte mit dem Geld, das ich in der Tasche hatte. Dann saß ich, bis es dunkel war, auf einer Bank vor dem grauen, später schwarzen Wasser und schaute das Wasser an und hörte die Schritte derer, die sich hier herumbewegten, als wäre nichts geschehen. Mein Kopf war innen noch dunkler als sonst. Wollte ich etwa eine Zigarette anzünden, dann mußte ich dieses Vorhaben einige Male den zuständigen Exekutionszentren in meinem Kopf vortragen, sie versuchten sich wieder und wieder vor der Ausführung zu drücken, hofften offenbar, ich vergäße, was ich vorhatte; tatsächlich vergaß ich es auch immer wieder, kam dann aber doch wieder darauf zurück, reichte noch einmal die Bitte ein, jetzt eine Zigarette rauchen zu dürfen, begleitete dieses Ansinnen zuletzt mit schmerzend scharfer Sorgfalt durch die lichtlosen, wie zerquetschten Kopfinnenräume, bis man sich dort drinnen zu einer Zusammenarbeit bewegen ließ und schließlich den Händen die Bewegung empfahl, an der mir gelegen war. Irgendwann nachts schlich ich zurück ins Gästehaus, legte mich aufs Bett und verdämmerte. Am Montag traf der neue Schub Weibliche ein. Die rannten, gleich nach ihrer Ankunft, geradewegs ins Wasser, dann legten sie sich auf dem Rasen aus. Heini brach nicht ins Gehege. Aber Herr und Frau Kops traten tatsächlich auf. Die Liegenden rappelten sich hoch, saßen mühsam und hörten anständig zu, bis Herr und Frau Kops alle Regeln bekanntgegeben hatten, die im Gästehaus zu beachten waren. Dann fielen die Weiblichen zurück, lagen wieder reglos. Manchmal kniete eine neben eine andere und rieb der Sonnenöl in die weiße Haut, dann legte sie sich hin, die andere kniete und rieb ihr Sonnenöl in die weiße Haut, dann lagen wieder alle aus zur Vernissage.

Nachruf

Ich sage Stein, ich sage Sonne.
Augustin

I

Fabelhaft diese Familie im 5. Stock in der Marsstraße in München. Kost und Logis, fabelhaft. Ich könnte nirgends besser wohnen. Ob man irgendwo wirklich gut wohnt, stellt sich doch meistens erst im Dezember heraus. Wenn es auf Weihnachten zugeht. Da zeigt es sich, ob die Familie einen mag oder nicht. Ich habe früher bei Familien gewohnt, die zogen sich vom ersten Adventssonntag an immer mehr zurück von mir. So wollten sie mir beweisen, daß ich abreisen müsse noch vor dem 24sten. Jedes Familienmitglied drückte das auf seine Weise aus. Alle Familienmitglieder zusammen gehörten offenbar einem einzigen Organismus an, der vom ersten Advent an die Poren zusehends verschloß, die Hautoberfläche stetig verkleinerte, eine vielgliedrige Schnecke darstellte, die sich innerhalb der Wohnung von mir zurückzog, bis auch die letzten Weichteile vollständig verschwanden in einem Familienpanzer, in dessen schummriger Tiefe ich Kerzengeflimmer vermutete. Sicher ist, daß sie da drinnen Lieder sangen, deren Sanftheit exklusiv und gegen mich gerichtet war. Nichts von dieser anschwellenden Weihnachts-Feindseligkeit in der Wohnung in München. Fabelhaft, wie gut ich hier behandelt werde. Man glaubt es nicht. Diese Menschen sind einfach reizend. Die Frau ist eine wohlausgestattete, strenge und weiche Blonde. Zirka 35. Diese Frau würde ich unter keinen Umständen eine Blondine nennen. Kein bißchen weniger reizend sind die drei, vier oder fünf Kinder. Nicht Teilnahmslosigkeit hindert mich, eine genaue Zahl anzugeben, sondern die Ähnlichkeit dieser Kinder untereinander. Selbst die Mutter ruft öfter Drea und verbessert sich dann, weil sie zuletzt noch sieht, es ist doch Lissa.
Ich liege hier schon seit September oder Oktober in einem eigenartigen Zustand. Aber diese reizende Familie zeigt keine Verwunderung. Man hat mir sogar einen Arzt besorgt, obwohl diese reizende Frau sich selber darauf versteht, eine Krankheit in eine Gesundheit zu verwandeln. Kaum sprach ich von einem Arzt, hatte ich auch schon einen. Ich ließ ihn spüren, daß ich Dr. Keckeisen persönlich kenne. Er berichtete mir von allen Kongressen, die er besucht, und er berichtet darüber so, als wolle er sagen: mehr kann auch ein Keckeisen im Augenblick nicht wissen.

Manchmal, das muß ich leider zugeben, geht ein Besuch zu seinen
Gunsten aus. Immer dann, wenn ich nicht aufgelegt bin zum
Spiel. Dann brauche ich ihn, sozusagen. Neulich konnte ich einfach die Frage nicht zurückhalten, was er zu tun gedenke gegen
meinen wachsenden und immer schwerer werdenden Körper, ich
käme mir schon riesig vor; offenbar gelinge es mir nicht, das Liegen richtig zu erlernen, die zunehmende Kopfkugel schmerze, wo
immer sie aufliege; manchmal würde ich ganz starr vor Angst,
jetzt gleich über die Zimmermaße hinauszuwachsen und so wieder allen sichtbar zu werden, und das heißt doch: angreifbar. So
etwas kann er nicht hören, ohne gleich die Macht zu ergreifen
über mich. Er behandelt mich dann, als gehörte ich ihm schon.
Oder doch so, als wären er und ich etwas, was man nur mit WIR
bezeichnen könnte. Focussieren WIR doch einfach mal dieses
Kristlein-Syndrom, warum haben WIR uns denn so ausgiebig hingelegt, darüber können wir doch jetzt einmal sprechen, also,
warum denn wohl? Er tut, als wisse er die Antwort, wolle sie aber,
um der Therapie willen, von mir hören. Solche Fragen machen
mich sofort wieder fit. Überhaupt Fragen. Nichts leichter als auf
eine Frage zu antworten, sage ich dann. Fragen haben ja nichts
zu tun mit etwas. Man kann Wörter zu Fragen zusammenstellen.
Das hat, außer mit Grammatik, mit nichts zu tun. Und eine Konvention, die in jeden hineindressiert wurde, produziert Antworten ganz von selbst. Antworten sind ebenso ausschließlich in der
Grammatik zuhause wie Fragen. Sie sind sogar ein Teil der Fragen. Wer fragt, könnte genausogut antworten. Also sage ich,
ohne zu zögern, zu meinem Doktor: Wenn ich mich absichtlich
in dieses Bett gelegt hätte, dann könnte ich Ihnen jetzt genau sagen, warum ich mich ins Bett legte. Aber ich legte mich in dieses
Bett von selbst, ich empfand die Neigung, diese Neigung war
stark, sie läßt immer noch nicht nach, im Gegenteil. Allerdings,
das gebe ich zu, wäre es in meinem Kopf erst wieder leicht und
so ruhig wie in einem Postamt zwischen zwölf und zwei, dann
müßte ich wohl wieder aufstehen. Stünde ich aber heute schon
mutwillig auf, würde ich bloß in eine andere Richtung wieder umfallen. Wie also könnte man die Gewichte aus dem Kopf wieder
nach unten verlagern, etwa in die Beine, in die Fußsohlen vielleicht? Ich hindere Sie nicht, mich nach dem Vorbild der Stehaufmännchen herzurichten. Ich möchte dieser reizenden Familie
doch nicht für immer zur Last fallen. Gerade jetzt, wo es auf

Weihnachten zugeht. Ihr Humor, sagt der Doktor, ist besser als er im November war.

Die Frau kommt nachts ins Zimmer, entkleidet sich, legt sich ins andere Bett. Möchte sie wohl, daß mein Bett dann leer wäre? Birga, richtig, so heißt sie. Manchmal finde ich den Namen nicht, weil ich für sie öfter die Symmetriebezeichnung Meine Frau gebrauche; so nenne ich sie, weil sie immer sagt: Mein Mann! Ich sage: Mein Gott, das sind so Bezeichnungen. Man weiß ja, daß Sprache etwas für sich geworden ist und daß sie immer selbständiger wird. Vielleicht vergißt sie eines Tages ihre massive Herkunft ganz und gar, heißt nichts mehr und wird dann ein richtiges Verständigungsmittel für uns Schwebende. Birga also, Birga hält mich nicht zurück, bewacht mich auch nicht. Tagsüber ist sie viel unterwegs in der Stadt. Sie betreibt etwas. Sie hat es mir in ihrer reizenden Art erklärt. Sie verleiht Antiquitäten an feine Geschäfte. Ihre fünf orientalischen Pistolen zielen zur Zeit in einem Schaufenster in der Maximilianstraße auf Abendkleider aus Paris. Na ja, dachte ich, daß man mit diesen Pistolen dekorieren kann, ist sogar mir eingefallen. Aber die fabelhafte Frau hat noch mehr im Gange. Sie stöbert in den Magazinen der Antiquitätenhändler, sucht sich aus, was diesem und jenem Schaufenster im Augenblick fehlt, empfiehlt das dort offenbar unwiderstehlich, schließt den Leihvertrag, kassiert von beiden Parteien eine Provision, wird allmählich bekannt bei denen, die sie brauchen. Sie wußte ja immer, warum sie nach München wollte, sagt sie. Offenbar zahle ich nicht genug. Ach ja, eine gewisse Frau Sugg hat mich aufgegeben. Zum Glück gibt es diese reizende Frau und Vermittlerin. Gute Frau, sage ich vor mich hin, wenn ich allein bin. Also fast nie. Man kann nicht gut aufgehoben und auch noch allein sein, das ist wohl klar. Neulich kam ich bei meinen Erinnerungsversuchen nahe an den August heran. Und schon wußte ich nicht mehr, habe ich jetzt Angst oder Durst. Ich klingle nicht gern. Abgesehen davon, daß ich nicht im Krankenhaus liege, steht mir auch keine Glocke zur Verfügung. Aber auf dem Nachttisch wartet immer die Schale mit Obst und auf dem Obst wartet das unheimlich feine Obstmesser. Das nahm ich, schälte mir eine Williams-Christ aus Tante Mathildes Spalieren, aß diese Birne, dachte so übers Birnenessen nach, kam nicht los von Birnen, die ich im August und im September im Zelt Nr. 92 auf dem Cam-

271

pingplatz in Thunau gegessen hatte, kam aber auch nicht wieder hin und hinein in dieses Zelt und zu diesen Birnen; man kann ja nicht in München im Bett liegen und zugleich Birnen in einem Zelt in Thunau essen; ich strich also mit der unheimlich dünnen Schneide des Obstmessers quer übers Handgelenk, nur spielerisch, als wäre des Messers Schneide der Pferdehaarstrang des Geigenbogens, als wollte ich probieren, was die Messerschneide im Siebenadernland meines Handgelenks mit Haut und Blut für einen Ton erzeuge, aber ich hatte noch nicht recht angesetzt, da sprang schon eines dieser reizenden Kinder herein und bat mich ganz ungestüm, ich möchte ihm auch eine Birne schälen. Zwei Tage später, am Nachmittag, um die Zeit, da man sich entscheiden muß, Licht zu machen oder die Augen zu schließen, hatte ich den Einfall, den schwarzen Seidengürtel meines Morgenmantels um meinen Hals zu schlingen; ich war durchaus Herr der Lage, fühlte mich als Karikatur eines in Ungnade gefallenen Wesirs, aber schon die zarte Anstrengung eines solchen Vergleichs rief ein reizendes Kind auf den Plan. Als sein Pferd, den Seidengürtel als Trense zwischen den Zähnen, mußte ich die Szene weiterspielen.

Es mag Augenblicke geben, in denen Einsamkeit gerade anbrechen möchte. Die Frau eilt durch die Stadt, die Kinder sind in allen anderen Zimmern damit beschäftigt, einander zu martern, ohne einander je ganz umzubringen, die Hunde schlafen. Darf ich jetzt, August, mit Dir allein, und September zu Dir, oder euch herbitten, Monatskästen, als größere Hasenställe, hinter deren Gittern immer ein Gesicht wegschwimmt, kann ich dem endlich folgen, darf ich? Zurufe, Akklamation. Aus Schubladen. Von den Borden der Toten herab. Zwei Onkel, Gallus und Paul, meine Mutter, Hochwürden Burgstaller, Lehrer Heimpel und, gefährdet wie ein Wolkengesicht, mein Vater. Lebende, Tote. Melitta mit ihrem Kastanienstamm im Rücken, ein Bein angezogen. Edmund grinst, öffnet schnell die Jacke, darunter verbirgt er Melanie. Aha, doch noch Interesse. Alle haben Interesse. Wären sie sonst gekommen, mein Zimmer zu bevölkern und mich zu umlagern, als wäre ich der ins Gebirge heimgekehrte Weltumsegler! Mamma, Du auch, frage ich. Sie nickt. Du hast Angst, frage ich. Sie nickt. Ich sage: Ich auch. Aber nur Deinetwegen. Andererseits, wenn ich, was war, an euch verrate, zerstöre ich es noch gründlicher als es die Vergangenheit vermag. Also, ihr lieben

Verwandten, Erzieher, Hochwürden Herr Pfarrer, liebe Freunde, ich segelte, wir segelten anfangs August, aber sollten wir nicht dieses Kind zuerst entfernen, Du bist... Drea, richtig, wer hat denn das Kind neben mich gelegt, das geht doch nicht. Mittelohrentzündung, sagt Dr. Weinzierl von der Tür her. Solange die gnädige Frau durch die Stadt eilt, ist das Kind hier am besten aufgehoben, also bestehen Sie bitte nicht darauf, daß das arme Kind entfernt wird. Ach lieber Anselm, kräht Onkel Gallus vom Schrank herab, sei froh, daß wir und Kinder Dir zuhören, davon wird Dir die Zunge stark. Ja-ja, zum Verschweigen, ich weiß. Gibt es was Schöneres, flüstert der Onkel. Ja, ruf ich? Er flüstert: Fang an. Ja doch –, fang an, ruft leise das Einhorn, das ungeduldig auf und ab trabt in Mammas immer größer werdendem Ohr.

2

Die machten gute Fahrt. Gestattet mir, bitte, daß ich zur Einübung einer entsprechenden Tonart vorerst durch zusammengebissene Zähne spreche. Luftmatratzen kennt ihr. Mamma, Du nicht! Aber Du verstehst trotzdem immer mehr als man Dir erklären könnte. Dein Anselm war an Bord beliebt. Blomich überließ ihm Ruder und Großschot. Blomich und Rosa sprachen nicht miteinander. Melanie suchte im Transistor etwas Erlösendes. Fand nichts, was sie anzubieten wagte. Also spielte sie sich nur ins eigene Ohr. Wir hörten der Bugwelle zu und dem gläsernen Gegurgel achteraus. Anselm horchte außerdem noch nach oben in die hochschwangeren Segelbäuche, um das geringste Killgeräusch sofort mit dem Ruder parieren zu können. Der Himmel war immer noch ein blaugraues Löschpapier, in dem die Sonne zerlief. Die zerlaufende Sonne schien grell. Aber wie indirekt. Ein Bleilicht von Österreich bis nach Burgund. Es war eine Überfahrt von Verdammten. Die hatten einander wohl umgebracht. Segeln nun ab miteinander. Können, was sie taten, nicht einmal als Tote bedauern. Zumindest erwartet der, der zuerst gemeuchelt wurde, von dem, der den ersten Stich führte, eine Erklärung. Möglichst noch vor der Wende in die Ewigkeit. Dann killte die Fock. Blomich deutete hinauf. Anselm rief: Luftmatratze voraus.

Also, meine Lieben, ach die Hausfrau ist auch eingetreten, warten wir doch diesen wütend wirbelnden Schneefall ab, der uns jetzt eindunkelt wie für immer. Atmen wir zwanzig Minuten lang wie für die Gymnastik durch diese atemraubende Dunkelenge durch. Einsundzweiunddrei und Ihr werdet sehen, sobald dieser wütende Schneewirbel sich erschöpft hat, wirkt die wieder hergestellte Weite, als ruhe sich ganz München aus, als seien wir alle beteiligt gewesen an diesem jähen winterlichen Anfall.

Warum also schoß Anselm so hoch in den Wind? Doch nur dieser Luftmatratze wegen. Sollte er sie mit allen Tonnen der HANNA, mit der ganzen Wucht von bewehrtem Bug und submarin sausendem Kiel quer durchschneiden? Da lag doch ein Mensch darauf. Ein Knie aufgestellt, ein Bein langgestreckt, eine Hand im Wasser schleifend, und eine Hand am Gesicht. Der Daumen dieser Hand? War bis zur Wurzel im Mund dieses matratzenlangen, stellenweise ungemein ausgebildeten Mädchens. Der Kopf lag aus auf dem erhabenen Kissen der Luftmatratze. Und hinter sich her schleppte die Liegende im Wasser meterlanges Haar. Eine Reuse war das, sag ich euch, ein schwarzes Schleppnetz, ein schwarz fließender Haarstrom. Den mußte man, wollte man dieses schwimmende Gebilde passieren, einkalkulieren. Als hätte Anselm noch den Spruch gewußt von der auswandernden Peilung oder wie man über den Daumen sicher die Havarie zwischen zweien vermeidet, die sich auf den Havariepunkt zubewegen. Unter Anselms blöde gewordener Hand schoß das Boot in den Wind, die Segel schlugen, das Schiff schlotterte, wunderte sich wohl wie ein Pferd, das plötzlich bemerkt, der Reiter schert aus, läßt das Rennen vorbeirasen, will nicht mehr führen. Auf dem Schiff schauten alle zu Anselm hin. Blomich war aufgesprungen, hatte die Pinne, riß sie herum, Rosa schrie etwas, die HANNA glitt mit ihrem Steuerbord über die Luftmatratzenerscheinung hinweg. Achtern tauchte die Erscheinung wieder auf. Das Mädchen lag, vielleicht weil es erschrocken war, reglos. Der Daumen war noch im Mund. Ohne Handballen wäre der Daumen jetzt in den panisch lutschenden Mund hineingerissen worden und verschwunden. Das Mädchen schaute herauf. Bekümmert. Aber nicht mit braunen, sondern mit schwarzen Augen. Das wird mir, außer meinem Vater, niemand glauben. Anselm hob gleich die Hände als ein Gefangener. Dann faltete er die Hände und spürte, daß sein Gesicht pelzig und fromm wurde. Die HANNA machte unter Blomichs Händen schon wieder Fahrt, die Erscheinung wurde rasch klein. Die zwei hellroten, verwaschen roten, verschossen himbeerroten, bleichrot lodernden Banderolen des Badeanzugs waren noch länger zu sehen. Anselm verneigte sich ganz religiös nach achtern. Drehte sich zu Rosa, Melanie und Blomich, zog seine Schuhe aus, zog Ober- und Unterhemd aus, zündete eine Zigarette an und fragte Blomich in durchdringendem Ernst: Das ist die Argenmündung? Ja. Dann ist das da drüben Kreßbronn? Ja. Und dieser steinig abfallende Strand vor dem dichten Busch- und Baumsaum, wieso liegen da Leute? baden hier? ohne Anstalt? und kein Haus? wie, schrie er, kann denn das sein? Hinter dem Buschsaum, sagte Blomich, liegt ein Campingplatz. Hat der einen Namen? schrie Anselm. Thunau, sagte Blomich. Dankeschön, Herr Blomich, sagte Anselm und schüttelte Blomich die Hand. Das war eine Überraschung. Auch für Anselm. Anselm, ein Individuum wie nur eins, knisterte, kriegte das Lippenerlebnis. Entweder sagt er nie mehr ein Wort, oder er redet jetzt und hört nie mehr auf. Ihm ist eisheiß. Er möchte der HANNA den Wind aus den Segeln wegatmen, daß die in plötzlicher Flaute versackte und nicht so eilig westwärts hinabglitte wie fortgesaugt. Aber die HANNA macht Fahrt. Anselms Füße schlagen. Er kriegt das Hufgefühl. Natürlich, das Einhorn an Bord. Elmsfeuer zündeln am Horn. Anselms Hals windet sich, schmiegt den Kopf in die Luft, als wäre die gemeint. Wiehert er? Ist er ein Gebrüll? Wer paßt auf ihn auf? Er trabt an. Will achteraus übers Wasser hin. Bevor er über Bord geht, hält er sich noch am Mast. Eine Messingschiene zieht einen kalten Strich durch sein Gesicht. Die schnaufende Yacht schleift ihn fort aus dem zerborstenen Augenblick. Anselm gurgelt tirili den Sommer, der Sommer schlägt zusammen über dem gurgelnden Anselm mit einem knallenden Schwall, Anselm sieht den Sommer aus riesigen Tulpen und Trompeten triefen, Himmelhimmel, ihn hat's erwischt, all ihr Insekten, die ihr auch zerborsten seid, weil noch nicht gewieft, er gehört zu euch, zum Anpassungszehnten für die Entwicklung der Art, er ist nicht im Stande, so einen Matratzenengel gesund vorbeitreiben zu sehen. Keeps on knocking his sconce against the ineluctable modality of the visible the name of which turned out to be Orli, sprich: Goldener Sommer. Fleisch geworden. Also vorbei. Also wieder Wort geworden.

Also: das war ein Blitz. Jetzt raucht ihm aus den Augenhöhlen der Schwefel. Jetzt wartet er auf den zurückkehrenden Donner. Jetzt faßt er sich, hört nach diesem höchsten Ohrensausen, das er Sommer nennt, oder, um ein Wort aus dem Seglerjargon anzuwenden, er nennt es Schicksal. Und der, der da nennt und sich faßt und mault und singt und stampft und sich festhält und im Stand ist, der muß bezeichnet werden als der Nachfolger dessen, der nicht im Stande war. Der Nachfolger zehrt. Der wird sich hüten. Der wird nicht im Nu verbrennen. Der Nachfolger hat die Erfahrung geerbt. Der Nachfolger ist ein Ausbeuter. Ein Griffelspitzer, Davonkommer. Der Nachfolger des Opfers setzt sich einen Bleihelm auf, den nennt er Scham. Bandagiert seine Gelenke für ein edles Hinken. Die Muskeln tränkt er mit der Infusion für's groteske Humanum. Fällige Juckreize werden umfunktioniert, daß auffallende Körperpartien ein weises Zucken zeigen. Der Nachfolger erlernt die Gesetze der Darbietung und macht aus sich ein Beispiel. Anselm, das Blitzwrack. Der Hampelmann im Windgespräch. Fortgerissen von der sausenden Yacht vom Geburtsort. Wenn er wenigstens dort begraben wäre im Wasser unter ihr. Er verkündet sofort, um seinetwillen, das neue Weltgesetz: Güte. Nur noch Güte. Aus eisheißer Bedürftigkeit verlangt er: Jeder tut sofort, was der andere von ihm verlangt. und zum Zeichen seiner würgenden Gnadenfülle kniet er gleich nieder in Lee und fischt aus dem aufrauschenden Wasser einen Palmzweig. Aus dem Bodensee einen Palmzweig. Zweifelt jetzt noch jemand an seiner Gesegnetheit? Melanie, heute Nacht kriegst Du Deinen Anselm, Du wirst Dich wundern. Er wird tun, auf daß ihm getan werde.

So stellte sich in Anselm ein einstimmiger Beschluß nach dem anderen her. So erzitterte er unter der Wucht der Einhelligkeit. So war er sich selber eine einzige Akklamation. Er kannte keine Anselme mehr. Und keinen Anselm mehr. Er war eine Tendenz, eine millionenfache Zusammenarbeit. Er war einzig. Und allein.

Bitte, wer versucht hier andauernd gegen mich zu arbeiten, indem er ein feuchtes Streichholz auf einer ebenso feuchten Reibfläche reibt? Wer ist das?

Zur Mittelohrentzündung kam leider eine Stirnhöhlensache, aber momentan schläft sie, das Röcheln darf Sie nicht beunruhigen, fahren Sie ruhig fort.

Danke, Herr Doktor, darf ich bitten, mir solche Entwicklungen immer rechtzeitig mitzuteilen, das Geräusch, verstehen Sie, es ist erschreckend.

Anselm war jetzt also handlungsfähig. Jede Bewegung so sicher wie bei der Strickerin. Und dasselbe treibende Geträum. Wäre Anselm nicht ein solcher Täter geworden, so wäre es wirklich besser, weiter von Blomich zu reden. Anselm handelte. Wie geübt. Heini, der selber noch nicht fahren darf, leiht seine BMW. Der Beiwagen muß weg. Michael Enzinger hilft. Um sechs Uhr morgens schiebt Anselm die Maschine durch das Fußgängertürchen hinaus, schiebt an, springt auf, fährt ohne Motor an der Mauer entlang abwärts, erst nach der Mauer läßt er zünden. In Kreßbronn biegt er ab, vor der Argenbrücke biegt er noch einmal ab, vor den Umzäunungen eines Baggerwerks biegt er zum letzten Mal ab. Er ist im Gelände. Merke: Baggersee neben der Argenmündung, unbefestigter Hafen mit Anlegemöglichkeiten. Wohin mit den Kleidern? Im Campingdorf drüben rührt sich noch nichts. Der Schlagbaum liegt quer. Anselm schleicht am Kieswerk entlang zum Ufer. Der dreimetertiefe Busch- und Baumsaum des Ufers nimmt ihn auf. Wie gemacht für ihn. Ein Kiesgürtel, vom See aufgeschüttet in ein paar tausend oder zehntausend Jahren, lauter glatte, helle Kiesel, eine Kiesdüne, zwei bis drei Meter über dem Wasserspiegel. Landwärts: ein bis zwei Meter über den feuchten Wiesen und Schilfsümpfen. Im verbergenden Buschgürtel ein Trampelpfad. Im grünen Tunnel seeaufwärts bis auf die Höhe des Lagers. Die Kleider stopft er in eine hochgelegene Astgabel. Es ist noch zu früh. Betreten kann er das Zeltlager von der Seeseite her erst, wenn die Camper ans Wasser kommen, ihr Morgenbad nehmen und wieder zurückgehen zu ihren Zelten. Sobald er als Indianer von der Uferböschung aus das Lager mustert, entdeckt er, noch weiter seeaufwärts, ein zweites. Und weil das erste Lager, das dicht vor ihm liegt, mehr aus Wohnwagen als aus Zelten besteht, er sich aber die Gesuchte nur in einem Zelt gedacht hat, geht er im Bauch der Böschung weiter, seeaufwärts, aufs zweite Lager zu, das versteckter liegt als das erste, unter Bäumen mit schmalen Blättern, die oben silbern und unten grün sind; diese Blätter wechseln im Seewind andauernd zwischen Silber und Grün, also ist das Sonnenlicht über diesem Zeltdorf silbergrün.

Sicht geht vor Deckung. In Rußland hat er auf diesen Spruch gepfiffen. Jetzt findet er ihn angebracht.

Von Osten und von Westen ist das Lager vom unbegehbaren Schilf eingewachsen. Der Lagerplatz ist ein trockengelegtes und dann aufgefülltes Stück Schilfsumpf, eine Erdbrücke vom Land zur Uferböschung. Anselm arbeitet sich auf die Seeseite des Uferwaldsaums, setzt sich auf die freigespülten, also durch die Luft führenden, also federnden Wurzeln einer Eiche und liest in den vollkommen notwendigen, also vollkommen genauen Schichtungen des angeschwemmten Holzes und der interpunktierenden Blechbüchsen und der illustrierenden Vogelfedern sein ganz genau bestimmtes Schicksal. Er meint, er sei ruhig. Sein Blut klopft wie aus dem Keller. Er ist aufgeregt. Er wird hastig sein, gleich einen Fehler machen, viel zu früh ins Lager eindringen. Nein. Er geht bis zu den Knien ins Wasser, dreht ein paar größere Steine so langsam um, daß die dickköpfigen kleinen Groppen und die schlanken Grundeln liegen bleiben und sichtbar werden, sobald sich das Schlammgewölk, das er aufwirbelte, verzogen hat. Er legt die Steine noch langsamer weg, macht die Hände hohl, senkt sie unmerklich, faßt zu, holt die Hände hoch, schaut durch einen winzigen Spalt hinein, die Hände sind jedes Mal leer. Also ganz anders als vor dreißig Jahren, da mußte er gar nicht erst hineinschauen, da spürte er sofort nach dem Zugriff, daß ihn die schwänzelnde und schlagende Beute in den Handflächen kitzelte, bis er sie wieder ins Wasser warf oder in den Kübel, in dem er sammelte, was er für die Angel brauchte. Also wird Dir das Maul trocken bleiben wie die Hände leer. Quatsch. Er wollte mit der Kleinjagd nicht Weissagung ergattern, sondern Beruhigung durch Zeitvertreib. Paß bloß auf jetzt, Du bist ganz schön anfechtbar, kannst nichts sehen und hören, es kriegte denn gleich Gewalt über Dich. So bist Du dran. Paß auf, bitte. Befeuchte Deine Schläfen.

Das Lager betritt er erst, als der Morgenlärm schon von den Zelten bis ins Wasser reicht. Er ist der Späher eines fremden Stammes. Auf seine Entdeckung steht der Martertod. Also schlendert er durch die Lagerstraßen. Bleibt stehen, stützt sich gegen einen Baum, um seine Fußsohle nach einem nicht vorhandenen Dorn abzusuchen und den auszuziehen. Aluminium und Wäschestücke und fauchende Kocher interessieren ihn nicht. Viele Zehen tauchen in seinem Blickfeld auf. Und aus Familiengehegen spürt er abgelagerte Blicke. Geht er durch die Tierschau hinterm Zirkuszelt? Reibt sich da ein Bär auf hinter Gittern? Ist da wo eine Hindin gefangen? Weil er keinen Eintritt bezahlt hat, meidet er die Gegend des Schlagbaums, die Wirtschaftsbaracke, das Wärterehepaar. Er wandert sorgfältig. Er gestattet seinen Nerven nicht, ihm den Garaus zu machen mit der Vorstellung, er stehe schon seit Stunden zwischen Zelten und man beobachte ihn schon, rotte sich schon hinter ihm zusammen. Dann sieht er also am Zaun die zwei verwaschen roten Banderolen. Zelt 92. Am Westrand. Vom Schilfsumpf nur durch den Zaun getrennt. Steilwandzelt. Ruhig bleiben. Flaschengrün und orangengelb. Unterm Vordach handwerkt ein junger Blonder mit Kocher und Geschirr. Bücher, ein Tischchen, Siebenzwergenausstattung. In der Tiefe des Zeltes kniet SIE. Abgewandt. Sucht was oder betet zur Erde. Vielleicht, was sie anhat, Frotté. Schau den Burschen an. Saftig. Ein Kerl. Widderstirn. Blond eingewachsen. Und dann muß die Hälfte dieser kleinen Schubladenstirne noch an die klobigen Augenwülste abgetreten werden. Daß die allein campieren würde, durftest Du nicht erwarten. Aber wenn man den Besitzer dann sieht. Unwidersprechbar. Drangenge Hose. Ein Athlet mit Büchern und einem schwarzen Rover, Baujahr etwa 55, ein schwarzes Nummernschild: Nationalität NL.

Dann erschien sie unterm Vordach in ihrem orangefarbenen Frotté und küßte den handwerkenden Kerl auf die Stirn. Dann setzten sie sich beide in ihre Zwergenausstattung und zärtelten einander ein dampfendes Frühstück in die Münder, würzten das noch mit randscharfen Küssen und hingehaltenen Honigsemmeln, an denen immer der, dem sie hingehalten wurden, bevor er hineinbiß, noch mit schräg gehaltenem Kopf den golden triefenden Honig weglẹckte. Er hatte, als sie niesen mußte, zur rechten Zeit ein Taschentuch bereit, in das sie niesend fiel. Also verheiratet sind die nicht.

Je mehr Daten der Entmutigung Anselm sammelte, desto deutlicher wurde ihm aus seinem Kopfinnern mitgeteilt, daß an ein Aufgeben gar nicht zu denken sei. Von der nicht mehr belangbaren innersten Dunkelzentrale traf vielmehr ein Befehl nach dem anderen ein. Ihm war so elend, daß er froh war, mit Funktionierenmüssen ganz beschäftigt zu sein.

Zeitnahme: Früher als 10/18 und später als 10/39 kam sie nie durch den Buschgürtel herab an den Strand. Immer mit ihm. Er trägt die Luftmatratze ins Wasser, geht zurück, zu drei dicken und zwei dünnen Büchern, sie watet der Matratze nach, schauert,

krabbelt mit den Händen an sich selber hoch, die Wasserkühle
schlägt aus ihr ein innig kapitulierendes Körperknicken heraus,
dann watet sie gierig weiter. Die hat einen Schritt. Mein Gott. Sobald ihr das Wasser den Nabel überschwemmt, wirft sie sich hinein, schwimmt der Matratze nach, stößt die vor sich her und klet-
tert erst weit draußen auf die Matratze hinauf. Ihren Daumen
nimmt sie, während der Beobachtungszeit nicht ein einziges Mal
in den Mund.

Nicht vor 11/52 und nicht nach 12/34 kommt er wieder herunter,
späht nach ihr, krault los, krault sehr gut, schwimmt zuletzt leise
an, spritzt Wasser hinauf, sie quiekst hoch, aber schön, der
Schreck bleibt zart bei ihr, der Bursche kippt sie, sie plantschen
um die Matratze, hängen sich an einander, er taucht unter ihr
durch, sie strampelt, gegen 13 Uhr sind sie meistens an Land. Sie
kochen nicht, sondern essen kalt. Nachmittags liest sie. Er arbeitet wieder mit fünf Büchern. Dann ziehen sie sich an und gehen
zu Fuß nach Kreßbronn und essen in einem Gasthof am See.
Spätestens um halbelf erlischt in Zelt 92 das Licht.

Eine Annäherung vom Land her dürfte schwierig sein. Blieb nur
die Seeseite. Daß sie im Mittel 103 Minuten allein auf dem Wasser dahintrieb, zog immer wieder rücksichtslose Einzelcamper an.
Auch ganze Familien versuchten, von ihren Ernährern getrieben,
an sie heranzukommen. Aber sie wehrte alles mit großer Leichtigkeit ab. Offenbar half ihr dabei eine Sprache, die keiner der
Aggressoren verstand. Wenn die dann grobes Englisch oder
Französisch nachschickten, lachte sie, paddelte rasch weg, lag
wieder wie eh und je. Manchmal waren die Banderolen auf ihrer
mehr als sommerbraunen Haut nicht blaßrot, sondern grell weiß.
Vom oberen Rand der unteren Banderole lief eine kräftig
schwarze Haarspur schmäler werdend zum Nabel hinauf. Ihre
langen Haare faßte sie zusammen, sobald sie das Wasser verließ.
Die Hauptlast ruhte dann im Nacken. Manchmal packte sie die
unter eine Bademütze, der man nichts ansah. Erst am Zelt löste
sie alle Haare wieder auf. Die hingen dann um sie, bis hinunter
zur unteren Stoffbanderole. Diese Haare waren eher blauschwarz
als schwarz. Auf der Lagerstraße sahen ihr immer alle nach. Der
blonde Kerl neben ihr grüßte nach links und rechts. Er tat es für
sie. Sie konnte nicht grüßen. Sie ging nur.

Anselm war zwar ruhig, aber er dachte daran, daß die über Nacht
abreisen konnten. Was, wenn auf Platz 92 morgen ein gelbes Zelt

mit drei runzligen Schwedinnen stünde? Trotzdem keine Hast. Er hat doch gesehen, wie die abblitzen, die ihr in den 103 Minuten nachschwimmen. Das ist kein Auftritt, sie droben auf der Matratze, Du eine komische Kopfkugel, auf dem Wasser treibend. Anselm operierte wie noch nie. Jede Nacht war er Knecht bei Melanie. Erstens, weil er der Erste sein wollte, der das Gesetz der Güte durch sich selbst demonstrierte; zweitens, weil er sich in eisheißer Ruhe halten wollte für sein Unternehmen, frei von den ans Messer liefernden Einfällen der Notdurft; drittens mußte er Melanie zur Verfügung stehen wegen seiner hohen Auffassung von männlicher Höflichkeit, die ihm nicht gestattete, einer geschätzten Dame einen aus der Gänze ihres Wesens stammenden Wunsch einfach abzuschlagen; viertens hoffte er, er werde schon sehr bald viel mehr Geld brauchen als er besaß. Als Melanie für ein paar Tage nach Zürich verschwand und Blomich sehr früh zum Tennis auszog, schlüpfte auch noch Rosa zur Tür herein und weckte ihn mit ihrem teuren Geruch usw. Anselm wollte lieber nicht. Er dachte auch an die arme Sonja oder Irene, die dann wieder zu büßen haben würde für Rosas durchdringendes JA-JA-Oratorium. Aber er sagte zu ihr mit allen Anzeichen einer großen Anstrengung: Es geht nicht, weil er Herrn Blomich zu sehr schätzt inzwischen und behandelt wird von Herrn Blomich wie ein Freund, also wirklich, es käme ihm schäbig vor, inzwischen. Bitte, Rosa ist jung, da denkt man anders, er aber, Herrn Blomich im Alter näher als ihr, müsse sich, so schwer es seinem minderen Teil falle, auf Herrn Blomichs Seite schlagen. Sie versuchte kindlich und trotzig den Tribut zu erzwingen und als ihr das nicht gelang, schluchzte sie anfallshaft und gackste: Ich weiß schon, ich werde alt, ich bin Dir zu alt, ich weiß, daß ich Dir zu alt bin.

Das hörte er, schon Blomichs wegen, gern von der Dreiundzwanzigjährigen. Sie aber machte aus der frühen Morgenstunde offenbar eine Art Reifeprüfung für sich. Aber so alt, ruft sie, ist sie doch noch nicht, daß sie zu alt wäre für ihn. Und gleich zählt sie alle auf, die in den letzten zwei Jahren dankbar waren für jeden Fetzen ihrer Haut. Das war eine erlauchte Rang- und Namenliste von Lugano bis Hamburg. Anselm erkannte, ihm wurde die Aufnahme in einen Orden angeboten. Diesem Orden vom Wohlschmeckenden Fleische Rosas gehörte er noch nicht an. Jenen ersten Morgenkontakt ließ sie nicht gelten. Jetzt würde sie ihn in aller Form aufnehmen, wenn. Anselm schlug ohne Nachdenken ab. Er tat, als bedaure er ungemein. Und er bedauerte auch, ein wenig. Nein, fast gar nicht. Nein, überhaupt nicht. Jetzt war er der keusche Joseph. Dachte an Thunau. Rosa knirschte. Sie war es einfach nicht gewöhnt. Fühlte sich jetzt auch gar nicht mehr alt. Sprang auf. Schlüpfte in ihre Wäsche und sagte wild, geradezu beschwörend sagte sie auf ihn hinab: Gib zu, Du bist impotent. In ihrem Kindermund wirkte dieses Fremdwort schön exotisch. Anselm sagte: Ja, das auch. Da streichelte sie ihn, küßte ihn auf die Schläfe, als wäre er ihr fieberndes Kind. Wenn Du wieder kannst, flüsterte sie ihm ins Ohr, sag es mir. Er nickte und drehte sich, als ertrüge er vor Beschämtheit ihren Blick nicht mehr, ins Kissen hinein. Sie entfernte sich so leise als möglich aus dem Krankenzimmer. Anselm schlummerte rein im Morgenlicht.

Immer, wenn er aufwachte, wußte er wieder etwas von dem Paar in Thunau, was er beim Einschlafen noch nicht gewußt hatte. Offenbar wertete in seinem Kopf eine Kapazität nachtsüber Eindrücke aus. An diesem Morgen wurde ihm der Befehl zum Angriff übermittelt. Zu seiner Überraschung mußte er sich von Herrn Blomich die Yacht erbitten. Wer ermißt diesen Schritt! Blomich blies, wenn einem Gast Zigarettenasche aufs Deck fiel und der Fahrtwind sich dieser Asche nicht sofort bemächtigte, kniend auf die Stelle, wo nur er Asche sah. Trotzdem bat Anselm, ob er schnell einmal ausfahren dürfe. Blomich mußte eine selige Tennisstunde hinter sich haben. Anselm fand ihn im Bastelraum über Tonbändern. Lieber Anselm, sagte Blomich. Das hatte er noch nie gesagt. Anselm sah wieder einmal, wie schrecklich gerecht es zuging in dieser Welt. Im Augenblick profitierte er davon. Aber er erschrak, weil er an seine Gesamtkriegslage dachte. Lieber Anselm, sagte Blomich. Was, wenn Anselm vorher Rosa gehorcht hätte? Hätte er dann überhaupt um die Yacht bitten können? Ja, er hätte. Das schafft ein Mensch schon. Aber dann hätte Blomich doch nicht Lieber Anselm sagen können. Oder Anselm wäre unter der freundlichen Hand auf seiner Schulter in die Knie gegangen. Blomich schien zwar traurig zu sein wie immer, aber er zeigte zum ersten Mal, daß Anselms Anwesenheit seinen Kummer nicht vermehre. Im Gegenteil. Keinem vertraue er sein Boot lieber an als Anselm.

Die HANNA machte gute Fahrt. Anselm hatte sich allerdings beim Auftakeln einen Fingernagel tief eingerissen. Gut, sagte er, sehr gut. Dieser Schmerz, eine Folge der Hast, wird mich warnen. Er wickelte ein Taschentuch um diesen blutigen Finger.

Anselm, vom Strategen zum Truppenführer wechselnd, übersetzte seinen Plan in taktische Einzelheit: zuerst die Seekarte, von 9° 38′ O. v. G. bis 9° 34′, Kurs WSW, bei beständiger Westbrise, Windstärke 2-3, ab Höhe Kreßbronn Kurs WNW, Peilung Thunauer Horn, Wassertiefe noch 10 Meter vor Land 3-5 m, da kann also nichts passieren. Sobald die auf dem Wasser Liegende in Sicht ist, wird sie angesteuert, dann wird vom Wind abgefallen, die Fahrt verringert, so langsam als möglich an ihr vorbeigetrieben, sie wird angeschaut mit einem schweren Gesicht, dann wird angeluvt, dann wird zurückgeschaut, ob sie nachschaut, ob sie überhaupt etwas bemerkt hat, dann wenden, dann mit achterlichem Wind und noch schwererem Gesicht noch einmal an ihr vorbei, dann den Kopf aufstützen, irgendwas Trauriges für größere Entfernungen, das muß sich ergeben, dann heimsegeln, abtakeln, sich bei Blomich bedanken. Einen Tag später mit dem Motorrad um zehnuhr zur Stelle sein, abwarten, bis sie draußen ist, das Lager von der Seeseite betreten, zum Zelt 92 schlendern, ihn beobachten, abwarten, bis er aufschaut, sich eine Zigarette anzündet, (er ist Raucher), zufällig zur Stelle sein, Feuer anbieten, ein Gespräch erzwingen, ihn gewinnen, sich unbändig interessieren für ihn, für alles, was er tut, ihn einladen, will er segeln oder zieht er Motorboot vor? ist er allein hier? nein, wunderbar, dann also mit Begleitung, eine Ehre für Anselm, ein junges holländisches Paar einzuladen, wann paßt es Ihnen? so märchenhaft das Angebot, daß er, auch um ihretwillen, verrückt sein müßte, lehnte er ab, einen Millionär kann man brauchen, wenn man jung ist und Urlaub hat, also wird man plaudern, es kommt darauf an, daß er vergißt, sie am Strand abzuholen, sie muß selber heraufkommen, muß Anselm bei ihrem Freund finden, dann wird es sich zeigen: fragt sie nicht sofort, ob er der Segler sei von gestern, ist sie schon ein wenig seine Komplizin, hat Anselm mit ihr etwas Geheimes, das ließe sich dann ausbauen; sagt sie aber gleich: waren das nicht Sie, der mit der schönen Yacht? dann steht es schlechter, dann hat er die erste Runde verloren, muß aber noch nicht aufgeben; sagt sie nichts von der Yacht, dann, das muß bedacht sein, kann sie ihn auch vergessen haben, dann ist er ihr gar nicht aufgefallen, das wäre schlimm, das will er vorerst einmal, weil die Yacht wirklich auffällt, ausschalten.

So arbeitete sich Anselm vorwärts. Zweimal ließ er das Boot dicht an der Liegenden vorbeitreiben. Schaute hinunter. Zwang seinen Blick sichtbar weg von ihr. Mußte, offenbar wider seinen Willen, doch wieder hinschauen. Gesehen hatte sie ihn. Hoffte er. Oder hatte sie bloß die Yacht bewundert?

Der Raucher im Netzhemd griff schließlich nach seiner blauen Packung, Anselm war bereit, gab Feuer, wollte gleich das vorbereitete Lob nachschieben für die Willenskraft, die einer haben müsse, wolle er hier arbeiten, aber das Thankyou brachte ihn draus. Englisch, darauf war er nicht vorbereitet. An die Sprache hatte er überhaupt nicht gedacht. Ob der deutsch spricht? Nicht fragen. Sonst glaubt der, Du könntest nicht einmal englisch. Holländer sprechen offenbar im Ausland ganz von selbst englisch. Als hätten sie sich damit abgefunden, daß andere nicht holländisch lernen. Anselm setzte englisch in Gang. Zunge und Lippen kannten einander nicht mehr, trafen immer an den falschesten Stellen auf einander. Die Wörter mußten förmlich herausgepikkelt werden aus ihren Winterlagern. Der junge Mann war also Medizinstudent, kurz vor der letzten Prüfung oder mit seiner Doktorarbeit beschäftigt. Anselm verstand diese Ausdrücke nur ungefähr. Trat neben den, schaute eine Skizze an, sagte skin, structure of skin, isn't it? Histologie, histology? Der sagte Histolochie, ja-jaa. Das Ja-jaa klang kindlich oder großväterlich, gütig. Anselm fühlte sich sofort aufgenommen in einem trachtenreichen, prospektreifen Grachtenstädtchen unter niederländisch behaglichem Licht, es wimmelt von Fahrrädern, Schiffsmasten und Eierhändlern. Anselm fädelte seine Angebote ein. Das breite Bubengesicht drehte sich herauf, die Brauenwülste arbeiteten sich auseinander, ein Wulst schob sich in die Stirn, ein Wulst zog sich herab übers Auge, als blendete Anselm. Und dazu pfiff der Junge. Ob Anselm selber diese Boote besitze. Ja-ja. Der Junge pfiff noch einmal, dann nickte er schwer, zog Mundwinkel hochachtungsvoll abwärts, stand auf, Bamber Prins. Anselm Kristlein. Anselm sollte sich doch setzen. Er hat auch was zu trinken, doch-doch, das tut er nicht anders. Anselm sah im Zelt ein weißes Kleid hängen und ein rotes Kostüm, sah zwei gerollte Schlafsäcke und erschrak, weil Herr Prins schon wieder neben ihm stand und ihm ein Glas mit farbloser Flüssigkeit anbot. Genever, sagte Anselm. Herr Prins nickte heftig und sagte: Cheers. Cheers, sagte Anselm. Trotzdem sagte der junge Mann, der eine Handbreite

größer war als Anselm, plötzlich, er müsse jetzt down to the beach. Anselm sprang sofort auf. Verloren. Du hast es nicht geschafft. Er schickt Dich fort. Zieh ab ins Gebüsch. Leg Dich zum Motorrad und traure. Aber Herr Prins zog ein paar Nein-Nein-Laute niederländisch in die Höhe. Anselm sollte warten. Herr Prins hüpfte über Zeltschnüre und hüpfte, wo nichts zu überwinden war, so in die Luft, winkte zurück, verschwand im Buschgürtel, Anselm saß, nahm ein holländisches Buch vom Tisch, The Clinical Chemistry, Amsterdam 1961, wie sollte er auf diesem Hocker sitzen für ihren Auftritt, rundbuckelig oder aufrecht. Die kamen. Prins sprach auf sie ein. Anselm hörte noch ein paar der hellschlanken holländischen Laute. Dann muß ihn um 11 Uhr 59 das Bewußtsein verlassen haben. Es ist mir auch unbekannt, ob er seitdem das Bewußtsein wieder erlangte. Ich höre seinen Namen nennen unter Leuten, die ihn dem Namen nach kannten. Die sprechen von ihm wie von einem noch lebenden Postboten. Jemand hat ihn gesehen. Jemand hat gesprochen mit ihm. Das erweckt natürlich den Eindruck, er lebe noch. Aber so ist diese gelegentliche Erwähnung Anselms unter seinen Bekannten sicher nicht gemeint.
Ich würde nicht sagen, daß einer, bloß weil er noch eine Zeit lang im Gespräch mitgeführt wird, deshalb schon als Lebender zu gelten habe. Oder was meint ihr?

3

Bitte ihr lieben Verwandten und Bekannten, die ihr, meine Enge wärmend, um mich herumsitzt im lichtlosen Dezemberzimmer, warum möchte ich wohl bis in den Himmel übertreiben wie ein Erzähler? warum ist es so schwer, sich Geschehenem zu fügen? Doch nur, weil nichts mehr ist. Ich beherrsche mich aber. Ich sage nicht, dieses Geschöpf liegt mit dem Kopf in Bregenz, seine Hüften hat es von Friedrichshafen bis Romanshorn und die Beine trennen sich mit dem Bodanrück und reichen fließend den Rhein und sonstwo hinab, bis nach Burgund. Ich sage eher: kommt her, der Film ist stehen geblieben, damals, im grünsilbernen Augenblick, das Bild zittert und ruckt, der Ton ist verstorben, ich führe euch vorbei an den letzten zitternden, ruckenden Bildern, die nicht mehr vorwärtskommen, zeige euch den großen blonden

Jungen Bamber Prins, der hinauf spricht zu der überschwarzen Orli Laks, die nicht größer ist als der Junge, aber beide sind Riesen und silbergrün vor dem klitzekleinen rosableichen Anselm, der verschied und verschied und einen Nachfolger nach dem anderen mit der Ausführung unausführbarer Befehle beauftragte. Kommt und seht das auf der Stelle ruckende Bild, seht sie selbst im höchsten Mittag erscheinen unter den Lanzenblättern, die oben grün und unten silbern sind, unter diesen Blättern erscheint sie und läßt auf ihrer walnußbraunen Haut das fette Mittagslicht vergrünen. Zwischen rissigen Stämmen, leuchtenden Zelten erscheint sie, gefleckt im Lichtschattenfell, Familien löffeln sich rundum ins Aluminium, sie aber steigt barfuß über Spanndrähte, vierflügelige Libellen stehen vehement still in der Luft, Anselm, seht ihr, sieht die zwei blaßrot-lodernden Banderolen naß kleben, naß und aus Hemdenstoff, naß auf der walnußbraunen Haut, sieht sie, vor Nässe durchsichtig, vor Nässe die Haut selbst, und vom oberen Rand der unteren Banderole zielt er mit der sich verjüngenden Haarspur auf den Nabel hin, schaut doch, liebe Leute, lieber auf die Oberlippe, dort hat's auch eine schwarze Behaarung, umbring ich den, der Bart nennt, oder Bärtchen, was Beflaumung ist, was aus dieser Erscheinung erst im September, und mit Hilfe von Halbstiefeln und angegossenen Hosen, die todsicher eine Handbreit unter der Hüfte enden werden, den jüngsten aller Dragoner machen wird: jetzt macht Dunkelflaum bloß die weißen Zähne weiß und das Lächeln schwer, schaut doch, wie schwer überhaupt diese Lippen aufeinander liegen, ohne kühne Kurve, überall gleich breit, oder bläht sie jetzt, weil der Bursche was vorschlägt, ihre Lippen jetzt? will sie jetzt gleich verächtlich Ba! oder gar Pa! ausstoßen gegen Kleinanselm hin? nein, sie hat eben diesen schweren Lippenmund ohne jeden Anschwung, läßt jetzt eure Augen, wie damals euer Anselm, in den fündigen Achselhöhlen schürfen, die aufgehen, weil Orli ihre Hände gleichmäßig hebt, und einer der Schenkel wölbt sich jetzt auch vor: es tut mir (jetzt noch) leid: das kommt wohl vom Händearmeheben, nehmt in Kauf den weit vorwölbenden und immer weiter reichenden Schenkel, wie damals Anselm, der Orli ertrug als eine Erscheinung unter Bäumen im laubfetten Mittagslicht, schattengefleckt und walnußbraungrün neben dem Schilf, das schneidend ins Lager stand, und dieses Geschöpf hörte keinesfalls auf, ihre Hände noch höher zu heben, auch kam sie, schien es, Anselm dadurch näher, also betrachten wir jetzt diese Brüste, an den Schultern aufgehängt, komisch vor Größe, überlebt einer das, hat er's geschafft, denn walrückenhaft schwer streben die walnußbraun auseinander, schon aus den Schlüsselbeingrübchen heben die an, ein Fleischsegel, dreieckig, als Ganzes, inzwischen bist Du sogar auf Düsenjäger-Dreieck gekommen, so tot ist alles, so verreckt zur Wortwörtlichkeit, muß es ja, kann doch keine Sekunde eintreten, sie vernichtete denn ihre Vorgängerin völlig, liegen also zwischen jetzt und dem silbergrünen Augenblick Mondgebirge vernichteter Augenblicke in der Form von Wörtern, welches ist die Überbleibselform für etwas, also kann der xte Nachfolger jenes Anselms heute blind vor die zu Wörtern erstarrte Mädchenlandschaft treten, sich vortasten in der absoluten Lichtlosigkeit der Wörterregion und euch auf dem Unfriedhof für das Gewesene vorführen: die rotnaß mit Hemdenstoff beklebten Brüste, die aufgingen mit den steigenden Armen, beiße hinein, wer's vermag, in die zu Wörtern gewordenen Größen eines Mädchens, das erschien um 11 Uhr 59, das nicht aufhörte, die Hände zu heben, bis die den Zenit und ihren Nacken erreichten, dann lösten sie dort Haare, dann stürzte der Kopf mit allen Haaren vorwärts, ein schwarzer Vorfall, es muß schon 12 Uhr gewesen sein, die Libellen stürzten zurück ins schneidende Schilf, die Löffel im Aluminium kratzten verrückt, Anselm kriegte das Lippenerlebnis, wie groß war jetzt sein Mund? und vor ihm schüttelte die ihre Haare, tauchte auf mit Augenweiß, erkannte keinen Segler wieder, also stürzte der wieder einmal ab, verschied, vererbte Befehle, bis aus mehreren umliegenden Dörfern das Bimbam der Mittagsglocken anlärmte und ihm mitteilte, die sei aus Indonesien, die Holländer hätten dort was gehabt, daher sei die gemischt, aber zu seinem Glück habe jede Provinz ihren eingeborenen Pessimismus! und die Erfüllungsgrenze seiner Provinz, dröhnten die Glocken, sei nun einmal so auszusprechen: keine Indonesin! ja-jaa-jaaa, antwortete Anselm seinen Heimatglocken, das wisse er, habe er schon gewußt, des panischen Spektakels hätte es nicht bedurft, er stürze sich schon nicht auf das walnußbraungrünfette Lichtschattenfell zwischen den roten Banderolen! o nein! er wird, unterm beschützerischen Lärm der Heimatglocken, sofort beginnen, das warme Blut zu schlucken, das ihm, aus weiß Gott welchen Wunden strömend, die Mundhöhle füllte mit einem süßen Geschmack.

Anselm lädt ein. Immer zuerst ihn. An ihn wendet er sich. Immer muß der Blick auf dem Burschen zurückgehalten werden. Anfangs schmerzt das im Nacken, auf den Augäpfeln und im Magendreieck.

Dazu allzeit verwegenes Englisch. Immer dem Burschen ins Gesicht. Er will ein Märchen ausschütten über die beiden, aber angeblich nur, weil dieser wulstige Bursche mit diversen Paketen und Studikerseele ihm so gut gefällt. Motorboot, Segelboot, Autoausflug, Mittagessen, morgen mal gar nichts? oder soll er Pferde beschaffen? Er ist ein glücklicher Erfinder, Maschinen zur Herstellung von Süßigkeiten sind auf seinen Namen getauft, also dankt nicht immer, Geld hat er mehr als ihr verbrauchen könnt, segeln wir morgen nach Arbon, er wartet auf eure Wünsche, ein Märchenonkel, schwitzend vor Aufmerksamkeit. Bamber schlug sich auf die Schenkel. Lachte laut vor Freude, wenn Anselm mit Blomichs Motorboot festmachte am Steg im Baggersee neben der Argenmündung. Anselm reichte Bamber die Hand hinüber. Bamber sprang ins Boot und reichte seine Hand hinaus zu Orli. Anselm vermied es, sie je zu berühren. Und jede Anrede, die beiden galt, richtete er überdeutlich nur an Bamber. Sie ging zwischen ihm und Bamber wie allein. Anselm sprach quer an ihr vorbei. Sie saß mit ihnen am Tisch, aber Anselm schloß sie aus. Mehr als das: vor dem Bestellen wandte er sich an sie mit einer vollkommen leblosen Höflichkeit. Gerade noch hatte er Bamber inständig gebeten, zum Felchen doch bittebitte nichts anderes als einen Bickensohler Riesling-Sylvaner, Jahrgang 59, zu trinken, als er sich ein wenig zu Orli hindrehte und ohne jedes Interesse fragte, ob sie auch etwas trinken wolle. Sagte sie trotzig, sie wünsche Bier zu trinken, gab er das fast triumphierend weiter an den Ober: Sie haben es gehört, die Dame wünscht Bier. Anselm tat, was er mußte, obwohl er Angst hatte. Sie hielt ihn sicher längst für einen lästigen Schwulen, der ihr den Prachts-Bamber abjagen wollte. Und wenn er mit dieser Hingebung weiterwarb um den Kerl, vertat er sich am Ende selbst noch und verlor das Ziel aus den Augen. Neinein, das nicht. Schließlich wirbt er um den Burschen doch bloß, um den einzuschläfern. Er traut sich nicht zu, diesen jungen Wulst im erklärten Kampf zu besiegen. Also pene-

tration pacifique. Oder hat er bloß Angst vor Orli? Sieht er, daß
so ein jüngstes Ding überhaupt keinen Grund hat, sich um ihn zu
kümmern? Oder soll sie spüren, daß er, wenn er auf Bamber ein-
redet, nur für sie spricht? Sollsiesollsienicht. Er braucht sie so wenig wie sie ihn. Ihm gefällt der Junge. Basta. Mehr will er über
sich jetzt gar nicht wissen. Ein neuer Tagesbefehl wird erlassen
werden, sobald sie reagiert. Entweder sie bricht weinend zusammen oder sie kratzt dem Störer die Augen aus oder sonstwas.

Endlich, als Anselm drohte, ein Schachspiel mitzubringen, sagt
sie leise, langsam und fest: I don't want to be left out so
bluntly.

Anselm erschrak. Anselm tat, als erschrecke er. Und war für einen Augenblick zufrieden. Das erste Kriegsziel war erreicht. Sie
vermißte Bamber. Er hatte Bamber kassiert, gekauft, ihr abgekauft. Der Junge, der – o seligmachender Zufall – vom herrlich-
sten Geiz besessen war, hatte sich gefreut, daß er dieses und jenes
Mittagessen sparen konnte, daß für Unterhaltung und kleinen
Luxus ein anderer aufkam, einer, der noch nicht einmal was
wollte von Orli, kein Rivale, sondern ein schüchterner Schwuler,
also mehr Glück, Bamber, kannst Du gar nicht haben, nicht Du
mußt kämpfen und vor Eifersucht Gewicht verlieren, sondern
Orli. Das genoß Bamber. Er ist ja überhaupt nicht schwul, aber
daß ihn so einer so heftig verehrte, gefiel ihm doch, schmeichelte
ihm sogar, ich bin also, dachte er wohl, ziemlich universal gelungen. Vielleicht dachte er auch: Wenn ich das im Herbst in Utrecht
erzähle.

Für Frauen sind Homosexuelle nicht leicht zu verstehen. Orli
konnte sich offenbar nicht vorstellen, auf welch harmlose Weise
ihr Bamber sich von Anselm gewinnen ließ. Bamber mag ihr
nachts erklärt haben, es handele sich doch bloß um den puren
Vorteil. Sie fürchtete sich. Sie klagte. Sie beklagte sich. Zuletzt
also sogar in Anselms Gegenwart. Anselm war bereit für den
nächsten Schritt. Orli sollte sich nicht länger ausgeschlossen fühlen. Von jetzt an wandte er sich immer zuerst an sie, fragte immer
sie, machte alles von ihrer Zustimmung abhängig. Weil er scharf
aufgepaßt hatte, bot er ihr jetzt immer den Stuhl an, der es ihr
ermöglichte, mit dem Rücken zur Fensterseite zu sitzen; den
Kaffee bestellte er für sie immer gleich als Mokka; ihre Sonnenbrille nahm er schon beim Aufstehen an sich und reichte sie ihr,

wenn sie unter der Tür umkehren wollte, um nachzusehen, wo sie die Sonnenbrille wieder liegen gelassen hatte; da sie am liebsten über die drei Kinder ihrer Schwester sprach, brachte er versandfertig verpacktes Spielzeug mit, und Orli staunte, weil er ausgesucht hatte, was für jedes Kind paßte; es gelang ihm sogar, aus ihrer Tasche einen Kamm zu entwenden, einen neuen hatte er parat, sobald sie den Verlust bemerkte; aber er überreichte ihr den neuen Kamm ohne jede Freude darüber, daß er zufällig einen neuen Kamm dabei habe und ihr deshalb zu Diensten sein könne; er verwirrte sie vielmehr dadurch, daß er sagte, einem Mann seines Zuschnitts bleibe gar nichts anderes übrig, als immer einen Damenkamm mit sich zu führen. So verkaufte er alle seine Aufmerksamkeiten. Er tat alles für sie, aber ohne jedes Interesse, ohne jede Freundlichkeit. Er tat es nur, weil sie sich beklagt hatte. Sie sollte nicht ausgeschlossen sein. Aber die Art, in der er sie jetzt bediente, war wohl unerträglicher als vorher die Nichtachtung. Anselm suchte nur nach Möglichkeiten, sie zu verletzen und zu kränken. Aber er wollte sie auf eine Weise quälen, über die sie sich nicht mehr beschweren konnte. Und wenn ihm einmal gerade nichts einfiel, was er gegen Orli verwenden konnte, dann hatte er immer noch Bamber, den er ihr jeder Zeit wegnehmen konnte. Bamber verließ zwar Orli immer mit tröstlichem Augenzwinkern, er ging nur mit, weil er es sich mit dem großen Wohltäter nicht verderben wollte, aber Orli glaubte ihm das offenbar nicht, sie drehte sich jedes Mal weg, als ginge Bamber für immer. Anselm sagte dann, noch in Hörweite, gern etwas Scherzhaftes und lachte selber so laut darüber, daß Orli glauben mußte, Bamber habe etwas Lustiges über sie gesagt.
So führte Anselm seine eigenen Befehle aus. Als er sah, daß es ihm gelang, Orli wenigstens zu quälen, war er zufrieden. War er auch unzufrieden, weil er plötzlich fürchtete, er müsse sofort aufhören, Orli so zu behandeln. Er rächte sich, ja, er rächte sich an ihr, weil sie aus Indonesien war, weil sie zwanzig Jahre jünger war, weil sie manchmal mit Bamber ganz schnell holländisch sprach, weil sie dann eine neue Person war. Bamber nicht, aber sie. Holländisch sprach sie höher, leichter, zärtlicher, sie sprach gar nicht, die Wörter schlüpften andauernd aus einem immer passenden Mund. Wörter wie ganz junge Salatblätter. Also dafür mußte er sich auch rächen. Alles, was zu ihrer Unerreichbarkeit beitrug, machte ihn rachsüchtig. Aber sobald er sich das vorsagte,

fürchtete er, seine Feindseligkeit gegen Orli könnte versiegen. Was dann? Er konnte doch nicht als Bewerber auftreten. Das kann man höchstens, wenn nicht viel auf dem Spiel steht.

5

Anselm mußte denen auch Schnaufpausen gönnen.
Also befahl er: Wartestellung. Da hilft nur Landsererfahrung. Auf der Falle liegen. Fliegen beobachten. Aber die Fliegen rieben gleich ihre Vorderbeine gegen ihn. Ihre Gesichter hielt er nicht aus. Er winselte. Durch die Nase. Gregorianisch. Konnte nicht aufhören. Wie viele Stunden kann er die pro Tag belästigen, ohne daß es selbst dem vorteilsüchtigen Bamber zuviel wird? Es blieben immer zirka 20 Stunden ohne Orli und Bamber.
Anselm rannte hinauf in seine hölzerne Kajüte, als dürfe er keine Zeit versäumen. Zog sich aus. Lag nackt in der anrührenden Wärme. Sagte laut: Das Warten ist für den Soldaten schlimmer als der Einsatz. Dann winselte er wieder energisch vor sich hin. Winselte rascher, als könne er so die Zeit beschleunigen. Ganz von selber ließ er sich immer, wenn er es nicht mehr aushielt, von Frau Kölsche München 55 23 41 geben. Hoffend, er sage das nicht der Kölsche ins heißer werdende Ohr, sagte er: Birgawie gehtesDirmiristesnämlichzumKotzenwarumbinichjetztnichtunterDeinerwarmenundtalentiertenHanddiemichauswendigkennt achDeinehochentwickelteHandBirgaichliegebloßundaufderKanteundganzohneDichistmiralsstürzteichbald.
Birga war geeicht auf diesen Ton. Vertreterfrauen müssen immer darauf gefaßt sein, von ihren Männern derart heftig angerufen zu werden, auch wenn sie selber grade mit Monatsschmerzen bohrnend im Zimmer rumkreuchen. Eine Vertreterfrau mahnt die andere, ja nicht zu überhören des Gatten leisen Jammer über die Ausgesetztheit in ungewohnten Zimmern, und, heißt es, Anhören genügt nicht, der Gatte will auch was hören. Es sei überhaupt ein Für und Wider.
Hirez runeta hintun in daz ora, uildu noch, hinta?
Da beschwor ihn Birga, der Alissa ihre Schwester, da beschwor

ihn Alissa, der Penelope ihre Schwester, da beschwor ihn Penelope, der Glykera ihre Schwester, da beschwor ihn Glykera, der Heloise ihre Schwester, da beschwor ihn Heloise, der Brigida ihre Schwester, da beschwor ihn Brigida, der Birga ihre Schwester, da beschwor ihn Birga, sie, die's wohl konnte: wie die Beinrenke, so die Blutrenke, so die Gliedrenke, Bein zu Bein, Blut zu Blut, Glied zu Glied, wie wenn sie geleimt sei'n.

Merci, Birga.

Sag jetzt, fragte sie, sobald er aufgehört hatte zu winseln, wie kommst Du voran? Ach, sagte er, weißt Du, es geht, es wird schon gehen, es muß ja, vorerst will ich nicht klagen. Mercibirga. Es wird sonst zu teuer

6

Ein Fremdling. So wird man einer. Den kann keiner packen, etwa zu ihm sagen: Gestern hast Du doch gesagt, noch vor 10 Minuten hast Du versprochen. Der handelt ununterbrochen. Hat noch kein Gedächtnis. Wie eine junge Nation. Noch schreibt keiner mit. Die Vergangenheit hat noch nicht begonnen. Er ist ergriffen. Durchdrungen. Voller Notwendigkeit. Darum gelingt ihm, was er tut. Mit dem Motorrad kann er sich in abschüssige Linkskurven fallen lassen wie er will, ihm passiert nichts. Die dunkle Kurve im Thunauer Wald schneidet er jedes Mal, ohne daß er auf einen knallt. Obwohl er Melanie nicht erträgt, geht er laut vom Gärtnerhaus bis zum Gästehaus, und Melanie, die auf ihn lauert, bleibt im Seehaus hinterm Vorhang, ins Zimmer genagelt von seinem Schritt. Eine halbe Stunde später hat er errechnet, was ihn die kommende Woche kosten wird. Also, Melanie, komm schon! Und sie klopft und fragt leise, ob sie eintreten dürfe. Groß und gespannt ist er. Jeder im Seehaus spürt die Gesammeltheit. Löst der was? Ist der gerade der universalen Feldformel auf der Spur? Was hat der vor? Zielend, versunken. Besser, man tritt zur Seite, wenn er kommt. Er sieht nicht aus, als könne er noch Rücksicht nehmen. Weiß aber genau, wo er schmeidig mit List noch rascher vorankommt. Hat er doch denken Sie, Herr Blomich, einen jungen Holländer getroffen, dem erschossen Deutsche den Vater, jetzt will der Urlaub machen hier in der Gegend, hat kein Boot, ein Holländer, Herr Blomich, tragisch, was? er meint, daß man da, als Deutscher, zuschauen muß, weil man selber kein Boot hat, es dem zu leihen. Und schon hat er eins. Und von Dir, Melanie, jetzt den Photoapparat, er verspricht Dir dafür einen erregenden Bildband, Schwanenliebe im schwankenden Schilf, mit wissenschaftlicher Ballade. Du kommst gerade recht, Melanie, er braucht Geld. Tausend für nächste Woche. In der übernächsten Woche noch mehr. Ach ja, er hatte doch mit der Güte ernst machen wollen. Und Melanie hatte auch das für Liebe gehalten. Nach der dritten oder vierten Nacht des Zeitalters der Güte vergaß Anselm das von ihm selbst eröffnete Zeitalter. Er mußte rechnen, planen, zielstrebig träumen, winseln, Zeit vertreiben, mächtig sein. Melanie aber berief sich auf das Paradies, das Anselm gerade eröffnet hatte. Er aber bleibt, solang sie sein Bett besetzt, am Tisch. Und dauerte es die ganze Nacht. Sie aber ist so überrascht, daß sie das für einen Einfall hält. Wir fangen, meint sie, heute ganz von vorne an. Weiter als weit will er offenbar ausholen. Sie soll sich ihn schnappen, offenbar will er, daß jetzt endlich einmal ihm Gewalt angetan werde. Die angebotene Rolle müßte ihr liegen. Sie gratuliert Anselm zum Einfall, zieht sich allmählich aus, wird – glaubt sie – immer unwiderstehlicher, hält den Schlag, den er ihr versetzt, für eine Anregung, das Spiel auch von ihrer Seite aus etwas rabiater zu betreiben, gibt ihm also eins kräftiger zurück mit dem Knie, er antwortet noch härter mit dem Ellbogen, trifft sie zufällig in den unteren Bauch, so rabiat will er's heut, ihr soll's recht sein, also schlägt sie ihn auch dorthin, wo er sie traf, da schreit er sie ganz gemein an, jetzt begreift sie überhaupt nichts mehr, wirft der sie wirklich raus? Loslos ab, hau ab, Mensch, sonst! sagt er, schreit nicht mehr, spricht, zischelscharf, zieh Dich an! das tut sie, und einen Tag später gesteht sie ihm, daß sie sich über sich selber wundert, warum läßt sie sich das gefallen, sie begreift sich nicht. Daß aber ein Zeitalter zu Ende ist, das begreift sie. Aber sie ist nicht einverstanden. Von wem lebt er denn? Jetzt will sie doch einmal fragen, wieviel Seiten hat er denn gestern geschrieben? Und vorgestern? Wieviel überhaupt schon im Seehaus? Bitte, er darf das nicht falsch verstehen. Sie will ihn nicht kontrollieren. Aber sie hängt doch am Thema. Lihiebe. Bevor sie abreist, möchte sie gerne noch etwas lesen oder hören. Also, wie steht's? Anselm aber stampft das Zimmer zusammen, spuckt Blut gegen die Decke. So also soll ein Werk entstehen. Im Taglohn. Unter Argwohn, Aufpasserei. Selbst das Huhn genießt das Vorrecht, sein Ei fertig abliefern zu dürfen. Ihm aber will man das Eigelb schon vor dem Eiweiß aus dem Wesen melken, o wie er das findet, o wie zum Kotzen. Sie bittet um Entschuldigung. Sie wird nie mehr fragen. Es war auch ganz anders gemeint.

Es blieb ihr nichts anderes übrig, als immer noch leiser anzuklopfen, um es wirklich ganz und gar ihm zu überlassen, ob er es hören wolle oder nicht. Gut, Melanie, Du bist voller Vernunft, man muß sie bloß hervorrufen. Übermorgen braucht er endlich den weißen Bertone-BMW, den muß Melanie loseisen beim Freund Hans, er braucht ihn von mittags bis zehn Uhr abends, Melanie wird sich den borgen, wird mit Anselm das Seehaus-Gelände verlassen, wird von Anselm abgesetzt, wo sie abgesetzt werden will, er schlägt ihr aber vor, sie verbringt die zehn Stunden in Lindau, da holt er sie wieder gegen zehn und kutschiert sie heim. Zuletzt verlegt sie sich dann aufs Leiden. Also leidet sie dann auch ganz beträchtlich. Er hält ihr, wenn es gar nicht mehr anders geht, einen Vortrag: Du brauchst mich nicht wirklich, Du hältst es leicht aus ohne mich, Deiner Natur nach könntest Du ein Jahr neben mir im Bett liegen, ohne daß Dich das anficht, bloß Deine Person, Dein Selbstgefühl, Dein winkelreicher Überbau, diese parasitäre Instanz in Dir, die erträgt es nicht, daß ich Dich jetzt nicht will. Anstatt sich in einen kühlenden Dialog wickeln zu lassen, beißt sie ihn plötzlich in die Hand, daß er aufschreit, seine Hand unters fließende Wasser halten muß und noch eine Zeit lang jammern vor Schmerz. Aber mit Beißen kommt sie auch nicht weiter. Also bettelt sie. Zuerst will sie alles genau wissen. Er weiht sie ein in seinen Feldzug. Es tut ihm gut. Endlich kann er von Orli sprechen. Er bittet Melanie um loyale Unterstützung. Sind sie nicht verbündet? Will sie nicht dieses Buch? Also gehört dieser Feldzug gegen Zelt 92 zu den praktischen Experimenten, die zu so einem Werk einfach nötig sind. Er will ja nichts von denen. Er will denen nur den Urlaub verderben. Er will diese jungen Blindlinge auseinanderbringen. Er kann es nicht ertragen, daß die warm aufeinander liegen im Sommernachtszelt. Melanie, begreif das. Mehr will er nicht. Aber solange er das will, will er nichts anderes. Sie schlägt ihm vor, die Lage so zu betrachten: sie sind zu zweit

in einem Zimmer, radikale Leute, ihnen saust kein Aberglauben
im Kopf, sie gehen nicht krumm unter Verbotslasten, sie brauchen einander nichts zu verderben, also kann er doch für sie etwas
tun, er kann es in drei Minuten, in zwei Minuten, in einer Minute,
sofort kann er beginnen, ihr Gutes zu tun, das steht in seiner
Macht, leider steht es nicht in ihrer Macht, ihm zu jener Orli zu-
verhelfen, die er will (Nein, schreit er), die will er, da macht er
ihr nichts vor, aber sie will alles tun, was sie kann, um ihm zu helfen, ist es da zuviel verlangt, wenn sie von ihm erwartet, was er
jetzt auf der Stelle geben kann, und es kostet ihn soviel wie nichts.
Denkste. Und wo bleibt sein Spermasparplan. Er braucht ab sofort ein mönchisches Korsett. Eine steigende Temperatur. Den
großen, schönen, allgemeinen Druck der Keuschheit. Diese herrliche Erpressung. Diese harte Hochebene der Empfindung. Diese
Ungemeinheit, Enthobenheit, Erhabenheit. Diese Porzellanität
der Keuschen. Diesen Atemreichtum. Diese hohe Leichtigkeit
des Keuschen. Diese Verflüchtigung des schweren Markes. Dieses Einbrausen der Luft in die keusch gewordenen Knochen.
Diese Schnellkraft der Keuschheit. Diese fortziehende Schwebe-
kraft. Diese wirkliche Flugfähigkeit. Und die Rauhreif-Frische
im Blut. Den Funken zuviel. Diese kreisende Portion Wahnsinn.
Diesen jagenden Drang. Diesen Überfluß an nicht beweisbaren
Sätzen. Diese durch den Körper tanzende Willkür. Die Uner-
müdbarkeit des Klassikers. Und den kristallenen Firn an den
Schläfen. Aber allalles, Melanie, würde er Dir opfern, könnte er
nur. Bitte, überzeuge Dich selbst von der Fremdartigkeit seines
Zeugs. Soweit hat es kommen müssen, Dein interessiert zielender
Blick zündet nicht, unschuldig und weich und zart wie das Kind
in der Wiege und ohne Ohren und Belebbarkeit liegt, was Birga
immer mit Erfolg Priap nennt, jetzt im Schenkelschluß als ein un-
erreichbares Häutewerk.
Melanie hat appelliert an eine allerletzte Solidarität unter Frei-
schärlern. Das hat Anselm ergriffen. Als er das hörte, stutzte er.
Halthalt, dachte er, Rosa brüskieren, sofort! Rosa kann das nichts
schaden, aber so eine Schwester kannst Du nicht zurückstoßen,
das geht nun doch nicht, das wäre ja, als wollten die, die am
Grunde der Hölle angekommen sind, die nicht zu steigernde Qual
noch durch subjektive Einfälle erhöhen. Also bietet er sich brav
dar und hofft, daß ihm ein Opfer gelingt, und ist selber erschüttert
von der Unansprechbarkeit seines verschlupften Gemächtes.

Aber was soll er denn tun? Melanie verliert leider die Contenance, die man von ihr gerade jetzt erwarten möchte. Anselm hört ihr Geschrei über seine Impotenz geduldig an. Er hört es nicht gerne. Aber anhören muß er es wohl, da er nichts vermag über jenen entfernten Teil, der ihm noch nie so entfernt schien. Er kann Melanie nichts mehr erklären. Er kann ihr nicht sagen, daß er durchaus ihrer Meinung sei über diese Befehlsverweigerung. Ginge es bloß nach ihm, würde ihr jetzt das Beste zugefügt. Aber nach ihm geht es nun einmal nicht. Er hat offenbar überhaupt nichts zu sagen. Er geniert sich jetzt doch selber wegen dieser Verschlafenheit. Aber er schweigt. Läßt sich beschimpfen. Endlich hat sie sich leergeschimpft und kann gehen. Anselm liegt auf seinem Bett, schämt sich, schaut sorgenvoll an sich hinunter, bis dahin, wo das Häutewerk schläft. Und was sieht er? Geradezu jäh regt sich das Zeugwerk, ein Werkzeug wie eh und je. Anselm schüttelt den Kopf, er begreift nichts mehr. Vielleicht ist es tatsächlich so: der Mensch denkt, aber Gott lenkt. Und Gott will einfach nicht, daß Melanie etwas hat von Anselm. Gott will offenbar, weiß Gott warum, Melanie ein relatives Martyrium antun. Und geschehen soll das durch Anselm. Oder soll ihm durch diesen unaufhaltsamen Aufstand bloß gezeigt werden, daß er nicht mehr Herr ist über sich, sondern ganz und gar ein Geschöpf von Orli? Und die weiß das nicht. Und will es nicht wissen. Und wird es nicht wissen. Dafür muß er sorgen. Sofort wird jetzt weggedacht von ihr. Ihn schmerzt seine Starrheit tut ihm weh wie Dir heilige Birga steh ihm bei heute nacht o BirgaDuZufluchtdesArmenDuSänftedesTrostesDuFurchedesFriedensDuPurpurderHeimatDuschwereRosedesFleischeslaßihnschlafenimFriedenderDufürihnbistundseinwirst.

7

Der Befehl, den nächsten Schritt zu tun, wurde Anselm übermittelt mit Hilfe eines Wunders. Auf der Seeseite der Uferböschung hatte er sich auf einen hinausreichenden Eichenast gelegt, Melanies Apparat vorm Auge. Bamber kam mit ihr, warf die Luftmatratze voraus, gab sein Küßchen, verschwand, sie streckte Fingerspitzen ins Wasser, schauerte, knickte bei jedem Schritt, ließ den

Schock des kühlen Wassers auf der Haut und im Rückgrat nach oben wandern, bog-streckte sich, hob die Arme, die Arme umschlangen einander geschwisterlich, der ganze große Körper war von einer nach oben windenden Bewegung erfaßt, offenbar wollte sich Orli hinauswendeln aus dem morgenkühlen Wasser, aber die Schenkel drängten mit ihren mächtigen Bugen wieder vorwärts, schon wurde die untere Banderole feucht, der Nabel ersoff, Orli wehrte sich nicht mehr, half sogar mit Händen nach, schaufelte sich, stürzte sich heftig ins Wasser. Da hatte Anselm schon 29mal geknipst. Jetzt aber ab. Und die Fachgeschäfte wollten zwei Tage zum Entwickeln brauchen. Eine kleine Drogerie versprach die Bilder für den selben Abend und erhielt den Zuschlag. Grau, ohne Rand und Glanz, bitte. Und abends kannte ihn der äußerst magere Drogist gleich wieder, holte die separat liegende Tüte, holte aus der Tüte Bild um Bild, schaute jedes, bevor er es Anselm reichte, noch einmal an, tat ganz, als sei alles bloß sein Verdienst, sagte: WasmeinenSie-dazu? Und das hier, nicht war? Einverstanden? Anselm stand vor seinem Photowunder. Orli hatte nichts an auf den Bildern. Sakrasakra, wo sind bloß die Banderolen? OOrliorliorli! Und der Drogist, der ein beiderseits schräg abfallendes Bärtchen trug, fletschte unterm Bärtchen hervor: Einverstanden? Zum Glück sprach der Drogist wie ein Fachmann. Er ein Künstlerarzt, Anselm ein Arztkünstler. Die können sowas mit Stirnrunzeln anschauen und noch sagen: Das finde ich ein bißchen zu hart kopiert, sehen Sie da, das sieht ja aus wie ein Loch im Bauch. Richtig-richtig, gebe ich sofort zu, soll ich das noch einmal? Neinein, danke, was macht's? Und war draußen, suchte eine Bank in der Abendsonne, tat, um Zeugen auszuschalten, überaus kurzsichtig, graste alle Bilder noch einmal und noch zweimal ab, jetzt Orli, bist Du ganz mein, jetzt haben Marne- und Wirtschaftswunder endlich eine Entsprechung im Friedlich-Privaten: Anselm Kristleins Photowunder. Und raste mit Motorrad ins Seehaus, ließ Melanie antreten, zur Befehlsausgabe für den nächsten Tag. Er wird das Paar zum Spiel einladen. Bamber leuchtete auf. Er fragte aber Orli-Liebling wie denkst Du darüber, Roulette? Orli sagte Orli möchte schon ganz gerne spielen. Melanie mußte mit. Like to introduce, eine Freundin Anselms. Zuerst weist Anselm Bamber ein, spielt ihm vor das Spiel 7/9, Finale 4/7, die 23 und die 32 komplett, Zero zwei links zwei rechts, und jeden Gewinn setzt er Paroli. Dann sieht er Orli an.

Die läßt immer wieder mal einen Chip auf Rot oder Schwarz, Gerade oder Ungerade gleiten. Anselm winkt Melanie. Du kümmerst Dich jetzt um Bamber, versorgst ihn, wenn nötig, mit Chips. Und bitte eine Expertise über seinen Mittelfinger! Bis nachher. Dann spielt er gegen Orli. Legt sie zwei Mark auf Rot, wirft er einen Zwanzigmarkchip auf Schwarz. Legt sie ein Zweierstück auf Gerade, wirft er das Zehnfache auf Ungerade. Und immer so, daß sie's bemerken muß. Und er gewinnt und gewinnt. Und schaut sie an. Verzieht sein Gesicht, als tue er, was er tue, ganz gegen seinen Willen, als schmerze ihn selber am meisten, was er da, wohl oder übel, tun müsse. Und wirft wieder einen Großeinsatz aus gegen sie. Und gewinnt wieder. Sie erhöht. Wird widerborstig. Hart. Finster. Sie kaut Lippen. Verliert. Anselm verzehnfacht. Gewinnt. Sie schiebt alles, was sie hat auf Rot. Anselm schiebt alle seine Zwanziger und Hunderter zu ihrem Rest auf Rot. Die Kugel fliegt, stolpert, stottert, schlägt zu. Schwarz. Beide haben alles wieder verloren. Orli drängt weg vom Tisch. Hinaus. Auf die Terrasse. Anselm folgt. Bamber ist, sieht er, versorgt. Hochrot und schwitzend schaut er zu, wie der Rechen nach seinen Einsätzen faßt. Orli bleibt stehen. Anselm auch. Orli geht weiter. Treppen hinunter. Anselm muß sich beherrschen, sonst laufen seine Beine fort. Er darf Orli nicht überholen. Als Orli an der Ufermauer halten muß, ist Anselm auch an der Ufermauer. Und entschuldigt sich. Er hält es selbst für den letzten Befehl, den er in diesem Krieg auszuführen hat. He will take his leave within a few minutes, he just wants to let her know that all his hostility, his mean and disgusting ... lack of a noun here, word like behaviour ...... anyway, everything this stumbling man did he did for the sake of defence and flight, therefore he invented hatred, therefore he ... sorry Miss Laks, he is already leaving, he is overdone, he wont bother you anymore, basta, good bye.

So oder so ähnlich verkaufte er mit großem Ernst seine letzten taktischen Schritte. Jaja, er hätte Dich lieber noch länger gehaßt. Aber der Haß ist ihm ausgegangen. Also muß er jetzt wohl Leine ziehen, er schätzt doch Bamber, Ihren Verlobten, diesen liebenswürdigen Jungen, also.

We aren't engaged, not yet, sagte sie rasch, unbetont, nur zur Korrektur. Er hatte ihr aber gerade die Hand hingestreckt, hatte ihre Hand erhalten, drückte diese Hand vor Überraschung, sah Augenweiß, Zähneweiß, das weiße Kleid, ließ seine Hand ein

wenig an ihrer Hand ziehen, spürte einen Widerstand, wußte ganz gewiß, daß er den überwinden mußte, überwand ihn, zog das ganze Mädchen an der Hand her zu sich, spürte, was er immer bloß gesehen hatte. Zum Beispiel, diesen Mund, der den seinen glatt begrub. Er mußte sich richtig herausarbeiten und diesen schweren Lippenmund kleinbeißen und anständig durchkauen, bis der sich fügte und sich von seinem Mund aufnehmen ließ. So oder so ähnlich. Sowas passiert, sage ich, der ich in jenes Anselms Haut weiterlebe als ein Nachfolger, der gern mehr wüßte von seinem erlebenden Vorgänger, sowas passiert nicht so oft, als daß man's allmählich auswendig könnte und erzählend immer ergänzen aus dem gleichen Vorrat. Anselm hielt die Sekunden wohl sogar für einzig. Eine jede einzige Sekunde war ihm eine einzige Sekunde. Aber das mit den Lippen kann nicht so und auch nicht so ähnlich gewesen sein. So hatte er es vielleicht erwartet. Dann war ihr Lippenmund aber fest geschlossen. Und er rührte kaum daran. Wollte sich überhaupt nicht durchsetzen. Ja, so war das. Zwei Kinder rieben ihre weichen, aber letzten Endes unnachgiebigen Münder aneinander. Keiner fuhr dem anderen in die Zahnparade. Schön trocken und sorgsam schnupperten sie einander um die Münder herum, rieben auch schon mal Nase und Stirn an Stirn und Nase, standen einträchtig nebeneinander, Anselm in jedem Augenblick darauf bedacht, Orli nicht zu sehr zu berühren. Höchstens an der Schulter. Am Nacken nur wie aus Versehen. Dafür entschuldigte er sich dann durch Zurückzucken. Er war doch ängstlich. Die Schreckwelle breitete und breitete sich aus. Sein Körper ein Gelände endlos wurde ergriffen von einem ergreifenden Schrecken warm gewürgt von der heißesten Kälte die je ihre Kristalle in ihm zerschleuderte in die auflösendste Zusammenziehung. Er war voll des weinerlichsten Gelächters, des innigsten und denk- und fühlbar frommsten Fluchs, so dankbar war er noch nienie erschrocken, so bewegungsgierig hatte ihn noch keine Lähmung gemacht, er spürte den zielstrebigen Zerfall, den alles verlierenden Umschwung und die sammelnde Wucht, die Schnellgeburt der Identität. Es gibt nur noch Antworten. Aber sobald er an die Luft will damit, ist er stumm. Der redseligste Stumme aller stummen Redseligen.
Anselm muß sein Alter verloren haben, also die sogenannte Erfahrung. Und die Gewohnheit auch. Er hielt ihre Hand. Beide schauten fromm aufs Wasser hinaus. Maßlos fromm. Ohne daß

er lachtegrinste, den Kontrapunkt dazudachte. Er war offenbar anpassungsfähig. Die hatte ihm die Routine abgekauft. Wahrscheinlich übertrieb er sogar. War ganz und gar 15 Jahre alt. Glaub bloß nicht ich bin wie alle sind doch bloß auf eins aus aber ich nicht, Orli. Das wollte er beweisen. Offenbar lautete der neueste Befehl: Einen Keuscheren findst Du nit. Natürlich sprang jetzt der Mond über den Pfänderrücken, versilberte die Bregenzer Bucht, Anselm wurde von innen feucht, spürte in den Augen nächtlichen Feuchtsamt. Meinetwegen! sagte er zu Orli, deutete zuerst auf den Mond, dann auf sich, stieß zur Unterstützung seiner englischen Wörter fest mit dem Zeigefinger auf seine Brustmitte. Natürlich fauchten Sternschnuppen kreuz und quer durch die Höhe. Oder fuhren lautlos, und Anselm fauchte dazu und sagte wieder: Meinetwegen! Englisch konnte er das noch andächtiger sagen und frecher, ein Wort trennte er weit vom anderen, jedes kam für sich aus seinem großen Kindermund. For. My. Sake. Zeigefinger wieder auf sich. War sie jetzt schon seine Mutter? Und gleich seine Mamma, nimmt ihn mit zum Seenachtsfest, er fährt mit Händchen große Bogen durch die Luft und ruft: August! Also heißen Wasser, Berge, Sterne, Lindaubregenz, Nacht und Lichter und die Schiffe, allalles heißt August. Und sticht den Zeigefinger wieder auf sich und ruft stolz: Meinetwegen. Dann sagte er: Was soll ich denn tun? Begann gleich zu übersetzen, kapitulierte vor dem *denn.* Stieß einen hellen, jaulendjauchzenden Laut aus, spuckte über die Mauer, schlug seine Hände auf die Mauer, legte Orlis Hände auf die Mauer, sagte *warm,* das sei ein deutschenglisches Wort. Die Mauer war so warm wie die Steinplatten gewesen waren, als er neben Paul saß. Bittejetztnichtpaul. Seinem neuesten Befehl folgend, sagte er ruhig wie ein Notar: Wann, denkst Du, können wir heiraten? Mit den Fingern stiehlt er sich nichts, er will auch Bamber nicht betrügen. Wer spricht mit Bamber? Besser Du. Ja, sie wird, es fällt ihr nicht leicht, Bamber hat ihr geholfen, einmal, aber sie wird. Noch heute nacht? Noch heute nacht. Also gut, gehen wir. Ja, gehen, keine Zeit mehr versäumen nach 42 plus 24 istgleich 66 versäumten Jahren. Ach bleib noch eine Sekunde. Noch eine. Und rieben die Stirnen aneinander. Seine Hände hingen reglos. Schwer vom Blut. Ihre Hände lagen auf seinen Schultern. Es dauerte noch einige Zeit, dann gingen sie zurück. Als Anselm im vollen Licht Menschen sah und Melanie, erschrak er noch mehr.

8

Vorrede an Verwandte

Solltet ihr von jetzt an, liebe Verwandte, liebe Leute, öfters ein Röcheln vernehmen, so denkt, bitte, nicht, daß ich röchle. Ich würde mir, schon gar in Gegenwart von Menschen, niemals zu röcheln erlauben. Röcheln tut hier nur Drea, das zweitälteste Kind dieser reizenden Familie, und auch dieses Kind röchelt nur, weil es im Fieber vertrocknet. Gegen abend phantasiert es. Dann wird sein Röcheln sehr zart. Draußen fällt indes der Schnee. Die Sonne ist jetzt unvorstellbar. Der Schnee stiebt in Schwaden. Drängt schräg an. Treibt quer. Auf der Fensterbank aus Blech postieren sich Tauben. Ein Kokardenauge für mich, eins für den Schneefall. Reden wir also in dieser argen Sudelküche vom Sommer, beziehungsweise von der Kürze.

Zeitbestimmung

Alles war an einem Tag, wie an einem Tag, zu ein und derselben Zeit, keins nach dem anderen, aber nicht etwa gleichzeitig, nur aus einerlei Zeit, aus einer Sorte Zeit (falls wir Zeitsorten annehmen wie Apfelbirnensorten), aus dieser Sorte Zeit ist jede Damals-Sekunde, jede Orli-Wimper, Orli-Pore, Orli-Bewegung, aus diesem Zeitstoff jedes Schimpfwort Melanies, nachgerufen dem wegeilenden Anselm, jedes zischende oder rufende Telephonhörerwort Birgas, jede Heinische Anzüglichkeit (die er sich erlaubte, weil er's Motorrad lieh und wußte, wofür), aus dieser Zeit ist Orlis Kinn, wenn sie jetzt noch versucht, es vorzustrecken. Orli selbst ist ganz und gar aus dieser Zeit, für die man jetzt Wörter braucht, sonst wäre sie überhaupt nichts mehr.
Klar. Als solches überlebt nichts.
Orlispuren. Elemente Orlis. Folgen wir dem Regen in die Erde. Wohin denn sonst oder wem? Bleibt den Telephondrähten ein Eindruck? Oder dem Zeltplatz, der jungen aufgeschütteten Erde? Anselms Knie machten Mulden, wenn er neben Orli kniete. Just to adore her. Seriously. Des solt sie gewis sîn.

Anselm war abermals jünger geworden. Sie rief aus Kreßbronn an, sie hat es nicht über sich gebracht, Anselm soll doch kommen, aber Bamber weiß von nichts. Ich schätze, Anselm war da vierzehn. Beim Mittagessen rückte er seinen Stuhl, daß der nicht mehr im Schatten des Sonnenschirms stehe. Und siehe, Orli bemerkte es, daß Anselm mit bloßem Kopf unter der Mittagssonne saß und bot ihm neben ihr Schatten an. Bamber entschuldigte sich, wollte seinerseits in die Sonne. Aber Anselm wollte dem die heroische Stelle nicht überlassen. Orli machte ihm die Einkehr in den Schatten ganz und gar unmöglich, weil sie befürchtete, er werde das Opfer eines Sunstroke. Er verstand das Wort, das er noch nie gehört hatte. Verstand sogar, daß Orli damit eine Anspielung auf sein schutzbedürftiges Alter gemacht hatte. Ein 42jähriger kann nicht so in der prallen Sonne sitzen! Das hatte sie, ob sie wollte oder nicht, zu ihm gesagt. Also tat er, als verstehe er Sunstroke nicht. Lachte bloß und bot sich ganz der Sonne an. Prostration from heat, erklärte der Mediziner. Orli sagte, daheim in Surinam sei die Sonne um diese Zeit tödlich. Frivolous Anselm hörte Orli so gerne frivolous sagen. Im Strandbad fragte er gleich: Ist das Tischtennis frei? Untrainiert, mußte er doch, weil Orli zuschaute, Bamber schlagen. Seine Sohlen brannten. Er zeigte die Blasen. Orli bat ihn, Schuhe anzuziehen, aufzuhören. Zuerst mußte Bamber dreimal hintereinander geschlagen werden. Dann stürzte er sich den beiden voraus ins Wasser, ließ den Kopf im Wasser bohren, kraulte, ohne den Kopf zu heben, hinaus und hinaus, der Druck wurde unerträglich, er verachtete die Unerträglichkeit, hoffte, Orli und Bamber bewunderten ihn, weil er es so lange, ohne Luft zu holen, aushielte. Schoß er nicht durchs Wasser, rauschte er nicht wie ein ganz großer Fisch durchs dunkler werdende Grün! Jappste dann hoch vor Schmerz, keuchte, und sah, ach, neben sich, mühelos kraulend, Bamber, also weiter, wenn jetzt auch mit der Nase überm Wasser, Bamber überholte schon, zog vor, würde den Sprungturm vor ihm, nein, niemals, Orli, keine Sorge, Anselm ist zwar 42, aber jetzt schau! holte aus und zog durch, aber die Luft, es fehlte ihm die Luft. Und die Oberarme schmerzten irr. Bamber würde vor ihm an der Leiter sein. Eine Länge. Zwei Längen. Also drehte sich Anselm auf den Rücken, bog seitwärts weg, patschte ins Wasser, schaute nach

Orli, tat, als habe er nie etwas wie Wettbewerb im Sinn gehabt. Drehte sich. Die sollten nicht sehen, wie er nach Luft schnappen mußte. Bamber stand schon hoch auf dem Sprungturm und winkte. Der will also die Konkurrenz im Turmspringen fortsetzen. Endlich ist mal was anzufangen mit dem reichen Onkel. Sie sehen jetzt Bamber Prins, Holland. Federte und sprang hoch, winkelte scharf ab und stach steil ins Wasser.

Anselm rief: Nach 26 Jahren zum ersten Mal! Idiot, Dein Alter ist nun wirklich das Letzte, womit Du in diesem Augenblick prahlen solltest. Trotzdem brauchte er diesen Kommentar. Ihm war schon schwindelig. Er schwankte, das Wasser schwankte, das Ufer, die Berge schwankten, Schweiz und Österreich schwankten, er mußte sofort springen, wollte er nicht einfach abstürzen, hinunterplumpsen wie ein Sack, also sprang er, sprang noch einmal auf das gegenfedernde Brett, wurde hochkatapultiert, flog, hatte das Gefühl, gleich überschlage er sich, aber strampeln wollte er nicht, laßdieBeinelaßbloßDeineBeine, und kam irgendwie hinunter, ein Peitschenschlag traf ihn in den Rücken, er war im dunkelgrünen Wasser, strebte nach Luft, aber wo war oben? Er war fast auf Grund, bis er sich orientiert hatte. Schoß hinauf. Ohne jede Ambition, wie ein Hündchen, elend, paddelte er zur Sprungturmleiter. Bamber war schon wieder oben. Anselm griff nach einer Sprosse neben Orli. Orli bat ihn leise, er möge nicht mehr springen. Von oben Bambers Ansage, man bekäme jetzt Bambers Salto zu sehen. Bamber federte ab und kriegte einen ziemlich genauen Vorwärtssalto hin. Hätte Orli nichts gesagt oder etwas anderes, wäre Anselm vielleicht neben ihr geblieben, an der Sprosse hängend, im Wasser liegend, so aber, weil sie ihn schonen wollte, mußte er wieder hinauf. Er hatte keinen Überblick mehr. In seinen Augen herrschte Feuerwerk. Wo war Luft? Er sog ein, was er kriegen konnte. Es war zu wenig. Und federte schon. Noch einmal. Ab. Der Peitschenschlag. Diesmal auf den Bauch. Heulen, Anselm wollte heulen, unter Wasser bleiben, am Grund, Schlingpflanzen suchen, im Unterwasserdämmer verkriechen, laut heulen. Aber die Luft, Er greift hinauf. Patscht. Unter Bambers lustigstem Gelächter arbeitet er sich zur Leiter. Orli macht ein Gesicht, als wolle auch sie weinen. Da muß Anselm natürlich lächeln. Und etwas sagen. Englisch. Jetzt englisch. Bamber sagt an, daß man jetzt seinen Rückwärtssalto zu sehen bekäme. Steht mit den Ballen noch auf dem Brett, die Fersen schon in der Luft, wippt und springt. Ein schöner und starker Körper. Kein Zweifel. Anselm will hinauf. Da es ihm nicht gelingt, etwas Lustiges, und auch noch in Englisch, zu sagen, muß er wohl weitermachen. Aber Orli hält ihn am Arm. Sie findet, sagt sie, die Springerei töricht. Bamber hat's geschafft, sie hat Mitleid mit Anselm, also erledigt, aus, wünsch dem Pärchen Glück und viele Kinder, adjö! Anselm arbeitet sich an Land. Orli folgt. Bamber folgt. Sie lassen Anselm nicht gehen. Will er denn? Er holt doch auf. Abends. Bamber verträgt nämlich keinen Rotwein. Also bestellt Anselm Rotwein. Schweren französischen. Bamber gähnt. Mault. Jammert. Will ins Zelt. Anselm lacht. Bamber jault. Er kann nicht mehr. Anselm wundert sich. Bamber weint wirklich. Die wievielte Nacht muß er jetzt schon trinken? Anselm sprudelt frisch. Bamber macht bittebitte. Anselm strahlt vor Stärke. Armer Bamber, ich trage Dich heim. So machte er Bamber zum Kind von Orli und Anselm. Bamber schnarcht im Zelt. Orli und Anselm liegen stumm nebeneinander. Die Hände wandern an den Hälsen hinauf, lernen Ohren, Nacken, Nase kennen, auch Schultern. Sobald Orli schläft, schleicht Anselm hinaus. In seiner Kajüte liegt Melanie auf dem Fußboden. Ein Zettel teilt mit, daß er, wenn er wolle, Melanie in sein Bett legen könne. Er steigt über sie hinweg. Also kommt sie selber. Sie begreift nicht, daß er jetzt kein Bett mit ihr teilen kann. Sie begreift nicht seine neue Würde. Er ist doch in keiner Sekunde allein. Tut alles für Orli. Auch vor Orli. Orli hört alles, was er sagt und was zu ihm gesagt wird. Dieser Allgegenwart hat er sich würdig zu erweisen. Er verbittet sich deshalb Melanies gemeine Anspielungen. Behalte Deinen Schmutz für Dich. Er hat sich so zu benehmen, wie es Orli, nach seiner Meinung, am liebsten hätte. Und wenn er eine freche Anspielung zurückweist, sieht er, wie Orli lächelt. Sie ist zufrieden mit ihm. Das macht ihn stolz. Er ist da cirka 10-12 Jahre alt. Und so erhoben wie der, dem auf der Zunge die Hostie zergeht zu lauter heiligmachender Gnade. Wie der hinschaut auf die Lehmklötze, die in den Bänken kleben, die nicht vom Altar kommen, denen nichts Erhebendes im Mund zergeht, so schaut Anselm auf alle, die keine Ahnung haben von Orli. Die Unkeuschen! Manchmal wäre er auch lieber milde gewesen zu Melanie. Er hätte gern zu ihr gesagt: Arme Melanie. Aber das konnte die ihn immer beobachtende Orli falsch verstehen. Sie versteht doch nicht deutsch. Also ist es schon besser, er schreit Melanie einfach an, dann ist jedes Mißverständnis ausgeschlossen. Und er wird – o schwerfällige Welt – immer noch aus München verlangt. Warum bloß? Muß er denn alles selber erklären? Ist denn das noch immer nicht bekannt in München! Wie es ihm geht? Ob er vorankommt? Birga will noch ein paar oder 14 Tage kommen, bevor die Kinder wieder in die Schule müssen. Hallo! Hallo, Anselm! Anselm? Sprechen Sie noch. Knacks. Frau Kölsche: Sie werden noch einmal aus München, Moment. Hallo, Anselm, wir wurden unterbrochen. Spürt sie nicht die Temperaturdifferenz? Glaubt sie, da sei nur das kleine, paar Tage alte Befremden weg-zuwischen? Schon sagt sie die Formeln auf, die Gliedergebete, greift nach ihm mit den nie versagenden Wörtern. Und Anselm hechelt mal ein chja-chja dazwischen, auf daß sie ihren Glauben nicht verliere und lieber bleibe, wo sie ist. Kalt liegt er am Tele-phon, läßt die Sprüche vorbeirauschen und berechnet seine Ein-sätze. Chja-chja. Aber Orli, was muß Orli denken, wenn er sich jetzt von einer Frau ansprechen läßt, als sei er mit ihr verheiratet? Sofort wirft er den Hörer weg. Die Kölsche henkerisch zäh: Sie werden noch einmal aus München. Er nimmt den Hörer noch einmal. Mein Gott, Orli, steh ihm bei. Hallo, Anselm? Anselm? ich hör doch, daß Du da bist. Anselm, bitte? Was ist denn? Sag. Sag doch. Aus . . . Er legt sich lieber auf sein Bett. preßt die Fäuste in die Augen, daß Fetzen rot und schwarz verfliegen. Später stellt sich lichtlos, farblos ein Zustand her. Ach Orli, immer noch schonst Du Bamber, Anselm aber, hast Du gesehen! ja-ja, Bam-ber ein netter Kerl! und Birga, was meinst Du, was Birga ist? und er hat sie glatt absaufen lassen, Orli, wenn Du spürst, wie er Dich jetzt haßt, mußt Du augenblicklich losheulen. Sie macht sich's einfach. Will geholt werden. Aus dem Lager raus. Erst dann ruft sie an. Bamber muß ans Lagertelephon und kriegt's gesagt. Traut also Orli Anselm nicht? Will sie das Bambereisen erst aus dem Feuer nehmen, wenn. Schweig. Hol sie und basta. Daß dieser Bamber immer noch nicht merkt. So zufrieden ist der mit sich. Aus dem muß ein großer Arzt werden.

Krankenbesuch

Heini hat es nicht anders gelitten, es war wirklich nicht Birgas Schuld, daß sie mit allen vier Kindern in Heinis Wohnstube stand.

Heini führt Anselm in die Stube, als habe er ihn unter Lebensgefahr verfolgt und gefangen, hier bringe er ihn. Frau Müller, die sich nur mit Hilfe eines Stocks bewegen kann (sie ist Heinis Frau, nicht seine Mutter), hat die Kinder schon mit Johannisbeersaft versorgt. Birga trägt einen fast weißen Hut. Die Kinder nähern sich. Drea stürzt voraus und vergräbt sich an ihrem Vater. Guido holt sich die rechte Hand. Die knetet er. Lissa spitzt den Mund, will was zum Küssen. Der tragische kleine Philipp lallt fröhlich, bleibt aber beim Saftglas sitzen. Drea läßt sich nicht mehr loslösen. Sie krallt, klebt, haftet. Birga sieht unter ihrem Hut so komisch aus. Auch blaß oder grau oder zerfallen. Dieser Hut. Ist das Absicht. Eine Frau mit einem solchen Hut kann man nicht sitzen lassen. Diese Familie braucht ihn dringend. Anselm schaut diesen Hut an. Birga nimmt den Hut ab. Gleich sieht sie selbständiger aus. Aber Anselm sieht sie immer noch unter diesem Hut. Eine bleiche Komikerin. Gehen wir baden. Heini tat, als könne er Blomichs Strand anbieten. Anselm lehnt ab. Ihm kann das Bad gar nicht öffentlich genug sein.

Die Hunde – wo hätte sie denn die sonst lassen sollen? – begrüßen Anselm im Auto noch herzlicher als die Kinder. Im Sand. Anselm neben Birga. Das Gesicht versenkt. Birga sagte was. Anselm nicht. Birga hielt ihn für krank. Ganz heruntergekommen sieht er aus, warum überarbeitet er sich auch so. Da sagt er nicht Nein. Stumm folgte er ihr ins Wasser. Sie war blasser als alle anderen. Sie war praktisch weiß. Schnippste warmes Wasser gegen ihn. Schwamm voraus. Erwartete ihn auf einer seichten Sandbank. Lag ihm leicht auf dem Arm. Strebte weg. Ließ ihm die Beine. Breitete die Arme aus. Legte den Kopf aufs Wasser, als wär's ein Kissen. Dann klammerte sie. Beide lagen rücklings im Wasser. Paddelten rücklings von einander weg. Kamen aber nicht auseinander. Waren unter Wasser zusammengewachsen. Siamesisch. Seit Millionen Jahren. Eine gynandrisch-amphibische Autarkie. Zwischen ihnen, über der Naht- und Schmelzstelle, drehte Gyrinus Taumelkäfer seine engen Kreise auf dem Wasser. Kreise, nicht viel größer als ein Männerfingerring. Und kein Kreis erlebte den nächsten. So spurlos kreist Gyrinus, der Taumler. Anselm sah zum Himmel auf. Und dachte eine direkte Rede.

Saugerin! Raubhöhle! Gewalttätige Furche! Elende Klammer!
Was tust Du mir wieder! Ich schnaufe. Stöhne. Vor Wut über
meine dressierte Natur brülle ich. Unhörbar. Aber mich durchdringend. Mich so auszulutschen! Und wie ich funktioniere! Der
domestizierte Schwengel. Und ich habe nichts zu melden. Mach
Männchen, alehopp! Wie das funktioniert! Ohne mich. Gegen
mich. Wie die mich auslutscht, diese Deine Purpurvettel. Deine
nasse Innerei! O Orli, Orli, warum hast Du mich verlassen!
Warum geschieht mir das wieder! Orli, glaub mir doch, daß ich
nicht dabei bin. Daß ich bei Dir bin. Die Fleischklamm lutscht an
totem Zeug. Ich schwöre ab dieser einschließenden Schlucht. Diesem saugenden Spund. Diesem lutschenden Krater. Dem mamp-
fenden Lippensumpf. Orli, bei Dir bin ich, nicht aber hier, wo ich
bloß hergenommen werde, wo mir Gewalt geschieht. Mich hat
das lutschende Monstrum geschluckt. Und schleift mich tausend
Jahre durchs Wasser, und melkt mich leer, raubt, was mir
nicht,was ihr nicht, was niemandem gehört außer Dir, Orli.
Warte, bis die soßige Mampferin mich ausgelutscht hat und mich
ausspuckt. Dann wird das Wasser mich Dir hinschwemmen, Orli,
fisch mich auf, nimm mich dann zu Dir, pflege mich bis ins trok-
kene Morgenrot. Die alte Holzkabine voller Signale schon die
Luft riecht nach trockenem Holz und nach trockener Haut. Man
hat nach dem Baden und Liegen im Sand die gleiche Haut wie
der Pfirsich. Aber die Haut riecht noch wie die Luft in der rissigen
Holzkabine, riecht noch nach Wasser, Seegras, Tang, also fast
nach Fisch, beziehungsweise Knabenunterschlupf und hereinge-
lockten, schon ein wenig schwitzenden Mädchen. Aber die Haut
ist trocken, sandgescheuert, samstäglich, spitz prickelnd, eine
Pulsierhaut, nicht zu berühren, sie multiplizierte denn jede Berührung, meldete Erregung, sie vervielfachend, weiter und kritzelte verrückt vor Kabinenenge, Turnstundensehnsucht, Rascheln nebenan. Aber Anselm ließ sich nicht einfach dirigieren
von den einheimischsten Signalen. Auch litaneite er prophylak-
tisch eine Orlischnur durchs Schädeldunkel. Bis er dann das
schräg heraufführende, ungeheuer glatte Astloch sah. Bis sich
dann Birga wegwandte. Vielleicht mußte sie sich wegwenden wegen ihrer Strümpfe. Anselm spürte bloß die Wegwendung,
schaute hin, sah in ihrer Hüfthöhe das Astloch, was konnte er da

– Orli vergib ihm – anderes tun? Dieses Doppelsignal. Hinter diesem Astloch kauerte nämlich Kleinanselm sieben Jahre in Atemnot und Bedrängnis. Bist Du aber erst einmal auf der Seite des Astlochs, auf der Anselm jetzt steht, ist alles schon vorbei. Du siehst das Knabenauge. Aber der soll nicht merken, daß Du ihn bemerkt hast. Du hast Dienst hier, wie vor 35 Jahren einer Dienst hatte, wie der, der jetzt am Astloch steht, Dienst haben wird, in 35 Jahren, für den, der dann drüben kauern wird, Lateinisch lernend bis ins Mark: videre et non videri. Aber Anselm hätte sein optisch-akustisches Pensum trotz solcher Einsicht in das durch eine Kabinenwand zweigeteilte Leben nicht erfüllen können ohne Birgas huschende Wegwendung. Sieht doch die Eidechse die für sie bestimmte Beute auch erst, wenn die sich regt und fliehen will.

Zwischenrede über Birgas Scham

Sie hat davon einen unverbrauchbaren Vorrat. Auf ihrer Haut gedeiht Birgas Scham farbig. Sie ist eine schier allmächtige Flora. Eine arktisch glühende Oberfläche. Eine aus der Erdtiefe stammende Aufrauhung. Eine aufleuchtende Sträubung des Fells. Und diese Flora kann man abgrasen, wegfressen. Dieses Fell bügeln. Alle Scham ganz vernichten. Bis tief unter die Haut. Aber offenbar bleibt – zumindest bei Birga – das tiefgelegene Produktionszentrum unangreifbar. Ein wenig später sträubt sich das Fell schon wieder, blüht schon wieder morgenrot und rauhsamtig die Flora ihrer Scham. Das kann eine nicht machen. Das muß sie haben. Und hat eine das nicht, wird sie sich nie so wegwenden, daß man ihr nachbefohlen wird, sie signalisiert nicht ihre Angst, kein uralter Schrecken bürstet ihr das Fell gegen den Strich, sie will nicht wirklich fliehen. Also kann es sein, daß man sie, als wäre man eine Eidechse und sie die reglose Beute, überhaupt nicht mehr wahrnimmt. Und so ein fast nicht zu entbehrendes Vermögen ist verteilt in natürlichster Ungerechtigkeit. Die hat's. Die nicht. Möglich, es nimmt überhaupt ab.
Danach kriegte Birga leider keine Antwort mehr. Anselm wurde besessen vom Daemonium mutum. Sie schleppten noch zusammen die Badetasche aus dem Strandbad, bestachen die Kinder

mit Eis, jagten die Hunde von den Polstern, saßen in der heiß stinkenden Autoluft, das hölzerne Strandbad war also das Paradies gewesen. Birga fragte was, dadurch bemerkte Anselm, daß er nicht mehr sprechen konnte. Beim Abendessen sahen die Kinder zu den Eltern auf wie zur Wetterfront. Am nächsten Vormittag fuhr Birga mit den Ihren wieder zurück. Anselm nickte dankbar. Ganz zuletzt gelang ihm noch der Satz: Uns fehlt auch das Geld. Birga hatte Mühe mit ihrem Mund. Der schwankte oder bebte. Wollte wohl kippen. Auch um die Augen herum zuckte es so. Dann gab sie mal Gas. Trüge sie jetzt noch den Fastweißenhut, er dürfte sie nicht fahren lassen. Die Kinder saßen aufrecht und stumm im Wagen. Der Wagen ruckte an. Die Kinder schauten zurück. Anselm ging zu Heini hinauf. Er fühlte sich narkotisiert. Seine Beine waren nicht seine Beine. Sein Mund war eine nicht zu empfindende ferne-ferne Gegend.

Weitere Verjüngung

Neben Zelt 92 fehlte der schwarze Rover. Im Zelt lag Orli weinend auf dem Bauch. Wie abgestürzt. Sie trug ihre zwei Frottéstücke. Bamber? Abgehauen. Schon gestern. Warum konnte sie plötzlich nicht einmal mehr seine Hände ertragen, seinen Atem nicht mehr, Anselm, warum auf einmal diese Angst vor der nächsten Berührung! In der Nacht von vorgestern auf gestern gab Bamber auf. Packte. Fuhr los vor Tagesanbruch. Seitdem liegt sie. möchte sich entschuldigen bei Bamber. Fürchtete, Anselm würde auch nicht mehr kommen. Weil sie Bamber so übel. Anselm fiel über sie her und verschloß ihr den Mund für einige Zeit. Schadeschade, daß er ihr nicht sagen konnte, wie er sich geschlagen hatte. Sichtbare Fügung. Ohne Absprache entledigen sich beide zur selben Zeit ihres störenden Anhangs. Orli weinte noch weiter. Lauter als vorher. Jetzt erst gestand sie sich, ihm, wie das war, allein im Zelt, einen Tag, eine Nacht, fürchtend, Anselm käme nicht mehr. Das wiederholte sie in einem fort. Anselm mußte ihr ein ums andere Mal beteuern, daß er da sei, daß er es sei, der da sei, er sei doch da-da-sei-er-doch-und-er-bleibe-bleibe. Da. Orli lag jetzt schon auf der Seite. Anselm kniete neben ihr. Sah. Sie. An. Das Mittagslicht war orangerot und fla-

schengrün, bis es durch die Zeltwände auf Orlis walnußbraune
Haut kam. Die kriegte einen goldgrünen Waldhonigschimmer
davon. Orlis Zähne und ihr Augenweiß blieben weiß. Ihre Haare
blieben blauschwarz. Anselm schickte seine Hände aus, ließ die
Hände die ganze Orli fromm nachfahren. Zur bloßen Feier ihrer
Gegenwart. Zur Begrüßung ihres Daseins. Heil-Dir-Orli! von
seinen Händen. Dann wollte sein Gesicht Orli kennenlernen.
Fromm schnupperte er durchs unaufhörliche Haar. Leckte ein
wenig am Hals hinab. Suchte die Senke im Nacken. Rieb mit dem
Kinn von ihrer Schulter abwärts. Wollte sich verliegen irgendwo
in dieser weitläufigen Mädchenschaft. Und probierte Wörter aus
in ihrem Ohr. Sie lag auf der Seite, hatte, wie bei der ersten Erscheinung, ihren Daumen im Mund, das Gesicht trocknete, die
im Ohr raschelnden Wörter schienen ihr gut zu tun. Sie wollte sogar wissen, was das für Wörter seien, die warm ihr Ohr vergrö-
ßerten. S'ist guzzled rubbish, Orli, gurgling gusty gutting gush,
giddy-dizzy-and-frivolous gushing, I d'n know either, reglarly
comfoozled and done over as I'm, forgimmi, I dunno my self anymore, fell like the apology of a my self which was prostrated from
your stroke to rise as a thy self.
Anselm strömte sein erliehenes, erlesenes and Creamy English
aus. Beobachtete Orlis Gesicht. Prüfte die Wirkung auf ihrer
Haut. Erst wenn sie reagierte, kam Leben in die fremden Wörter.
Zuerst war es, als kaue er bloß Fensterkitt. Dull auf seinen Lippen
alle Wörter dull as ditchwater. Erst als Orli lächelte unter seinen
Wörtern, kam Leben in den arbeitenden Mund, Lippen und
Zunge wurden ganz wild darauf, Orli so englisch als möglich zu
besprechen. Und ihm war from The Bard to the Asses' Bridge alles willkommen. Ein Wörtersegen sollte auf Orli niedergehen.
Küssen durfte sie nur der Zwölfjährige. Berühren durfte sie nur
der Zehnjährige. Und als Achtjähriger fuhr er schnell nach Kreßbronn hinüber, erstand in einem Kolonialwarenladen, den es
längst nicht mehr gab, für fünf Pfennig Abziehbilder, die es längst
nicht mehr gab, und bat Orli um die Erlaubnis, ihr diese Abziehbilder teils auf einen Oberschenkel, teils zwischen Achselhöhle
und Hüfte auf die walnußbraune Haut tapezieren zu dürfen. Und
sie erlaubte es, als ihr der Achtjährige vom siebenjährigen Anselm erzählte, der die Mädchen in Ramsegg so illustrierte mit der
kompletten Geschichte von Hänsel und Gretel in zwölf Bildern,
hingehaucht und hingeleckt und zitternd abgezogen vom unun-

terbrochen zur Beruhigung des fröstelnden Mädchens redenden Anselm. Zuerst schauten die Mädchen zur Balkendecke des Schuppens, zogen immer laut die Luft ein, atmeten kaum aus. Später atmeten sie Anselm an. Berührten ihn dankbar. Sagten, die Bilder spannten zwar beim Trocknen. Falls sie jetzt ein Kind bekämen von Anselm, bitteschön. Orli, sei Du auch zehn Jahre alt. Anselm will Dich unterscheiden von den Frauen der letzten dreißig Jahre. Wo warst Du mit zehn? Und wer? Und wie? Mit zehn, war sie da noch in Surinam oder schon in New York, P. S. 93? Nein, noch in Paramaribo, 10 km davon, ihr Vater lehrte sie: wie kriegst Du die Bienen aus dem ... Und erschrickt. Jetzt hat sie den Namen des Baums vergessen, den es wahrscheinlich nur im Surinam-Dialekt gibt, dem Pidgin-Holländisch ihrer Kindheit. Wie heißt der Baum, die Frucht? Anselm weiß es doch auch nicht. Also ist Anselm nicht der Richtige. Sie schaut weg von ihm und sagt, ihr Vater habe sie auch gelehrt, den Schlangen auszuweichen. Nur die Anakonda darfst Du anschauen. Schau, Anselm, dieses Feuerzeug, von ihrem Vater. Brav liest er: Combinatie Pletterij, Curaçao. Wieso heißt die eingeritzte Knickniere unter der umgekehrten Tricolore Curaçao? Und wieso steht da Antillen und nicht Java? Liegt etwa Surinam nicht auf Java? Nein. Also flugs herum um den Globus, Richtung Südamerika, denn Orli ist plötzlich geboren in Niederländisch Guayana. Da herum irgendwo bildet Father jetzt noch Shippe. Paramaribo, stimmt-ja. Das alles macht für Anselm nur insofern einen Unterschied, als Du dann nichts Asiatisches oder Malayisches hast. Und das hast Du wirklich nicht. Wie konnte er nur Deine großen, geradezu runden Indianeraugen so verkehrt schätzen. Und Dein Walnußbraun! Dieses Überhauptnichtgelb Deiner Haut. Alle anderen Unterschiede sind keine. Dein frühestes Schilf wird Kaimane hier, Kaimane dort enthalten, der Tiger auf Java wäre ihm so schrecklich wie der Puma in Guayana. Ob Deine Vorfahren durch Chris oder Urari umkamen, seine Teilnahme fragt nicht danach. Trotzdem hört er gern, liebe Karibin, daß Deine Großmutter väterlicherseits eine Arowake war. Anselm wird diesen Stamm von jetzt an lieben und ihn vorziehen allen Stämmen dieser Erde, selbst den Lieblingsstämmen der Alemannen und Apachen. Soso, die Mutter wieder in Rotterdam. Under her maiden name. Frau Laks wird aber von ihren vier Töchtern nicht Mutter genannt, sondern Nelly, manchmal auch Mamme. Könntest Du,

Orli, ihm nicht dieses Feuerzeug schenken? Sie schenkt es ihm. Verstummt aber. Er sieht es gleich ein. Entschuldige. Sie werden von jetzt an doch zusammen sein, alles gemeinsam haben, da bettelt man doch nicht um ein Souvenir. Entschuldige! Das ist noch die Angst. Morgen könnte Zelt 92 verschwunden sein. Begreif. Davon wird er noch eine Zeit lang albträumen. Und flüchtete sich gekonnt oder wirklich von Angst getrieben an Orli hin. Sie nahm den Sechsjährigen in ihre prächtigen Liegenschaften auf. Der mußte gleich wieder beweisen: er ist nicht wie alle sind doch bloß auf eins aus aber er nicht, Orli. Ihm war es kindlich bequem an ihr. Draußen unterhielten sich schon die Familienlöffel mit Aluminium. Die werden staunen, wenn er aus dem Zelt tritt. Der Sieger. Bamber samt Auto in der Luft zerrieben. Und diesen Sieger hat wohl der und jener für fünfzig gehalten, was! Nun revidiert mal schön, zum Beispiel, wenn er mit Orli auf dem Sozius abenteuerlich abbrausen wird. Aber was ihr alle mit ihr tun würdet, das tut er nicht. An sowas denkt er gar nicht. Ihr schaut sie alle an und denkt nur an das. Darum habt ihr sie auch nicht gekriegt. Er wird das erst nach der Hochzeit, jawohl, dieses Mädchen, ach ihr habt doch gar keine Ahnung von so einem Mädchen, er darf gar nicht daran denken, daß Orli, aus schrecklichem Versehen, hätte an einen von euch geraten können, der läge jetzt nicht lieblich, schmiegsam und sechsjährig an ihr und atmete synchron mit ihr auseinauseinausein, sondern griffe roh und direkt nach ihrem Frotté, risse ihr dieses zweifache Frotté vom Leib und verginge sich an diesem Mädchen, das ihm in der Fremde schutzlos ausgeliefert ist, auf die gemeinste Weise! Nicht länger darf sich Anselm das vorstellen, sonst steht er auf, tritt vor's Zelt und schreit der ganzen Lager-Mannschaft seine Verachtung ins Gesicht. Um sein besonderes Einvernehmen mit Orli zu bekunden, reibt er seinen Hinterkopf auf ihr, bohrt sich kreisend mit seinem Hinterkopf in ihren jungen Bauch. Und sie streichelt ihren Buben. Der treibt seinen Kopf mahlend tiefer. Sie holt sich diesen Kopf. Nimmt ihn sich richtig vor. Überfällt mit ihrem seinen Mund, begräbt den unter ihrem. Er muß sich richtig herausarbeiten und diesen schweren Lippenmund teilweise kleinbeißen und anständig durchkauen. Das kann er natürlich nicht im Liegen. Dazu muß er über sie. Aber da läuten auch schon die Mittagsglocken. Heute kein Bimbam, sondern hartes Peng-beng-pengbeng. Anselm macht nicht gerade das Kreuzzeichen, aber er hört.

Auf. Du mußt hungrig sein, sagt er. Sie will zuerst noch, wenn es ihm recht ist, ins Wasser. Natürlich mit ihm. Also rennt er, in der Radtasche die Badehose zu holen. Und kann draußen nicht einen einzigen der Blicke, die er auf sich gerichtet fühlt, als der Sieger erwidern, der er sein wollte. Er schwitzt. Fürchtet Zurufe. Orli zieht sich unter einem Bademantel um. Er wartet, bis er den auch kriegt. Zum Glück wirft sich Orli voraus ins Wasser, zum Glück sind die anderen Camper beim Essen, denn für Anselms momentanen Zustand ist seine Badehose zu klein. Er würde sich sehr genieren so. Er hofft auf das kühlere Wasser. Umsonst. Er muß auf dem Weg ins Zelt Orlis Mantel um sich schlingen. Jetzt muß er dazu noch aufpassen, daß Orli nichts geschieht. In jedem Augenblick ist er bereit, eine dreckige Bemerkung zurückzuweisen, einem zudringlichen Gaffer in die Magengrube zu schlagen. Ihm ist, als habe er einen Goldtransport durch ein Gangsterviertel zu leiten. Als jene lokale Erregtheit auch nach dem Essen nicht abflauen will, kauft er sich rasch eine zweite Unterhose und noch eine zweite Badehose aus straffem Stoff. Orli will wissen, was er unbedingt allein einkaufen mußte, er sagt es ihr nicht. Und weil er sich nicht traut, mit einer Orli, deren er keineswegs sicher sein kann, in einer scharfäugigen Ferienwelt aufzutreten, drängt er auf einen Ausflug in die Wälder.

Hinterland

Anselm spurte. Über Hügel hinweg. Vor Kuppen gab er Gas, auf der Kuppe hob sich das Motorrad, hob sich ab, Orli wuchs in seinem Rücken fest, sie flogen. Später sanken sie zurück. Jeder schwer. Orli fiel ab. Sie staubten durch reglose Weiler. Hunde bellten nicht nach. Selbst die Bauern rührten sich nicht mehr. In Gattnau stellte er das Motorrad an die Friedhofmauer. Orli sollte Ramsegg sehen. Das war eine komische und ernste Idee. Möglich, er wollte damit sagen: so ernst ist es mir überhaupt. Sie wanderten talaufwärts. Auch durch Wälder. Orli ließ ihre Haare los. Ging barfuß. Was singst Du denn da? Das weiß sie selber nicht. Ihre Mamme hat solche Lieder mitgebracht aus einer Heimat bei Wien. Sing das noch einmal. Noch einmal singt sie: Schtejt sich do in Gässele schtill fertracht a Hajsele, ojbn ojfn Bojdnschtibl wojnt majn tajer Rejsele, jedn Ovnt far dem Hajsel drej ich sich

313

harum geb a Pfajf un ruf ojfs Rejsel: kum, kum, kum. Effent sich a Fensterel . . . Weiter weiß sie's nicht. Ob Anselm die Muttersprache verstehe? Kann er ihr das Lied übersetzen? Ja, das kann er. Also ist er doch der Richtige. Er übersetzt. Sie ist enttäuscht. Das unverständliche Original ist ihr lieber. Ist er also doch nicht der Richtige?

Sie traten aus einem Wald aus, gingen quer durchs hüfthohe Schneidgras, stießen auf eine Zementplatte, auf Grundmauern, eingefallene Keller, von Abfall strotzende Brunnenschächte, zerborstene Bunker, von der Sonne gebrannte Lehmabdrücke von Panzerketten. Orli blieb über einem Zeitungsfetzen stehen, las etwas Französisches vor über Chruschtschow und Kennedy. Pappbecher, Konservenbüchsen, ein halbverbrannter Soldatenschuh, zerschmetterte Flaschen, dann ein ganz neuer Zaun, Baracken. Eine heiße Luft, in der faules Wasser aufgegangen ist, Eine Luft, die dröhnt von Insektenangriffen. Anselm schaute hastig in dieser Talwanne hinundher. War das überhaupt Krukenwiesried? Er nahm Orli an der Hand. Gleich quer durchs Moor oder weiter auf der Panzerspur am Zaun entlang und abbiegen, sobald ein Weg hinüberführt? Am Zaun entlang. Zementpfähle zählend. Drin rührte sich nichts. Wohl alle an der Seuche gestorben. Komm, Orli, jetzt durchs Ried. Und schlüpften endlich in den steil im Wald hochführenden Hohlweg. Aber Anselm schaute noch nicht zurück. Die Vögel zeterten. Was ist denn? Schwere Flügler landeten im Unterholz. Eine Menge Kleinzeug flatterte kreischend oben in den Lücken, deren Ränder von Licht überflutet waren. Was denn? Die redeten wieder alle zur selben Zeit. Trotzdem wurden die Zeterer deutlicher als im Seehaus-Park am Abend vor dem Fest. Leute kämen. Wartet nur, sobald ihr oben seid auf dem Waldrücken, wartet nur. Oder besser, ihr geht gar nicht hinauf. Verstand er recht? Wurde ihm ein Rehliegeplatz in der nahen Schonung empfohlen? Aber wie sollte er das Orli mitteilen? Wahrscheinlich glaubte sie auch, Vögel sängen und seien unverständlich. Das ist, Orli, erstens eine Frage der Körpertemperatur. 40-42 Grad wie die Vögel selber muß man schon haben. Bei dieser Temperatur wird das Gehör – wie jeder vielleicht aus Kindheitsfieberzeiten weiß – ganz ungeheuer scharf. Eine Spinne kann da mit ihren Beinen knacksende Stahlgeräusche vollbringen. Und zweitens gehört eine Einstellung dazu, ähnlich der Angst, bloß noch aktiver, eine Art Schwächebewußtsein, also eine konsequente Fluchtfertigkeit, die sich als überwacher Nervenzustand ausdrückt. Kurzum, Anselm war wieder soweit wie noch nie. Aber bis er sich befahl, Orli mitzuteilen, was ihm die Vögel von jenseits des Waldrückens berichteten, waren sie schon droben, hörten sie selber den jetzt abfallenden Hohlweg herauf Stimmen, schnelles Gerede, Gesang. Daß die Sprache, in der das so laut stattfand, französisch war, hatten die Vögel ihm allerdings nicht berichtet. Vielleicht hätte er dann die Flucht ins Unterholz vorgezogen. Jetzt war es zu spät. Die Hand, die Orli hielt, zuckte, schloß sich im Krampf um Orlis Hand. Den Hohlweg herauf kamen Kerle, sechs oder acht, in Zivil, aber Soldaten, kein Zweifel, die feierten was oder hatten gefeiert, kamen aus Schleinsee oder Ramsegg, hatten das Paar schon wahrgenommen, vielleicht als Fata Morgana, Anselm gelöscht, den gibt's nicht, den zerreibt man, bleibt also dieses aufrechte schwarze mähnige Mädchen, barfuß, Sandalen baumeln in der Rechten, zwischen Oberteil und Unterteil walnußbrauner Bauch, chers camarades, voilà une sauvage. Anselm sah, daß die einander zeigten, was auf sie zukam, was ihnen gleich in die Hände laufen würde. Einer zeigte es dem anderen. Der rieb sich die Augen. Der auch. Träumterwachteristervon Sinnen, ist das der Alkohol oder kehrt ihm herrlicher die geprügelte Vietnamesin zurück? Anselm sah, daß die sich formierten. Schulter schloß an Schulter. Arme hakten durch Arme. Aber alle hatten nicht Platz in der Kette, die den Hohlweg riegeln wollte. Also befahl einer rasch drei Kameraden voraus. Die gingen vor der näherkommenden Leiberwand her. Die machten die Arme beweglich. Helle Jägerlaute. Pfiffe. Kommandos wie für die Meute. Bloß noch Kehllaute. Die Hatz hat begonnen. Anselm wagte nicht mehr, zu Orli hinüberzuschauen. Deine Mamme, sagtest Du, Orli, die Du Nelly nennst, ist anno 38 vor uns von Wien nach Rotterdam gewichen, soll jetzt an Dir, der Lieblingstochter bewiesen werden, daß man doch nicht davonkommt? Wenn Anselm ein Messer hätte, oder noch weglaufen könnte, zurück, an den Zaun, zum nüchternen U. v. D., gallisch Charme und Kognak für überstandenen Schrecken, aber feige abhaun, Orli, was würdest Du von Anselm denken, wenn er feige, und Flucht reizt die Kerle, die hätten uns oder Dich gleich eingeholt, Orli, laß uns wenigstens, zirka drei Kilometer vor Ramsegg im Wald, zusammen verrecken, zuerst muß er Dich umbringen, dann sich, aber ohne Messer, Orli, wie

denn? Cimbern, heißt es, erwürgten einander zuletzt, also, Orli-
Orli.

Anselm festigte seinen Blick. Sein Mund sammelte sich. Das Kinn
stemmte. Er schaute die drei vor der Männerwand an. Jeden.
Kurz. Stark. Nur der Mittlere zählte. Die Männerwand zählte
nicht mehr. Nur noch der mittlere Vordere. Pfiffe und Kommandos waren verstummt. Auch die Vögel. Die verlegten sich jetzt
wohl aufs genußvolle Zuschauen. Stumm rückte die Leiberfront
näher. Orli, was für ein Gesicht machst Du? Er darf den Blick
nicht mehr von dem mittleren Vorderen nehmen. Der hat den
Hemdkragen geöffnet. Die Krawatte hängt. Kleiner als Anselm.
Die Kerle kommen von unten. Am besten Du trittst die drei Vorderen ganz schnell in die Bäuche. Dann einen Stein vom Hohlweg
und in die Leiberwand. Oder liegt noch ein Ast? Zu spät. Noch
drei Meter. Anselm drängt Orli ein wenig nach rechts in die
rechte Furche des Hohlwegs. Er geht weiter. In der Mitte. Auf
der Wölbung des Wegs. Sobald die heran sind, geht er Orli voraus, wendet sich Orli zu, dreht also seine linke Schulter denen
entgegen, verbeugt sich ein wenig vor Orli, sagt: S'il vous plaît,
macht mit der Linken eine einladende, nach vorne weisende Bewegung, als habe er lediglich eine Tür geöffnet und biete jetzt Orli
den Vortritt an. Soll bloß keiner der Kerle innerhalb seiner weg-
weisenden, schützenden Linken erscheinen. Hinter ihm sollten
sie sich durchdrängen. Orli aber soll unberührt rechts weiter gehen. Deshalb richtet er sein s. v. p. nicht nur an Orli, sondern ein
wenig auch an die Messieurs, denen der Ramsegger Kirsch aus
allen Löchern raucht. Und siehe da, sie gehen zwar nicht hinter
ihm durch, aber sie weichen, geben rechts eine Passage frei, stellen sich an der linken Seite des Hohlwegs auf, schauen wie unter
Schmerzen, schauen grimassierend, salutierend Orli an, und Orli
schaut zurück, lächelt, denen zu, neigt den Kopf ein wenig, dankt
denen also, Anselm fühlt sich plötzlich elend und überflüssig. O
daß er kämpfen dürfte!

Sobald man vorbei war an denen, brach ein Krawall los wie aus
Blech, Steinen, splitterndem Glas und heftigem Schmerz. Orli
schaute zurück. Anselm nicht. Er zog Orli den Hohlweg hinab.
Hinaus aus dem Wald. Erwähnte den Vorfall mit keinem Wort.
Über Wunder, dachte er, darf man nicht gleich sprechen.

Der Waldrand hängt hier von Büschen schwer. Ins Tal. Auch Anselm nahm jetzt seine Schuhe in die Hand und sang. Ein wenig.

Das Flutende Sichelmoos erzählte den Fußsohlen von Rentierzungen, Gemampfe der Moschusochsen, letzten Launen der Eiszeit. Diese Talsohle sott vor Frieden. Germany at it's proper, Orli, oder sagt man at it's peculiar bzw. genuine bzw. specific bzw. queer bzw. odd. Böshiehongsweise intrinsic, sagte Orli. Inn drinn sick ist sehr gut, sagte Anselm. Zäh, sagte Anselm, windet, wie Du siehst, von zu vielen Erlen interpunktiert, der Nonnenbach seine lautlose Erzählung durchs Tal herab. Und zog Orli in den Grund hinunter, um mit ihr bachaufwärts allen Windungen frolicsomely zu folgen. So zu ehren der Eiszeit allerletzten Schmatz. Schau, das Faselreut. Schau, der Rattenbuck. Und dieser Drumlin, schau, der heißt Föutzberg und trägt auf seinem Südostbauch auch Ramsegg. Uns hat alle der Gletscher Rhein verloren, als es rückwärts ging mit ihm. Gekalbt und verloren. Schau, Ramsen Holz, Birrenstiller. Schau, die Kretzenhalde. Jetzt, komm, der Schritt über den Rubicon. Komm, über den krummen Steg. Schau, jetzt sind wir auf Ramsegger Boden. Bebt der? Riechst Du das Heu? Begreif bitte, August.

Der fünfte Anlaß, über unser Erinnerungsvermögen verwundert zu sein

Anselm trat von Schritt zu Schritt auf Kindheitsminen. Glaubte in jedem Augenblick, die würden jetzt gleich explodieren. Gleich würde er feststellen: das Ziehen innen tut jetzt fast weh, dieses Ziehen mehrerer Innereien in eine Richtung, wohl unter Anführung des Herzens, und zwar ein Ziehen hinaus aus ihm, nach Ubi-Sunt und Owehwarsint. Schmerzen nicht schon Haltebänder? Reißt nicht endlich was? Schließlich hat er sich doch im Foholoch, das sie jetzt passieren, mit Faßdaubenskiern den Knöchel verrenkt. Im Schlegel die Hasel geholt, bei Gott. Katzen ausgesetzt im Wolfermoos, jawohl. Die Stangenhütte im Schnewlin gebaut. Die fromme Flur mit kalten Bauern gesegnet. Fröstelnde und laut aufschnaufende Mädchen mit Abziehbildchen tapeziert. Und jetzt? Zerreißen ihn denn nicht die rundum hochgehenden Minen? Sie zerreißen ihn nicht. Es zieht, wie gesagt. Mehr Rheuma als Explosion. Möglich, das Pulver ist naß geworden. Vor lauter Zeit und Umdrehung. Er macht Schwimmbewegungen. Gegen eine Art Elend. Er pumpt. Rupft Gras. Die Aufgabe ist: zu Orli kein Wort mehr über Ramsegg. Verspricht er sich, sagt, seine Mutter ist dort, will sie hin, und er kann nicht erklären, warum das noch aufgeschoben werden muß. Aber später, Orli, wenn wir nach Ramsegg fahren, auf dem schilderreichen und geteerten Weg, auf der schmalen, aber geländegängigen und ganz und gar öffentlichen Straße, Orli, im Auto, wenn seine Mutter sich abgefunden haben wird sie nie sich abfinden mit Orli muß man ihr einfach aufzwingen als ein Naturereignis was weiß sie denn schon von Südamerika hat sie doch wirklich keine Ahnung also Mamma bitte nichts gegen Zigeuner aber Zigeuner sind wirklich wieder etwas ganz anderes. Orli, das versprech ich Dir, macht in ganz Ramsegg nicht eine einzige Kuh krank.

Orli blieb stehen. Ihr ist der Name des Baums wieder eingefallen, den sie gestern suchte. Jenes Baums, aus dem sie, unter ihres Vaters Leitung, Bienen vertrieb. Sie jubelt. Ja-ja, sie hat ihn wieder. Offenbar hat sie lange nicht mehr an Surinam gedacht. Darum gestern der Schreck. Zum ersten Mal stellte sie Verluste fest. Es war einmal alles. Und wird immer weniger. Und jetzt also die Freude, die erfolgreiche Auferweckung eines totgeglaubten Namens. Ahuacatl, sagt sie und sagt: Ahuacatl-Pere, und sagt ein wenig bewußtlos: Hij heeft zijn ahuacatl. Kaum hört sie sich das selber sagen und wiederholen, bleibt ihr Gesicht starr stehen. Ahuacatl. Das Wort gibt offenbar nicht soviel her. Erlöst nicht so, wie es zu erlösen versprach, solange sie es suchte. Vielleicht ist es gar nicht mehr das richtige Wort. Hieß es nicht doch palta? Sprich noch einmal aus: ahuacatl. Der Effekt ist mäßig. Aber diesen Baum gab es doch. Und so hießen doch die Früchte im Papiamento. Und sie vertrieb doch die Bienen. Aus eben diesem Baum. Ja-ja. Und jetzt? Fast wünscht sie, das Wort wäre ihr nie mehr eingefallen. Solange es verloren war, schien es alles zu sein, was sie suchte. Sie trauerte vorher nicht etwa, weil sie nie mehr Bienen vertreiben würde aus einem Baum in Surinam. Sie trauerte vorher um einen Namen, an dem offenbar alles hing. Und als er sich dann wieder herstellte, spürte sie, das reicht nicht aus, das ist nicht alles, das ist sogar vielviel weniger, das ist fast nichts. Und wie rasch verbrauchte sich dieser Name. Zweimal aufgesagt, und er ist verschliffen, glatt, temperaturlos, riecht nach nichts mehr, ein Wort wie ein anderes. Nichts mehr von der stürmisch sich ballenden Hoffnung des Augenblicks, in dem er noch nicht wieder aufgetaucht war, aber schon heftig vorausleuchtete als der gleich fällige Name für eine Erlösung. Und jetzt hast Du ihn und weißt nicht mehr und wirst nie mehr wissen, ob dieser Baum so hieß oder ob Ahuacatl nicht ein iksbeliebiges Wort ist, dem Du, jetzt ein Fremder, zum Opfer fällst. Geh mir weg mit Erinnerung. So jäh zerfällt bei Lichte das Retrouvé.

Weiter talaufwärts stellen sämtliche dazu notwendigen Bauernfiguren schräg am Hang das Heuerntebild dar. Drei Frauen rechen, zwei Männer bieten, ein Bursche lädt und stampft. Den runden Rücken nach sind es Madlehners. An der Deichsel qualmt blau der schwarze Bremsenkessel. Denn stünde vor der Fuhre nicht, vom Rauch gegen Bremsen verteidigt, rauchgewohnt und fromm ein schweres Pferd und schaute es nicht eng nach unten und risse nicht plötzlich den Kopf hoch und schlüge vor Schmerz über einen Stich den Huf in den Boden und ruckte jäh voran, daß der stampfende Bursche droben purzelt und Jöh rufend im Heu verschwindet, dann fehlte zum Heuerntebild, was zum Heuerntebild keinesfalls fehlen darf.
Anselm führt Orli sofort quer aus dem Tal hinaus, steil den Föutzberg hinauf, quert mit Hilfe kleiner Schwüre alle am Hang entlang nach Ramsegg führenden Wege. An der Kapelle ist das Heu immer zuerst weg. Und vielleicht findet Orli die Kapelle naiß und lobt die Aussicht, sei's ins Montafon, nach Rhätien oder ins Berner Oberland, schwül genug ist es für große Weiten. Da lassen sich zu Füßen die Ramsegger Dächer leicht übersehen. Und er konnte heimlich zählen, ob's noch alle seien und welche neue Dachplatten hätten oder gar Kupfer am Giebel statt Blech. Zuletzt rannte er. Von oben sah er Orli entgegen. Mit Landnehmergesten begrüßte er sie, schenkte ihr das Seeplusalpenpanorama, die Kapelle, die Linde, den Föutzberg. Hörst Du das Land brausen, Orli. Glühend vor Begeisterung zittert die Luft. Das Gelände von der Kapelle ostwärts hinab heißt Der Einfang, Orli. Und Maria Schreien heißt die Kapelle. Erregt, als zeige er ihr was von sich, zeigte er ihr das Gnadenbild. Orli schaute durchs Gitterfenster hinein. Anselm schaute Orli an. Entsetzlich gespannt. Er hatte es sehr wichtig. Wehe, sozusagen, wenn sie nicht begriff. Was sie begreifen sollte, wußte er auch nicht. Nur begreifen sollte sie. Schau das Bild an, Orli, die Jungfrau, bis zum Hals im blauen Tuchgehäuse sitzend, und an ihrer Seite kniet weiß das Einhorn, sein Kopf samt dem glatten Horn liegt in ihrem Schoß. Wie für eine Gemeinde so laut sagte er die in die Luft gemalte Schrift auf:

Sobald diu jeger daz Ainhorn jagen haiszen si ain rain magt ane-
sizzen alda oftermalen daz tir sain atzung nimbt. Alse dasz tir er-
sihet diu magt wädlet sollichs zuo ir leggt sain hawpt in irn
Schoosz und tet geleiche vaste sinnlosz ligen. Volgendts winckt
diu magt alliu jeger weliche ennet passn und vielemsig fürkomen
hant ze legen ans tir. Diu magt ersihets und fahts schrayen ā. Ob
ir diu jeger's geleich widerraten schrayet siu sunder under-
lasz.
Dann mußte sich Orli auf die Bank setzen und er legte seinen
Kopf quer über ihre Schenkel. Und wartete, daß die Schrift erfül-
let würde, auf die Jäger.
Orli ihrerseits sagte auf:
Er legte der Frau den Kopf auf den Schoß, Sie sollte ihn lausen,
aber ja nicht im Genick, Er schlief ein, Sie schaute im Genick
nach, fand die kurzen Stacheln, erschrak, floh mit ihrem Kind, das
Kind wurde vor Durst ein Vogel, flog ihr weg, Sie bat den Zitter-
aal um Wasser, ja, wenn Sie sich sofort als seine Frau zu ihm in
den Sumpf lege. Er zog seine Tierhaut aus, sagte: Mutter, bleib
dort stehen und weine! Hielt sich abseits, schlief in der Ecke, sang
immer nachts die Gesänge, die er von den Wildschweinen hatte.
Sie fällte die Palme, um Mehl zu machen aus dem Mark, aber am
Morgen war das Mehl schon fertig, also wachte Sie in der nächsten Nacht neben der Palme, sah eine andere Palme einen Wedel
herabstrecken, bis der die Schnittfläche der abgehauenen Palme
berührte, also griff sie den Wedel, umfaßte ihn und sagte, sie lasse
ihn nicht, bevor er nicht ein Mann würde. Er fand mitten im Wald
diese herrliche Pflanzung, verbarg sich, eine Äffin kommt, streift
ihre Haut ab, arbeitet schnell, schlüpft dann in die Haut. Am
nächsten Tag schlüpft sie wieder aus ihrer Haut, arbeitet, er holt
sich die Haut, verbrennt die Haut, also blieb die Äffin seine Frau.
Kein Paar brachte so große Beute heim. Jeder sagte: Woher hast
Du bloß diese schöneschöne Frau? Er verschwieg, daß Sie eigentlich eine Jaguarin sei. Aber seine Mutter brachte es heraus
aus ihm. Und die Verwandten gaben der Mutter solange zu trinken, bis sie's herausbrachten aus ihr. Vor Scham brüllend floh die
Schwiegertocher in den Wald. Er ist jetzt fast immer im Wald und
ruft, aber er bekommt keine Antwort mehr.

Anselm seinerseits sagte auf:
                    Nibelungen.
Die Jäger haben gefangen   gar alle Deine Leut,
mit Lärm und Feuer brechen   sie durch das Faselreut,
Sie schreien Deinen Namen   zerreißen jeden Strauch,
sie treiben die heulenden Hunde   mit Peitschen in den Rauch.

Mich läßt der Hauptmann holen.   Hin mit ihm auf die Bank.
Ihr, in die Lindenkrone.   Wetten, die wird krank
nach ihm und zockelt her.   Du kommst, ich hör's, Du schaust,
ich schweig, Du weinst, breitest   die Arme aus und traust.

Die springen aus dem Baum   mit einem Schrei.
Du schaust mich an. Ich schweige.   Mich lassen sie frei.
Zu Gott, gelobt sei er und   gepriesen sein Name, schreit
Deine Mischpoke im Torkel   und kniet an der Kelter, bereit.

Ihr habt gebacken das blutige   Brot, jetzt zornt die Stadt.
Noch schützt der Hauptmann den Torkel.   Wer den nachts
                                        gezündet hat,
weiß Gott. Die Jäger sollten   vor christlichem Zorn euch
                                        schützen,
und ihr seid drin verbrannt   samt euren Witzen.

Du warst beim Hauptmann die Nacht,   hast ein Kraut ihm
                                        gepriesen,
das unverwundbar macht   gegen Hauen wie Schießen.
Er lacht. Will mehr. Ja, gleich,   erst wird das Kraut probiert.
Du schluckst das Kraut. Er schießt. Du fällst.   Er schreit: Wie
                                        immer. Angeschmiert.

Orli ihrerseits sagte auf.
First: While *La Cacica de Cofachiqui* was speaking with the Governor she was disengaging little by little a large strand of pearls
as thick as hazelnuts which encircled her neck three times and fell
to her thighs.

Second: Governor Luis de Moscoso issued an order to bind the Indian to a tree and subject him to the large mastiffs which they had with them. They released the dogs who in their ravenous hunger tore the man to pieces and devoured him in a short time.

Third: Cacique Vitachuco's arrogant and foolisch reply: »The very lives and deeds of these Christians reveal them to be sons of the devil rather than sons of our gods, the Sun and the Moon, for they go from land to land killing, robbing and sacking whatever they find, and possessing themselves of the wives and daughters of others without bringing any of their own. They are not content to colonize and establish a site on some of the land that they see and tread upon because they take great pleasure in being vagabonds and maintaining themselves by the labor and sweat of others. If they were men of virtue they would not have left their own country, for there they could have employed their strength in sowing the land and raising cattle to sustain their lives without damage to others and without increasing their own infamy. But they have made highwaymen, adulterers, and murderers of themselves without shame of men or fear of any god. I warn them, therefore, not to enter my land, for I promise that no matter how valiant they may be, they shall never leave it, since i shall destroy them all. Half of them I shall bake, and the other half, I shall boil. I shall cause the Earth to open up and swallow them all. I shall command the Hills to bury them alive. I shall command such strong and furious Winds to blow that the Trees will be uprooted and thrown upon them. I shall order a great Multitude of Birds with Venom in their beaks to fly over the intruders and drop this Venom upon them so that they will rot and their flesh become corrupt without any remedy. I shall poison the waters, grasses, trees, fields, and even the air with a mild poison so that they will be able to see themselves in a state of decomposition and decay. There will be no manner of cruel Death that I shall not carry out upon these people.

Anselm seinerseits sagte auf:
                    Ein Schnadahüpfl.
            Z' Ramsegg aus'm Spritzenhaus
            schaun zehn Zigeuner raus
            warten auf'n Polizeiwagen
            der soll's in d'Stadt neitragen

322

Dulla-di-ulla, di-ulla-di-ö
dulla-di-ulla, diulladjö.

Grün fahrt der Wagen vor
rot öffnet sich das Tor
kommen zehn Zigeuner raus
z'Ramsegg aus'm Spritzenhaus
Dulla-di-ulla, di-ulla-di-ö
dulla-di-ulla, diulladjö.

Kaum daß sie im Freien sind
einer nach'm andern schwindt
senkrecht in d'Erden hinab
wie durch ein Zauberstab
Dulla-di-ulla, di-ulla-di-ö
dulla-di-ulla, diulladjö.

Sogar die SS muß her
sucht mit der Feuerwehr
fangt zehn Zigeuner zamm
hinten im Weiherschlamm
Dulla-di-ulla, di-ulla-di-ö
dulla-di-ulla, diulladjö.

Z'Ramsegg aus'm Spritzenhaus
schaun zehn Zigeuner raus
warten auf'n Polizeiwagen
der soll's in d'Stadt neitragen
Dulla-di-ulla, di-ulla-di-ö
dulla-di-ulla, diualladjö.

Jetzt muß der Pfarrer her
mit der Monstranzn schwer
der legt Altartücher aus
zwischen Auto und Spritzenhaus
Dulla-di-ulla, di-ulla-di-ö
dulla-di-ulla, diulladjö.

Dann gehn zehn Zigeuner still
über das heilige Textil

gelangen auch heil in die Stadt
wo man's dann umbracht hat
Dulla-di-ulla, di-ulla-di-ö
dulla-di-ulla, diulladjö.

Orli ihrerseits sagte auf:
BEIDE kamen dann zur Sowieso-Palme, SIE bat ihn, hinaufzuklettern, ihr einen Pack Früchte zu holen. Sobald ER den Wipfel berührte, rief SIE: Halte Dich fest! Sprang auch auf den Baum, schlug den Stamm mit einer Rute, der Baum wuchs und wuchs, wuchs bis zum Himmel hinauf, SIE band ihn mit seinen Blättern an einen schweren Felsen, dann sprangen BEIDE in den Himmel hinein.

BEIDE standen schon unterm Gewölk, das gelb und violett und schwer und schnell und lautlos überm weißgrünen See herschob, bis die sirrende Luft im ersten knatternden Schlag zerriß. Eine gleißende Ader schlug vom Himmel in den Föutzberg, stand eine winzige Ewigkeit lang so gleißend, Orli flog in Anselms Arm. Anselm riß den Mund weit auf. Der Blitzriß prasselte, als hätte die Welt einen sie einengenden Reißverschluß zerrissen. Der Donner knallte spitzscharf, tausendpistolenscharf und hell, als sie vom Blitz noch nicht aufgeatmet hatten. Die Wolken fauchten. Ein hoher Ton sirrte. Die zweite Blitzader fuhr in den Föutzberg. Anselm riß den Mund auf. Suchten die Blitze ihn? sein zum Himmel stehendes Zeug? Zog das die Blitze an? Der Donnerknall. Ein rasendes Wassergitter. Dicke Wasserstäbe. Eine Wasserwand. Senkrecht herab. Anselm hat Orli unters Kapellendach gezogen. Orli reißt ihr Frotté von sich. Rennt in die Wasserwand. Anselm wirft auch ab soviel als möglich. Rennt Orli nach. Verrückt geworden, tanzen sie im prasselnden Wasser. Verrückt im gleißenden Blitz. Im knallenden Donner. Über dem fauchenden See. Über den kämpfenden Wäldern. Bis die Blitze verlöschen, der Donner ersäuft, die Wälder drunten plötzlich ganz still halten, als ließen sie sich jetzt den Regen gefallen, weil der jetzt leise rasch herabströmt. Wie höflich. Anselm und Orli ziehen sich an. Die Sonne mischt sich ein. Von Westen her malt sie fett über alle Regenfarben ihre Sonnenfarben. Alle regengrünen Bäume sind jetzt regensonnengrün. Dächer regensonnenrot. Orlis Haut ist regensonnenbraun. Orlis Haare sind regensonnenschwarz. Regensonnenblau sind die Berge. Und sechsfach farbig stellt die Sonne vom österreichischen Pfänderrücken bis in die Seemitte vors schweizerische Romanshorn in einem riesigen Wölbeschwung den Regenbogen, um von violett über grün, gelb, rosa, rot bis wiederviolett alle Regensonnenfarben noch einmal an und für sich vorzuführen. Aber nicht lange. Nicht so lange, daß jemand sich hätte daran gewöhnen können. Nur so lange, daß man Augen und Maul noch aufsperrte und noch nicht genug hatte, als sie ihre Farben schon wieder zusammenschmolz, um sie wieder ausschließlich an Vorkommendes zu verwenden.

Anselms Haut spannte sich. Einesteils war er froh, wieder in mehreren Kleidern zu sein. Seine männliche Ausstattung wollte ja immer noch nicht klein beigeben. Das war allmählich lästig. So ließ er sich seine Keuschheit nicht abkaufen! Jetzt grade nicht. Orli so zu enttäuschen. Kaum ist man ein wenig freundlich, wird man gleich ausgenutzt, würde sie denken. Er ist also doch wie alle anderen! Nein, Orli, ist er nicht. Keine Sorge. Er kann warten. Ewig. Ihm genügt es, mit Dir herumzulaufen. Am liebsten barfuß. Am liebsten durch Gras. Dann, auf einer Kuppe, plötzlich anlaufen, abheben, Hand in Hand mit Orli, deren Knochen wie die seinen täglich leichter werden durch die Luft der Keuschheit. Sie werden jetzt bald fliegen. Über den See. Die Berge. Die Welt. Daß ihm seine Natur da unten immer heftigere Schmerzen bereitet, erträgt er gern. So verdorben ist er leider, daß es in den Lenden nicht mehr aufhört zu stechen, bloß weil er jetzt einmal so ist wie sich das gehört. Das ist die Strafe für sein früheres Leben. Der Schmerz der Umerziehung. Abtöten wird er sich. Orli, Dir zuliebe ist nichts unmöglich. Oder wartet sie etwa darauf? Wundert sie sich, daß er nie unaufhaltsam wird? Hält sie ihn womöglich für nicht normal? Diese Einflüsterungen! Mit sowas soll er wohl hereingelegt werden, was! Ach, Versuchung, Du mühst Dich umsonst. Anselm ist wie Orli will. Aber will sie ihn, wie er jetzt ist? Schweig. Weiche Satan. Führe uns nicht in Versuchung. Dieser nuschelnde Regen. Eine Sprache unter Einverstandenen. Anselm und Orli mit frischer Haut. Sicher ist in allen Zimmern eines großen Hotels die Luft jetzt ganz frisch. Sicher ist die Bettwäsche jetzt ganz frisch. Sondern erlöse uns von dem Übel. Amen.

Sie verabschiedeten sich von der Linde, der Bank und Maria Schreien. Die Sonne schien jetzt auf Marias Sandalen. Anselm

sagte: Schau, Artemissandalen! Marias herber Schreimund lag
schon im Schatten. Anselm entwarf einen Umweg nach Gattnau,
der nicht durch das Krukenwiesried führte. Orli fing an, Blumen
zu pflücken. An Waldrändern, auf Waldwiesen. Möglich, aus
Versehen, auch Artemisia, genannt Beifuß, Stabwurz, Eberreis,
welches vorkommt auch für Entenbraten, gegen Fallsucht und für
Wermut. Orli zerrieb Blätter zwischen den Händen, ließ Anselm
riechen, rieb ihm die Schläfen ein.
Als sie wieder im Zelt lagen, fing es wieder an zu regnen. Anselm
fragte: Orli, hast Du eine Zeltplane für das Motorrad? Sie hatte
keine. Das sagte sie so, daß Anselm sofort heftig auf sie einreden
mußte, um ihr zu beweisen, wie unwichtig es sei, ob das Motorrad
unter einer Zeltplane stehe oder nicht. Er kann es doch zum Platz-
wächter hinschieben. Bei dem muß er sich sowieso mal einfüh-
ren. Von jetzt an bezahlt nämlich er für Platz 92. Kristlein. Riedesser. Ach, Riedesser. Von Betznau oder von Unterreitnau?
Anselm beherrschte sich. Der Fremde gilt mehr. Dann sprach er
freundlich hinab zum kleinen Herrn Riedesser, tat wie ein richti-
ger Fremder. Wohin mit dem Vehikel, wüßten Sie da einen Rat?
Herr Riedesser stemmt, um noch besser denken zu können, den
Daumen unters Kinn. Dann hat er's. Sobald nämlich Anselm
sagt: Einen Schuppen müßte man haben! fällt ihm die Lösung ein:
Wir stellen's einfach in den Schuppen. Das, sagt Anselm, ist eine
ausgezeichnete Idee von Ihnen, Herr Riedesser. Herr Riedesser
wehrt ab. Tut bescheiden. Das Motorrad nimmt er Anselm aus
den Händen. Ach, eine Lindauer Nummer. Sofort bleibt er-ste-
hen. Schaut feindlich herauf. Aber Herr Riedesser, Anselm ist alter Sportfahrer, also leiht er sich immer, wenn er im Sommer her-
kommt, eine Maschine von seinem Freund in Lindau. Riedesser
ist beruhigt. Kriegt gleich mal 10 Mark. Als Anselm zurückkam,
fragte Orli leise, wie nebenbei, wann sie das Zelt verlassen würden. Anselm spürte plötzlich, daß sein Mund schmerzte. Eine Art
Muskel- und Nervenkater. Das Englische verlangt offenbar ganz
andere Bewegungen. Also muß die Muskulatur umgeschult werden. Also schmerzt sie. Also sagte Anselm schweren Mundes: As
soon as possible. Und litt plötzlich unter seiner Aussprache. Orli
hatte einen gesunden amerikanischen Akzent. Aber Anselm
hörte jedes seiner englischen Wörter von einem süddeutschen
Lautsprecher zerquetscht. Er dachte eine richtige Aussprache.
Was den Mund verließ, war ein Englisch ohne die vielen unterir-

disch hallenden Räume, in die jeder wirklich englische Laut sich auflöst.

Orli legte sich eng an ihn und sagte ihrerseits auf: In den Ästen der Sowiesopalme kauern die schwarzmäuligen Äffchen, schlafen aneinander. In den Regennächten wimmern die Kleinen vor Kälte. Dann sagen die Affenväter: Aber morgen bauen wir unser Haus. Am Morgen sagt einer: Bauen wir jetzt? Der andere sagt: Gleich, bloß noch den Bissen. Der eine sagt: Ach, diese Banane noch. So gehen sie auseinander. In der nächsten Regennacht, wenn wieder die Kleinen wimmern, sagen die Affenväter wieder: Aber morgen bauen wir unser Haus.

Hohe Zeit. Höchste Zeit

Die am Spiegel, in Haaren wie viel früher, barfuß auf dem Holzrost, Orli
Deine Haare gehen im Gras aus, Du hast die Erde herumgekriegt, sie trägt Dich als Sommer
Deine Knie, aufgestellt im Gras, sind für die jungen und die alten Blitze das Ziel dieses Sommers.
Der Firn auf Deinem Bauch
der Tang in Deinem Haar
fett, Orli.
Du, die Sonne, das Gravierende in der Wirrnis aus Körpern rundum eine Menge Rotz,
Männer, lauter Merowinger, jeder rennt flippflapp vorbei, sagt das Wort, das Dir den Kopf in den Nacken drehen soll, jeder reißt vom Leiberbaum nen Ast, bläst ihn als Trompete, Fliegen eifern, Kuriere der Merowinger, ich bringe jede Fliege um, erlaube keinem Fliegenfuß, Deiner Haut Grüße von Merowingern zu bringen, die uns umlagern mit toten Fischaugen, toten Fischmäulern, mit dem Gestank toter Fische, Orli anzustecken, daß sie endlich auch verdorben wäre, nach toten Fischen röche, ja-ja, flüstert nur, ihr stinkenden Merowinger, Anselm hört Alles: Hat die einen will die einen der bin ich klopf ich an die Kabinenwand ich bin Dein Specht mir liegt die quer in der Welt durch alle Kabinen im weißen Bett hockte die doch wie nicht gescheit zum Verrücktwerden also.
O ja! Mein Ohr, unter den First genagelt, hört aus den Kabinen

euern ewig nassen Quatsch. Ach, Orli, wie Dich schützen! Liegend reichst Du nämlich bis durch den Horizont. Ich umgebe Dich mit mir. Bin zu klein im Gras. Die Kerle sitzen schon in den Bäumen. Verrat wälzt sich rundum im Grasgrün.

Merowinger, übelste Blase, Wolke aus Fischgestank, schämt ihr euch nicht, dieses Mädchen anzuschauen, als wäre sie eure Melkschule!

Schwimm, Orli, rascher, tiefer schraube den Kopf, winde den Arm weiter hinaus, hol durch, Orli, sie bleiben zurück, wenn Du jetzt nicht schlapp machst, Orli, häng Dich an Anselm, der reißt Dich mit hinaus, dorthin, wo die Windnarben das Wasser rauhen, erst wenn die achtlosen Fische springen neben Dir, neben mir, sind wir sicher. Schau, wie der Himmel sich genau wölbt vom Wasser zum Wasser. Jetzt sage mir, in wessen Bauch schwimmen wir? So warm und leicht und wie entkommen. Wessen gastrisch Geschwür sind unsere Sterne? Tun wir dem weh? Bleib in der Nähe, Orli, daß wir wenigstens von der selben Strömung fortgerissen werden. Und sei's nur vom strengen jungen Herrn Rhein, der uns abliefern will bei Mamme Laks in Rotterdam. Oder ist der See selber bloß ein zweischwänzig Spermchen, das sich bei Bregenz den Kopf reibt, und wir geringste Gene, bald schon weggemendelt aus der Welt, wohin weiß Gott, und der sagt nie was.

Anselm vermag keine Welt auszudenken, in der es ihm gelänge, Orli zu schützen.

Weicht er den Merowingerrotten einen Nachmittag lang aus, führt Orli in einen soldatenfreien Wald, findet auch einen Bach, dem man vroolijk folgen kann, hört er doch bald genug Schritte, schaut um, sieht auf der anderen Bachseite wen? aufholend, jetzt schon auf gleicher Höhe mit Anselm und Orli gehend, frech herüberwinkend mit seinem unmöglichen Finger: Heini. Mit Maria, die den Blick plötzlich blank herüberschickt. Wo ist ihre höfliche Scheu? Sie grinst. Beide grinsen Anselm an, als wären sie und Anselm Einbrecher, die nachts im Kassenraum einer Bank auf einander treffen. Ja, wat denn. Ja, sowas. Ja, der Herr Krischtlein. Ihn laust der Affe. Na, dat müßte wohl begossen werden. Nee, nich jetz, keene Bange. Kuck ma wie ar kuckt. Sin selber uffm Kriegspfad, guats Nächtle, Herr Krischtlein. Und bugsierte Maria direkt in den Wald. Ach, Maria Grabherr von Retterschen, ach liebe Maria, warum schneiden Schritte so durch die Welt! Warum trennt ein Schritt von allen anderen Richtungen! Heini jodelte noch. Anselm schaute nicht hin.

Ein Mißverständnis, Herr Müller. Welch ein Mißverständnis. Er ist nicht, überhaupt nicht auf dem Kriegspfad! Er verbittet sich das von Ihnen. Das ist doch überhaupt kein Vergleich. So eine Gemeinheit von diesem Schwein. Siehst Du, Orli. So sind sie alle. So gemein. Bloß Anselm nicht. Der geht in doppelter Badehose mit Dir ins Wasser und auf festem Land senkt er sich in eine Dreifachhose. Und nachts entschuldigt er sich für die Nachtluft bei Dir. Versteh den Bodensee nicht falsch, Orli, diese Luft, die nachts süß und sämig wird und anrührend, eine Kleidung, die keine andere Kleidung duldet, eine andauernd schmeichelnde Bedrängnis auf der Haut, nicht zum Atmen, sondern zum Hineinlehnen, diese Luft hat tagsüber in zirka Milliarden Blüten geschlafen, begreif, nachts bewegt sie sich ein wenig, schwankt durch Gärten, duftet natürlich, fühlt sich, sozusagen, betörend an, Seide aller Seiden, sozusagen, aller Kleidungen einzige, also laß uns ruhig ablegen, was nicht so anmutend ist wie diese Luft, Anselm würde sich lieber selbst erwürgen als diese trachtende Luft, dieses gediegenste Element zur Bundesgenossin für einen schlimmen Überfall zu machen. Am liebsten würde er Dir sowieso nachts immer die Ohren zuhalten, daß Du die vielen Laute nicht hören müßtest, die in dieser Nachtluft satt auffallen wie Orden auf Samt. Schlimme Laute, Orli. Dafür sollte Anselm, hätte er bloß den Mut, sich wirklich entschuldigen. Aus allen Wiesen winden sich Seufzer, alle Büsche stöhnen, Kehllaute wälzen sich im Klee. Mitten in der nächtlichen Natur weiß ein wütender Koch offenbar nichts anderes zu tun, als die Schnitzel für den nächsten Tag mit platschendem Beil auf dem Hackstock breitzuklatschen, ach das platscht, Orli, hör nicht hin, und manchmal klebt ein Schnitzel offenbar schwitzend am anderen und läßt sich nur unter Entbindung widerlichen Geräuschs lösen und pappst wieder, wird wieder gelöst und pappst und löst, ach wie viele nasse Köche schlagen hier wie viele nasse Schnitzel in so einer einzigen luftvollen Sommernacht. Es ist, wie Du hörst, Orli, eine Arbeit. Begreif. Saison. Morgen muß das Fleisch durch sein.

Im Zeltdach ließ sich eine Luke öffnen. Die war groß genug für eine halbe Stunde Monddurchgang. Jetzt liegst Du, Orli, auch von Lewanah nicht blaß zu kriegen. Orli, hörst Du, wie Anselms Stimme bricht. Der Knabenton, der hoheklare, geht zum Teufel.

Das Hohe Lied kratzt heiser. Dabei sagt er die Wörter gar nicht, die ihn überfallen. Your strange customer, Orli, your saint Unicorn, your dear dodderer is done over by an outrageous outburst of cryptomnesia. Du hast Dich nämlich bewegt. Auffallend. Du hast seinen Händen Augen aufgesetzt und ein vorwärtsfressendes Licht angezündet. Sie wollen die abwärts breiter werdende Haarspur nicht mehr verlassen. Verwundert, ungläubig sehen sie sich um im dichter werdenden Gestrüpp, fromm legen sie sich und staunend ins hageldicht gestrickte Moos, welch ein Material wurde hier verwendet! Mit diesem engsten, kaum zu durchkrallenden Dickicht schützt also die Erde ihren heiligsten Zugang gegen scharfäugige Hände und haptische Wörter. In the midst of this showleg night I get to know the oneness of purpose of that onerous property of mine, my oner at you, that creamy creamstick and cornucopia from which I do suffer hard pain of hardiness, frankly speeking, but how to tell you, since words have become upset, wild and ill, dare not even say finger or thumb or thumbscrew or it or in or queer or shove or press or hard or snail or drop or light or fast or spread or hot or safe or hole or short or knock or peep or back or belly or piece or god knows what else since all words are that onersome, if I may put it this way, all words start transpiring and even smelling, Orli, under these circs I would rather swallow my red and innocent uvula than treat you with words fraught with uproar and ambiguity. Acha nebbish, acha shlemozzle, acha Bar Mitzvah, acha avira! Schlupf mer loquens ludens in die gloves einer haptischen längwitsch, Dich zu eprisieren, Orli, verbi loquuntur, alleen van jou zingt hevig de wereldgeschiedenis, gimmi thine youngue tongue, digas me van tougen minne cum verbis dignis et justis et oblitis, tell mi, ma vie, hau to spell met plechtigheid il tuo suoze carne en het liefste plekje, ma conduiramort, command mi to prick la tua dolce cintura della chastenezza under een rietendak, makemi destruir il tuo pelle della kasteinis, rape, Orli, rape, exhibite all dhine zoete ledematen dhine wondermachtige lichaam, tutti i sauci pusses and dhise ponderous pappis, yea dhise puce paps, mine first frends and very first trouvaille nel mondo ai was fond of, ai scrambled for al fondo di questa notte in quelle est air ain fayr ain fable and fame, exaudi me lichamelijk, adjusta me weldadiglijk, untame nos deftiglijk, siamo perfomers delle geste glad and glorieful, Orli, grande creek, Orli, shining mirth recognoscemo, your fer-

rule am ai, ai am the missile, already counting down s' preaepu-
terl, ai am your bevend pending pendant, peremptorily persisting
in your per-me-able penetralia, so ai beg of you, jug of all jugs,
swallowing darkness, jug mi, let us happen to happen, Orli, laetest
and letzt, let us happen maintenant, mon Arche, ma Trasse, main
Mange, die ich mance, Mamanschette, esse main Maitre, ezzo
markiert main Marcus merrili dhaine Matermatze, dhu maine
Mare, ich dhain Skalch, so do mi to you, so do marry mi, metzle,
marze, lezze froller, still froller, blass mir Seufres ins Gloll und
flakk mir brabbimmlich mit dhaine Manges übers Komotz, zipp,
unzipp, wiemlig cum la Tua, la Schlofze, manschel die Gläfze
trans main Schegelsopp. Et sarb, Orli, sarb yet cum la tua
Schibbse und grezz mittem Inglin tutte le freeselnde Trizzen de
mon Schlazi, blemmernd et flagellant. O flumzige Schlofze, o
Mappse, froll und gloll, gemarzt de mi trans et trans al fondo del
Greeschel, finalmente nel Mick, tu haft gesponselt, daß mir das
Neeschel cum tutto Brooz fluhr ins Ferl. Ich dreeze te for Schwal-
lung, bliss odr klitz, abr ne sonze pas, bleg ye, ne sonze pas, bevor
Neeschel und Brooz unde Ferle sunt nel Mappse zur Mange et
le Schegelsopp Holy Hamself freeselt cum tutte le Gläfzen under
der Schibbse, daß de Trizzen della tua santa Schlofze mugan
schlufzen vor mir et sopra nostra Greescheln und megen sarben,
sarben, sarben trans et trans, bis ins Mick. O Orli, o Mick, o
Schlooffze aller Schibbsen, ich freesle te per te, blegge te per te,
sonze nicht, ich blegöfze solo la tua Santissimaltissima, la flumzige Schlooffze under schräälenden Mappsen, o flahr togedder
cumme, grezz wie Du sarbst, sarbe wie Du marzest, marze mi,
Orli, marzesseti, mabrumma, per te, per me, per il nostro insonz-
liches Tromm Schegelschlofze et Schippsesopp dulum et dalum,
duramella, ischluckti, ibleffzti, iklickti, hopp, happe Schegel-
schibbse-Schlofzensopp. Wangewangeslender. Soma. Damp.
Lamilanden. Nel-Te. Te. Ti.
So leise wie man's nicht wiedergeben kann, sagte Orli: Do not
wait for me. Aber Anselm überhörte das gefälligst. Ach Orli, wie
gering denkst Du doch von Deinem Anselm. Er bleibt Dir und
harrt Deiner, mag ihn auch eine Schlange in die Ferse stechen!
Und darf niemand hinein als der liebe Astragal glycyphyll Sein.
Lassen wir unsere Zähne, Aurelia Laks, feierlich in die Goldene
Birne sinken, dies ist nämlich Deimeinunsre Taufe. Enttauft wird
Williams Christ. Und wird getauft Unsere Birne Aller Birnen und

heißt jetzt für immer: Ahuacatl Christ. Jetzt bist Du sein. Er Dein. So.

Hastete an dem Vormittag ins Seehaus. Orli schlief tief. Rief Melanie in die Kajüte. Es handelt sich um Geld, Melanie. Sie will heim, morgen fährt sie, es kommt ihr vor, sie sei noch nie so kaputt gewesen. Und bei Hans kann sie sich, seit Rosa auf und davon ist, auch nicht mehr ausweinen, der liegt doch selber wie die Schildkröte auf dem Rücken. Aber Anselm, der Morgenfürst, will sie nicht so elend sehen. Orli erholte sich gerade schlafend von ihrer sie selber anstrengenden Allgegenwart, also stellte sich Anselm rasch Melanie zur Verfügung. Aber so, als könne er überhaupt nicht anders. Er war doch dankbar. Wollte sich ausschütten. Seine Bewegungen sangen. Mensch, Melanie, sag doch, was sonst noch darf er Dir zuliebe tun? Auf welchen Berg Dich tragen? Er muß etwas tun. Für Dich. Sonst zerreißt es ihn. Uf Wyderluge. Chumm wydr. Und exusez. Etz chumm, etz briagg nid. A bientôt.

Als Anselm, um Heini wieder was fürs Motorrad zu bezahlen, bei Müllers eintrat, standen Frau und Tochter und Heini um den Tisch und beteten weit über die Suppe hinaus. Heini führte das Gebet an. Seine linke Hand umfaßte seinen Rüssel, als wäre der eine fromme Kerze. Anselm mußte die Suppe mitessen. Dann brauste er ab. Den Chef ließ er grüßen.

Orli lag im Zelt, den Daumen im Mund. Anselm kniete nieder. Verrichtete sein Gebet an ihr.

Oft fand er sie aufm Bauch. Nahm Platz auf ihrer weichen Kugel. Ihre Fußsohlen gingen auf seinem Rücken. Ihre Fersen trommelten. Er saß auf der Halbkugel. Ein wenig kreisend, schwankend, federnd, schwebend, versunken und versenkt, immer unruhiger. Einerseits war er die Nächte durch stolz, daß sein Zeug so unberuhigt verharrte und trotz allen Ausstoßes nicht weichen wollte. Schon wieder ein Wunder, mein Gott. Er fröstelte vor Begeisterung. Andererseits war ihm diese ständige Bereitschaft unheimlich, besonders tagsüber. Auch wäre er den starren Schmerz lieber losgeworden. Und Orli wunderte sich zu wenig. War zu scheu oder zu arm an Erfahrung, um seinen Zustand als ein aufrechtes Wunder zu feiern und zu loben.

Und rundum immer die Verfolger. Kerle jeden Alters. Zum Glück verstand Orli nicht deutsch. Schon im Lager ging es los. Sobald sie das Zelt verließen. Leises, langsam hochziehendes, dabei lauter werdendes Anpfeifen. Und diese elenden Bemerkungen. Als wäre nichts leichter, als Anselm aus dem Feld zu schlagen. Als habe Anselm es nur dem Wohlwollen dieser Kerle zu verdanken, daß Orli noch an seiner Seite sei. Kommt Jungs, laßt dem Alten seinen letzten Spaß. Mensch, jetzt schau doch nicht immer hin, merkste denn nich, wie der Onkel nervös wird. Nu laßt doch dem Onkel sein Pläsierchen, seid mal schön fair. Offenbar zweifelten die Burschen keine Sekunde daran, daß Orli ihnen, wären sie nicht so ungeheuer rücksichtsvoll, sofort zufallen würde. Manche zeigten ganz deutlich, daß sie darauf verzichteten, Orli auch nur ein zweites Mal anzuschauen, weil sie zu sicher wußten, dann hätten sie sie, und das wollten sie doch, als Wohlerzogene, dem Onkel nicht antun. Daß etwa Orli, in wie bescheidenem Ausmaß auch immer, an Anselm interessiert sein könnte oder ihn gar mochte, schien für sie einfach unvorstellbar zu sein. Eine Bande ging ganz ungeniert zum Raubangriff über. Wem die Beute im Fall eines Sieges zufallen würde, war leicht zu erkennen. Er war immer der Anführer. Ein Zwillingsbruder von Bamber. Die gleiche von Haaren enge und von Augenwülsten unebene Stirn. Der dicke ununterbrochene Haarwurm über Augen und Nasenwurzel. Paketereich. Hellblond. Anselm wich aus. Wechselte täglich zweimal das Strandbad. Die Merowinger in offenen Sportwagen hinter ihm her. Standen aufrecht. Winkten, hupten, schrieen. Anselm gab plötzlich Gas, huschte zwischen den einander schier reibenden Autokolonnen vorwärts, mit aufheulenden Hupen blieben die Verfolger zurück.

Anselm jubelte, bog ab, legte sich mit Orli im neuen Bad so weit abseits als möglich. Still lagen sie nebeneinander. Einander zugewendet. Hielten einander die Hände. Beider Blicke fest in einander verankert. Ohne Mühe konnten sie einander langlang, unheimlich lang aus nächster Nähe in die Augen sehen. Von einem Auge ins andere, vom anderen wieder ins eine. Synchron wechselten sie den Blickpunkt. Aber plötzlich steht wieder einer über ihnen. Sie sehen ihn nicht. Anselm hört ihn pfeifen. Hört scharf die Sohlen im Gras. Die Rufe. Entdeckt. Er braucht gar nicht mehr aufzuschauen. Bambers Zwillingsbruder mit seiner Bande. Manchmal bringt er nur einen Kerl mit. Manchmal gleich fünf oder acht. Auch wechselt er öfter die Badehose, das Auto und die Sonnenbrille. Am Vormittag trägt er das Haar locker. Gegen Abend klebt er es mit Pomade kunstvoll zum Hahnenkamm.

Warum er einerseits so unverschämt zudringlich und andererseits so tarnsüchtig ist, erklärt sich Anselm so: der will ihn zermürben. Anselm soll denken, hier handle es sich nicht um einen hartnäckigen, aber vielleicht doch noch – und sei es mit Hilfe Gottes – abzuschüttelnden Verfolger, sondern um eine die Welt von jetzt an ausfüllende Schar, also Flucht sei da lächerlich, Gegenwehr auch, scharf geraten sei dagegen Kapitulation. Los, liefere die Nackte aus, dann lassen wir Dich laufen, Onkel, sonst aber...! Erstens, schreit Anselm in diesem von seiner Seite aus immer noch stumm geführten Kampf, erstens ist sie nicht nackt, und wenn ihr noch so hinschaut! Zweitens kriegt ihr sie nicht, und wenn ihr mich noch so sehr hetzt.

Immer, wenn er vom Arzt kam, war Orli noch da. Es war erstaunlich. Weil er Orli nicht sagen konnte, warum er zum Arzt ging, erfand er jeden Morgen eine neue Ausrede. Ach, diese unbarmherzige Verhärtung. Sich so einem Arzt zeigen? Nie, nie, nie. Aber als er sein Wasser überhaupt nicht mehr los wurde, warf er sich auf die Maschine und fuhr, – jede Unebenheit schlug spitz in ihm ein – zum Urologen hin, sagte leise, er habe eine, das ist ja längst kein Fremdwort mehr, schaute zur Assistentin hin, eine, eine komische Krankheit, aber der Doktor schickte das junge Ding nicht weg, wartete ungerührt, daß Anselm weiterspräche, befahl, dort unten aufzumachen, Anselm drehte sich ein wenig, sollte doch das junge Ding ihn nicht voll im Morgensonnenschein so sehen, aber Los-los-raus-damit, sagte der Doktor mit Fleiß, und drehte Anselm wieder in die Sonne und zog ihm das Hemd weg undsoweiter. Ach, warum zwingt, wer den Experten spielt, auch den Unschuldigen, so zu tun, als sei er durch und durch ein temperaturloses Fremdwort. Sah denn dieser angebliche Medizin-Apparat nicht, daß das junge Ding vor diesem Krankheitsbild wenigstens ein wenig erschrak? Anselm hob die Hände. Höher als nötig. Der sollte als Polizist oder Räuber, auf jeden Fall als gewalttätiger Feind vor Anselm stehen. Anselm, das Opfer, machte Händehoch, war unschuldig der Brutalität ausgesetzt. Dann durfte er (wenigstens) liegen. Das Doktorinstrument setzte sich neben ihn, aber das junge Ding mußte sich auch dazusetzen, offenbar sollte sie abgehärtet werden, auf Anselms Kosten. Was der Chef sagte, kritzelte sie in das Buch auf ihren Knien. Miktionsfunktion reduziert bis auf Tröpfeln. Das fiel etwas, sie bückte sich links hinab, dadurch rutschte von ihren Knien was

Härteres rechts hinab, sie fährt hoch und nach rechts hinab, die ganze Kladde poltert nach links, sie selber fällt auf die Knie, greift unten weit aus, kommt mit Entschuldigungslauten langsam herauf, bringt allmählich alles wieder unter ihre Kontrolle, der Doktor, der jedem fallenden Gegenstand so lange als möglich nachgesehen hatte, übersetzt meine Krankengeschichte weiter ins Medizinische. Als es ans Katheterisieren ging, schickte er das Ding dann doch weg. Das Katheter. Also doch wieder. Nach der Operation hast Du gedacht: das hast Du hinter Dir. O Orli, mon Arche, Orli, ma Trasse, Deinetwegen wird Anselm auf dem Lederbett gemartert von Dr. Prokrustes. Weil sie Deinen Anselm durch keine Kampfart völlig vernichten konnten, arbeiten sie jetzt direkt aufs Zentrum los. Bietet doch dieser Doktor Anselm ganz offen die Wahl an zwischen zwei Vernichtungsarten: hormonelle Kastration oder Elektroblockschock. Und als Anselm erfährt, sein Zustand höre auf den Namen Priapismus, hält er es für möglich, daß dieser ganze Verlauf einem Wunsch oder einer Verwünschung aus München unterworfen sei, schließlich hatte Birga ein Wort aus diesem Wort fromm und gebildet benutzt, damit ihr ihres Mannes Mann auch vormittags wörtlich erreichbar bliebe und nicht entkäme aus ihrem Benennungsnetz.

Anselm lehnte die angebotenen Vernichtungen sofort ab. Lieber täglich die Katheterplage. Im Herbst, Herr Doktor, vielleicht, aber doch nicht jetzt zur Hochsommerszeit, wo er braucht, was er hat. Und brauste zu Orli zurück, froh, sein Wasser los zu sein; fürchtend, sie sei ihm weggenommen worden. Aber so waren seine Feinde nicht. Sie wollten Orli offenbar nicht stehlen, sondern ihm abjagen. In offener Schlacht. Anselm gab Befehl zum Packen. Herrn Riedesser bezahlte er gleich für den ganzen September. Das Zelt bleibt. Wir verreisen. Kommen dann wieder. Von Heini war nur der Caravan zu kriegen. Verzeih, Orli, sein eigenes Auto ist beim Reparieren. Jetzt suchen wir uns ein Nest. Du hast das Zelt satt. Er auch. Er braucht ein Bett. Neinein, nicht krank, aber er braucht jetzt ein Bett. Also verlassen wir vorerst dieses Paradies aus Schilf, Libellen, Buschsaum, See und silberner Luft.

Schau, dies Dorf ist klein, Eriskirch, wetten, hier gibt's Gasthöfe, die sind noch kleiner, und für uns kann, hoffe ich, der Gasthof nicht klein genug sein.

Keine Reception, aber eine Theke. Von links und rechts Neugierde und Zudringlichkeit. Was für Blicke gestattet sich schon der Wirt. Schlafen Sie gut, ruft scharf kommandierend die Wirtin, die sich immerzu die Hände abtrocknet, die wahrscheinlich überhaupt dagegen gewesen war, daß man Anselm und Orli aufnahm! Ach diese kleinen Kneipen! Denken nicht daran, daß ein jedes Pärchen ihnen bethlehemischen Ruhm bescheren könnte. Unter dem krachenden Gelächter der Bamberschen Kerle am runden Tisch (sie saßen da kostümiert als Kleinbauern, Handwerker und Fischer) stiegen Anselm und Orli stumm die steile Treppe hinauf. Orli, Du hast in dieser Kneipe jeden Ton verstanden. Die können das wahre Esperanto. Wenn wir uns jetzt ausziehen, dann müssen wir daran denken, daß das ganze kleine Gebäude, informiert wie es ist, teilnimmt an uns. Ängstlich liegen wir neben einander. Aller Verbrämung beraubt. Die haben uns gesagt, wozu wir unterwegs sind. Horch. Schritte. Die Treppe herauf. Den ächzenden Gang entlang. Die Bedienung wahrscheinlich. Ausgeschickt, nachzusehen, warum man so lange nichts höre. Bleibt auch ganz ungeniert in der Nähe der Tür stehen. Vielleicht kommen die Stammgäste gleich. Unter der Führung des Wirts. Wollen ein bißchen miterleben. Vielleicht kommt aber auch, vom Kaplan geführt, die Dorfjugend, weil sowas hier nicht geduldet werden kann. Entschuldige, Orli, wenn Anselm wirkt wie nicht da. Er muß doch wissen, was hier passieren kann. Er muß wissen, wie laut sind hier Schritte, wie weit hört man Atmen, das Knarren einer Diele, ein Lachen von unten. Und dann muß er vorsichtig die Geräuschfreudigkeit dieser historischen Betten testen. Erschrick nicht über das grelle Geächze. Hoffentlich findest Du auch, daß die keimfreien großen Hotels schrecklich sind. Maschinen sind das, nicht wahr, liebe Orli. Hier bebt, ächzt, klirrt und schnauft und hört und lebt alles mit. Und während wir frühstücken, betrachtet uns die Bedienung, als wäre sie die ganze Nacht dabei gewesen und fände dies und das zu kritisieren.

Obwohl dies der winzige Gasthof war, den er suchte, zog er schon nach der ersten Nacht wieder aus. Die Wirtin, Hände trocknend, hinter der Theke, grüßte nicht, als Anselm und Orli grüßend gingen. Sie war ja gleich dafür gewesen, dieses Pack nicht aufzunehmen.

Anselm wußte nicht, wie viele Nächte er im Hotel Bad Schachen bezahlen konnte, aber nach dieser Nacht in Eriskirch, glaubte er, nur noch im Hotel Bad Schachen wohnen zu können. Dieses Hotel sieht aus, als wäre es entworfen als Illustration für einen utopischen Roman. Aber nicht heute entworfen, sondern etwa im Jahr 1913. Aber als Zukunftsvision. So werden Hotels im Jahre 3000 aussehen, dachte der Entwerfer anno 1913. Heute ist schon erkennbar, daß die Hotelarchitektur andere Wege gehen wird als die Gedanken jenes Entwerfers. So bezeichnet dieses Hotel also eine Richtung, die keine geworden ist. Dieser Umstand gibt seinen Monstrositäten eine innige, zu Herzen gehende Gewalt.

Also, nichts ist es mit dem glitzekleinen Nest, das soviel billiger gewesen wäre. Also rasch ins Gehege unserer Ungleichen. Wer nämlich, von dressierten Boys umschwärmt, durch die auffliegende Tür tritt und aus der Hand des hochelastischen Portiers den Schlüssel empfängt, nein, den empfängt er ja gar nicht, den fängt der zur Zweibeinigkeit aufschießende Boy mit dem Maul auf und bahnt durch die leichte Luft der Halle eine tunnelartige Passage bis zum Lift, wer da durchschreitet, vorbei an den Wänden, die nichts sehen wollen, wer dann mit Orli auf Teppichen geht, die nichts hören wollen, hinein in ein Zimmer, das sich vor schierer Dämpfung und Diskretion am liebsten selbst verschlucken würde, der dreht sich, nach dem sich die Tür in ihr Samtschloß eingeschmiegt hat, zu seiner Orli und sagt: Orli, sei froh, daß ich ein reicher Mann bin, Du siehst ja, letzten Endes hilft nichts so sehr wie das Geld.

Daß ihm Bambers Zwillingsbruder auch in dieses Hotel folgte, überraschte Anselm. Hier kämpfte der zwar mit leiseren Waffen, aber noch unerbittlicher. Der Bursche ließ es jetzt darauf ankommen. Ging in langen Gängen auf Orli und Anselm zu, wich erst in der letzt möglichen Sekunde vor Orli zur Seite. Dabei lächelte er so. Süß oder ironisch oder standesgemäß. Das sollte wohl heißen: Ich war zu sehr in Sie versunken. Natürlich ließ er sich innerhalb des Hotels immer von Geigen begleiten. Und hatte schließlich die Frechheit, an den Tisch zu kommen, um Orli zum Tanz zu bitten. Anselm sagte: Aber bitte. Orli tat, als wolle sie nicht. Aber Anselm zwang sie. Dann schaute er denen nicht zu. Er zählte aber die Musikstücke. Als Orli zurückkam, setzte sie sich ganz eng neben Anselm. Drängte sich an ihn. Nahm seine rechte Hand zwischen ihre Hände. Preßte seine Hand. Anselm dürfe sie nie-nie-wieder einem anderen zum Tanzen leihen, sonst sterbe sie. Wieso? Vor Ekel, sagte sie, vor Heimweh. Ist das so, Orli? Sie hebt drei Finger. I cross my heart and want to die. Anselm friert. Vom Rückgrat bricht Kälte aus. Dann tanzt er mit Orli. Zur neuen Taktik des Angreifers gehörte es, daß er im Hotel immer allein angriff, Orli sollte sich wohl endlich ganz auf ihn konzentrieren und an seinem hochschlanken Anblick sättigen können. Aber sobald Anselm mit Orli an irgendeinem Strand auftauchte, setzte der Schuft wieder alle seine dienstbaren Kerle ein. Die mußten Anselm und Orli ausdauernd umkreisen, Laute ausstoßen, Hohn anbringen, Schreckschreie von sich geben, eine brennende Zigarette aufs Badetuch fallen lassen, im Vorbeigehen gemeine Wörter aussprechen, mußten alle Register der Zermürbung ziehen, die ihrem Anführer denkbar waren.

Es sei gestanden: Anselm fehlen offenbar die lebenswichtigsten Tiertalente, Anselm kämpft nicht so gern. Wettbewerb macht ihm kein bißchen Freude. Ja, so weit ist Anselm vom Tierstammbaum gefallen, daß ihn jeder Konkurrenzkampf mit schweren Tränen füllt, die er nicht zu weinen wagt. Es ist ja eine Schande, wenn einer überhaupt nicht konkurrieren will. So einer ist sozusagen schon ein Scheißkerl. Das wollte Anselm natürlich auch nicht sein. Also so ist es nicht, daß er immer nur ausgerissen wäre. Schon zur Festigung seines eigenen Pulses mußte er immer wieder mal eine Herausforderung annehmen und kämpfen. Natürlich bedachte er Kampfplatz und Kampfart sehr genau, bevor er sich einließ. Leider gelang es ihm nicht, die Stärke des Gegners ein für alle Mal zu taxieren. Manchmal schien der lächerlich schwach und dann plötzlich wieder völlig unschlagbar. Anselm rechnete das zu den anderen Listen. Und parierte entsprechend: er ließ sich auf einen Zweikampf nur soweit ein, daß er – im Fall einer drohenden Niederlage – noch harmlos ausscheren konnte, so als ob er an Konkurrenzen nicht interessiert sei. Warfen sich die Kerle plötzlich links und rechts neben ihm und Orli ins Wasser, versuchte er zuerst, sie von Orli wegzuziehen, indem er losschwamm, bis er keine Luft mehr kriegte. Die folgten ihm sofort, um ihn im Wettschwimmen zu vernichten, dann würden sie zurückkraulen zu Orli und ihr mitteilen, daß ihr Kavalier ruhmlos untergegangen sei, hier nahe der Sieger, der neue Herr. Aber Anselm beendete so eine Hatz plötzlich durch ein nur zum Teil gespieltes Versinken. Unter Wasser drehte er, arbeitete sich ohne Luft rückwärts, unter den Rippen stachen Schwerter quer durch, ein Schwert stach innen den Hals herauf, seine Augen würden den Druck von innen gleich nicht mehr aushalten und aus ihren

Höhlen platzen, vielleicht zerrisse auch zuerst das Trommelfell oder die Hirnschale unter diesem nicht mehr erträglichen Druck der Luftlosigkeit. Schoß hoch, jappste, sah Orli, wendete sich sofort weg. Sie sollte ihn nicht nach Luft schnappen sehen. Erst als er wieder atmen konnte, paddelte er hin zu ihr. Ringsum johlten die Kerle. Anselm paddelte an Orli vorbei. Konnte nicht sprechen. Paddelte auf die wild ins Wasser schlagenden Kerle zu. Sollte es sich jetzt entscheiden. Er war erledigt. Und siehe da, die wollten das Spiel noch einmal verlängern. Die öffneten ihren Kreis, johlten zwar noch lauter und höhnischer – Anselm war keiner richtigen Schwimmbewegung mehr fähig, kratzte nur noch mit den Händen ein wenig nach vorne ins Wasser, so wie die ganz kleinen Hunde schwimmen –, ließen aber den kaum noch bewegungsfähigen Anselm durchrudern. Anselm hatte Orli aufgegeben. Selbst wenn sie ihm, dem halb Ohnmächtigen, noch folgen wollte, die Kerle hatten hinter ihm den Kreis sofort wieder geschlossen. Anselm schwamm mit runden Pfoten. Die Beine machten noch schwache Pedalbewegungen. Der rechte Fuß tastete wieder und wieder in die Tiefe. Erreichte endlich Grund. sobald Anselm den Kopf aus dem Wasser kriegte, sah er sich um. Augenweiß. Zähneweiß. Orli. Dicht hinter ihm. – Ja-wie? Wieso haben die Dich nicht behalten? Orli tat wieder einmal so, als hätte sie von dem schrecklichen Kampf gar nichts bemerkt. Anselm lag im Sand, das Gesicht in der Armbeuge, die Augen auf den Arm gepreßt. In den geschlossenen Augen rast vor rotem Grund ein Film aus weißen Linienzackenflächenexplosionen. Regen ritzt die Haut des Sees und Deine. Wie groß ist Dein Mund? Wieviel Sand braucht man für Dich? Wieviel Regen?
Orli, regnet es? Nein, Anselm, es regnet nicht.
Dann sind es wohl Sandtierchen, die ihm über den Nacken krabbeln. Er kann sich jetzt wirklich nicht rühren.
Sandtiere, trockene Geschöpfe, für jedes Sandkorn ein Bein, ihr haltet den Sand sauber. Jeder und jedem sein Bruder kann einmal mit offenem Mund im Sand liegen, den ihr bürstet und kämmt.
Orli, sind es Sandkäfer? Nein, Anselm, es sind keine Käfer.
Glühendes Licht. Punkte der Ordnung. O Orli.
Orli wollte ihn wieder in den Schatten bugsieren. Als sei er schon zu schwach, in der Sonne zu liegen. Du solltest ihn jetzt nicht hinterm Ohr kitzeln.
Bist Du das, Orli? Nein Anselm, ich bin es nicht.

Er langt hin. Kratzt. Das Jucken springt sofort weg. In den Haarboden hinüber. Er greift mit fünf Fingern nach. Das Jucken springt in die Schläfen, bleibt aber auch im Nacken und am Hinterkopf, zielt an beiden Kopfseiten nach vorne. Er kratzt hierhin, dorthin, das Jucken, nein, es ist kein Jucken, ein Spinnwebgefühl ist es, überall, wo er hinkratzt, ist das Spinnweb weg, aber sobald die kratzende Hand weg ist, ist das Spinnweb wieder da, verflucht, und kommt doch wirklich von außen, eine neue Waffe der Merowinger? werfen die Spinnweb aus? jetzt müßte er schon drei Hände haben, das Spinnweb martert schon den ganzen Kopf, schlüpft in die Ohren, er nach, mit den Zeigefingern, aber das Spinnweb schlüpft weiter, die Zeigefinger sind zu dick, die kleinen Finger bohrt er nach, das Spinnweb schlüpft vor den bohrenden Fingern noch tiefer in die Ohren, tief, so tief kommt er auch mit den Nagelrändern seiner kleinsten Finger nicht, auch braucht er die Nägel aller zehn Finger längst wieder auf Kopf, Hals und Nacken, kratzt er da nicht überall und sofort, wird er verrückt, drei Hände brauchte er längst oder vier, Orli, bitte, komm. Im Zimmer mußte Orli ihm den Kopf kalt duschen. Dann legte er seinen Kopf auf ihren Schoß. Die Million Ameisen, die das Spinnweb ausgelegt hatten auf seinem Kopf, war weggeschwemmt. Er hatte einen Wunsch. Schon erfüllt, sagte Orli. Er möchte dieses Zimmer einen ganzen Tag lang nicht mehr verlassen.
Diesen Wunsch trug er so feierlich vor, als habe er sich etwas Entscheidendes gewünscht.
Sie ließen sich vom viel zu jungen Ober Wein und mehrere Sorten kaltes Fleisch bringen. Badeten im Schaum. Danach sollte Anselm sich ins Bett legen. Orli bat heftig. Anselm lachte sie natürlich aus. Er bestellte noch zwei Flaschen von dem Weißen. Orli hatte ihn gebeten, heute nichts mehr zu trinken. Die hält ihn wohl für achtzig. Was will'n die Wand? das Tapetenmuster, nicht zu halten, der wiederkehrende Zweig, die dunklen Blätter, geht da ein Wind durch die Wand? wogt die? die Zweige gehen in den Wellen unter, die ganze Wand kommt in großen Wellen her, dann wird der Seegang zu stark, er schon mitten drin, also wenn das nicht gleich nachläßt, wird er mehr als seekrank. Der Kopf kippt, der Blick rutscht in die musterlose weiße Decke, die ist stabil, da droht kein atemraubender Seegang. Orli, komm.
Aber nicht ins Krankenbett, Orli. Er war noch nie so gesund. Du

wirst schon sehen. Er wird in Dir noch Ströme entdecken und Länder, die auch Dir unbekannt sind. Kochende Wasserfälle, stiebende Brautschleier, weiß zerrissen vom erfahrenen Fels. Er wird, Orli. Andauernd. Immer unter diesem vollen Mond. Nimm Du seinen Kopf. Was der wiegt. Und erst innen. Der Schrott. Hörst Du es klirren, wenn er gähnt? Siehst Du, seine Tränen sind rostig. Nachts heult er, daß Du Bescheid weißt. Kratz ihn, wo es Dich beißt, dann kommen wir aus mit einander. Ist Dir was unklar, frag die Kastanien aus, die wissen Bescheid über ihn, die hat er gestreichelt, blank geleckt und im Hosensack poliert, damals, mit dem Kopf voller Haare, bis zu den Hüften im Gras, Augen, zum Licht machen so hell, barfuß zwischen wolligen Rindern, überhaupt eher lustig, ja, das glaubt ihm heute keiner mehr, Mensch, der war ganz schön verspielt, glotzte so hin und her, sang dem Briefkasten stundenlang in den Mundschlitz, wirklich, eine Bahnwärterkatze, so verspielt war er, das glaubt ihm heute keiner mehr, komm jetzt, Orli, Du bist noch zu erkennen. Chumm itz.

Oft, Orli, stand er im Freien und übte mit offenem Mund gewissenhaft den Flug von Mensch zu Mensch. Katastrophen meidend nur durch Zaghaftigkeit. Aufmerksam, lernsüchtig stand er vor Hindernissen und dachte: da es sie gibt, wird es sie geben. Orli, Chumm wydr.

Morgen trägst Du's Einhorn den Föutzberg hinauf und gründest damit seine Insignien: dadurch ist er umgekommen. Die triumphierende Liebe hat einen Heiligen mehr.

Es überraschte ihn nicht, daß zuerst die Lippen pelzig wurden. Die waren auch zuerst lebendig, haben zuerst zugelangt und empfunden. Die waren immer sein Lebendigstes. Sein Wärmstes. Erlebnisreichstes. Jetzt wurden sie ihm fremd. Waren schon aus Wachs. Noch mit Rissen. Das allerletzte Lippenerlebnis. Jetzt schon weg. Der Mund nur noch ein unumgrenztes Loch. Vielleicht sah er dieser wegschrumpfenden Lippen wegen schon wie ein ganz alter Stallhase aus. Besser, er verbarg sein Mundloch jetzt vor Orli. Die schaute sowieso schon übermäßig interessiert. Dann verlor er die Hände, die Arme. So wird man von Ameisenheeren erobert. Wo ein Ameisenbein aufsetzt, ein kribbelnd kleiner Stich, dann ist die Haut tot, man spürt die Stelle nicht mehr. Man spürt die nächste. Der Schweiß, den er da und dort noch kalt und klebrig werden fühlt, ist eine Art letzter Meldung aus bedrohten Bastionen, die den Funkverkehr gleich einstellen werden. Er schnauft dagegen an. Wenn er jetzt nicht aufpaßt, hört er nämlich auf zu atmen. Offenbar ist da innen schon eine Stelle, die fürs Atmen wichtig ist, in fremder Hand. Also atmet er selber. Er läßt sich doch nicht die Luft ñehmen. Er wird durch prachtvolles Atmen, durch rauschendes Schnaufen wird er die innere Stelle wieder mitreißen, zurückerobern, bis da drin wieder freiwillig und von selbst geatmet wird. Falls ihm das nicht gelingt, kann er nie mehr an etwas anderes als an das Atmen denken. Sobald er nicht ans Atmen denkt, hört er auf zu atmen. Offenbar hat er jetzt schon zu sehr daran gedacht. Schnauft wie beim Bergsteigen. So kriegt er am Schluß überhaupt keine Luft mehr. Also langsamer. Ihm fehlt der Takt. Er bräuchte einen Atemdirigenten. Einen Sportlehrer. Ein Metronom. Schon wieder zu hastig. So schnauft er sich kaputt, das hält er nicht durch. Andererseits braucht er die Luft. Er hat nichts von all der Luft. Als hätte die einer ausgeatmet. Also mehr davon. Und zählen. Er hat doch seinen Puls. Einundzwanzigzweiundzwanzig. Aber wie schnell ist einundzwanzig. Einundzwanzig ist nichts. Er ist schon wieder zu schnell. Klar. Ganz klar. Ihm fehlt der linke Arm und die linke Schulter. Da hat er zwei Röhren. Eine senkrecht, eine waagrecht. Heiß und aus Stahl. Vom Gerüstbau. Da hinaus verblafft alle Luft. Aha, und das Herz, endlich sieht er mal sein Herz, morgen werden's alle sehen und werden in ihrer mittelalterlichen metaphorischen Art behaupten, so hätten sie sich sein Herz immer vorgestellt, so klein, immer kleiner werdend, ein richtiges Schrumpfherz, und hart, so hart, und immer härter werdend, also wirklich, ein Herz aus sprödem, geradezu splitternd sprödem Stein, das ist aber interessant, Orli sieht es offenbar auch, und mit Schrecken, er aber möchte, Orli, nimm ihm doch bitte zuerst den Berg von der Brust, der drückt ihm die schneidenden Stahlröhren ins Fleisch, und leite, bitte, den jungen Rhein ihm sofort ins Gesicht, Orli, daß die Heuschreckenheere ersaufen, die ihn jetzt abgrasen, verstehst Du, ohne Luft, wie soll er Dir mehr sagen, er ist verlegen, so. Orli schreit, der Doktor kommt, Adrenalin dem Herzen frommt. Orli sieht die Spritze tiefer dringen, Anselm hört die Englein singen, darf mit seinen blauen Lippen schon an Charons Schapfe nippen. Witternd rennt Herr Nutz herein. Hier muß wo was Totes sein! Stimmt, Bestattungsorder Nutz, doch diese Leich gehört schon Dr. Stutz: Körperhöhlen von Fremdkörpern leer, abhängige Partien starr und totenschwer! unterschrieben ist der Totenschein, bloß der Sarg will noch geliefert sein. Ach das trifft sich aber gut, Nutz hat nen Sarg dabei, drin ruht auch der, der nirgends Ruhe fand, Eiche der Boden, Eiche die Wand. Gnädige Frau, wo überführ'n wir ihn hin? Sei's nach London, sei's nach Wien, Herr Nutz verspricht, daß gegen zehn zwei von der Pität Niesel dastehn. Sie sind noch, gnä'Frau, ganz perplex, noch im Banne des schrecklichen Schrecks. Kein Wort nicht, gnä'Frau, die Adresse weiß der Portier genau. In Anselms Jacke fand sich das Geld, das Witwe Orli dem Portier hinhält, der zieht ab, gibt heraus, das Auto mit dem Palmzweig wartet schon draus auf der Liefrantenseite vom Hotel. Und schon geht's nach München schnell. Orli weint, hat einen hohen Ton. So leise, der Fahrer merkt nichts davon. Plötzlich denkt sie daran: was, wenn Anselms Mutter nicht englisch kann? Oder sind dort Anselms Tanten? Sie hofft, daß die Verwandten ihr das Lederkostüm verzeihen, das rote. Das heißt nicht, daß der Tote ihr gleichgültig war. Oh nein, der war ihr sogar. Besser sie schweigt. Das Auto hält. München. Marsstraße. Unangemeldet steht Orli mit Sarg vor fremder Tür. Beim Läuten zittert ihr natürlich die Hand. Die Tür zerspringt. Drinnen ein Kind, das noch singt. Orli sieht an Birga, Birga an Orli hinauf. Jetzt Anselm, bitte, steh von den Toten auf. Dies ist der Jüngste Tag, der Dich ewig was kosten mag.

9

(Entschuldigt, ihr lieben Verwandten. Ich habe mich verrant. Ich weiß. Ach ich neige sehr dazu, etwas mitzuteilen, was nicht gewesen sein kann. Und habe dafür den triftigsten Grund. Mir muß daran liegen, das, was nicht gewesen sein kann, so eng als irgend möglich mit dem Gewesenen zu liieren. Dadurch gerät schließlich auch das Gewesene in die Atmosphäre des Niegewesenen, in den Geruch gar des Unmöglichen, und wird gleich viel erträglicher als wenn es Vergangenheit wäre. Sollte man mir also die Ausflucht ins Unmögliche nicht nachsehen, sagt?!)
Jeder Anselm hat seinen Nachfolger. Auch der, der auf dem einzigen Feld der einzigen Ehre den einzigen hierorts noch rühmenswerten Heldentod starb. Ich habe mich schon früher von

dem aus dem Zelt fortstrebenden Anselm trennen müssen, denn mir, dem wirklichsten aller Anselme, stand überhaupt kein Geld zur Verfügung für solche Ausflüge ins Märchen. Ja, für eine Kammer in der Kneipe direkt überm runden Tisch hätte es gereicht. Orli, sagte ich, bleib bei mir. Bleiben wir im Zelt. Lieben wir einander so leise als möglich. Sprechen wir nicht vom Geld, das die Liebe kostet. Meiden wir den Lärm, die Beschämung. Wahr ist: die Widerwärtigkeiten, die man ertragen muß, wenn man weniger Geld hat, sind groß. Wir werden andauernd auf etwas hingewiesen, was sich andere mit Geld wegschlucken lassen. So verloren wir an Höhe.

Der Urologe z. B. sagte: Sagen Sie mal, was ham Sie eigentlich für Mittelchen genommen? Na ja, wenn Sie's nicht sagen wollen, sagte er. Beleidigt. Wollte wohl das Mittelchen. Heißt Orli, Herr Doktor, nicht in allen Apotheken erhältlich. Da er irgendwas in meinem Urin nachgezählt hat, glaubt er, ich hätte mich wie ein unfairer Sportler gedopt. So ist die Schulmedizin. Ich blieb einfach weg. Mein Leiden legte sich. Es war schon September. Es regnete. Es war nicht mehr länger möglich, das feuchte Biwakieren als eine Laune des Mionärs zu verkaufen.

Es war Zeit, Orli ein wenig mehr über Anselm zu erzählen. Es war schwer für mich, kein Erfinder mehr sein zu dürfen. Es war bitter nötig, Orli den neuen Beruf wenigstens als einen Beruf vorzustellen, der zu nichts so sehr berechtige wie zur Hoffnung. Hierzulande, Orli, will man den Schriftsteller. Die Wirtschaft, die Regierung, die Opposition. Also keine Sorge, Orli. Und so arglos war Orli, daß sie Anselm, den Erfinder mit heller Freude gegen Anselm, den Schriftsteller eintauschte. Und weil sie – weiß Gott, warum? – so froh war über den neuen Beruf, wollte ich die Stimmung nutzen und sagte in die enge Zeltnacht hinein gleich das nächste Halbgeständnis. Und das übernächste. Und eins zog das andere nach sich und ich mußte es, je nach Orli, wieder einwickeln, zurücknehmen, dafür sind wir noch nicht reif, aber dafür vielleicht: Ich bin verheiratet war ich früher bin ich gewesen mit der Familie von der ich jetzt getrennt lebe, verstehst Du. Wir könnten heiraten werden wir schon bald werde ich geschieden sein nicht in der nächsten Woche aber sicher kann das nicht ewig dauert das nicht das hängt auch davon ab wo wir überhaupt hin wollen wir nach München oder soll ich allein um zu regeln und Du bleibst solange hier oder wo möchtest Du überhaupt hin in

Deutschland steht uns doch die Welt offen vielleicht hast Du eine Lieblingsstadt? Ach frag doch jetzt nicht nach Kindern laß uns von der Zukunft zum Beispiel wieviel Kinder möchtest denn Du möchtest wie ich Dich kenne lieber gemusterte Bettbezüge als uni ich auch und Katzen bitte wenn Du willst auch Katzen und zum Tanzen sagen wir einmal die Woche oder brauchst Du es öfter ach darüber bin ich froh nicht daß ich abends immer arbeitete und selbst dann könntest Du mit dem Fuß aus'm Schuh schlüpfen und mir Deinen Fuß in die Kniekehle stecken was mir noch keine aber meinem Freund bei dem ich hier wohnte möchte ich Dich erst zeigen wenn wir verheiratet sind nehmen wir uns zuerst eine ganz kleine Wohnung in der wir uns ununterbrochen berühren nun wein doch nicht Orli man kann doch in aller Ruhe ausrechnen wie die Einnahmen geteilt werden müssen sie was meinst Du besser hinzufahren oder einfach telephonisch mitzuteilen daß eine Scheidung hierzulande braucht sowas Zeit ach Liebste laß das meine Sache muß ich selbst ins Reine bringen dann trag ich Dich ins Nest sag mal frierst Du?

Und Orli in ihrer Melodie: Wishes she could tell me of this tenderness and warmth her whole being and body feels towards me, she's glad her eyes often betray her, all those words are so dull and yet she wants to hear them, I spoiled her neck, her shoulder keeps on telling of me, lieve cruel person, how she likes to put her nails into my skin, how she would like to take a shower with me, how she wishes she could whisper German in my ear like I sometimes do in hers, please, do not sleep now, do not leave her alone at this moment, Anselm, ik vind jou lief en wil bỹ jou zỹn liever dan alles, Anselm, she's used to blue sheets, Anselm, kus van mỹ en mỹ, Anselm, please, don't fall asleep, liefste. Anselm verlor Höhe.

Immer auf den pappigen Kunststoffsitzen des Kreßbronner Cafés herumhängen geht auch nicht immer zwischen den Gummibäumen des Langenargener Cafés geht auch nicht immer in die Regenscheibe starren geht auch nicht immer unter den Augen der Bedienung die einzigen Gäste sein sonst könnte die hinten auf der Couch schon winterschlafen geht auch nicht immer im naßkalten Zelt geht auch nicht immer auf den durch die Luft führenden freigewaschenen Eichenwurzeln sitzen unterm Orlischirm in billigen Häuten durchsichtigen ausgestellt und Regenschleier auf dem See hertanzen sehen und herwirbeln und zerstieben sehen geht auch nicht immer Regenmusik hören und eine Zigarette nach der anderen mit Wind Master zünden geht auch nicht immer im Kino sitzen und Finger so in einander verknoten daß Anselms Blut bevor es zu Anselm zurückkehren kann zuerst durch die ganze Orli durchströmt geht auch nicht immer geht die Erwärmung des einen durch den anderen immer wird es letzten Endes doch Herbst und das Abenteuer hätte nichts mehr gegen einen Ofen.

Anselm kaufte Orli einen schwarzen Pullover, der reichte mit seinem Rollkragen bis unter Orlis Ohrläppchen und fiel noch weit über die angegossene graue Fischgrät-Hose hinab. Orli, der für immer jüngste Offizier der für immer schönsten Armee des für immer verehrungswürdigsten Gottes dieser für immer ungeeignetsten Welt. Anselm kaufte die Stiefel für seinen Offizier Orli und leckte aus dem schwarzen, dem korsischen Flaum der Orlioberlippe sowohl Tränen als Regentropfen. Auch biß er sich in Orlis Pulloverschulter hinein und blieb solang als möglich so heiß verbissen liegen. Immer geht das auch nicht. Orli, sag, frierst Du?

Tatsächlich hat Anselm dann nicht mehr soviel geredet wie im hohen Sommer. Er hat härter zugegriffen, das schon. Umklammerte ein Knie und wollte es nicht mehr loslassen. Versuchte, sein Gesicht irgendwo an ihr unterzubringen. Daß Augen und Mund in Orli untergingen. Immer geht das auch nicht. Orli fror tatsächlich.

Es fehlten Zelte. Gegen den Wind. Wo ein Zelt gewesen war, sprang der Herbst ein. An einem Tag brachen mehr Leute auf als an allen anderen Tagen. Politkrise oder Schulbeginn. Riedesser schmeichelte den geräumten Plätzen mit allen seinen Geräten, als wäre er der Arzt der Erde und die wäre vom Zeltetragen verwundet. Meistens kniete er sogar. Nachts hörte ihn Anselm in der Nähe stehen, herschleichen. Er ließ ihn immer wieder mal ein bißchen was erleben. Eigentlich mehr akustisch. Wenn er sieht, daß er nichts zu sehen kriegt, bleibt er weg, hoffte Anselm. Aber Riedesser stand jede Nacht da. Wenn ihm bloß seine Frau nicht draufkommt. Wegjagen? So darf man das Wohlwollen des Platzwarts nicht aufs Spiel setzen. Besonders nicht im Herbst. Den linierten Zettel, den Anselm plötzlich im Zelt fand, steckte er einfach weg. Eine schreckliche und rührende Erklärung Riedessers an Orli. Geschrieben mit dem Zimmermannsblei, ohne Unterlage, auf einem Holztisch. Darling mei scholli witt witt her avec ju skol skol um twelf kamm ai avec etc. Offenbar glaubte auch Riedesser, es gebe nur eine Fremdsprache. Aber dann reichte die Beute aus mehreren Sommern doch nicht aus für den Ausdruck seiner Not. Also setzte er in härtester Fügung der Muttersprache unschreibbarste Wörter hintereinander, und gleich mehrmals, und schrieb, was er gerade noch mit fau geschrieben hatte, gleich darauf mit eff, und in der Unterschrift nannte er sich einfach DER GRÖSSTE.

Anselm verglich diese Unterschrift mit Riedessers kurzem Wuchs und begann sich zu fürchten. Ein wenig. Nachts. Der würde mildernde Umstände kriegen. Dagegen war nichts zu sagen. Hätte er nicht längst Orli warnen müssen? Aber Riedesser war nicht mehr einzuschläfern durch harmloses Benehmen ihrerseits. Und der Zettel, auf dem er seinen Einbruch in das Zelt 92 angekündigt hatte, war so unübersetzbar wie nichts sonst. Der keuchende Weltwildesel brüllt seinen göttlichen Entschluß der Sterblichen ins vor ihm schon vergehende Gesicht. Hoffen wir, er muß noch rechtzeitig niesen.

Jetzt – zum Glück – Herr Janzen vom Niederrhein. Der hielt sich auch abseits. Ließ sich nicht mitreißen von der plötzlichen Aufbruchswelle, die an einem Tag soviele Zelte und noch mehr Wohnwagen wegschwemmte. Herr Janzen öffnet noch immer um 14 Uhr 30 die Tür seines Wohnwagens, knöpft sich unter der offenen Tür seine Weste über den beweglichen Bauch hinauf, so rasch, als spiele er mit zehn Fingern einen Lauf auf einem Instrument, halb Dudelsack halb Flöte.

Mit Orli kann er sich in einer Sprache unterhalten. Sie hatten den selben Rhein, und ein paar Sprechweisen hatten sie auch gemeinsam. Das kam auf, weil Orli einmal laut Schat rief. Da meldete sich Herr Janzen. Sofort mußten Anselm und Orli mit Herrn Janzen eine Flasche Rotwein trinken. In Herrn Janzens Wohnwagen. Orli räumte zuerst mal auf. Anselm und Herr Janzen sahen zu. Herr Janzen wollte aber sofort Gustav genannt werden. Er selber sagte: Justav. Sein Gesicht lag schwer auf der dunklen Quetschfalte, die das zweite Kinn vom ersten trennte. Sein Gesicht lag überhaupt auf. Seine Augen lagen auf. Sein Mund lag auf. Fast lag vor Schwere sogar die Nase auf. Laat ons klinken op de toekomst.

Aber punkt halbdrei verbeugte sich Gustav Janzen vor Anselm und Orli. Griff seinen schwarzen Hut, tastete sich weil er seines

Bauches wegen weder Stufen noch Füße sah, seitwärts gedreht, aus seinem Wohnwagen. Anselm und Orli sollten bleiben. Seine Geranien pflegen. Seinen Wein trinken. Wein hat er, sagt er, für den ganzen Winter. Weil er Weinhändler ist. Wenn auch Weinhändler met vacantie, sagt er. Sein schweres Gesicht läuft fast über. Er schnaubt zweimal heftig auf, als hätte er Schnupftabak hochzuziehen. Aber sein Gesicht zeigt, daß er Tränen oder Trauer oder Todesangst hochziehen muß. Ein Kind. Offenbar hat man dieses Kind überredet, den Erwachsenen und Weinhändler zu spielen. Hat ihm farbige Fahrten versprochen zwischen Köln und Meran, ein Auto, große Fässer, in die er hineinschauen darf, nachdem er mit dem Knöchel drangeklopft und den Kaufvertrag unterschrieben hat. Und jetzt will er wieder raus aus der Rolle. Laßt ihn doch wieder zurück. Er ist doch gar kein Erwachsener. Die 52 Jahre sind bloß zum Schein. Er ist doch sechs, schaut doch, wie ganz und gar der sechs ist und nicht bloß schmollen kann, gleich wird er richtig losheulen, dann werdet ihr ja sehen und hören, daß ihr ein Kind gequält habt, ihr geschulten Kinderquäler, ihr. Jan, een vlammetje, sagt er und Anselm rennt schon zur Tür und läßt Wind Master Gustav Janzens lange, überall gleich dicke Zigarre belecken. Dann verbeugt sich Gustav noch einmal, dreht sich aus der Verbeugung gleich weg, stapft, um Balance bemüht, durchs gelichtete Lager auf seinen Mercedes zu, der immer außerhalb des Lagers steht. Gustav kommt jede Nacht um halbvieruhr heim. Dann müssen Anselm und Orli den Wohnwagen räumen. Vorher nicht. Der Wohnwagen hat eine Gasheizung. Gas, sagt Gustav, kostet soviel wie nichts, bitte, haltet euch warm, omdat de wereld doch kälter wird mit jedem Tag, mijn meisje. Gustav Janzen hatte kein einziges Haar mehr auf der Kopfkugel. Das darf man nicht vergessen, sonst vergißt man auch den blutroten Streif, den der Hut diesem schutzlosen Kopf immer aufs neue eindrückte. Aber Orli fror nicht mehr. Riedessers lauernd lauschender Schatten schreckte nicht mehr. Bis draußen der Mercedes anbrummte. Mühsam. Stotternd. Suchend. Plötzlich abbrechend. Eine Tür öffnetschließt sich. Janzens Wasser schlappert halbscharf an einem Baum hinab. Janzen macht Schritte, tastet schon die Stufen herauf, da hilft ihm Anselm, Janzen fällt auf die Polsterbank, meistens hat er verloren. Anselm und Orli lassen ihn sitzen.

Janzen studiert noch die Permanenzen. Vergleicht sie mit seinen eigenen Aufzeichnungen. Mittags trinken sie wieder Rotwein mit ihm.

Er macht sie mit dem Schlachtplan des laufenden Tages bekannt. Dazu tauft er seine Gäste Alpha und Omega. Also, Alpha und Omega, hört mal, wie dat heut laufen wird: Sobald zum ersten Mal das mittlere Dutzend fällt, spielt er 19-24 mit 40 Mark und wenn zum ersten Mal 19-24 fällt, wird er verzehnfachen, bis wieder das 1. oder 3. Dutzend kommt, dann warten und, fällt nur einmal wieder das mittlere, wieder 19-24, diesmal mit 60, und verzehnfachen, sobald seine Transversale wieder getroffen wird. Liefe vrienden, dies ist ein großer Tag, fällig ist nach den Permanenzen die Transversale aller Transversalen, die Transversale seines Herzens, die Transversale 19-24. Anselm erwartete schon, der glühende Janzen werde ihn und Orli einladen, werde ihn mit Chips versehen und dann hinter Orli her den Spielsaal verlassen. Aber Janzen, ein ernsthafter Mensch, packte seinen Hut, zwängte sich hinaus, drehte sich draußen, verbeugte sich rascher, drehte sich rascher aus der Verbeugung weg und trabte unter Trompetenstößen zu seinem schmutzigen Auto. Anton Riedesser wurde mitgerissen, erreichte den verspritzten Bock noch vor Janzen, riß den Schlag auf, erfand mit seinem kurzen Körper einen besonderen Verehrungsknick, Janzen stößt zurück, braust los, Riedesser rennt zu seinem Rechen, seine Frau zeigt mit dem Finger auf Laub, das gerade vom Wind weggespielt wird, Riedesser versucht, es mit dem Rechen zurückzulocken, seine große Frau stützt sich auf ihre Hacke und beobachtet scharf, ob ihm das gelingen wird.

Hinfahren, warum denn, persönlich ist am schlimmsten, das Zuschauen, wenn die Mitteilung einschlägt, also Hinfahren entfällt. Was hältst Du vom Telephonieren, was vom Schreiben? Telephonieren, meint man, sei härter, weil es laut ins Ohr geht, durch und durch, aber wenn sie aufgelegt hat und geht weg, kann sie glauben, das war ein Witz, oder sie hat sich verhört, kein Beweis beweist ihr was. Dagegen hat sie, was sie schwarz auf weiß hat, schwarz auf weiß vor sich, muß es lesen, bis sie nicht mehr kann. Also greifen wir doch zum Telephon, Orli, hè? oder was sonst, Orli, sag Du auch mal was, natürlich hat Schriftlich auch was, man hat's hinter sich, es gibt keine Rückfrage, auch wenn man erst allmählich herausläßt, was heraus muß, höflich und umwunden, aber am Schluß, sie weiß nicht wie und durch welches Wort, weiß sie, was sie wissen muß, und das sitzt nachhaltig, ohne daß es schroff wäre, sie kann die Sätze kreuz und quer und jeden fünfmal lesen, lauter höfliche, liebe Sätze, aber der Inhalt, verstehst Du, der sitzt, sowas könnte man machen, verstehst Du, Form und Inhalt können schon ganz schön um einander herumtanzen, schriftlich, verstehst Du, während Du am Telephon, wie winzig Du auch dosierst, irgendwann doch heraus mußt mit der Sprache und hinein ihr ins Ohr und noch zuhören mußt, wenn sie reagiert und zurückfragt, und schon am Ton hörst Du, wie sie andauernd Blut verliert, Orli, sag doch, was findest Du, bitte, dreh Dich nicht immer weg, sobald er Dich nicht mehr sieht, traut er sich nicht mehr weiterzusprechen, wo schaust Du denn hin?

Naar de trekvogels, to relax from all the mess, please, never ask her again, maybe it's necessary to settle such terrible matters as money, you are exposing too much of the consequences to yourself and to her, they are ugly, everything has been talked about too much, you've made it look like there's a choice, and it must be a necessity, we will end up being nasty and hateful to each other, and she ist the one who will be hurt und hurt and hurt, she doesn't like to be hurt, it makes her revengeful, why didn't you withhold her from throwing herself too much in this affection, she's not a nag, she begs of you, tell her honestly, lieve cruel person, don't embarras her by making her ask again, it's just not her way of doing things, she's finished and through with all this, daughter of a divorced mother, you need not tell her more, she still knows those haunting phrases by which men prepare their leaves, she will most surely beat you soon, tell her now wether you want her to leave you or you yourself will leave her all of a sudden, she . . .

Orliorliorli, daß Du ihm sowas nicht noch einmal sagst, verstanden, sonst legt er Dich nämlich über sein Knie, verstanden.

Your German caresses my ear.

Thank you so much. It's very flattering for my motherlanguage.

Darf er jetzt mal, Orli, was Lehrhaftes erzählen? Weil wir doch schon tief in der Nacht bei zunehmendem West – hörst Du ihn orgeln? – rotweinschwer en schuw en duister in einander hängen, könnte er, damit Du noch besser weißt, mit wem Du zusammenhängst, Dir die Unbekannte Familie schildern. Aber in einer lehrhaften Art. Die Fremdsprache macht sowieso, daß es ihm vorkommt, als leihe sich einer seinen Mund und spreche an seiner Stelle über die Unbekannte Familie.

Daß Du das Familienhafte gleich spürst, lassen wir Kinder vorkommen. So gelangen wir rasch zu einem ältesten Sohn. Schau, dem wächst links und rechts vom Rückgrat je eine Bahn Haare, ein festes Fell. Der läßt sich, muß Du wissen, am liebsten auf die Hände nieder, wird dann bestürzend flink, besonders, wenn was Lebendiges ihm entfliehen will, also Katzen, kleinere Hunde, am liebsten aber Vögel schlägt er mit seinen dazu geeigneten Händen. Ihm wachsen nämlich die Nägel so stark, daß sie kaum abzuzwicken sind. Und seit seine Mutter sie ihm täglich kürzt, würgt er seine Beute. Oft entkommt er aus der Wohnung, streift durch die Stadt, schlüpft in ein feines Geschäft, immer ist es ein Pelzgeschäft, immer findet er die feinsten Felle, die er mit Zähnen und Nägeln zerfetzt, bis den Verkäufern ein Schwanken in den hängenden Mänteln auffällt, sie alarmieren einander, umstellen den wandbreiten Schrank, fangen den Sohn, der hat sich so in einen Nerz verbissen, daß er sich nicht wehrt. Sie lösen ihn aus dem Pelz, schätzen den Schaden, die Polizei notiert, der kleine Vernichter ist schon bekannt, die Mutter ist zu bedauern, aber haftbar ist sie auch, soll sie doch mit dem kräftiger werdenden Raubtier in die Haftpflicht. Die Versicherungen lehnen ab. Sie wissen Bescheid. Dieser Kaputtmacher wächst jeden Tag. Mit ihm wachsen die Objekte, die er kaputt machen muß. Neuerdings soll er in den Anlagen Rentner angreifen und würgen. Die traut er sich jetzt schon zu. Die Rentner gehen und sitzen nur noch in Gruppen. Stellen Wachen. Inzwischen interessieren sie sich für diesen Kampf. Sie setzen einen ihrer Schwächsten auf die Bank, verbergen sich rundum in den Büschen. Wenn der Wildling anschleicht, halten sie alle ihren röchelnden Atem an. Wenn der Wildling sich von hinten aufs ausgesetzte Rentnerluder stürzt, fallen sie aus den Büschen heraus mit blauen Gesichtern über ihn her, er wird auf die Bank gelegt, entkleidet und mit Ruten geschlagen bis seine Haut reißt oder wenigstens die Farbe ihrer Gesichter zeigt. Dann lassen sie ihn laufen. Er kommt, oft kaum noch bekleidet, wimmernd und blutig nach Hause. Dann begnügt er sich ein paar Tage lang damit, die Briefkastenschlitze der Nachbarschaft mit seinem Kot zuzuschmieren oder er schneidet mit einem Messer die Kleider kleinerer Mädchen vom Hals hinunter bis zum Saum senkrecht durch. Und ritzt schon mal eins,

das nicht stillhalten kann. Seine Mutter liebt ihn natürlich ungeheuer. Und verglichen mit der ältesten Tochter ist er ja auch ein
liebes und angenehm gelungenes Kind. Was ist denn das bloß für
eine Tochter, wirst Du fragen. Eine grünlich hellgraue dürre
Tochter, ihr wachsen keine Haare, also hat ihre Mutter, um den
weißblanken Kopf zu verbergen, ihr viele wollene Helme ge-
strickt, in allen Farben und Stärken, zu binden unterm Kinn. Der
linke Fuß dieser Tochter ist lahm, verstehst Du. Aber ihr Mund-
werk ist nicht lahm. Sie arbeitet sich auch ziemlich rasch im Haus
auf und ab, dringt in Wohnungen ein, erzählt einer Frau, die im
1. Stock gerade kocht, sie habe deren Mann mit einer Blondine
im vierten Stock verschwinden gesehen, sei nachgeschlichen,
habe ein schweres Stöhnen und regelmäßiges Ächzen gehört, was
könne das denn bedeuten? Die Frau rennt in den vierten Stock
hinauf, die Tochter bemächtigt sich des Suppentopfes, verrichtet
da hinein ihre Notdurft, fängt an zu lachen, lacht noch, wenn die
Frau zurückkommt, den Suppentopf sieht und beginnt, auf die
ekelige Lügnerin einzuschlagen. Weil es in jeder Woche zu einer
solchen Bestrafung kommt und weil die genasführten und ange-
ekelten Leute die Halblahme oft einfach über die Treppe hinunterstoßen müssen und weil Wunden bei ihr unheimlich langsam
heilen, ist sie andauernd von halb verheilten Wunden bedeckt.
Wenn sie gerade mal keiner Bosheit nachgeht, sitzt sie im Treppenhaus in einer Ecke und kratzt den Schorf von ihren Wunden.
Den ißt sie auch gern. Natürlich versucht ihre Mutter, die
schrecklichsten Katastrophen zu verhindern. Aber da sie noch ein
paar derartige Kinder hat, gelingt ihr das, wie Du begreifen wirst,
nicht jeden Tag gleich gut. Natürlich gibt es, zum Beispiel für einen Mann, nichts Herrlicheres, als so einer Familie eines Tages
den Rücken zu kehren, und zwar mit einer alles zerschneidenden
Schärfe, einfürallemal. Das ist klar. Das begreifst Du doch auch.
Von was denn sonst sollte er Tag und Nacht träumen! Wofür
sonst denn arbeitet er, bis ihm die Flanken zittern und die Er-
schöpfung seine Schläfen poliert! Und das Komische, es gibt
Augenblicke, in denen schnell der furchtbarste Gedanke sich
ausbreitet: diese Familie sei schon zu schlimm, als daß man sie
noch verlassen könne. Da zappelt er ganz schön, wie Du Dir denken kannst. Aber zum Glück braucht er bloß an die Frau zu denken, dann kommt er wieder in Fahrt, wenn auch vorerst nur in
Gedankenfahrt. Diese Frau nämlich, oder genauer gesagt: Es war

einmal. Anno 45 oder 46 oder 47, auf jeden Fall, er übte noch. Gab ja ne Menge Ruinen, damals. Er hatte was vor. Wußte noch nicht was. Der Drang in der Brust rutschte ihm oft ganz plötzlich in die Hose. Also er trieb sich, sag ich, am liebsten in den Ruinen herum. Weil er, verstehst Du, aus'm Kaukasus kam. Er hing noch am Krieg, einerseits. Andererseits war er schon sehr froh, daß er mit der Stiefelspitze im Dreck scharren konnte, ohne was befürchten zu müssen. Also wie ist das nun mit dem Leben? Er kriegt immer mehr Luft in die Brust. Rennt auf einer Hausmauer lang, breitet die Arme. Wenn das so weiter geht, startet er in absehbarer Zeit. Springt in die Luft, bleibt mal ne Zeit lang in der Luft. Luft genug hat er in der Brust. Sogar die Knochen füllen sich schon mit Luft. Und überall hat er diesen Drang. Wenn er nur nicht plötzlich vom abrasierten Sockel des ehemaligen Palastes gesprungen wäre, um nirgendwohin als in eine Kellerecke zu kommen. Er schmiegt sich an Stein. Wer streichelt ihn? Also gut, dann will er, nach allem, was er für sich tun mußte in Rußland und sonstwo, auch das noch für sich tun. Aber ihn ertappt eine, die reißt ihm die Hand weg, wirft ein kreuzbesticktes Textil über ihn und schlüpft da auch zur Hälfte drunter. Die läßt ihm die Luft aus den Knochen. Bricht ihm die Schäfte, rupft ihm die Federn aus, schwingt sich ihm in den Nacken, gibt ihm knöcherne Fersen, schwer schleppt er sie und sich hinauf ins Licht und plappert atemlos. Aber unversehens wachsen die Schäfte, die Federn nach, die Flugformel blüht, er übt, läuft an, sie selber sagt: Wunderbar, gleich wirst Du fliegen! Und er plustert stolz die Federn, läßt die Schäfte spielen. Streckt ihr, daß sie sie nocheinmal streichle, die Flugrustung hin, dann will er nämlich endgültig starten. Ja, ruft sie, ja. Und streichelt ihm vor Begeisterung die Luft aus den Rippen und bricht ihm jubelnd die Schäfte und rupft ihm innig die Federn aus, daß er wieder nichts als die Gänsehaut hat und rasch Schnaps trinken muß, will er nicht gleich erfrieren. So geht es weiter. So bleibt es. Nun wirst Du fragen: Aber was für eine ist sie? Ach, weißt Du, sie hat was Einsackendes. Du fällst mit ihr in den Winkel, rutschst in ihren Falten fort, sie speichelt Dich ein, ist zwar das Mädchen, aber Du siehst natürlich deutlich das Kängeruh durch, das sie ist, und wenn sie am Brot knabbert, verbirgt sie auch das Nagetier nicht, stör sie nicht beim Knabbern, sonst kriegst Du den lidlos harten Stallhasenblick und sie wischt Dir eins mit der Pfote und schmeißt Dich kopfüber in ihren

353

schmierigen Schleimsack, in dem Du herumkreuchen und um Luft kämpfen mußt mit lurchartigen, farblosen Geschöpfen, die nach verdorbenen Eiern stinken. Also so eine, das wirst Du zugeben, verläßt man nicht so ungern. Man muß es nur so anstellen, daß sie in ihrer frühgeschichtlichen Denkweise nicht auf den Gedanken kommt, man hätte sie, gar um einer anderen willen, verlassen. Sie würde dann nämlich zurückschlagen. Das hat sie geplant. Geprobt als Sekunde iks.

In der Sekunde iks bricht ein Zauber los, der auch von ihr selber, falls sie etwa vom Mitleid gerührt werden sollte, nicht mehr zu bremsen ist. In der Sekunde iks wird sie sofort eine Art Entbindung durchmachen und zwar wird sie sich von einem gelb rauchenden Schrei entbinden und von einem lebendigen Gewebe, das die Form eines Pferdekummets hat oder eher noch die Form einer riesigen Rohrmanschette oder eines leicht verbogenen Trauerkranzes. Der gelb rauchende Schrei und dieser ovale schwappende Fleischkranz werden dem Mann folgen, werden ihn im Nu erreicht haben und werden ihn nun immer begleiten. Wo er hinkommt, wird man zuerst nicht ihm zuhören, sondern dem über ihm stehenden, immerzu rauchenden Schrei. Und dann wird man auch schon wegrennen von ihm, um nicht in den Schwall der schrecklichen Brühe zu geraten, die aus dem über ihm schwappenden Fleischkranz auf ihn niederstürzt und ihn über und über beschmutzt.

Er kann dem nicht entkommen. Weder dem Schrei noch dem Schwall. Die sind mit ihm bis an das Ende seiner Tage. Oder rutschte denn verkotet und taub zu ihr zurück, dann schiene gleich die Sonne durchs leise bebende Fleisch, und seine Ohren begännen wieder zu trocknen und zu hören. Verstehst Du, diesen Gegenschlag darf man gar nicht erst wecken. Der bricht sozusagen automatisch los, wenn man den eingebauten Anlaß weckt. Also, wie kommen wir um den herum? Verstehst Du, Orli, das ist das einzige Problem. Sonst gibt es, zum Glück, keine Probleme. Bloß daß Du ihn begreifst, hat er Dir diese kleinen Schwierigkeiten erläutert. Und weil Herr Janzen heute nacht offenbar nicht mehr heimfindet. Orli, hörst Du, wie es stürmt. West. Wir können froh sein, wenn Janzen heute ausbleibt. Es wird tatsächlich Herbst. Hörst Du, Orli? Hörst Du? Orli.

10

Ich weiß doch auch nicht. Fragt doch den Herbst. Den heimtücki-
schen Seidenweber, der anfängt mit fast unsichtbaren Gespin-
sten. Tut zuerst, als wolle er nur die Luft sichtbar machen. Zeigen,
daß sie silbern ist und waagrecht, von Blatt zu Blatt, zwischen allen Bäumen eine waagrechte Feinstseide, ein Flor von Schilf zu
Schilf. Aber der wird dichter. Und plötzlich ist Orli weg. Verschwunden. Ich habe sie nicht. Bitte, fragt doch Riedesser in
Kreßbronn. Anselm fragte auch Riedesser. Schaute den scharf
an. Kerl, sag sofort, hast Du Sie? Ich schlag Dich, wenn Du lügst,
so in Deine ungefestigte Camping-Erde, daß Du schon im nächsten Frühjahr aufgehst als Primel. Aber Riedesser behauptete, er
habe sie nicht. Janzen? Janzen fehlte. Seit wann? Ja, wissen Sie
denn nicht, was mit Janzen? Also, der fährt doch nachts um drei
von der Spielbank weg, fährt über die Brücke, dann kommt doch
gleich der Kreisverkehr, in den biegt er auch ein und fährt und
fährt da rum, bis er fertig ist. Er hat sich nämlich noch vor dem
Wegfahren links die Ader geöffnet. Er war ja Rechtshänder. Den
Arm hängt er dann links zum Fenster hinaus, zieht eine Spur. Wie
weit er die ziehen wollte, kann man nicht wissen. Über die Brücke
reicht ihm der Saft, und in den Kreisverkehr um die Persiluhr
herum. Dann kam er nicht mehr heraus aus diesem Kreisverkehr,
aber noch ziemlich oft herum. Manche sagen ja, Weinhändler
hätten mehr Blut. Auf jeden Fall, die Persiluhr war ganz schön
rot eingekreist. Die Reifen halfen mit, das Blut gut zu verteilen.
Aber zuletzt schlug das Steuer dann doch zurück und das Auto
brach aus dem Kreisverkehr, überquerte die Straße, die für andere nach Bregenz führt, prallte drüben gegen das Pissoir, die
Wagentür sprang auf, Janzen fiel so heraus, daß er, mit dem Gesicht im Dreck, vor diesem Häuschen liegen blieb, bis man ihn
morgens fand. Prostrated. Also Janzen hat Orli auch nicht. Janzen am wenigsten. Und kein Brief, kein Zettel, keine letzten
Worte, keine herzlich zerbrochene Schlußschleife, please, under-
stand the not said things, with you I felt very much myself and
alive, but you, you, you most cruel person, helas, I feel very sorry
for myself and left behind and deserted, the way you prevent the
merest movement makes medoodsbenauwd, nu ben ik bang, liefste, mij dunkt ik moet gaan naar het buitenland, mijn toestand,

Anselm, ik ben zo bedroefd, droomen zijn bedrog, Anselm, daarom, later, misschien, lieve misdadiger, ik bemin je, yours ezelin orli okkernoot.

Nichts dergleichen. Sangklanglos stummhart davon. Solange Anselm auf Janzens Polsterbank schlief. Vielleicht hatte sie ihn wieder zu wecken versucht. Sie schlief immer so schlecht. Dann war sie, vielleicht im Morgengrauen, o ja, sicher war sie, zitternd vor Morgengrauen, hinausgeschlichen, hatte langsam gepackt, hatte es darauf ankommen lassen, aber er war nicht aufgewacht, also hatte sie Riedesser um eine Taxe gebeten, der hatte sie aber selber bis zum Bahnhof gefahren, dort ging nicht gleich ein Zug, dort stand sie noch in ihren angegossenen Hosen, im schon zu hellen Mantel, und Anselm schlief und schlief. Und Riedesser gab triumphierend bekannt: Auf dem Bahnhof stand sie noch eine Dreiviertelstunde. Er hat sie beobachtet. Ihn hat es interessiert. Ihm tat sie leid, irgendwie, nicht wahr. Sie stand. Schaute gerade aus. Rührte sich überhaupt nicht. Grad, als wär kein Leben mehr in ihr. Aber gefroren hat sie, ihr Braun war fast petroleumgrün. So malte Riedesser aus. Und schnaufte auf, wie Janzen aufgeschnauft hatte. Ja-und das Zelt, hat sie was gesagt? Nein. Also brach Anselm in der warmen Mittagssonne ein Zelt ab, das er nicht aufgeschlagen hatte. Häringe und Schnüre sammelte er sorgfältig, als brauche er alles im nächsten Jahr wieder.

Die Heimatglocken machten sich wieder bemerkbar. Ein dünnes, zufrieden meckerndes Geläute. Herr Riedesser, ein Taxi, bitte, das Motorrad wird abgeholt. Riedesser bot nicht an, selber zu fahren. Bis das Taxi eintraf, pilgerte Anselm durch den Buschsaum ans Ufer hinaus. Die glatten Kiesel scherbten schrill unter jedem Tritt. Hierher kommt man eben nur barfuß. Das penible Schwemmholz, zu kleinen Hölzchen zerbrochen, wenige noch mit Rinde, die meisten schon nackt genagt, weiß gescheuert, Knochensalat, garniert mit Schwanenflaum, Mövenfeder, Fettcremedose a. D., komm, Taxi, komm, das Taxi hupt, das Taxi ist schon da.

Orli, hatte Dein Schaffner einen blutroten Kittel? Waren seine Arme mit abgeschlagenen Köpfen beladen? Arbeiteten an allen Stationen die Hinrichtungsmaschinen? Fingen die Blutspuren schon mal an zu singen?

Bei Anselm dagegen war es so: Anselm setzte sich hinter die Taxifahrerin. Raffiniert, eine Frau zu schicken. Ihr kriechen denn auch folgerichtig schon bald zwei Kröten aus dem schartigen Mund. Anselm wartet auf eine winselnde Rauchfahne. Aber diese Art Frau rülpst bloß. Draußen trägt eine Möve einen Schafsdarm vorbei, aus dem es noch tropft. In der Ladentür des Friseurs in Kreßbronn stehen zwei ruppige Mädchen und bohren ihrem kahlen Chef in der Nase. Sie spießen ihn auf. Er hängt mit seinen zwei Nasenlöchern auf ihren zwei starken Zeigefingern und zappelt und schreit. Die Münder der Mädchen kotzen rotviolett. Weiterweiter, ins Seehaus Blomich, wer hat denn was von Bahnhof gesagt! Wieso jaulen die Kirchenglocken immer noch? Oder sind das Kater? Ein geistlicher Herr kratzt sich da. Das eitrige Kindergartenfräulein singt O-Haupt-voll-Blut-und-Wunden. Stumm wie zum Tod verurteilte Staatsanwälte folgen die Kinder. Ein Polizist nagelt seine weiße Hand auf den Asphalt. Ins Seehaus Blomich, schreit der Fahrgast. Hören Sie! Offenbar ist sie sehr rasch neunundfünfzig Jahre alt geworden. Vielleicht auf Befehl ihres Mannes. Eigentlich hätte sie bei den Pionieren dienen sollen. Was sie im Auto berührt, schreit auf. Die Kröten verlassen das Maul meiner Fahrerin zum ersten Mal ganz. Nehmen auf der runden Chiffonschulter Platz. Wir biegen ein. Aus den Kastanienbäumen schlagen Flammen. Die Dalmatiner, ungewöhnlich groß geworden, pissen die Allee zusammen wie nichts. Es schimmeln die Linden. Die Amseln tragen schmutzige Notverbände. Halt. Halt. Wohin denn noch? Die Kröten beobachten interessiert, wie wir durch die ersaufende Allee spritzen. Erst am Ufer unter den Silberpappeln bremst sie. Kommt auf den Rücksitz. Setzt ihre Kröten an. Orli, wenn Du nichts mehr hörst von mir, hat mich die Fahrerin unter 48 schimmelnden Linden und 2 faulenden Pappeln verscharrt. Da, wo die 2 unzertrennlichen Kröten kauern, da liege ich.

11

Reglos in seinem Bastelkeller saß Herr Blomich. Geräuspert hatte ich schon. Aber ich hatte vergessen, auf welchem Ohr er nichts hörte. Also holte ich mal weit mit der Hand aus. Er erschrak. Sah mich. Winkte. Oder winkte er ab? Nein, er kam her. Das Schildkrötengesicht hatte zu seiner traurigsten Möglichkeit gefunden. Mein Gott, wenn ich auch so aussehe. Verloren hab ich auch was, Herr Blomich.

Er fing gleich davon an. Ich wollte mich wirklich bloß verabschieden. Neinein, er muß mir danken, doch-doch, einmal sei er zu früh vom Tennis zurückgekommen, wo war Rosa? aus ihrem Zimmer bloß noch ein Streichkonzert, das mit sich selbst zufrieden war. Er horcht sofort in alle Zimmer hinein, das kann er, Anselm, bitte, verstehen Sie, sein Gehör wird immer schlechter, er muß wissen, was vorgeht, also schaltet er sich auch in Anselms Zimmer, und was hört er, lieber Anselm, gestatten Sie, daß er Sie so nennt, Sie haben sich fabelhaft benommen, fabelhaft fair, doch-doch, er weiß wohl, was das für einen Mann heißt: Rosa wegzuschicken, auf Rosa zu verzichten, und das in einem Schlafzimmer, und das, wenn Rosa tatsächlich mal will, also, lieber Anselm, das ist übermenschlich, wenn auch dumm, das muß Anselm sich schon von ihm sagen lassen, angesichts der Welt wie sie ist, muß soviel Fairneß schon wieder eine Dummheit genannt werden, Anselm braucht also einen Freund, wer so selbstmörderisch loyal ist, braucht einen Freund, und der möchte er sein, wenn es Anselm recht ist. Also ein paar Tage muß Anselm schon noch bleiben. Melanie kommt doch morgen, die wäre schön enttäuscht. Und nur frisch heraus nach Rosa gefragt, lieber Anselm, nur nicht so rücksichtsvoll, sonst wird er am Ende noch verwöhnt, das kann ihm, wenn er wieder in München ist, schlecht bekommen, da verzichtet nämlich keiner, besonders wenn er schon alles weiß, auf die Frage: und Rosa, was macht sie? fort ist sie, ab, jawohl, er schämt sich nicht, er nimmt die Blamage auf sich, hat er es denn anders verdient? er ist ihrer einfach nicht würdig, doch-doch, Rosa, Sie kennen sie, dieses feine Geschöpf, Anselm, ist es nicht ihre Zerbrechlichkeit, die einen zuerst bestürzt, wenn man sie sieht? bei ihr ist jede schöne Eigenschaft in ihrer zerstörbarsten Möglichkeit vorhanden, und er, der Ingenieur, bisher immer zufrieden mit seinem Beruf, als er Rosa kennenlernte, wünschte er plötzlich, ein Künstler zu sein, Anselm, begreifen Sie das, Musiker, er weiß nicht, warum, aber der Wunsch, Violinvirtuose zu sein, brach, als er Rosa kennenlernte, aus wie eine Krankheit. Und jetzt ist sie? Rosa ist in Zürich. Wenn sie überhaupt noch in Zürich ist. Blomich läßt schon nachforschen. Bloß um ihr beistehen zu können, wenn die Katastrophe losbricht. Rosa ist nämlich, nun stellen Sie sich Rosa vor, die Verletzlichkeit in Gestalt eines Mädchens, diese Rosa, um derentwillen wohl jeder Mann nur noch von dem Wunsch besessen wird, ein Violinvirtuose zu sein, dieses Mädchen ist in einem Augenblick der Selbstvergessenheit einem Radrennfahrer nach Zürich gefolgt. Er und Rosa begegneten dem Pulk der Rennfahrt München–Zürich. Mußten rechts ran. Rosa stand im offenen Wagen. Blomich kamen die Fahrer wie Produkte aus einer Serie vor, damit möchte er sagen, wie sehr er überrascht war, daß Rosa zwischen einem Fahrer und allen anderen Fahrern einen so ungeheuren Unterschied sah oder empfand, er weiß es nicht, auf jeden Fall erbat sie sich sofort das Auto, Tränen in den Augen, die Hände zitternd, eher schlagend als zitternd, wie unter Strom, also wollte er ihr das Auto nicht geben, ihm kam sie nicht gesund vor, aber da schrie sie, war kreideweiß, schrie ihn an, er kann es nicht wiederholen, ach, er versagte ganz und gar in diesem Augenblick, denn nie hätte sie seinen Beistand so sehr gebraucht wie in diesem Augenblick, aber er, er stieg aus dem Auto, lief in die Wiese hinein, in den Wald, als er sich soweit gefaßt hatte, daß er sich umdrehen konnte, war der Pulk samt Nachzüglern, war auch das Auto mit Rosa verschwunden. Anselm soll begreifen: die Nachforschungen läßt er wirklich nicht des Autos wegen anstellen, er läßt Rosa nicht verfolgen, bitte, Anselm muß ihm das jetzt sofort sagen, ob er glaubt, Blomich lasse Rosa verfolgen, bloß wegen des Autos, neinein, Anselm glaubt das nicht, also ist Blomich beruhigt, schweigt, schaut mit Anselm aufs Wasser hinaus, schnauft aber manchmal ganz plötzlich laut auf wie der Weinhändler Janzen, wie zuletzt auch Platzwart Riedesser.

12

Reglos in meiner Kajüte saß ich über Papier. Sobald es klopfte, kritzelte ich los. Ah, er arbeitet wieder, armer Anselm, steht es so schlimm. Mit einem vor Mitleid geschürzten Muttermündchen setzte sich Melanie sofort quer, sofort triumphierend auf meine Schenkel, sofort zwischen mich und das Papier, das ich gerade noch umdrehen konnte. Und teilt mir mit, was ich schreibe, hat Zeit, sie hat nämlich drei Amerikaner, direkt aus New York, dabei, zwei sind Verleger, der dritte, der Autor der zwei, der heißt,

ich habe den Namen schon im Anhören wieder vergessen, weil er nur immer Der Autor hieß, der Verlag heißt Greul-Press oder Grovel- oder Grouse-Press, das weiß der Teufel genauer, denn dieser Verlag wird Melanie liefern, was sie braucht für ihre Schlacht gegen's Muckertum. Amerika ist nämlich schon freier. Der Autor, zum Beispiel, hat ein Gedicht geschrieben, eine einzige Strophe, die reicht über hundert und eine Seite, die behandelt den Autor selber, wie er sich behandelt vor dem Spiegel, wie im Spiegel erscheinen Köpfe berühmter Menschen der Zeitgeschichte, Frauen und Männer, die alle dem Autor zureden, sich zu behandeln wie jener in der Bibel, nach dem diese Selbst-Behandlung immer noch heißt, also ist dieses Gedicht ein Dokument, Literatur ist Transkription oder sie ist nichts; es lebe der Dokumentismus! und dieses Gedicht ist entstanden aus dem Mund des Autors, als der sich mit etwas Mariuhana noch gänzlich befreit hatte von den letzten lächerlichen Banden, jawohl, er selber stand vor dem Spiegel und provozierte sich und fing an, fing dann auch an zu sprechen, das Tonband lief, jedes Wort, mundwarm ward's registriert, eine historisch werdende Manipulation besah sich selbst im Spiegel, bis der im Spermenhagel erblindete und der Autor wimmernd das Tonband abstellte. Auflage in den Staaten 600 000. Prix Formentor in Aussicht. Deutsch aber nicht bei Rowohlt, sondern bei Melanie. Und noch so ein gewaltiges Befreiungs-Werk ist ihr versprochen von ihren neuen Alliierten. Einer berichtet in der Form einer Sport-Reportage den Vorgang seiner eigenen Zeugung. Aber im letzten Augenblick, verstehst Du, greift er ein, verhindert er seine Entstehung, verstehst Du, es gelingt ihm, er bedankt sich am Ende bei seinen Nicht-Eltern aus dem Bidet, das gibt Perspektive, verstehst Du, das Werk schließt mit einer Transkription der Wasserspülung, radikaler kannst Du die Elterngeneration nicht mehr treffen, das ist klar. Das ist klar, sagte ich. Melanie redete sich warm, erzählte weitere Sujets, die in Amerika für sie bereitlagen oder gerade für sie reiften, durchweg so kühne Sujets, daß ich nicht neidisch werden konnte. Mir wurde da nichts weggenommen.
Amerikas protestantische Beklemmung, belehrte mich Melanie, jahrzehntelang dem immer härter strahlenden Licht der Psychoanalyse ausgesetzt, löst sich jetzt, wenn auch vorerst nur in den luxuriösen Carceri der Avantgarde; aber in diesen Nistplätzen der Zukunft regt sich jetzt, was der Allgemeinheit später blüht.

Was sich jetzt regt, zeigt an, daß die Epoche der bloß seelischen Grausamkeit endlich überwunden ist, endlich wird ernst gemacht, die Linksintellektuellen dort lassen sich heute schon vom Land Pferdemist, Mohn und Stiertestikel schicken, dann streuen sie Fisch-Schuppen durch die Stube, ein paar Kilo Damenstrümpfe, zerschnipselte Haare, Artikel der Baby- und Frauenhygiene, Bettfedern, rotlackierte Tannenzapfen, dann wird etwas angezündet, etwas geraucht, etwas getrunken, dann beginnen mehrere sich freier zu fühlen. Die Popparty wird natürlich immer auf Tonband genommen. Aber bevor die Angehörigen der Schlagenden Generation einander nicht wirklich aufessen können, kommen sie sich immer noch bürgerlich vor, suchen sie also weiter nach der Möglichkeit, zur selben Zeit vollkommen zu verzehren und vollkommen verzehrt zu werden, und das mit einem Genuß, der die Atombombe übertrifft. Jawohl.

Donnerwetter, sagte ich.

Chumm itz, sagte Melanie.

Erstens, Melanie, muß ich arbeiten, zweitens will ich mich bei Dir nicht mehr blamieren mit meiner altväterlichen Art, Du hast jetzt diese Amerikaner, erotische Avantgarde, Du müßtest doch nur lachen über mich. Simpel nannte sie mich. Zwei der Amerikaner seien anders herum, der Dritte sei nur noch pervers, also in Frage kämen die nur für gemeinsame Veranstaltungen, für Solo dagegen überhaupt nicht. Und die Arbeit eile nicht mehr. Sie kriegt ja alles aus Amerika. Sie bezahlt mich aber gerne weiter. Nicht für's Schreiben. Es macht ihr Spaß, mich für was ganz anderes zu bezahlen. Chumm itz.

Gut, dachte ich, wenn es denn Arbeit sein soll, will ich mich nicht sträuben. Als Arbeit lasse ich mir das gefallen. Orli, gib zu, das berührt uns beide nicht. Dein Anselm arbeitet. Für unsere Zukunft.

Und Dir, Melanie, war ich kollegial verbunden, erinnerte mich, wir hatten schon zusammen gearbeitet, war es im Zirkus? im Varieté? mir war, als wären wir aufgetreten in der selben Nummer, kann das sein? sowas verbindet für immer, nicht wahr, Melanie? wo bist Du jetzt engagiert? was spielst Du jetzt? Lady Macbeth? Drahtseil? oder immer noch Trapez? ach ja, Melanie, urplötzlich fiel es mir ein: zum ersten Mal haben wir in Zürich zusammengearbeitet, das war im Winter, weißt-Du-noch, die Nummer: Die Königstochter prüft den Reisenden Ritter. Weißt-Du-Noch?

13

Immer hört man über Amerikaner solche außerordentlichen Geschichten. Dann trifft man einen, und der paßt überhaupt nicht zu den aufregenden Nachrichten, die über ihn im Umlauf sind. Mein Herr, möchte man sagen, ein besonders typischer Amerikaner scheinen Sie nicht zu sein. Sowas hält man für ein Kompliment. Der Amerikaner glaubt, man werfe ihm mangelhafte Pflichterfüllung vor. Und schon ist die Bekanntschaft vergiftet. Über ganze Völker zu sprechen wäre also besser verpönt.
Den hellblauen Blondling nannten die beiden Herren The Author. Der war immer in Segeltuchschuhen, dicken weißen Sokken, hellblauen Hosen, im hellblauen Pullover, im weißen Hemd, trug eine extra violette schmale Wollkrawatte und von Ohr zu Ohr einen hellblonden Bart und auf dem Kopf, aufgeputscht, das steilste Blond. The Author war noch keine fünfundzwanzig. Seine Hände waren ununterbrochen mit kleinen Geduldsspielen beschäftigt. Er wirkte wie entführt. Meistens hörte er bloß zu. Erst wenn einer der beiden Herren The Author's Opinion hören wollte, sagte er rasch, was er meinte. Meistens mußte man über das, was er sagte, lachen, so überaus hübsch war es formuliert. Ich wäre am liebsten mit ihm spazieren gegangen, ohne mit ihm zu sprechen. Aber die beiden Herren ließen ihn nie allein. Trotzdem war ihr Benehmen immer so, daß man nicht wußte, welcher der Herren ein weiter gehendes Interesse an diesem Engelbuben hatte. Ich hätte ihn auch gern gefragt, ob er vielleicht in die Public School Nr. 93 gegangen sei, ob er sich nicht an ein Mädchen erinnere. Aber die beiden Herrn waren viel zu brillant, viel zu lebendig, viel zu eindringlich, man vergaß, was man vorgehabt hatte, bevor man ihnen vorgestellt worden war. Eine knallharte Lachsalve nach der anderen löste sich im Seehaus Blomich. Vom hellen Nachmittag bis tief in die Nacht brachten sie uns zum Lachen. Die Rocaille an der holländischen Vitrine zitterte. Orli, dachte ich, und mein Lachen war das erste, das versiegte. Ich hatte ein schlechtes Gewissen, sobald ich bemerkte, daß ich schon wieder lachte. Blomichs Lachen war das nächste, das versiegte. Dann versiegte das Lachen des Autors, dann das Melanies, am längsten lachten die beiden Herren, die das Lachen ausgelöst hatten. Melanie behauptete, die beiden seien zwar Partner, aber auch tödlich

mit einander verfeindet. Das war auch so eine Nachricht, die überhaupt nicht zu dem paßte, was man selber sah und hörte. Einmal in jeder Stunde wurde die Fröhlichkeit radikal unterbrochen. Den AFN-Nachrichten zuliebe. Offenbar war in Castro-Cuba oder wegen Castro-Cuba eine Krise entstanden. Offenbar sorgte man sich schon länger. Unsere Amerikaner vertrauten zwar auf Kennedy. Wenn es einer schafft, dann Kennedy. Die Sowjets müssen sich daran gewöhnen, daß die Amerikaner jetzt ihren Kennedy haben. Für die Lösung à la Lumumba ist es zwar zu spät. Wird also Kennedy den Russen ein Ultimatum wäre das beste wäre gleich ein Krieg mit Atomwaffen dauert der nicht solang wie wir von hier nach Zürich brauchen wir denn soviele Russen Chinesen wie es momentan gibt auf der Welt was ist The Author's Opinion? Das ist ganz einfach: wir brauchen immer mindestens dreimal soviel Chinesen wie Russen, wenn wir also auf der Welt einmal bloß noch zwei Russen übrig lassen, so ist es unsere Pflicht, dafür zu sorgen, daß es auch noch sechs Chinesen gibt, nur ein Unmensch könnte den Chinesen solche Existenzberechtigung bestreiten.

Ich glaube nicht, daß es unter uns noch jemand gibt, der eine solche Bemerkung übel nähme. Sollte aber doch noch jemand so old fashioned sein – etwa ein düsterer, blutunterlaufener, ehrenamtlicher Helfer des Roten Kreuzes, ein weltfremder Staatsanwalt oder ein verarmter Goldschmied (sonst wüßt ich, außer einem Pastor, wirklich keinen mehr) – so sei der daran erinnert, daß dieser junge Künstler in New York als recht links gilt und daß er zu den Schöpfern der Ästhetik der Grausamkeit gehört, der letzten großen ästhetischen Bewegung also, die man, wären die Mongolische Volksrepublik, Nordkorea und Rotchina nicht so verschmockt, weltumspannend nennen dürfte.

Ja, so wurde ich urplötzlich wieder mit der Politik bekannt gemacht. Mein Gott, die haben viel politisiert in jenen Tagen. Es war eben eine Krise. Da kommt man praktisch nicht an Politik vorbei. Und wenn man während eines solchen apokalyptischen Divertimentos auch noch Amerikaner dabei hat, also sozusagen die Erste Hand! Und Blomich hatte des immerzu verletzten Weltzuckerabkommens wegen noch ein altes Interesse an Cuba! Er konnte mitreden. Der Zucker, konnte er sagen, das cubanische Schicksal. Die Amerikaner sagten: Cässtrou. Wenn sie in der Lindenallee auf und abgingen, klang es in der Entfernung, als sprächen sie aufgeregt in einer Tiersprache, in der ja alle Ausdrücke einander ungeheuer gleichen, und ihre Tiersprache bestand fast nur aus einem einzigen Wort: Cässtrou-cässtrou–cässtrou. Cässtrou hatte bei seiner Konfettiparade in New York alle Chancen gehabt halb so beliebt zu werden wie James Dean muß in diesem Jahrhundert jeden Gott übermütig machen ließ der sich erst als er den Neid unserer Männer spürte auf seinen Bart und daß er nie ne Krawatte das Kastrationssymbol trägt dafür Haarehaarehaare was ist The Author's Opinion? Gelänge es, Cässtrous Penis zu screenen, daß jeder Amerikaner sich zuhause überzeugen könnte, Cässtrou übertrifft ihn nicht oder doch nicht wesentlich, gleich wären jedem Amerikaner die Raketen auf Cuba egal. Das Dumme ist doch, daß Kennedy seine Schmerzen ausgerechnet im Kreuz haben muß, während Cässtrou andauernd weltöffentlich Bauchtänze aufführt.

Also bitte, alle Achtung, wie der sich und Amerika nicht schonte. Abends saßen wir im Schutzknochen. Der war jetzt schon hergerichtet für gemütliches Überlegen. Die Amerikaner lobten ihn kennerisch. Nachrichten hörend. Listening to Cacique Castro's arrogant and foolish reply. Am besten, sagten sie, bleiben wir, bis dieser Atomkrieg vorbei ist, was ist The Author's Opinion? Von ihm aus gern, er bittet dann aber, daß rasch noch sein Schirm hergebracht wird, den hat er in Zürich vergessen, und wenn dann kein Schirmmacher überlebt, ist er der Lackierte.

Die beiden Herren inspizierten die Vorräte, berechneten den Bedarf und das Psychologische, und teilten mit, daß wir, so zusammengesetzt, nicht überleben könnten. Es gebe ein altes Gesetz: was nicht für eine Orgie reicht, reicht auch nicht für ne Katastrophe. Uns fehlten noch drei Frauen und vier Männer. Sie wußten auch, welcher Art. Die bestellten sie bei Blomich. Wenigstens zwei Frauen und drei Männer seien unerläßlich. Sie schilderten die Eigenschaften, die sie fordern mußten. Sie schienen geschult zu sein in der Ausrüstung von Sintflutsarchen. Und in einer Orgie müsse man sobald als möglich prüfen, ob wir alle auch in der Katastrophe zusammenpaßten. Von der Orgie sprachen sie immer so bestimmt, als handle es sich dabei um eine international standardisierte Turnübung. Vielleicht hatte das Wort im Amerikanischen einen anderen Klang. Melanie freute sich auf die Orgie. Sie sagte: Ich baue auf Dich.

Ich aber spürte wieder die Allgegenwart Orlis. Für eine Orgie hatte Orli unter keinen Umständen Verständnis. Andererseits wollte Melanie mich bei dieser Allmendpremiere vorführen als etwas, auf das sie persönlich stolz war. Wie das zugehen sollte, wußte ich nicht. Auch ich hatte schon dann und wann einer Orgie nachgesonnen. Jetzt wurde eine vorbereitet. Um mich herum. So emsig und huschend und heimlich und spannend wie sonst nur das Weihnachtsfest in vielköpfigen Familien vorbereitet wird. Und jetzt? Jetzt konnte ich mir plötzlich meine Mitwirkung nicht recht ausdenken. Orli störte mich auch. Und Kennedy stellte schon sein Ultimatum. Die Orgie konnte nicht länger verschoben werden. Und plötzlich saß ich im Taxi. Hatte meine Koffer dabei. Saß im Zug. Richtung München. Na ja, vielleicht würde mich die Bahnpolizei noch vor München verhaften. Aller Schwierigkeiten Lösung: Einzelzelle. Aber die Polizei interessierte sich überhaupt nicht für mich. Und der Zug fuhr andauernd auf München zu. Birga. Jaja. Birga. Du kommst gleich nach der Einzelzelle. Es ist ein Risiko. Aber ich will mich mal nach Dir sehnen. Wohin denn sonst? Das Ultimatum läuft. Kaleu Kennedy ruft: Alle Mann auf Tauchstation. Vielleich drehen die Russen ab. Sind ja Landmenschen. Also weniger kühn. Und ich laß für sowas ne Orgie raus. Schön blöd, Anselm. Umkehren müßte man. Überleben mit ner prima Crew. Aber wenn Du jetzt wieder antrottest, kommst Du bloß wegen der Orgie und nicht wegem Überleben. Diese Orgie hättsdu nie rauslassen dürfen. Jetzt sehn Dich mal schön. Nach Birga. Komische Anstrengung, sich nach ner fremmen Frau zu sehnen. Was issndas, Sichsehnen? Also ich streck mich mal probeweise nach Dir, wo Du biss, weiß ich ja, aber wer Du biss, Birga, keine Ahnung, ehrlich, kein Dunst hab ich von Dir, also wirklich, ich fahr zu ner fremmen Frau, insofern iss das, trotz der Sehnsucht, die ich mal vorsorglich mobilisiert habe, 'n ziemliches Risiko.

Lage II

*Wir machen uns innere Scheinbilder oder Symbole
der äußeren Gegenstände, und zwar machen wir sie von
solcher Art, daß die denknotwendigen Folgen der
Bilder stets wieder die Bilder seien von den
naturnotwendigen Folgen der abgebildeten Gegenstände.*
Heinrich Hertz

Bedenk ich meine Lage, lieg ich gleich ganz verrenkt. Hingerichtet von einem überirdischen Ringer, der die Regeln verachtet. Haben wir, aufrecht lebend, das Liegen verlernt? Keine Partie so, daß man länger darauf liegen könnte. Der Druckschmerz rechts erzwingt eine Drehung. Auf der linken Seite kann ich nicht so lang liegen, daß die rechte sich erholen könnte. Also auf'n Bauch. Der Druck schießt ins Kreuz. Zieh ein Knie an. Wenn es nur zum Einschlafen reicht. Zum Glück ist mein Schlaf tief. Eine Art Ohnmacht. Was dann noch schmerzt, muß lang als Traum auftreten, bis ich daran erwache. Das sind Träume, aus denen man gern erwacht. Ich habe, zum Beispiel, eine von mir fortwachsende Hand. In der Ferne wird sie betrachtet. Ich kann ihr nicht helfen. Du meldest Dich also zum Turnier, sagen die Herrschaften. Die Hand führt sich auf, macht eine Faust, die Finger werden blau, dann weiß, die Faust gibt an, wird noch härter, noch kleiner, Knochen knacksen, brechen, das Fleisch zerreißt, die Faust hört nicht auf, ein kosmisches Knirschen, diese Faust erdrückt sich, zerstäubt sich, zernichtet sich selbst. Übrig bleibt ein Stumpf. Los hinein mit ihm, hör ich. Zugelassen zum Turnier, hör ich. Das Schwert wird gereicht. Es fällt zu Boden. Ich bücke mich. Weiß ich denn immer noch nichts von meiner zergangenen Faust? Laut klirrt der Feind, holt schon aus, ich schaue hoch, begreife, was jetzt fällig ist. Also halte ich, angesichts des schon heruntersausenden Schwerts, den Atem an. Wer würde da noch atmen. Nein, kein Schwert ihm, ach Michel Enzinger ist es, blau das Gesicht, violett die wollene Mütze, die Brille fehlt, ihm haben sie einen eisernen Knüppel in die Hand gedrückt, eine zunehmende, immer lauter sausende Keule, wer würde da noch Atem holen wollen! Im Gegenteil, als könne man sich bis zur Unzerbrechlichkeit ausfüllen mit Luft, preßt man den Atem, den man gerade hat, in den Körper, der sausenden Keule entgegen, als nützte das was. Aber die Herrschaften wollen sich die Finger nicht schmutzig machen an mir. Die haben den stumpfäugigen Michel Enzinger mit der Keule auf mich losgelassen, daß ich unter der Keule, die droben saust, ohne sich zu rühren (wahrscheinlich sausen die Eiswinde um sie), von selbst ersticken soll, weil ich angesichts der im nächsten Moment zuschlagenden Keule allenfalls meine Gelenkstümpfe bittend ausstrecken, aber doch keinesfalls mehr weiteratmen werde. Das ist so eine Situation, die ich dann einfach, ja sogar schlau, durch Ersticken, bzw. Erwachen beende. Kältestöße jagen durch mich hindurch. Ausgehend vom Rückgrat. Offenbar habe ich tief im Rücken jetzt ein Kältezentrum. Immer neue, einander nacheilende Kältestöße. Ich kann nichts dagegen tun. Ich komme mir vor wie ein Sender, der Kälte sendet und sie nicht los wird. Sobald ich wieder einschlafen will, schüttelt mich der nächste Kälteüberfall. Ich begreife. Würde ich jetzt wieder einschlafen, würde ich gleich wieder den Turnierrichtern und ihrem festverpflichteten Keulenschwinger vor die Füße rutschen. Davor bewahren mich die Kälteausbrüche auf meinem Rücken. Davor bewahrt mich auch die Luft, die ich einatme. Die ist nämlich angewärmt. Muß wo ein riesiges Maul sein. Wie ich mich auch drehe, überall bläst mir das Maul seinen warmen, verbrauchten, ein wenig stinkenden Atem ins Gesicht, und ich muß ihn, will ich nicht ersticken, einatmen. Schlief ich jetzt ein, träumte ich gleich, ich tränke, immer noch frierend, warmes Spülwasser, ölig warm und dunkelgrau. Also: nicht mehr versuchen, Lider über die trockenen Augäpfel zu ziehen. Wach bleiben. Schwereschmerzen lindern durch Umgruppieren und Umgruppieren der immer schwereren Glieder, durch Drehen und Umdrehen des zunehmenden Rumpfes. Sisyphoslast, durch diese Nacht zu wälzen. 11. auf 12. 1., 2 n. L. Am besten, ich bin mir, wenigstens in Gedanken, angenehm. Zu tun habe ich auch. Nichts mehr wird sich selbst überlassen. Aus dem sich selbst Überlassenen schmieden die Träume ihre Wucht. Eine Menge Dinge schwimmen in der Nacht gegen mich. Ich präpariere die Schleuder. Im Hotel visàvis greift wieder eine weibliche Hand nach dem Vorhang. Von schräg unten. Krallt in den Vorhang. Knüllt und knüllt ihn. Barbaras Hand. Der Zwetschgenstein in den Lederlappen (den ich aus einer Schuhzunge schnitt), die Sehne, aus sechs Gläsergummis geknotet, gespannt. Da läßt die Hand den Vorhang los. Fällt ab. Der Vorhang schwankt. Die Schleudergabel schwenkt zum Parkplatz neben dem Hotel. Flopp. Der Stein saust hinüber und hinab auf ein Autodach. Hübsches Bombardiergeräusch. Das Einhorn haut ab. Aus seiner Hütte wackelt der Posten. Läuft hin, wo mein Zwetschgenstein einschlug. Sofort halte ich in die entgegengesetzte Ecke. Peng, macht der Stein auf dem gewölbten Autodach. Der Autohirte stolpert her. Ich verlege die Einschläge zurück. Jage ihn kreuz und quer mit Peng und Pengpeng. Erst wenn er ausrutscht im Schnee und hinfällt und dampft und unter seiner eigenen Atemwolke heraufbetet In Excelsis Mei, erst dann höre ich auf, meine Macht auszuüben. Taucht dann das Einhorn wieder auf zwischen den Autos, setzt über Autos weg, übt den Sprung zu mir herauf, dann muß ich wieder schießen. Der Parkwächter futtert es gegen mich. Was soll der Bettlägrige mit einem Einhorn? Und weil ich es nenne, taucht es auf, springt ab, setzt über Autos und Autos, springt noch einmal ab und hat es leicht, mich zu erreichen, der seine Schleuder lieber verschluckte als daß er sie im Ernst gegen sein Einhorn richtete. Das kniet schon bei mir und schnauft. Und ich verstehe immer: Orli. Und dann will es mir gleich sein Horn verfügen als ein besonders eindringliches Schreibgerät. Ich lehne das Horn ab. Wozu noch schreiben? Was soll ich mit Wörtern? Ich weiß doch Bescheid jetzt über Wörter, Beschwörung, Erinnerung etc., hör mir doch auf damit. Schreib ORLI, sagt das Einhorn. Ich sage: Was soll ich mit Wörtern? Schreib doch ORLI, sagt es. So war es noch nie zu mir. Auf diese fast unterwürfige Weise bezwingend. Und die Spitze des Horns duftet wie nur Weiches duften kann. Schreib doch ORLI, sagt es. Hier, sagt es, mein Horn, das endlich nachgibt und sich wendelt, wenn Du es noch verlangst! das Dich liegen läßt, solange Du willst, wenn Du bloß ORLI schreibst. Also schreibe ich wider besseres Wissen: ORLI, GELUKKIG NIEUW JAAR. ORLI, die ich, weil Wörter für nichts gut sind, lieber nicht mehr genannt hätte. Und jetzt, Orli, balle ich mich schon wie meine Faust erhärte ich mich bis zum Zerbrechen nach Dir, Orli, Du, der letzte Anlaß, verwundert zu sein über unser Erinnerungsvermögen. Orli, ich habe Deinen Namen in mein Bauer gesperrt, daß er sänge. Ich habe eine Mulde in die Hand gemacht, dahinein ließ ich Deinen Namen gleiten, dann behauchte ich ihn, daß er sich rühre, daß sein Flaum sich ein wenig rege. Orli, mein Name, der mir nicht von der Hand hüpfen darf. Er soll atmen in meiner wärmenden Hand. Hätscheln will ich ihn, bis Du kommst und ihn eintauschst gegen Dich. Man sollte doch meinen, solange ich Deinen Namen hüte, hätte ich ein wenig Macht über Dich, Orli. Jeden Tag weniger! Mager ist Dein Name geworden, obwohl ich ihn nähre. Er zittert in der Luft. Er wird mir zerspringen. Oder zergehen. Halte ich ihn nicht gut? Habe ich ihn zermurmelt in der Litanei? Orli hat immer. Den Salat mit den Fingern gegessen, ja. Deine Finger gründeten dabei das Aussehen einer ganz neuen Tierart. Das Glas mit beiden Händen gehalten, ja. Mit dem Kamm in den Haaren hast Du Deinen Kopf weit und schräg nach hinten gezogen, ja. Daß sich Dein Hals bog wie der Mastbaum im Sturm. Und so schnellte der Kopf wieder hoch, ja. Du hast immer ziemlich früh den Blick einwärts gedreht, ja. Vielleicht kommt das vom Daumenlutschen. Wenn es Dir wohl war vom Lutschen, hast Du zu schielen begonnen. Und dann hast Du geschielt, als es Dir wohl war, ohne daß Du den Daumen im Mund gehabt hättest. Immer hast Du. Wenn Du knietest. Wenn Du den Zeigefinger zwischen die Zähne schobst. Wenn Du aus Deinen Haaren auftauchtest. Wenn Du Deine vorsichtigen Hände ausschicktest. Wenn Du. Orli, Deine Gesten schwinden mit Deinem Namen schwinden Deine Augenblicke zerfallen mir sind sie schon zerfallen. Viel zuviel sagen die Wörter. Du nahmst mit beiden Händen, blicktest, hast gelutscht. So kann ich nicht sprechen von Dir. Das stimmt nicht zum Grad Deiner Abwesenheit. Sag ich: Du küßtest, Du hast Anselms Haare gestreichelt, Deine Nägel ihm ins Skrotum gekrallt, dann sehe ich Dich KÜSSEN, STREICHELN, KRALLEN, und die dazugehörigen Hauptwörter sehe ich auch. Und ich denke viel zu wenig daran, daß Du nicht küßt, nicht mehr streichelst, nie mehr krallst. Überhaupt nie mehr. SIE KÜSSTE das ist doch soviel wie eine Verneinung. Wenn sie küßTE, dann küßt sie jetzt nicht. Also wäre Deine Abwesenheit schon besser ausgedrückt, wenn ich sagte: Du küßt NICHT, streichelst NICHT, krallst NICHT. Nicht mehr. Nie mehr. Schließlich gehört die ganze wilde Zukunft zum Material, aus dem Deine Abwesenheit besteht. Aber genügt es schon zu sagen: Sie streichelt nicht? Müßte ich nicht sagen: Sie streichelTE nicht, sie krallTE nicht? Um wenigstens anzudeuten, daß es jetzt ist, als wäre es nicht gewesen. Ich bin doch der erste, der sich einreden möchte, mit Hilfe von Beschwörung kriegte ich Orli zu irgendeinem Teil wieder. Mir wäre jede Anheizerei recht. Jeden schlimmen Paragraphen würde ich mir als Lorbeer um die Stirne winden, wenn mir an Orli der Nachweis gelänge, daß man Vergangenes wieder heranimieren kann durch feuchte, schlüpfrige oder wüstenhaft trockene, eremitische Wörter. Aber Leuteleute, ein materielles Mädchen hat man doch nicht schon dadurch, daß man von ihr spricht, singt, stöhnt. Irgendwas, das schon zu seiner Zeit bloß ein Monströses von der Qualität des Geistigen war, kann man leicht herbeschwören und ewig feiern; sowas ist nicht, also vergeht's auch nicht. Aber ein weiblicher Mensch! Der hat doch – auf dem Seelenkontinent ist das schwer zu begreifen – erst Hand und Fuß, wenn man Hand und Fuß greifen kann.

Und selbst wenn ich sagte: NIE HAT Orli Anselm gestreichelt! was denn sonst stellte ich da vor, wenn nicht Orli und Anselm bei einander und Orli Anselm streichelnd. Dagegen kommen doch Verneinung UND Vergangenheit überhaupt nicht auf. Also wäre so nicht von Orlis Abwesenheit die Rede, sondern sie wäre als Streichelnde anwesend, und doch hätte ich nichts von ihrer Streichlerei, weil es bloß eine wortwörtliche Streichlerei wäre. So wenig taugen inzwischen die Formen der Verneinung und der Vergangenheit zur Nennung jenes furchtbaren Unterschieds zwischen Gewesenem und Jetzigem. Das tröstlerische Beschwörungs- und Feierwesen hat der Sprache alles Vermögen verplempert, angemessen von Vergangenheit zu sprechen. Wer die Vergangenheitsformen bemüht, bemüht sie nur zum Schein. Orli schlug mir ihre Zähne in den Nacken, als wär ich ihr Junges. Da ist doch nichts anderes beabsichtigt, als mir und allen Zeugen zu vergegenwärtigen, wie heftig Orli sein kann. Daß es mit Orli aus ist und vorbei, das schmiert die Sprache zu mit schlechter Vergegenwärtigung. Man hat doch nichts davon, sich zu vergegenwärtigen, wie Orli zärtlich war, wenn man davon, daß man sich das vergegenwärtigt, nichts hat. ENTSINNEN, ja. Von REMEMBERN keine Spur. Orli schlug mir ihre Zähne NICHT in den Nacken, als wär ich ihr Junges. Nichts ist dadurch gewonnen, daß ich's verneine. Anti-Wörter brauchte ich. Wörter für Erinnerung spielen sich auf als Echo. Das Echo aber ist der Ton selbst, der SELBE Schall leibhaftig zurückgeworfen mir wieder ins Ohr. Man wird schon noch merken, wie verschieden die zwei Systeme sind, das für Erleben und das für Erinnern. Zweierlei Schwingungen. Erinnerung, obwohl erregt vom Vergangenen, ist ein ganz anderes als das Vergangene. Das ist nicht leicht einzusehen. Wegen der Größe unseres Gedächtnisses. Uns steht ein Riese auf der Brust, heißt Vergangenheit, wenn er das Standbein wechselt, schwärmen wir. Und merken uns längst schon mehr als notwendig wäre. Und dieser Überfluß, der uns religiös macht und krank, heißt Einbildungskraft, Phantasie, Seele usw., damit kann man sogar den monströsen Versuch machen, Vergangenheit herzustellen. Aber auch rechtens ist unser Großes Gedächtnis keine Anlage für Wiederauferstehungsfeiern, sondern bloß ein Instrument zur Ermessung der Verluste. Ja. Eine Waage ist unser Gedächtnis nur für Verluste. Eine Börse, die täglich reicher wird an Verlust. Aber die Wörter, Orli, taugen nicht mehr für die Verlustausruferei. Ich wünsche mir Wörter zur Auslöschung der geringsten Gewesenheit. Wörter, in denen es dunkel ist. Von Dir. Wörter, in denen sich nichts mehr rührt. Von Dir. Wörter ohne Schein und Anschein. Von Dir. Wörter in denen Du, die tote Tote, totzusagen bist. Das wären Wörter, in denen Du wohnen könntest, Du, die Vergangenheit selbst, atemlos, licht- und schattenlos und zeitlos, ein Unwesen. Aber sie legte doch gern ihr Kinn aufs Knie. Nein. Sie aß zu allen Speisen weißes Brot. Nein. Saß in der Sonne, schnitt Fingernägel und weinte. Nein. Nein und Amen. Ich werde mir nie mehr erlauben, darüber nachzudenken, daß sie in einem weißen Unterrock fromm und katholisch aussah. Und tu's, tu's, tu's doch schon. Besser, ich nagle diese Nacht noch zwei Kärtchen an die Wand. Silberbuchstaben, gotische, melden auf Kärtchen Nr. 1: *Mark Goodsir Booty, Field Service Engineer, 1 Donne Terrace, Cambridge, Mass.* Gotische Silberbuchstaben melden auf Kärtchen Nr. 2: *Married Orli Diana Laks, 3rd January, 1963.* Reibt also Mrs. Booty ihre Nase jetzt an ... Orli, Deine Nase, mir fehlt schon Deine, war die in den Flügeln steil oder gebauscht? kommt mir die Nasenbohrerin dazwischen? boxt Barbara mit dem Chow-Chow-Näschen Deine erhabene Nase aus mir heraus? wie schütze ich Deinen Mund vor der allmächtigen Auszehrung? den korsischen Flaum auf Deiner Oberlippe! Dein zinnoberrotes Wildlederkostüm! Gedächtnis, Erinnerung, Fräulein oder Nymphchen oder Göttin Mnemosyne oder Anamnesis, sei, was Du willst, ich widerrufe, was Du willst, bloß gib mir, gib mir Orlis Nase wieder! nie mehr werde ich Dich anzweifeln, nie mehr mich dummwundern über Deine Anscheinerei, vielmehr werde ich Dir in meinem Bett mit Hilfe des Bettzeugs weiße Tempelstädte bauen und Altäre auf jedem Niveau! anvertrauen will ich Deinen Altären die ganze Orli, für jede Orlibewegung stifte Du den gläsernen Schrein! täglich will ich mit Augen, Nase, Lippen und Händen die weißen Tempelstädte meines Betts durchpilgern und strenge Dienste abhalten an jeder Orli-Reliquie, daß nichtsnichts mehr verloren gehe. Lieber mauere ich, Orli, Deinen Schein in erwürgende Zeremonien ein als daß ich von Dir auch nur noch eines Fingernagels Glanz verlöre. Wie bin ich umgegangen mit Deiner Hinterbliebenschaft. Orli! Listen hätte ich anlegen sollen! Orliwörter registrieren. Orlibewegungen numerieren. Ein ganzes Alexandria hätte ich gründen sollen zur Bewahrung und Pflege Deiner Gewesenheit. Jetzt, Erinnerung, nimm meine völlige Unterwerfung an! Wo suche ich Orlis Nase? Keine der Nasen, die ich ihr anprobiere, will passen. Aufgeben vorerst! Rette rasch, was in dieser Nacht noch zu retten ist, das rote Wildlederkostüm, Berührungsnarben im Zinnoberrot, zweierlei Bikinis, die sind erfaßt, verwaschen himbeerrot und weiß, Hemdenstoff, anklebend beim Naßwerden fast durchsichtig abends legte sie wenn wir nach Kreßbronn essen gingen ihre Haare ganz glatt eng streng um Stirne und Gesicht altspanisch ihr Augenweiß im Grün-Orangelicht des Zelts kniete sie setzte sich auf die Fersen ratlos fragte sie was fragte sie? hatte sie oben, ja, oben hatte sie am liebsten nichts an erst eine Handbreit unter der Hüfte begann die anliegende Kleidung, oben also schwer sklavenhaft nackt, altes Kolonialbild, und Melanie liebt Kleidung genau umgekehrt, Melanie, ein Opfer harter Illustriertenpropaganda, jener Photos von unnachsichtigem, aber leblosem Reiz, you did'nt yet have your nap, grandfather, Merkverse werde ich machen aus allen Orliresten, stuffy furnished, sagte sie und schaute sich um und fror, der Kellner war in ihrem Alter, sie saß weit weg vom Tisch, weit vorgebeugt, also abgeknickt, also buckelnd saß sie, spielte mit was hatte sie aufm Knie, gib mir ihr Knie wieder, Erinnerung! Damenleder abenteuerte hoch an ihrem Bein, mit Bamber sprach sie über Geld, beide rechneten aus, was sie sich noch leisten könnten, so gut würde ich sie nie kennenlernen, nie würde sie mit mir Hellerpfennig in ihrer Sprache aushandeln, mit brennenden Gesichtern rechneten die Beiden in kleinen Summen herum, so weit war ich noch nie von Menschen entfernt, mit denen ich am selben Tisch saß, ik ben het ermee eens, und hielt drei Haarnadeln zwischen den schweren Lippen während sie sich kämmte, hatte sie nicht eine Spange, mit einer Perle besetzt? sahen wir einen Hund in die Vulkanisieranstalt rennen? blieb Orli stehen? ja! sie sagte, der kommt nicht mehr heraus! erst mit Hilfe von *Carcasse* gelang es uns, einander mitzuteilen, jeder von uns wisse, daß wir vor einer Vulkanisieranstalt stünden, oft wußten wir beide das richtige Wort nicht in unserer Fremdsprache, Carcasse fand ich, oft fand Orli das Wort, das uns fehlte, uns fehlten oft Wörter, für uns und einander und das Tollvolle, redselig redselten wir von Mund zu Mund, uns selber fremd, einander suchend in der Wörtermummung, in Klanghöhlen, von Konsonanten gewürgt, immer wieder sprengend das Wörtereis und dann noch das Eis der Wortlosigkeit, vordringend bis zu einander und uns, Orli, auf der

unverlierbaren Haarspur, Innenseite linker Schenkel ein Mutter-
mal, Größe kleiner Fingernagel, Mammae ohne Schminke tief-
violett, Ohrenrand beflaumt, und weigerte sich, zu essen von weißem, musterlosem Porzellan, Aberglaubens wegen, ich verhan-
delte mit dem Ober, wagte aber nicht, den Grund zu nennen, und
mit den Zehen holten wir glatte helle warme Kiesel und schleuderten mit dem Fuß sie hinaus, wer im idealen Moment losläßt,
trifft weiter, beim ersten Mal war mir Orli überlegen, aber dann
nie mehr, und war immer froh, wenn ich besser war in irgendwas,
mit Nicken, Lippenkneifen und Brauenwölben lobte sie, oder
beugte sich einfach herüber, rieb Lippen seitwärts an mir, legte
ergeben den Kopf an, und ihr Lachen war wie war das wenn sie
lachte klang es als ob sie hat doch oft genug gelacht hat sie ich
weiß nicht mehr wie-wie hat sie bloß gelacht? und wenn es was
zum Weinen gab war bloß was Nasses plötzlich wurden ihre Wörter naß die Augen schau gar nicht erst hin mein Gott wie hat sie
bloß gelacht jetzt fehlt mir schon die Nase das Lachen aber am
liebsten lag sie auf'm Bauch und ich saß auf der Kugel Gott sei
Dank daß ich das noch weiß aber wie lang noch? wenn ich jetzt
einschlafe ist es morgen vielleicht auch schon weg weil ich schlafend nie Orli begegne nie träume von Orli, warum; Erinnerung?
warum, Gedächtnis? warum, unsägliche Dunkelheit? warum
wacht nur immer der Keulenschwinger mit Staubwolken, Eisstö-
ßen und heißem Stinkatem am Traumtor? warum nie Orli?
warum nie-nie Orli? Frierend befestige ich die flüchtige Orli
steckbrieflich in der toten Sammlung des Toten. Frierend feiere
ich Schein und Anschein und bewache ihr Andenken feierlich im
Steckbrief. Nicht Erstickerin, nicht Schreierin, Orli ist Stöhnerin.
Wehmutterhaft. Innig. Und klagend. Stöhnerin Orli, jetzt. Ein-
geteilt. Portabile. Immer dabei. Darf ich vorstellen: Rosa, Orli,
Orli, Barbara, vertragt euch. Rosa, was soll das Finnenmesser.
Barbara, bitte nicht fletschen, Orli ist das nicht gewöhnt. Wenn
ihr euch nicht gleich anständig aufführt, Rosa, hörst Du? Orli ist
meine Lieblingsmumie, verstanden! Nicht Olli, sondern Orli!
noch so ein Versprecher, Rosa, und ich melde Blomich, daß! Ja,
Du führtest schon die Radrennjagd nach Zürich oder warst von
ihr entführt, als ich zurückkam ins Seehaus. Ach, frage mich
nicht. Ich segelte einen Kurs, den hielt ich bis zur Krise, dann das
Ultimatum, Du verstehst, entweder oder, und ich, zu meinem Erstaunen, dreh – bloß um den Krieg zu vermeiden – ab, fahr heim,

unbegreiflich, was! das noch begreifen, dann einschlafen, die reizende Blonde liegt schon, halb paradiesisch, halb erschöpft, ge-
bogene Hinde, wär ich ein Minnesänger, wîp, hieß ich Heinrich
van der Veldeke, sänge ich jetzt: lieg mir nicht so, Frau! ganz für
sich liegt Dein Gesicht, für sich Dein Oberkörpergelände, gebo-
gene Kraft; weitab für sich, ein wenig verdreht, der sogenannte
Unterleib, eine Flunder oder eine halb versunkene Kugel, was
völlig anderes als alles andere, mit oben durch den Taillen-Isth-
mus nur lose verbunden; und noch weiter fort, fromm geknickt,
zwei Beine, Wesen aus der Familie des Damwilds, die rufe ich an,
die schauen auf, stumm, Birga, wie Du seither bist, sogar vor Be-
suchern, ich muß öfter Witze machen: Jaja, wenn Birga nichts
sagt, schweigt Birga. So beschwör ich Dich, Deine Augen – unbe-
weglich, Oberlid und Unterlid aus Stein –, Dein Statuengesicht.
Beumanns können in Gesichtern nicht lesen, also beplauderten
sie Dich, wurden ganz vermittlungssüchtig. Du ranntest aus dem
Zimmer. Wer seinen Hustenanfall lieber allein hat, rennt so hinaus. Frau Beumann folgt angesogen, von Frau zu Frau. Er wirft
mir'n Kunstfehler vor. Sie bringt Dich herein wie was Eingefan-
genes. Du hoffst offenbar selber. Jeder bietet Dir einen Rückweg
an ins Gespräch. Ein einziges Wort, und Du wärst wieder flüssig
bei uns. Beumann und ich ermutigen einander zu Scherzen. Ein
Scherz ist nicht das Schlechteste, sagen wir. Wenn sie jetzt lacht,
hat sich der Scherz rentiert. Aber vor Deinem Schweigen haben
es die Scherze schwer. Ich gehe weiter, schimpfe, poltere, poche
auf Rechte, welch eine Peinlichkeit, ruf ich, ist es Dir gleichgültig,
was Beumanns in dem ihnen zur Verfügung stehenden Teil Mün-
chens und der Welt über uns erzählen, also mir kann das nicht
gleichgültig sein, Birga, ich muß dafür sorgen, daß wir weiterleben können unter kaum zu verändernden Bedingungen! O wie-
derkehrender Sinn für's Notwendige! Ich schäme mich seiner,
aber diese Frau erpreßt mich doch, ihr seht es ja: kaum ist jemand
bei uns, und zum ersten Mal ein Ehepaar, da tritt sie vor diese
strengste Repräsentanz der Öffentlichkeit und verrät durch
steiniges Schweigen mich, ihren Mann. Leute! ruft sie schwei-
gend, Menschen! ruft sie, schickt eine Expedition, die Presse,
meldet's nach Genf! Auch wenn sie's nicht weiß, das ist es, was
sie ruft. Sie will mich nicht verraten. Sie kann nur nicht mehr
sprechen. Also ganz von selbst, ohne es zu wollen oder auch nur
zu wissen, tut sie das Richtige. Ich bitte sie, wieder zu sprechen.

Ich gebe zu, daß es lächerlich war, ein Recht zu erwähnen. Wenn Birga nicht mehr sprechen kann, was soll da ein Recht. Sie ist ausbugsiert. Vielleicht hülfe ein Schock? Sag ihr ins Gesicht: das ist klimakterisch oder bloß hochmütig, unerträglich, rechthaberisch, geradezu religiös, ein frömmlerischer Krampf, eine wollüstige Asozialität, das pure Fehl. Nein, geht nicht. Interpretationen gehen nicht. Sie sitzt. Kann nicht reden. Egal, warum. Über den Anlaß ist sie hinaus. Ihr Schweigen ist selbständig geworden. Und dadurch unerreichbar. Und unverständlich. Eine Meinung darüber ist nicht möglich. Birga ist sinnlos. Ich auch. Die Autogame und der Anachoret. Also bedauern wir unterm 11. 1. 2 n. L., die Einladung zu Ihrer Verlobung ablehnen zu müssen, lieber Herr Blomich. Auch scheint uns Frau Suggs Interesse an unserem Erscheinen kein Grund zu sein, der uns bestimmen könnte trotz aller Erfahrung noch einmal Gesellschaft zu suchen. Auch wäre die unverminderte Stummheit meiner Frau dort lästiger Aufmerksamkeit ausgesetzt. Auch widert es mich an, daß jene Frau Sugg Monatszahlungen einstellte, bloß weil ich mich dem Auftrieb zur US-Allmende entzog. Auch bin ich, weil ich bin wie die meisten, für viele eher abstoßend. Also keine Attraktion. Auch hätte Frau Sugg von mir für immer bloß Anaphrodisia remedia zu erwarten, sie ist aber scharf auf's Gegenteil Oder sie will mich überhaupt nicht auf dem Papier. Obwohl es mich inzwischen eher auf dem Papier gibt als warm und atmend. Meine Majorität ist übergelaufen ins pure flache Weiß. Mir fehlt die runde Weltwirklichkeit. Ich käme in keine Straßenbahn mehr. Mir fehlt die scheinende, anerkennenswerte Oberhaut. Meine Identität, so ausschweifend sie sich aufführt, ist zwar kein Problem; allenfalls ein optisches. Aber wer mich untersucht, wird Kokken vermissen, Fettsäurenadeln, jodophile Organismen, überhaupt Darminhalt. Und ohne Darm und Inhalt werfe ich natürlich keinen Schatten. Aber: daß ich keinen Schatten werfe, bedeutet weiter nichts. Mir ist nichts Schlimmes passiert. Ich vermute, daß ich selber ein Schatten bin, der seinen Werfer verlor. Ich bin flach und dunkel, ich bin – weiter kann kein Geständnis mehr reichen – ich bin eine Figur. Sichtbar am besten schwarz auf weiß. Was in meinem Zusammenhang vor Zeiten weltlich rund war, beißend und küssend, davon weiß ich nur soviel, als aus dem Raum herüberzuretten war in die Fläche, auf der ich mich jetzt fortfrette. *Lebenswahr,* zum Beispiel, ist ein Wort, das ich für mich nicht mehr in Anspruch nehmen

darf. Auch kann ich, nimmt man's genau, keinen mehr anspuk-
ken. Dafür kann ich mir aber jeden Beruf wählen. Allerdings
auch nur auf dem Papier. Das ist ein Nachteil, wenn man etwa
an den Beruf des Segelschiffkapitäns denkt. Denkt man aber ans
Bergwerk, und das sollte man doch öfter tun, dann spürt man sofort, daß es ein Vorteil ist, aufs Papier verwiesen zu sein. Ach
doch, eine Figur zu sein, das hat schon auch sein Gutes. Darf ich
Ihnen, gnädige Frau, jetzt einmal die Hand küssen? Zur Probe.
So hat Ihnen noch niemand die Hand geküßt, das schwöre ich Ihnen. Meine Lippen bleiben länger in dem idealen, membranfei-
nen Abstand über Ihrer Haut, wälzen sich, ohne Ihre Haut je zu
berühren, länger in der Flimmerschicht Ihrer Haut hin und her
als es je einem wirklichen, nicht aus Wörtern bestehenden Mund
gelingt. Geht Ihnen, wenn Sie schon mal im *Onkel Wanja* sitzen,
jenes Geständnis der Frau des Philologen auch durch Mark und
Bein? Sie sei, sagt sie, eine *Episoden-Figur*. Das geht mir zu weit.
Wie viele Jahre müßte ich liegen, um mich durchzuarbeiten zu einem solchen Geständnis? Mich hat schon das Geständnis, daß ich
überhaupt eine Figur bin, ganz entkräftet. Wenn ich bloß erst
taub wäre für die Urteile der lebenswahren Menschen! Daß ich
mich bloß noch von der Ahnung leiten ließe! Ins stille Quellenge-
biet. In die hypophysisch-hypothalamische Gegend. Die schwin-
gende Heimat. Dort stifte ich die Gerechtsame des Scheinlosen.
Oder muß ich wieder zurück in den Dienst der Oberhaut, muß
mich als Zirkusbilderpferd herumführen an der krachend scharfen Leine der Vorstellbarkeit, zum Auswendiglernen? Müssen
wir für immer draußen bleiben? Außer uns? Ohne Organ für den
Zustand unsrer Geschichte in uns. Immer erblinden am Erschei-
nenden. Herr Blomich, ich warne Sie. Trauen Sie ihren Augen
nicht! Ihre Verlobung wird nämlich ganz anders verlaufen. Ihre
Verlobung wird ganz genau so verlaufen: Nackt werden Sie
schließlich auf dem blanken runden Tisch kauern. Wir stehen
herum. Rosa schwingt den Finnendolch. Sie fragen: was jetzt? die
Schlachtung! ruft Rosa, prima, sagen Sie, endlich was Einfaches!
Unter Rosas Messerführung in den gekachelten Nebenraum. Auf
Ihrem Kopf im dürren Kranz vier Adventskerzen. Ihre Blöße be-
decken Sie nach Art Hitlers. Beifall aus dem Spalier der Freunde.
An der Tür zum weißgekachelten Raum zwei gemietete Schauspieler. Die halten zwei Beile so, daß die Schneiden einander
küssen. Sie ziehen unter den Beilen hindurch. Einer der Schau-

spieler, Carlos Haupt, jetzt Geräusch- und Stimmenimitator, warnt Sie mit Hilfe von Vogelstimmen. Sie danken herzlich. Sie werden gebeten, auf der altvenezianischen Hutkommode in der Mitte des Kachelraums Platz zu nehmen. Die zwei Schauspieler beginnen wild zu jammern. Die Beile zittern. Sie geben zu, daß Sie mit diesem Jammer nicht konkurrieren können. Rosa schreit. Bedroht die Beile mit dem Messer. Immer noch zitternd gehen die armen Beile über Ihrem Scheitel auf. Voller Mitleid schauen Sie zu den Beilen hinauf. Die ertragen Ihren Blick nicht, sausen also in freiem Wettbewerb nieder und spalten einträchtig Ihren Schädel. Rosa sagt: Drängelt doch nicht so. Die Amateurköche arbeiten schon. Rosa schmeckt noch ab. Prima. Es wird angerichtet. Kenner greifen zu. Rundum nur Lob. Wer hätte das gedacht, hört man. Anselm, die Zunge für Dich, er hat damit in letzter Zeit oft so innig von Dir gesprochen, bitte! Danke, liebe Rosa, danke. Aber weil ich sogar schon weiß, wie Ihre Zunge schmeckt, lieber Herr Blomich, kann ich mir und meiner stummen Frau die ganze Veranstaltung ersparen. Dir gesagt, Birga: Schnauze voll. Mir gesagt: Anselm bleibt im Bett und auf dem Papier und versäumt Zeit, so folgenlos als möglich, und baut, aus Bettzeug und Papier, weiße Tempelstädte. Übt Museum. Die Schikanierpotenz wird mit Zwetschgensteinen befriedigt, die er kreuz und quer auf gewölbte Autodächer schießt, bis der Hirte elend fromm heraufdampft. Mir gesagt: draußen, wo ich hinschau, Penetralien, überall kommt sowas auf höchsten Beinen lebenswahr auf mich zu, auf Beinen, zu nichts gut, als eben diese moorigen Inletts hervorzutreiben. Bitte, wozu denn sonst geht ihr alle so? wozu denn sonst dieses staaksige Gewippse? doch bloß, daß alles Gewicht der Welt ins Rutschen kommt in diese einzige Richtung. Und wo Du hinschaust, steckt einer was in'n Briefkasten, stößt'n Schlüssel ins Schloß, die öffnet die Handtasche mitten in'ner Straßenbahn, läßt alle hineinschauen ins Purpurfutter, also stößt einer die Hand in'n Handschuh und spannt den! Wozu denn sonst die stoßenden Absätze auf'm Trottoir? Was kommt mir denn da auf meinem Niveau entgegen! kein Vorbeikommen mehr, also werf ich mich gegen die Hauswand, ruf nach Polizisten, die mir, bitte, die Augen verbinden und mich heimführen mögen, Birga, zu Dir, zur Autogamen gehört der Anachoret und Besorger des Orlimuseums, die Figur! aber bitte, dreh Dich nicht so weg, Du Kurve, im Isthmus schon zu sehr getwistet, oben innig gebogen, unten breit ausgelegt, und röchelnd, ein wenig, aus'm Lippenspalt, und zieht jetzt ihre Auslagen ein, träumt wohl meine Gedanken, will also weg, mir wegschrumpfen, klein werden, Häuflein Angst, unsichtbar, und dann schnell ein Ruck in die Flucht, Weitspringerhaltung, fliegend, Händebeine voraus, das sind aber Kommandos, alte Christin, und Parolen, auf zum CC! hat also der Blitz auf dem Föutzberg umsonst fünf Rehe zerrissen und weit auseinander geschleudert? haben wir umsonst im Gewitter getanzt, Orli, Dein Konservator streckt schon die Hände folgsam der Fliehenden nach, deckte sein kommandiertes Gemurmel am liebsten mit ner Woge Beethoven zu, op. 13, und schliefe dann gern ein und träumte nicht, Birga, laß mich hinter Dir her, mich Dir anschließen, Dir folgen, Weitspringerin, in Deinen Schlaf, Du wärst gut gegen die Faust links in mir, die härter werdende, ja, frag nur nach der Parole, nach der Liebe selbst frag, ich zögere nicht mehr, ich sage, als wüßte ich's, Liebe, sag ich, ist die fünfte Wand des Zimmers, in dem wir liegen! Liebe ist links die Straße runter, wenn ich rechts raufgerannt bin! oder sie ist ein Vogel, der hat die Federn im Sommer verbrannt, hüpft jetzt von Eisfurche zu Eisfurche nach Süden, Du verachtest die Bilder, also gut: Liebe ist, wenn man liebt, ohne zu lieben, ist das genug JETZT? darf ich in Dir einschlafen jetzt ohne Stein in der Brust und im Rücken strahlendes Eis? Uns sieht kein Fest mehr, ich schwör's Dir, morgen, das schwör ich Dir auch, Birga, und Dir, zerjagtes Herz, morgen nach Ramsegg, zu Lehrer Heimpel, ihn bitten, daß er mich nimmt als Lehrer für die erstezweitedritte Klasse, ist das genug JETZT, Birgameinänstlichscherz? meine Phobophobie? und Karten schreiben an alle, denen ich je über den Weg lief, sie sollen's verzeihen! und Verbeugungen machen, wenn wieder irgend ein Herr auftritt als Klasseboxer, und rufen: schön sind die Starken allesamt, ach schonten sie unser! und über den Horizont flanken mit Dir, Birga, jenseits kauern und danken, daß ich von den Strotzenden reden kann vor der erstenzweitendritten Klasse und die Strotzenden können mir nichts mehr tun! das heiß ich Erdkunde geben, Birga, nicht auf den feindseligen Gebirgen stehen, von denen ich rede, nicht umkommen in den mitreißenden Flüssen, nur davon sprechen, wie von etwas Vergangenem, was möglich ist wegen der Entfernung, gibt es denn Surinam? war überhaupt etwas? Birgaherz, kreißende Phobophilie, ist das genug? hörst Du JETZT auf, dieser kantenscharfe Stein zu sein, diese stumm randalierende Scherbe in meiner Brust? oder muß ich noch schwören, daß ich mich als Straßenwart bewerben werde? ich schwör es doch: bewerben werde ich mich um den Dienst an den fromm verlaufenden Gemeindestraßen, und werde die ausschweifenden Wiesen mit dem Spaten züchtigen, und werde der Erde wehren, ob sie mir mit grünen Lanzen oder faulem Zauber kommt, und werde die Süßen Wege rasieren, die ins Faselreut gehen und nicht mehr zurück, die nach Maria Schreien hinaufbiegen und nicht mehr herab, und werde mich anschließen dem Ruhigen Verlauf dieser Wege, und um halbzehn ankommen am Krummen Steg, den ich nie mehr überschreiten werde, den ich mit Gebet und Weihwasser unpassierbar machen werde für das Einhorn, das drüben bleiben soll auf der Weltseite des Nonnenbachs, das drüben auf und abrennen kann am Bach, solang es will, das Orlis Namen und alle Wörter der Welt um sein Horn flattern lassen kann, solang es will, ich werde mich dadurch nicht erweichen lassen, ich werde mich vielmehr skrupellos und leise atmend hinsetzen an das Langsame Wasser des Nonnenbachs und essen Brot mit Blutwurst und trinken das Einfache Leben aus einer möglichst Undurchsichtigen Flasche, ist das genug JETZT? und Birga-Anna, das schwöre ich auch noch schnell und freiwillig, wird abends auf der Goldenen Schwelle stehen, wenn ich im Gegenlicht das Rad an den Gartenhag lehne, nachdem ich mit Klingeling hereingebogen bin auf unser Anwesen, und ich werde winken-jauchzen: Anna-Anna! und es kräht und jubelt die Brut, und die Gattin wischt's Nasse Naß ausm Äuglein, war was? forsch ich, groll ins Weite, spann schützend vor die Meinen den Muskel hin, wo, sagt, soll ich hin- oder zuschlagen? sagt! ruf ich, ICH, längst kein klappernder Vielfalt mehr, der nur über sich selber stolpernd vorwärtskommt, o nein, ich habe, als der Gemeinde beliebter Wegwart, den Wirrwarr der Stimmen gedrosselt und stehe als kompakter Anselm an der Spitze meiner selbst und erwarte mit meiner siegerisch leuchtenden Blässe die Feindschaft! neinein, schluchzt meine Einfache Anna, s'ist nichts, nur die Zeit und das Glück! Ach, ja! Ist das genug JETZT? JETZT gib Dich noch der Weitspringerin zu erkennen, die flieht, ihre Füße verliert, folg ihr, flattier ihrem Schritt, erspring ihren Sprung, falle ihr nach! Birli, Deiner Fliehkraft folge ich ins Morgengrauen, Orga.

1927	Geboren in Wasserburg/Bodensee, am 24. März
1938–1943	Oberschule in Lindau
1944–1945	Arbeitsdienst, Militär
1946	Abitur
1946–1948	Studium an der Theologisch-Philosophischen Hochschule Regensburg, Studentenbühne
1948–1951	Studium an der Universität Tübingen (Literatur, Geschichte, Philosophie)
1951	Promotion bei Prof. Friedrich Beißner mit einer Arbeit über Franz Kafka
1949–1957	Mitarbeit beim Süddeutschen Rundfunk (Politik und Zeitgeschehen) und Fernsehen
	In dieser Zeit Reisen für Funk und Fernsehen nach Italien, Frankreich, England, ČSSR und Polen
1955	*Ein Flugzeug über dem Haus und andere Geschichten* Preis der »Gruppe 47« (für die Erzählung *Templones Ende*)
1957	*Ehen in Philippsburg.* Roman Hermann-Hesse-Preis (für den Roman *Ehen in Philippsburg)* Umzug von Stuttgart nach Friedrichshafen
1958	Drei Monate USA-Aufenthalt, Harvard-International-Seminar
1960	*Halbzeit.* Roman
1961	*Beschreibung einer Form* (Druck der Dissertation)
1962	*Eiche und Angora.* Eine deutsche Chronik Gerhart-Hauptmann-Preis
1964	*Überlebensgroß Herr Krott.* Requiem für einen Unsterblichen *Lügengeschichten* *Der Schwarze Schwan* (geschrieben 1961/64)
1965	*Erfahrungen und Leseerfahrungen.* Essays Schiller-Gedächtnis-Förderpreis des Landes Baden-Württemberg
1966	*Das Einhorn.* Roman
1967	*Der Abstecher* (geschrieben 1961) *Die Zimmerschlacht* (geschrieben 1962/63 und 1967) Bodensee-Literaturpreis der Stadt Überlingen
1968	*Heimatkunde.* Aufsätze und Reden Umzug nach Nußdorf

1970	*Fiction*
	Ein Kinderspiel
1971	*Aus dem Wortschatz unserer Kämpfe*. Szenen
1972	*Die Gallistl'sche Krankheit*. Roman
1973	*Der Sturz*. Roman
	Sechs Monate USA-Aufenthalt: Middlebury College (Vermont) und Universität von Texas, Austin
1974	*Wie und wovon handelt Literatur?* Aufsätze und Reden
1975	*Das Sauspiel*. Szenen aus dem 16. Jahrhundert
	Zwei Monate in England: University of Warwick
1976	*Jenseits der Liebe*. Roman
	Vier Monate USA-Aufenthalt: University of West Virginia, Morgantown
1978	*Ein fliehendes Pferd*. Novelle
	Ein Grund zur Freude. 99 Sprüche
	Heimatlob. Ein Bodenseebuch mit Bildern von André Ficus
1979	*Wer ist ein Schriftsteller?* Aufsätze und Reden
	Seelenarbeit. Roman
	Drei Monate USA-Aufenthalt: Dartmouth College
1980	*Das Schwanenhaus*. Roman

Von Martin Walser
erschienen im Suhrkamp Verlag

Ein Flugzeug über dem Haus und andere Geschichten, 1955
Ehen in Philippsburg. *Roman,* 1957
Halbzeit. *Roman,* 1960
Das Einhorn. *Roman,* 1966
Fiction, 1970
Die Gallistl'sche Krankheit. *Roman,* 1972
Der Sturz. *Roman,* 1973
Das Sauspiel. *Szenen aus dem 16. Jahrhundert,* 1975
Jenseits der Liebe. *Roman,* 1976
Ein fliehendes Pferd. *Novelle,* 1978
Seelenarbeit. *Roman,* 1979
Das Schwanenhaus. *Roman,* 1980

Bibliothek Suhrkamp
Ehen in Philippsburg. *Roman*
Bibliothek Suhrkamp 527

edition suhrkamp
Eiche und Angora. Eine deutsche Chronik
edition suhrkamp 16
Ein Flugzeug über dem Haus und andere Geschichten
edition suhrkamp 30
Überlebensgroß Herr Krott. Requiem für einen Unsterblichen
edition suhrkamp 55
Lügengeschichten
edition suhrkamp 81
Der Schwarze Schwan, *Stück*
edition suhrkamp 90
Erfahrungen und Leseerfahrungen
edition suhrkamp 109
Der Abstecher / Die Zimmerschlacht. *Stücke*
edition suhrkamp 205
Heimatkunde. *Aufsätze und Reden*
edition suhrkamp 269
Ein Kinderspiel. *Stück*
edition suhrkamp 400
Wie und wovon handelt Literatur?
edition suhrkamp 642

Wer ist ein Schriftsteller?
edition suhrkamp 959
Selbstbewußtsein und Ironie
edition suhrkamp 1090

suhrkamp taschenbuch
Gesammelte Stücke
suhrkamp taschenbuch 6
Halbzeit. *Roman*
suhrkamp taschenbuch 94
Das Einhorn. *Roman*
suhrkamp taschenbuch 159
Der Sturz. *Roman*
suhrkamp taschenbuch 322
Jenseits der Liebe. *Roman*
suhrkamp taschenbuch 525
Ein fliehendes Pferd. *Novelle*
suhrkamp taschenbuch 600
Ein Flugzeug über dem Haus
und andere Geschichten
suhrkamp taschenbuch 612
Die Kristlein-Sage (Halbzeit; Das Einhorn; Der Sturz)
suhrkamp taschenbuch 684

Schallplatte
Der Unerbittlichkeitsstil.
Rede zum 100. Geburtstag von
Robert Walser

Über Martin Walser
Herausgegeben von Thomas Beckermann
edition suhrkamp 407

Der Band enthält Arbeiten von:
Klaus Pezold, Martin Walsers frühe Prosa.
Walter Huber, Sprachtheoretische Voraussetzungen und deren Realisierung im Roman »Ehen in Philippsburg«.
Thomas Beckermann, Epilog auf eine Romanform. Martin Walsers »Halbzeit«.
Wolfgang Werth, Die zweite Anselmiade.
Klaus Pezold, Übergang zum Dialog. Martin Walsers »Der Abstecher«.
Rainer Hagen, Martin Walser oder der Stillstand.
Henning Rischbieter, Veränderung des Unveränderbaren.
Werner Mittenzwei, Der Dramatiker Martin Walser.
Außerdem sind Rezensionen abgedruckt von Hans Egon Holthusen, Paul Noack, Walter Geis, Adriaan Morriën, Rudolf Hartung, Roland H. Wiegenstein, Karl Korn, Friedrich Sieburg, Jost Nolte, Reinhard Baumgart, Wilfried Berghahn, Werner Liersch, Urs Jenny, Rolf Michaelis, Günther Cwojdrak, Rudolf Walter Leonhardt, Katrin Sello, Rémi Laureillard, Joachim Kaiser, Rudolf Goldschmit, Hellmuth Karasek, Christoph Funke, Johannes Jacobi, Ernst Schumacher, Jean Jacques Gautier, Clara Menck, Jörg Wehmeier, Helmut Heißenbüttel, Ingrid Kreuzer, Ernst Wendt, André Müller, François-Régis Bastide und Marcel Reich-Ranicki.
Er wird beschlossen durch eine umfangreiche Bibliographie der Werke Martin Walsers und der Arbeiten über diesen Autor.

st 671 Franz Böni
Ein Wanderer im Alpenregen
Erzählungen
132 Seiten
In den acht Erzählungen des *Wanderers* ist von jungen
Leuten die Rede, denen nichts geschenkt wird: von Außen-
seitern, Menschen mit schweren Schuhen, Einzelgängern.
»Um nicht krank zu werden, begann ich so, ich war ein-
undzwanzigjährig, Erzählungen zu schreiben, als Antwort
an meine Freunde.

st 672 Julio Cortázar
Die geheimen Waffen
Erzählungen
Aus dem Spanischen von Rudolf Wittkopf
200 Seiten
*Die guten Dienste; Briefe von Mama; Teufelsgeifer; Die
geheimen Waffen; Der Verfolger.*
»Die Erzählung ist in meinem Fall immer eine Art Blitz,
die mich trifft und besonders aus den Schichten des Un-
bewußten oder Nicht-Bewußten kommt. Viele meiner
Erzählungen sind Träume, manchmal keine Nacht-, son-
dern Tagträume.« *Julio Cortázar*

st 673 Adrian Hsia
Hermann Hesse und China
Darstellung, Materialien und Interpretation
360 Seiten
»Diese Arbeit bietet dem Kenner des Hesseschen Œuvres
jede nur gewünschte Auskunft über bestimmte literarische
Motive und ihre Entstehungsgeschichte, dem Sinologen
und Vergleichenden Kulturwissenschaftler ausreichendes
Material aus Dichtung und Literatur, und schließlich dem
an der Tiefenpsychologie C. G. Jungs Interessierten hin
und wieder besondere Erklärungen über Themen, die den
Schriftsteller mit dem Psychologen verbanden.«
Die Tat, Zürich

st 674 Katharina Mommsen
Goethe und 1001 Nacht
332 Seiten
In vielen Fällen, wo Goethe als Fabulierer bestrebt war,
eine Atmosphäre von Traum und Zauber in seiner Dichtung zu verbreiten, zieht er mit Vorliebe Motive, Situa-
tionen, ja ganze Handlungsabläufe aus *1001 Nacht* heran. Für das Verständnis dieses Goetheschen Schaffens-
bereichs ist es eine unentbehrliche Voraussetzung zu wissen, in welchem Ausmaß und welcher Art die Schehera-
zade hier mitwirkte.
»Es dürfte in der gesamten Goethephilologie nicht viele
Arbeiten geben, die hinsichtlich der Quellenforschung zu
so klaren und wertvollen Ergebnissen geführt haben.«
Germanisch-Romanische Monatsschrift

st 677 Mongo Beti
Perpétue und die Gewöhnung ans Unglück
Roman
Aus dem Französischen von Heidrun Beltz
Mit einer Nachbemerkung von Renate Brandes
218 Seiten
Perpétue und die Gewöhnung ans Unglück ist ein Gesell-
schaftsroman aus dem heutigen Afrika. Er schildert das
Schicksal einer jungen Frau, die sich in der beklemmen-
den Atmosphäre von Terror und Elend – Schauplatz der
Handlung ist ein fiktives, von einer reaktionären Clique
beherrschtes Land – nach einem menschenwürdigen Leben
sehnt und nicht bereit ist, ihr Unglück widerspruchslos
hinzunehmen.

st 678 Stanisław Lem
Summa technologiae
Aus dem Polnischen übersetzt von Friedrich Griese
672 Seiten
Das Buch handelt von einigen möglichen »Zukünften«
der menschlichen Zivilisation. Was können wir machen?
Was ist möglich? Fast alles – nur das nicht: daß sich die
Menschen in einigen zigtausend Jahren überlegen könn-
ten: »Genug – so wie es jetzt ist, soll es von nun an im-
mer bleiben.«

st 679 Peter Handke
Das Ende des Flanierens
176 Seiten
Handke widmet sich der Beschreibung des Einzelnen und
seines Werkes – sei es ein Bild von Peter Pongratz, ein
Film von Godard oder das Werk von Patricia High-
smith –, um dem Leser dessen Besonderheit aufzuschließen. Der vorliegende Band umfaßt Gedichte, Essays und
Prosatexte, die zwischen 1966 und 1980 entstanden sind.

st 680 Volker Braun
Stücke 2
226 Seiten
*Schmitten; Guevara oder Der Sonnenstaat; Großer Frie-
den; Simplex Deutsch.*
Die Stücke sind theatralische Vorschläge und gesellschaft-
liche Experimente zugleich. Braun plädiert mit seinen
Figuren für die maximale Ausnutzung der sozialistischen
Möglichkeiten: für eine Gesellschaft, in der die freie Entwicklung des einzelnen die Bedingungen für die freie Entwicklung aller ist.

st 681 Hans Magnus Enzensberger
Der Untergang der Titanic
Eine Komödie
136 Seiten
»*Der Untergang der Titanic* ist ein durchkalkuliertes poeti-
sches Projekt, ein weitverzweigtes und kompliziertes Asso-
ziationssystem, in dem Platz ist für Mystifikationen wie
auch für authentische Details. ... Das ist in beträcht-
lichem Maße große Poesie.«   *Nicolas Born, Der Spiegel*

st 682 Herbert Achternbusch
Der Neger Erwin
Filmbuch
Mit Farbabbildungen
104 Seiten
»Aber nur die verkommenste aller Künste, der Film,
darf den Versuch wagen, unseren Nachkommen zu sagen,
daß auch wir Menschen gewesen sind.«
                                        Herbert Achternbusch

st 683 Marieluise Fleißer
Der Tiefseefisch
Text. Fragmente. Materialien
Herausgegeben von Wend Kässens und Michael Töteberg
188 Seiten
Der Tiefseefisch gibt ein satirisches Portrait von Bertolt
Brecht als literarischem Bandenführer; zugleich ist das
Stück ein Ehedrama: Fleißers Verbindung mit dem kon-
servativen Publizisten Hellmut Draws-Tychsen. Dieser
Band veröffentlicht erstmals die erhalten gebliebene erste
Fassung des Stücks sowie Fragmente und Arbeitsnotizen.
In einem Nachwort erläutern die Herausgeber den zeit-
genössischen literarischen Kontext und geben Interpreta-
tionsansätze für die heutige Aktualität des Dramas.

st 685 Gertrud Leutenegger
Ninive
Roman
192 Seiten
».. . wieder die Mischung aus poetischen Erinnerungen an
die Kindheit, Traumsequenzen, Beschwörung der Natur,
Beschreibung alltäglicher Ereignisse und dem leisen, gerade deshalb unüberhörbaren Protest gegen den Zustand
der Welt. ... Diese stille, vor verhaltener Leidenschaft
bebende Erzählung einer glücklich-unglücklichen Liebe
wird gespeist von einem maßlosen Lebenshunger nach der
wahren Welt.«   *Rolf Michaelis, DIE ZEIT*

st 687 Johanna Braun
Günter Braun
Der Fehlfaktor
Utopisch-phantastische Erzählungen
Phantastische Bibliothek Band 51
208 Seiten
Die Autoren veranstalten mit Witz und Humor bildhafte
Denkspiele, zu denen sie den Leser einladen. Dabei ver-
zichten sie nicht auf Spannung. Wie in ihren früheren
utopischen Büchern legen sie Wert auf lebendige, vor-
stellbare Charaktere, ihre utopische Welt ist keine tote
Kulisse technischer Gegenstände. So sind acht Geschich-
ten entstanden, verschieden in Farbe und Temperament,
aber allesamt vergnüglich zu lesen.

st 688 Judith Offenbach
Sonja
Eine Melancholie für Fortgeschrittene
400 Seiten
Die Geschichte der Liebe zwischen Sonja und Judith
1965–1976. Sie studieren an der Hamburger Universität,
wohnen in einem Studentenwohnheim, später in einer
eigenen Wohnung, sie probieren ein »normales Leben«
zu zweit, das doch von vornherein ausgeschlossen ist. Die
gelähmte Sonja bringt sich um. »Eine Melancholie für
Fortgeschrittene« ist das Protokoll einer Trauer. Der nicht
spektakuläre, sehr detaillierte Bericht über den verbor-
genen Alltag lesbischer Paare und über das Leben mit
einem behinderten Menschen.

st 700 Max Frisch
Montauk
Eine Erzählung
224 Seiten
»... diese Erzählung übertrifft in mancherlei Hinsicht
alles, was wir bisher von Frisch kannten. Es ist sein in-
timstes und zartestes, sein bescheidenstes und vielleicht
eben deshalb sein originellstes Buch.
                        Marcel Reich-Ranicki, FAZ

st 729 Stanisław Lem
Mondnacht
Hör- und Fernsehspiele
Aus dem Polnischen übersetzt von Klaus Staemmler,
Charlotte Eckert, Jutta Janke und I. Zimmermann-
Göllheim
Phantastische Bibliothek Band 57
288 Seiten
»Lem hat die Gattung der Science-fiction neu abgesteckt
und ihr literarische Hochflächen erobert, die auf dem
Niveau des philosophischen Traktats liegen, zugleich aber
spannend sind wie ein gelungener Kriminalroman.«
                        Frankfurter Rundschau

st 730 Herbert W. Franke
Schule für Übermenschen
Phantastische Bibliothek Band 58
160 Seiten
Wo liegen die physischen und psychischen Grenzen des
Menschen? Sind seine evolutionären Kapazitäten er-

schöpft oder ist er einer Anpassung an jene besonderen Aufgaben fähig, die die lebensfremden Räume der Tiefsee und des Weltraums mit sich bringen? Das »Institute of Advanced Education« schult die Elite von morgen. Zu den Mitteln gehört körperlicher Drill ebenso wie ein erbarmungsloses Überlebenstraining.

st 731 Joseph Sheridan Le Fanu
Der besessene Baronet
und andere Geistergeschichten
Deutsch von Friedrich Polakovics
Mit einem Nachwort von Jörg Krichbaum
Phantastische Bibliothek Band 59
304 Seiten
Le Fanus Geistergeschichten zeichnen sich durch die Schärfe der psychologischen Beobachtung und den in ihnen zutage tretenden Konflikt zwischen Traum und Wirklichkeit aus.

st 732 Philip K. Dick
LSD-Astronauten
Deutsch von Anneliese Strauss
Phantastische Bibliothek Band 60
272 Seiten
»Ein wenig ist die Lust zur Lektüre von Science-fiction verwandt mit der Lust zur Lektüre von Horrorgeschichten. Offenbar besteht eine Bereitschaft, das, was an Angstphantasie die säkularisierte Menschheit bedrängt, in der Form der Lektüre sich vorsagen zu lassen, sich einreden zu lassen. Mit therapeutischem Effekt?«
Helmut Heißenbüttel

st 733 Herbert Ehrenberg
Anke Fuchs
Sozialstaat und Freiheit
Von der Zukunft des Sozialstaats
468 Seiten
»Herbert Ehrenberg und Anke Fuchs gelingt es, manche Frage zu beantworten, manche Unstimmigkeit zu widerlegen, Klischees in Zweifel zu ziehen, die Richtung künftiger Reformen darzustellen und das Erfordernis einer eigenständigen Sozialpolitik zu begründen. . . . Noch lange wird man mit Gewinn nach diesem Buch greifen können, um etwas über die einschlägigen Teilbereiche der Sozialpolitik nachzulesen.«
Deutschlandfunk

Achternbusch, Alexanderschlacht 61
– Die Stunde des Todes 449
– Happy oder Der Tag wird kommen 262
Adorno, Erziehung zur Mündigkeit 11
– Studien zum autoritären Charakter 107
– Versuch, das ›Endspiel‹ zu verstehen 72
– Versuch über Wagner 177
– Zur Dialektik des Engagements 134
Aitmatow, Der weiße Dampfer 51
Alegría, Die hungrigen Hunde 447
Alfvén, Atome, Mensch und Universum 139
– M 70 – Die Menschheit der siebziger Jahre 34
Allerleirauh 19
Alsheimer, Eine Reise nach Vietnam 628
– Vietnamesische Lehrjahre 73
Alter als Stigma 468
Anders, Kosmologische Humoreske 432
v. Ardenne, Ein glückliches Leben für Technik und
  Forschung 310
Arendt, Die verborgene Tradition 303
Arlt, Die sieben Irren 399
Arguedas, Die tiefen Flüsse 588
Artmann, Grünverschlossene Botschaft 82
– How much, schatzi? 136
– Lilienweißer Brief 498
– The Best of H. C. Artmann 275
– Unter der Bedeckung eines Hutes 337
Augustin, Raumlicht 660
Bachmann, Malina 641
v. Baeyer, Angst 118
Bahlow, Deutsches Namenlexikon 65
Balint, Fünf Minuten pro Patient 446
Ball, Hermann Hesse 385
Barnet (Hrsg.), Der Cimarrón 346
Basis 5, Jahrbuch für deutsche Gegenwartsliteratur
  276
Basis 6, Jahrbuch für deutsche Gegenwartsliteratur
  340
Basis 7, Jahrbuch für deutsche Gegenwartsliteratur
  420
Basis 8, Jahrbuch für deutsche Gegenwartsliteratur
  457
Basis 9, Jahrbuch für deutsche Gegenwartsliteratur
  553
Basis 10, Jahrbuch für deutsche Gegenwartsliteratur
  589
Beaucamp, Das Dilemma der Avantgarde 329
Becker, Jürgen, Eine Zeit ohne Wörter 20
Becker, Jurek, Irreführung der Behörden 271
– Der Boxer 526
– Schlaflose Tage 626
Beckett, Das letzte Band (dreisprachig) 200
– Der Namenlose 536
– Endspiel (dreisprachig) 171
– Glückliche Tage (dreisprachig) 248
– Malone stirbt 407
– Molloy 229
– Warten auf Godot (dreisprachig) 1
– Watt 46
Das Werk von Beckett. Berliner Colloquium 225
Materialien zu Beckett »Der Verwaiser« 605
Materialien zu Becketts »Godot« 104
Materialien zu Becketts »Godot« 2 475
Materialien zu Becketts Romanen 315
Behrens, Die weiße Frau 655
Benjamin, Der Stratege im Literaturkampf 176
– Illuminationen 345

– Über Haschisch 21
– Ursprung des deutschen Trauerspiels 69
Zur Aktualität Walter Benjamins 150
Bernhard, Das Kalkwerk 128
– Der Kulterer 306
– Frost 47
– Gehen 5
– Salzburger Stücke 257
Bertaux, Mutation der Menschheit 555
Beti, Perpétue und die Gewöhnung ans Unglück 677
Bierce, Das Spukhaus 365
Bingel, Lied für Zement 287
Bioy Casares, Fluchtplan 378
– Schweinekrieg 469
Blackwood, Besuch von Drüben 411
– Das leere Haus 30
– Der Griff aus dem Dunkel 518
Blatter, Zunehmendes Heimweh 649
Bloch, Spuren 451
– Atheismus im Christentum 144
Börne, Spiegelbild des Lebens 408
Bond, Ringo 283
– Die See 160
Brasch, Kargo 541
Braun, Johanna, Unheimliche Erscheinungsformen
  auf Omega XI 646
Braun, Das ungezwungne Leben Kasts 546
– Gedichte 499
– Stücke 1 198
– Stücke 2 680
Brecht, Frühe Stücke 201
– Gedichte 251
– Gedichte für Städtebewohner 640
– Geschichten vom Herrn Keuner 16
– Schriften zur Gesellschaft 199
Brecht in Augsburg 297
Bertolt Brechts Dreigroschenbuch 87
Brentano, Berliner Novellen 568
– Prozeß ohne Richter 427
Broch, Barbara 151
– Dramen 538
– Gedichte 572
– Massenwahntheorie 502
– Novellen 621
– Philosophische Schriften 1 u. 2
  2 Bde. 375
– Politische Schriften 445
– Schlafwandler 472
– Schriften zur Literatur 1 246
– Schriften zur Literatur 2 247
– Schuldlosen 209
– Tod des Vergil 296
– Unbekannte Größe 393
– Verzauberung 350
Materialien zu »Der Tod des Vergil« 317
Brod, Der Prager Kreis 547
– Tycho Brahes Weg zu Gott 490
Broszat, 200 Jahre deutsche Polenpolitik 74
Brude-Firnau (Hrsg.), Aus den Tagebüchern
  Th. Herzls 374
Büßerinnen aus dem Gnadenkloster, Die 632
Bulwer-Lytton, Das kommende Geschlecht 609
Buono, Zur Prosa Brechts. Aufsätze 88
Butor, Paris–Rom oder Die Modifikation 89
Campbell, Der Heros in tausend Gestalten 424
Carossa, Ungleiche Welten 521
Über Hans Carossa 497

Carpentier, Explosion in der Kathedrale 370
– Krieg der Zeit 552
Celan, Mohn und Gedächtnis 231
– Von Schwelle zu Schwelle 301
Chomsky, Indochina und die amerikanische Krise 32
– Kambodscha Laos Nordvietnam 103
– Über Erkenntnis und Freiheit 91
Cioran, Die verfehlte Schöpfung 550
– Vom Nachteil geboren zu sein 549
– Syllogismen der Bitterkeit 607
Claes, Flachskopf 524
Condrau, Angst und Schuld als Grundprobleme in der Psychotherapie 305
Conrady, Literatur und Germanistik als Herausforderung 214
Cortázar, Bestiarium 543
– Das Feuer aller Feuer 298
– Ende des Spiels 373
Dahrendorf, Die neue Freiheit 623
– Lebenschancen 559
Dedecius, Überall ist Polen 195
Degner, Graugrün und Kastanienbraun 529
Der andere Hölderlin. Materialien zum »Hölderlin«-Stück von Peter Weiss 42
Dick, LSD-Astronauten 732
– UBIK 440
Doctorow, Das Buch Daniel 366
Döblin, Materialien zu »Alexanderplatz« 268
Dolto, Der Fall Dominique 140
Döring, Perspektiven einer Architektur 109
Donoso, Ort ohne Grenzen 515
Dorst, Dorothea Merz 511
– Stücke 1 437
– Stücke 2 438
Duddington, Baupläne der Pflanzen 45
Duke, Akupunktur 180
Duras, Hiroshima mon amour 112
Durzak, Gespräche über den Roman 318
Edschmidt, Georg Büchner 610
Ehrenburg, Das bewegte Leben des Lasik Roitschwantz 307
– 13 Pfeifen 405
Eich, Fünfzehn Hörspiele 120
Eliade, Bei den Zigeunerinnen 615
Eliot, Die Dramen 191
Zur Aktualität T. S. Eliots 222
Ellmann, James Joyce 2 Bde. 473
Enzensberger, Gedichte 1955–1970 4
– Der kurze Sommer der Anarchie 395
– Museum der modernen Poesie, 2 Bde. 476
– Politik und Verbrechen 442
Enzensberger (Hrsg.), Freisprüche. Revolutionäre vor Gericht 111
Eppendorfer, Der Ledermann spricht mit Hubert Fichte 580
Eschenburg, Über Autorität 178
Ewald, Innere Medizin in Stichworten I 97
– Innere Medizin in Stichworten II 98
Ewen, Bertolt Brecht 141
Fallada/Dorst, Kleiner Mann – was nun? 127
Feldenkrais, Abenteuer im Dschungel des Gehirns 663
– Bewußtheit durch Bewegung 429
Feuchtwanger (Hrsg.), Deutschland – Wandel und Bestand 335
Fischer, Von Grillparzer zu Kafka 284
Fleißer, Der Tiefseefisch 683
– Eine Zierde für den Verein 294
– Ingolstädter Stücke 403

Fletcher, Die Kunst des Samuel Beckett 272
Franke, Einsteins Erben 603
– Schule für Übermenschen 730
– Sirius Transit 535
– Ypsilon minus 358
– Zarathustra kehrt zurück 410
– Zone Null 585
v. Franz, Zahl und Zeit 602
Friede und die Unruhestifter, Der 145
Fries, Das nackte Mädchen auf der Straße 577
– Der Weg nach Oobliadooh 265
Frijling-Schreuder, Was sind das – Kinder? 119
Frisch, Andorra 277
– Dienstbüchlein 205
– Herr Biedermann / Rip van Winkle 599
– Homo faber 354
– Mein Name sei Gantenbein 286
– Stiller 105
– Stücke 1 70
– Stücke 2 81
– Tagebuch 1966–1971 256
– Wilhelm Tell für die Schule 2
Materialien zu Frischs »Biedermann und die Brandstifter« 503
– »Stiller« 2 Bde. 419
Frischmuth, Amoralische Kinderklapper 224
Froese, Zehn Gebote für Erwachsene 593
Fromm/Suzuki/de Martino, Zen-Buddhismus und Psychoanalyse 37
Fuchs, Todesbilder in der modernen Gesellschaft 102
Fuentes, Nichts als das Leben 343
Fühmann, Bagatelle, rundum positiv 426
– Erfahrungen und Widersprüche 338
– 22 Tage oder Die Hälfte des Lebens 463
Gadamer/Habermas, Das Erbe Hegels 596
Gall, Deleatur 639
García Lorca, Über Dichtung und Theater 196
Gibson, Lorcas Tod 197
Gilbert, Das Rätsel Ulysses 367
Glozer, Kunstkritiken 193
Goldstein, A. Freud, Solnit, Jenseits des Kindeswohls 212
Goma, Ostinato 138
Gorkij, Unzeitgemäße Gedanken über Kultur und Revolution 210
Grabiński, Abstellgleis 478
Griaule, Schwarze Genesis 624
Grossmann, Ossietzky. Ein deutscher Patriot 83
Habermas, Theorie und Praxis 9
– Kultur und Kritik 125
Habermas/Henrich, Zwei Reden 202
Hammel, Unsere Zukunft – die Stadt 59
Han Suyin, Die Morgenflut 234
Handke, Als das Wünschen noch geholfen hat 208
– Begrüßung des Aufsichtsrats 654
– Chronik der laufenden Ereignisse 3
– Das Ende des Flanierens 679
– Das Gewicht der Welt 500
– Die Angst des Tormanns beim Elfmeter 27
– Die Stunde der wahren Empfindung 452
– Die Unvernünftigen sterben aus 168
– Der kurze Brief 172
– Falsche Bewegung 258
– Hornissen 416
– Ich bin ein Bewohner des Elfenbeinturms 56
– Stücke 1 43
– Stücke 2 101
– Wunschloses Unglück 146
Hart Nibbrig, Ästhetik 491

Heiderich, Mit geschlossenen Augen 638
Heilbroner, Die Zukunft der Menschheit 280
Heller, Die Wiederkehr der Unschuld 396
– Nirgends wird Welt sein als innen 288
– Thomas Mann 243
Hellman, Eine unfertige Frau 292
Henle, Der neue Nahe Osten 24
v. Hentig, Die Sache und die Demokratie 245
– Magier oder Magister? 207
Herding (Hrsg.), Realismus als Widerspruch 493
Hermlin, Lektüre 1960–1971 215
Herzl, Aus den Tagebüchern 374
Hesse, Aus Indien 562
– Aus Kinderzeiten. Erzählungen Bd. 1 347
– Ausgewählte Briefe 211
– Briefe an Freunde 380
– Demian 206
– Der Europäer. Erzählungen Bd. 3 384
– Der Steppenwolf 175
– Die Gedichte. 2 Bde. 381
– Die Kunst des Müßiggangs 100
– Die Märchen 291
– Die Nürnberger Reise 227
– Die Verlobung. Erzählungen Bd. 2 368
– Die Welt der Bücher 415
– Eine Literaturgeschichte in Rezensionen 252
– Glasperlenspiel 79
– Innen und Außen. Erzählungen Bd. 4 413
– Klein und Wagner 116
– Kleine Freuden 360
– Kurgast 383
– Lektüre für Minuten 7
– Lektüre für Minuten. Neue Folge 240
– Narziß und Goldmund 274
– Peter Camenzind 161
– Politik des Gewissens, 2 Bde. 656
– Roßhalde 312
– Siddhartha 182
– Unterm Rad 52
– Von Wesen und Herkunft des Glasperlenspiels 382
Materialien zu Hesses »Demian« 1 166
Materialien zu Hesses »Demian« 2 316
Materialien zu Hesses »Glasperlenspiel« 1 80
Materialien zu Hesses »Glasperlenspiel« 2 108
Materialien zu Hesses »Siddhartha« 1 129
Materialien zu Hesses »Siddhartha« 2 282
Materialien zu Hesses »Steppenwolf« 53
Über Hermann Hesse 1 331
Über Hermann Hesse 2 332
Hermann Hesse – Eine Werkgeschichte von Siegfried Unseld 143
Hermann Hesses weltweite Wirkung 386
Hildesheimer, Hörspiele 363
– Mozart 598
– Paradies der falschen Vögel 295
– Stücke 362
Hinck, Von Heine zu Brecht 481
Hobsbawm, Die Banditen 66
Hofmann (Hrsg.), Schwangerschaftsunterbrechung 238
Hofmann, Werner, Gegenstimmen 554
Höllerer, Die Elephantenuhr 266
Holmqvist (Hrsg.), Das Buch der Nelly Sachs 398
Hortleder, Fußball 170
Horváth, Der ewige Spießer 131
– Die stille Revolution 254
– Ein Kind unserer Zeit 99
– Jugend ohne Gott 17
– Leben und Werk in Dokumenten und Bildern 67
– Sladek 163
Horváth/Schell, Geschichten aus dem Wienerwald 595
Hudelot, Der Lange Marsch 54
Hughes, Hurrikan im Karibischen Meer 394
Huizinga, Holländische Kultur im siebzehnten Jahrhundert 401
Ibragimbekow, Es gab keinen besseren Bruder 479
Ingold, Literatur und Aviatik 576
Innerhofer, Die großen Wörter 563
– Schattseite 542
– Schöne Tage 349
Inoue, Die Eiswand 551
Jakir, Kindheit in Gefangenschaft 152
James, Der Schatz des Abtes Thomas 540
Jens, Republikanische Reden 512
Johnson, Berliner Sachen 249
– Das dritte Buch über Achim 169
– Eine Reise nach Klagenfurt 235
– Mutmassungen über Jakob 147
– Zwei Ansichten 326
Jonke, Im Inland und im Ausland auch 156
Joyce, Ausgewählte Briefe 253
Joyce, Stanislaus, Meines Bruders Hüter 273
Junker/Link, Ein Mann ohne Klasse 528
Kappacher, Morgen 339
Kästner, Der Hund in der Sonne 270
– Offener Brief an die Königin von Griechenland. Beschreibungen, Bewunderungen 106
Kardiner/Preble, Wegbereiter der modernen Anthropologie 165
Kasack, Fälschungen 264
Kaschnitz, Der alte Garten 387
– Ein Lesebuch 647
– Steht noch dahin 57
– Zwischen Immer und Nie 425
Katharina II. in ihren Memoiren 25
Keen, Stimmen und Visionen 545
Kerr (Hrsg.), Über Robert Walser 1 483
– Über Robert Walser 2 484
– Über Robert Walser 3 556
Kessel, Herrn Brechers Fiasko 453
Kirde (Hrsg.), Das unsichtbare Auge 477
Kluge, Lebensläufe. Anwesenheitsliste für eine Beerdigung 186
Koch, Anton, Symbiose – Partnerschaft fürs Leben 304
Koch, Werner, Pilatus 650
– See-Leben I 132
– Wechseljahre oder See-Leben II 412
Koehler, Hinter den Bergen 456
Koeppen, Das Treibhaus 78
– Der Tod in Rom 241
– Eine unglückliche Liebe 392
– Nach Rußland und anderswohin 115
– Reise nach Frankreich 530
– Romanisches Café 71
– Tauben im Gras 601
Koestler, Der Yogi und der Kommissar 158
– Die Nachtwandler 579
– Die Wurzeln des Zufalls 181
Kolleritsch, Die grüne Seite 323
Konrád, Der Stadtgründer 633
– Besucher 492
Korff, Kernenergie und Moraltheologie 597
Kracauer, Das Ornament der Masse 371
– Die Angestellten 13
– Kino 126
Kraus, Magie der Sprache 204

Kroetz, Stücke 259
Krolow, Ein Gedicht entsteht 95
Kücker, Architektur zwischen Kunst und Konsum 309
Kühn, Josephine 587
– Ludwigslust 421
– N 93
– Siam-Siam 187
– Stanislaw der Schweiger 496
Kundera, Abschiedswalzer 591
– Das Leben ist anderswo 377
– Der Scherz 514
Lagercrantz, China-Report 8
Lander, Ein Sommer in der Woche der Itke K. 155
Laxness, Islandglocke 228
le Fanu, Der besessene Baronet 731
le Fort, Die Tochter Jephthas und andere Erzählungen 351
Lem, Astronauten 441
– Der futurologische Kongreß 534
– Der Schnupfen 570
– Die Jagd 302
– Die Untersuchung 435
– Imaginäre Größe 658
– Memoiren, gefunden in der Badewanne 508
– Mondnacht 729
– Nacht und Schimmel 356
– Solaris 226
– Sterntagebücher 459
– Summa technologiae 678
– Transfer 324
Lenz, Hermann, Andere Tage 461
– Der russische Regenbogen 531
– Der Tintenfisch in der Garage 620
– Die Augen eines Dieners 348
– Neue Zeit 505
– Tagebuch vom Überleben 659
– Verlassene Zimmer 436
Lepenies, Melancholie und Gesellschaft 63
Lese-Erlebnisse 2 458
Leutenegger, Vorabend 642
Lévi-Strauss, Rasse und Geschichte 62
– Strukturale Anthropologie 15
Lidz, Das menschliche Leben 162
Literatur aus der Schweiz 450
Lovecraft, Cthulhu 29
– Berge des Wahnsinns 220
– Das Ding auf der Schwelle 357
– Die Katzen von Ulthar 625
– Der Fall Charles Dexter Ward 391
MacLeish, Spiel um Job 422
Mächler, Das Leben Robert Walsers 321
Mädchen am Abhang, Das 630
Machado de Assis, Posthume Erinnerungen 494
Malson, Die wilden Kinder 55
Martinson, Die Nesseln blühen 279
– Der Weg hinaus 281
Mautner, Nestroy 465
Mayer, Georg Büchner und seine Zeit 58
– Wagner in Bayreuth 480
Materialien zu Hans Mayer, »Außenseiter« 448
Mayröcker, Ein Lesebuch 548
Maximovič, Die Erforschung des Omega Planeten 509
McHale, Der ökologische Kontext 90
Melchinger, Geschichte des politischen Theaters 153, 154
Meyer, Die Rückfahrt 578
– Eine entfernte Ähnlichkeit 242

– In Trubschachen 501
Miłosz, Verführtes Denken 278
Minder, Dichter in der Gesellschaft 33
– Kultur und Literatur in Deutschland und Frankreich 397
Mitscherlich, Massenpsychologie ohne Ressentiment 76
– Thesen zur Stadt der Zukunft 10
– Toleranz – Überprüfung eines Begriffs 213
Mitscherlich (Hrsg.), Bis hierher und nicht weiter 239
Molière, Drei Stücke 486
Mommsen, Kleists Kampf mit Goethe 513
Morselli, Licht am Ende des Tunnels 627
Moser, Gottesvergiftung 533
– Lehrjahre auf der Couch 352
Muschg, Albissers Grund 334
– Entfernte Bekannte 510
– Gottfried Keller 617
– Im Sommer des Hasen 263
– Liebesgeschichten 164
Myrdal, Asiatisches Drama 634
– Politisches Manifest 40
Nachtigall, Völkerkunde 184
Nizon, Canto 319
– Im Hause enden die Geschichten. Untertauchen 431
Norén, Die Bienenväter 117
Nossack, Das kennt man 336
– Der jüngere Bruder 133
– Die gestohlene Melodie 219
– Nach dem letzten Aufstand 653
– Spirale 50
– Um es kurz zu machen 255
Nossal, Antikörper und Immunität 44
Olvedi, LSD-Report 38
Onetti, Das kurze Leben 661
Painter, Marcel Proust, 2 Bde. 561
Paus (Hrsg.), Grenzerfahrung Tod 430
Payne, Der große Charlie 569
Pedretti, Harmloses, bitte 558
Penzoldts schönste Erzählungen 216
– Der arme Chatterton 462
– Die Kunst das Leben zu lieben 267
– Die Powenzbande 372
Pfeifer, Hesses weltweite Wirkung 506
Phaïcon 3 443
Phaïcon 4 636
Plenzdorf, Die Legende von Paul & Paula 173
– Die neuen Leiden des jungen W. 300
Pleticha (Hrsg.), Lese-Erlebnisse 2 458
Plessner, Diesseits der Utopie 148
– Die Frage nach der Conditio humana 361
– Zwischen Philosophie und Gesellschaft 544
Poe, Der Fall des Hauses Ascher 517
Politzer, Franz Kafka. Der Künstler 433
Portmann, Biologie und Geist 124
– Das Tier als soziales Wesen 444
Prangel (Hrsg.), Materialien zu Döblins »Alexanderplatz« 268
Proust, Briefe zum Leben, 2 Bde. 464
– Briefe zum Werk 404
– In Swanns Welt 644
Psychoanalyse und Justiz 167
Puig, Der schönste Tango 474
– Verraten von Rita Hayworth 344
Raddatz, Traditionen und Tendenzen 269
– ZEIT-Bibliothek der 100 Bücher 645
– ZEIT-Gespräche 520

Rathscheck, Konfliktstoff Arzneimittel 189
Regler, Das große Beispiel 439
– Das Ohr des Malchus 293
Reik (Hrsg.), Der eigene und der fremde Gott 221
Reinisch (Hrsg.), Jenseits der Erkenntnis 418
Reinshagen, Das Frühlingsfest 637
Reiwald, Die Gesellschaft und ihre Verbrecher 130
Riedel, Die Kontrolle des Luftverkehrs 203
Riesman, Wohlstand wofür? 113
– Wohlstand für wen? 114
Rilke, Materialien zu »Cornet« 190
– Materialien zu »Duineser Elegien« 574
– Materialien zu »Malte« 174
– Rilke heute 1 290
– Rilke heute 2 355
Rochefort, Eine Rose für Morrison 575
– Frühling für Anfänger 532
– Kinder unserer Zeit 487
– Mein Mann hat immer recht 428
– Ruhekissen 379
– Zum Glück gehts dem Sommer entgegen 523
Rosei, Landstriche 232
– Wege 311
Roth, Der große Horizont 327
– die autobiographie des albert einstein. Künstel. Der Wille zur Krankheit 230
Rottensteiner (Hrsg.), Blick vom anderen Ufer 359
– Polaris 4 460
– Quarber Merkur 571
Rüegg, Antike Geisteswelt 619
Rühle, Theater in unserer Zeit 325
Russell, Autobiographie I 22
– Autobiographie II 84
– Autobiographie III 192
– Eroberung des Glücks 389
v. Salis, Rilkes Schweizer Jahre 289
Sames, Die Zukunft der Metalle 157
Sarraute, Zeitalter des Mißtrauens 223
Schäfer, Erziehung im Ernstfall 557
Scheel/Apel, Die Bundeswehr und wir. Zwei Reden 522
Schickel, Große Mauer, Große Methode 314
Schimmang, Der schöne Vogel Phönix 527
Schneider, Der Balkon 455
– Die Hohenzollern 590
– Macht und Gnade 423
Über Reinhold Schneider 504
Schulte (Hrsg.), Spiele und Vorspiele 485
Schultz (Hrsg.), Der Friede und die Unruhestifter 145
– Politik ohne Gewalt? 330
– Wer ist das eigentlich – Gott? 135
Scorza, Trommelwirbel für Rancas 584
Semprun, Der zweite Tod 564
Shaw, Der Aufstand gegen die Ehe 328
– Der Sozialismus und die Natur des Menschen 121
– Die Aussichten des Christentums 18
– Politik für jedermann 643
Simpson, Biologie und Mensch 36
Sperr, Bayrische Trilogie 28
Spiele und Vorspiele 485
Steiner, George, In Blaubarts Burg 77
Steiner, Jörg, Ein Messer für den ehrlichen Finder 583
– Sprache und Schweigen 123
– Strafarbeit 471
Sternberger, Panorama oder Ansichten vom 19. Jahrhundert 179

– Gerechtigkeit für das 19. Jahrhundert 244
– Heinrich Heine und die Abschaffung der Sünde 308
Stierlin, Adolf Hitler 236
– Das Tun des Einen ist das Tun des Anderen 313
– Eltern und Kinder 618
Strausfeld (Hrsg.), Materialien zur lateinamerikanischen Literatur 341
– Aspekte zu Lezama Lima »Paradiso« 482
Strehler, Für ein menschlicheres Theater 417
Strindberg, Ein Lesebuch für die niederen Stände 402
Struck, Die Mutter 489
– Lieben 567
– Trennung 613
Strugatzki, Die Schnecke am Hang 434
Stuckenschmidt, Schöpfer der neuen Musik 183
– Maurice Ravel 353
– Neue Musik 657
Suvin, Poetik der Science Fiction 539
Swoboda, Die Qualität des Lebens 188
Szabó, I. Moses 22 142
Szczepański, Vor dem unbekannten Tribunal 594
Terkel, Der Große Krach 23
Timmermans, Pallieter 400
Trocchi, Die Kinder Kains 581
Ueding (Hrsg.), Materialien zu Hans Mayer, »Außenseiter« 448
Ulbrich, Der unsichtbare Kreis 652
Unseld, Hermann Hesse – Eine Werkgeschichte 143
– Begegnungen mit Hermann Hesse 218
– Peter Suhrkamp 260
Unseld (Hrsg.), Wie, warum und zu welchem Ende wurde ich Literaturhistoriker? 60
– Bertolt Brechts Dreigroschenbuch 87
– Zur Aktualität Walter Benjamins 150
Mein erstes Lese-Erlebnis 250
Unterbrochene Schulstunde. Schriftsteller und Schule 48
Utschick, Die Veränderung der Sehnsucht 566
Vargas Llosa, Das grüne Haus 342
– Die Stadt und die Hunde 622
Vidal, Messias 390
Waggerl, Brot 299
Waley, Lebensweisheit im Alten China 217
Walser, Martin, Das Einhorn 159
– Der Sturz 322
– Ein fliehendes Pferd 600
– Ein Flugzeug über dem Haus 612
– Gesammelte Stücke 6
– Halbzeit 94
– Jenseits der Liebe 525
Walser, Robert, Briefe 488
– Der »Räuber« – Roman 320
– Poetenleben 388
Über Robert Walser 1 483
Über Robert Walser 2 484
Über Robert Walser 3 556
Weber-Kellermann, Die deutsche Familie 185
Weg der großen Yogis, Der 409
Weill, Ausgewählte Schriften 285
Über Kurt Weill 237
Weischedel, Skeptische Ethik 635
Weiss, Peter, Das Duell 41
Weiß, Ernst, Georg Letham 648
– Rekonvaleszenz 31
Materialien zu Weiss' »Hölderlin« 42
Weissberg-Cybulski, Hexensabbat 369
Weltraumfriseur, Der 631

Wendt, Moderne Dramaturgie 149
Wer ist das eigentlich – Gott? 135
Werner, Fritz, Wortelemente lat.-griech. Fachaus-
   drücke in den biolog. Wissenschaften 64
Wie der Teufel den Professor holte 629
Wiese, Das Gedicht 376
Wilson, Auf dem Weg zum Finnischen Bahnhof
   194

Wittgenstein, Philosophische Untersuchungen 14
Wolf, Die heiße Luft der Spiele 606
– Pilzer und Pelzer 466
– Punkt ist Punkt 122
Zeemann, Einübung in Katastrophen 565
Zimmer, Spiel um den Elefanten 519
Zivilmacht Europa – Supermacht oder Partner?
   137